NONNOS

DIONYSIACA

III

THE LOEB CLASSICAL LIBRARY
FOUNDED BY JAMES LOEB, LL.D.

EDITED BY
† T. E. PAGE, C.H., LITT.D.

E. CAPPS, PH.D., LL.D.   † W. H. D. ROUSE, LITT.D.
L. A. POST, L.H.D.   E. H. WARMINGTON, M.A., F.R.HIST.SOC.

NONNOS
DIONYSIACA
III

NONNOS
DIONYSIACA

WITH AN ENGLISH TRANSLATION BY

W. H. D. ROUSE, Litt.D.

MYTHOLOGICAL INTRODUCTION AND NOTES BY

H. J. ROSE, M.A.
PROFESSOR OF GREEK, UNIVERSITY OF ST. ANDREWS

AND NOTES ON TEXT CRITICISM BY

L. R. LIND, Ph.D.
CRAWFORDSVILLE, IND.

IN THREE VOLUMES

III

BOOKS XXXVI—XLVIII

CAMBRIDGE, MASSACHUSETTS
HARVARD UNIVERSITY PRESS
LONDON
WILLIAM HEINEMANN LTD
MCMLXIII

First printed 1940
Reprinted 1942, 1955, 1963

Printed in Great Britain

68A38122

CONTENTS OF VOLUME III

CONTENTS OF VOLUME III

PREFACE

I SHOULD like to have written an estimate of Nonnos as poet and man of letters, but that is hardly what would be expected in a translation. His Niagara of words is apt to overwhelm the reader, and his faults are easy to see; but if we stand in shelter behind the falls, we can see many real beauties, and we can see his really wonderful skill in managing his metre long after stress had displaced the old musical accent. He has left his mark, indirectly at least, on English literature; for one man of genius was for ever quoting him, and had him in mind when he created his incomparable and immortal drunkard, Seithenyn ap Seithyn Saidi. He it was who summed up in four lines the sordid ambitions of all the tyrants of the world, from Sennacherib and Nebuchadnezzar to Timour and Attila and Napoleon,

> The mountain sheep are sweeter,
> But the valley sheep are fatter.
> And so we thought it meeter
> To carry off the latter.

W. H. D. ROUSE

HISTON MANOR
CAMBRIDGE
June 1940

ΠΕΡΙΟΧΗ
ΤΩΝ ΔΙΟΝΥΣΙΑΚΩΝ ΠΟΙΗΜΑΤΩΝ

ΕΠΙΓΡΑΦΑΙ
ΤΩΝ ΥΠΟΛΕΙΠΟΜΕΝΩΝ ΙΓ ΔΙΟΝΥΣΙΑΚΩΝ ΠΟΙΗΜΑΤΩΝ

Ἐν δὲ τριηκοστῷ ἕκτῳ μετὰ λύματα λύσσης
Βάκχος Δηριαδῆι κορύσσεται εἶδος ἀμείβων.

Ἧχι τριηκοστὸν πέλεν ἕβδομον, εὕνεκα νίκης
ἀνδράσιν ἀθλοφόροις ἐπιτύμβιοί εἰσιν ἀγῶνες.

Ἧχι τριηκοστὸν πέλεν ὄγδοον, αἴθοπι δαλῷ
δειλαίου Φαέθοντος ἔχεις μόρον ἡνιοχῆος.

Ἐν δὲ τριηκοστῷ ἐνάτῳ μετὰ κύματα λεύσσεις
Δηριάδην φεύγοντα πυριφλεγέων στόλον Ἰνδῶν.

Τεσσαρακοστὸν ἔχει δεδαϊγμένον ὄρχαμον Ἰνδῶν,
πῶς δὲ Τύρον Διόνυσος ἐδύσατο, πατρίδα Κάδμου.

Πρῶτον τεσσαρακοστὸν ἔχει, πόθεν υἱέι Μύρρης
ἄλλην Κύπριν ἔτικτεν Ἀμυμώνην Ἀφροδίτη.

Τεσσαρακοστὸν ὕφηνα τὸ δεύτερον, ἧχι λιγαίνω
Βάκχου τερπνὸν ἔρωτα καὶ ἵμερον ἐννοσιγαίου.

Δίζεο τεσσαρακοστὸν ἔτι τρίτον, ὁππόθι μέλπω
Ἄρεα κυματόεντα καὶ ἀμπελόεσσαν Ἐννώ.

SUMMARY OF THE BOOKS OF THE POEM

HEADINGS OF THE LAST THIRTEEN BOOKS
OF THE *DIONYSIACA*

(36) In the thirty-sixth, Bacchos, after his surges of madness, changes his shape and attacks Deriades.

(37) When the thirty-seventh takes its turn, there are contests about the tomb, the men competing for prizes.

(38) When the thirty-eighth takes its turn, you have the fate of unhappy Phaëthon in the chariot, with a blazing brand.

(39) In the thirty-ninth, you see Deriades after the flood trying to desert the host of fire-blazing Indians.

(40) The fortieth has the Indian chief wounded, and how Dionysos visited Tyre, the native place of Cadmos.

(41) The forty-first tells how Aphrodite bore Amymone a second Cypris to the son of Myrrha.

(42) The forty-second web I have woven, where I celebrate a delightful love of Bacchos and the desire of Earthshaker.

(43) Look again at the forty-third, in which I sing a war of the waters and a battle of the vine.

SUMMARY OF BOOKS

Τεσσαρακοστὸν ὕφηνα τὸ τέτρατον, ἧχι γυναῖκας
δέρκεο μαινομένας καὶ Πενθέος ὄγκον ἀπειλῆς.

Πέμπτον τεσσαρακοστὸν ἐπόψεαι, ὁππόθι Πεν-
θεὺς
ταῦρον ἐπισφίγγει κεραελκέος ἀντὶ Λυαίου.

Ἕκτον τεσσαρακοστὸν ἴδε πλέον, ἧχι νοήσεις
Πενθέος ἄκρα κάρηνα καὶ ὠλεσίτεκνον Ἀγαύην.

Ἔρχεο τεσσαρακοστὸν ἐς ἕβδομον, ὁππόθι Περ-
σεὺς
καὶ μόρος Ἰκαρίοιο καὶ ἀβροχίτων Ἀριάδνη.

Δίζεο τεσσαρακοστὸν ἐς ὄγδοον αἷμα Γιγάντων,
Παλλήνην δὲ δόκευε καὶ ὑπναλέης τόκον Αὔρης.

SUMMARY OF BOOKS

(44) The forty-fourth web I have woven, where you may see maddened women and the heavy threat of Pentheus.

(45) See also the forty-fifth, where Pentheus binds the bull instead of stronghorn Lyaios.

(46) See also the forty-sixth, where you will find the head of Pentheus and Agauë murdering her son.

(47) Come to the forty-seventh, in which is Perseus, and the death of Icarios, and Ariadne in her rich robes.

(48) In the forty-eighth, seek the blood of the giants, and look out for Pallene and the son of sleeping Aura.

NONNOS

DIONYSIACA

ΔΙΟΝΥΣΙΑΚΩΝ ΤΡΙΑΚΟΣΤΟΝ ΕΚΤΟΝ

Ἐν δὲ τριηκοστῷ ἕκτῳ μετὰ λύματα λύσσης
Βάκχος Δηριάδῃι κορύσσεται εἶδος ἀμείβων.

Ὣς φάμενος θάρσυνε γεγηθότας ἡγεμονῆας·
Δηριάδης δ' ἑτέρωθεν ἑοὺς ἐκόρυσσε μαχητάς.
ἀμφοτέρῃ δὲ φάλαγγι θεοὶ ναετῆρες Ὀλύμπου
κεκριμένοι στέλλοντο κυβερνητῆρες Ἐννοῦς,
οἱ μὲν Δηριαδῆος ἀρηγόνες, οἱ δὲ Λυαίου.   5
Ζεὺς μὲν ἄναξ μακάρων ὑψίζυγος ὑψόθι Κέρνης
Ἄρεος εἶχε τάλαντα παρακλιδόν· οὐρανόθεν δὲ
ἔμπυρον ὑδατόεις προκαλίζετο κυανοχαίτης
Ἠέλιον, γλαυκῶπιν Ἄρης, Ἥφαιστος Ὑδάσπην·
Ἥρης δ' ἀντικέλευθος ὀρεστιὰς Ἄρτεμις ἔστη·   10
Λητῴην δ' ἐπὶ δῆριν εὔρραπις ἤλυθεν Ἑρμῆς.
Καὶ ζαθέου πολέμου διδυμόκτυπος ἔβρεμεν ἠχὼ
ἀμφοτέροις μακάρεσσιν. ἐπεσσυμένων δὲ κυδοιμῷ
Ἄρης ἑπταπέλεθρος ἐμάρνατο Τριτογενείῃ,
καὶ δόρυ θοῦρον ἴαλλεν· ἀνουτήτου δὲ θεαίνης   15
μέσσην αἰγίδα τύψεν, ἀθήτου δὲ καρήνου
ἤλασε Γοργείης ὀφιώδεα λήια χαίτης,
Παλλάδος οὐτήσας λάσιον σάκος· ὀξυτενὴς δὲ
πεμπομένη ῥοιζηδὸν ἀκαμπέος ἔγχεος αἰχμὴ
ποιητὴν πλοκαμῖδα νόθης ἐχάραξε Μεδούσης.   20
κούρη δ' ἐγρεκύδοιμος ἐπαΐξασα καὶ αὐτὴ

2

BOOK XXXVI [a]

In the thirty-sixth, Bacchos, after his surges of madness, changes his shape and attacks Deriades.

WITH this speech he encouraged the glad leaders; and Deriades on his part put his own soldiers under arms. The gods who dwell in Olympos ranged themselves in two parties to direct the warfare on both sides, these supporting Deriades, those Lyaios. Zeus Lord of the Blessed throned high on Cerne held the tilting balance of war. From heaven Seabluehair of the waters challenged fiery Helios, Ares challenged Brighteyes, Hephaistos Hydaspes; highland Artemis stood facing Hera; Hermes rod in hand came to conflict with Leto.

[12] A double din of divine battle resounded for the two parties of the Blessed. As they rushed to conflict, sevenrood Ares joined battle with Tritogeneia and cast a valiant spear; the goddess was untouched, but it struck full on the aegis, and ran through the snaky crop of hair on the Gorgon's head, which none may look upon. So it wounded only the shaggy target of Pallas, and the sharpened point of the whizzing unbending spear scored the counterfeit hair of Medusa's image. Then the battlestirring maiden,

[a] The battle of the gods is imitated rather closely from *Il.* xx. 32-74; xxi. 328-513.

σύγγονον ἔγχος ἄειρεν ἐπ᾽ Ἀρεϊ Παλλὰς ἀμήτωρ,
κεῖνο, τό περ φορέουσα λεχώιον ἥλικι χαλκῷ
ἄνθορε πατρῴοιο τελεσσιγόνοιο καρήνου.
καὶ δαπέδῳ γόνυ κάμψε τυπεὶς περιμήκετος Ἄρης· 25
ἀλλά μιν ὀρθώσασα παλινδίνητον Ἀθήνη
μητρὶ φίλη μετὰ δῆριν ἀνούτατον ὤπασεν Ἥρη.
   Ἥρη δ᾽ ἀντερίδαινεν ὀρεσσινόμου Διονύσου
Ἄρτεμις ὡς συνάεθλος ὀρεστιάς, ἰθυτενὲς δὲ
τόξον ἑὸν κύκλωσεν· ὁμοζήλῳ δὲ κυδοιμῷ   30
Ἥρη Ζηνὸς ἑλοῦσα νέφος πεπυκασμένον ὤμοις
ἀρραγὲς ὡς σάκος εἶχε· καὶ Ἄρτεμις ἄλλον ἐπ᾽ ἄλλῳ
ἠερίης πέμπουσα δι᾽ ἄντυγος ἰὸν ἀλήτην
εἰς σκοπὸν ἀχρήιστον ἑὴν ἐκένωσε φαρέτρην,
καὶ νεφέλην ἄρρηκτον ὅλην ἐπύκαζεν ὀιστοῖς· 35
καὶ γεράνων μιμηλὸς ἔην τύπος ἠεροφοίτης
ἱπταμένων στεφανηδὸν ἀμοιβαίῳ τινὶ κύκλῳ·
καὶ νέφεϊ σκιόεντι πεπηγότες ἦσαν ὀιστοί·
ὠτειλὰς δ᾽ ἀχάρακτος ἀναίμονας εἶχε καλύπτρη.
καὶ κραναὸν κούφισσεν ὑπηνέμιον βέλος Ἥρη,   40
χειρὶ δὲ δινεύουσα πεπηγότα νῶτα χαλάζης
Ἄρτεμιν ἐστυφέλιξε χαραδρήεντι βελέμνῳ·
τόξου δ᾽ ἀγκύλα κύκλα συνέθλασε μάρμαρος αἰχμή·
οὐ δὲ μάχην ἀνέκοψε Διὸς δάμαρ· Ἀρτέμιδος δὲ
στήθεος ἄκρον ἔτυψε μεσαίτατον· ἡ δὲ τυπεῖσα 45
ἔγχεϊ παχνήεντι χαμαὶ κατέχευε φαρέτρην.
καὶ οἱ ἐπεγγελόωσα Διὸς μυθήσατο νύμφη·
   " Ἄρτεμι, θηρία βάλλε· τί μείζοσιν ἀντιφερίζεις;
καὶ σκοπέλων ἐπίβηθι· τί σοὶ μόθος; οὐτιδανὰς δὲ
ἐνδρομίδας φορέουσα λίπε κνημῖδας Ἀθήνῃ·   50

---

[a] Appropriately ; by a popular ancient theory, Hera
(Ἥρα) is the atmosphere (ἀήρ).

4

motherless Pallas, rushed forwards in her turn and raised her birthmate spear, the weapon as old as herself, with which at her birth she leapt out of her father's pregnant head born in armour. Huge Ares was hit, and sank to the ground on one knee; but Athena helped him up and sent him back to his dear mother Hera unwounded, when the duel was done.

²⁸ Against Hera came highland Artemis as champion for hillranging Dionysos, and rounded her bow aiming straight. Hera as ready for conflict seized one of the clouds ᵃ of Zeus, and compressed it across her shoulders where she held it as a shield proof against all; and Artemis shot arrow after arrow moving through the airy vault in vain against that mark, until her quiver was empty, and the cloud still unbroken she covered thick with arrows all over. It was the very image of a flight of cranes moving in the air and circling one after another in the figure of a wreath: the arrows were stuck in the dark cloud, but the veil was untorn and the wounds without blood. Then Hera picked up a rough missile of the air, a frozen mass of hail, circled it and struck Artemis with the jagged mass. The sharp stony lump broke the curves of the bow. But the consort of Zeus did not stop the fight there, but struck Artemis flat on the skin of the breast, and Artemis smitten by the weapon of ice emptied her quiver upon the ground. Then the wife of Zeus mocked at her:

⁴⁸ " Go and shoot wild beasts, Artemis! Why do you quarrel with your betters? Climb your crags— what is war to you? Wear your trumpery shoes and let Athena wear the greaves. Stretch your

5

NONNOS

καὶ λίνα σεῖο τίνασσε δολοπλόκα· θηροφόνοι γὰρ
σοὶ κύνες ἀγρώσσουσι, καὶ οὐ πτερόεντες ὀιστοί·
οὐ σὺ λεοντοφόνον μεθέπεις βέλος· ἀδρανέων γὰρ
σῶν καμάτων ἱδρῶτες ἀνάλκιδές εἰσι λαγωοί·
σῶν δ' ἐλάφων ἀλέγιζε καὶ εὐκεράου σέο δίφρου,   55
σῶν ἐλάφων ἀλέγιζε· τί σοὶ Διὸς υἷα γεραίρειν
πορδαλίων ἐλατῆρα καὶ ἡνιοχῆα λεόντων;
ἢν δ' ἐθέλῃς, ἔχε τόξον, Ἔρως ὅτι τόξα τιταίνει·
παρθενικὴ φυγόδεμνε μογοστόκε, πορθμὸν Ἐρώτων
κεστὸν ἔχειν ὤφελλες ἀοσσητῆρα λοχείης,   60
σὺν Παφίῃ, σὺν Ἔρωτι· σὺ γὰρ κρατέεις τοκετοῖο.
ἀλλά, τελεσσιγόνοιο κυβερνήτειρα γενέθλης,
ἔρχεο παιδοτόκων ἐπὶ παστάδα θηλυτεράων,
καὶ λοχίοις βελέεσσιν ὀιστεύουσα γυναῖκας
εἴκελος ἔσσο λέοντι λεχωίδος ἐγγύθι νύμφης,   65
ἀντὶ φιλοπτολέμοιο μογοστόκος. ἀλλὰ καὶ αὐτῆς
λῆγε σαοφρονέουσα σαόφρονος μ..ρης,
ὅττι τεῶν μελέων μεθέπων τύπον ὑψιμέδων Ζεὺς
παρθενικὰς ἀγάμους νυμφεύεται· εἰσέτι κείνην
εἰκόνα σὴν βοόωσι γαμοκλόπον Ἀρκάδες ὗλαι,   70
Καλλιστοῦς ἀγάμοιο γαμοστόλον, ὑμετέρην δὲ
ἔμφρονα μάρτυρον ἄρκτον ἔτι στενάχουσι κολῶναι
μεμφομένην νόθον εἶδος ἐρωμανὲς ἰοχεαίρης,
θηλυτέρης ὅτε λέκτρον ἐδύσατο θῆλυς ἀκοίτης.
ἀλλὰ τεὴν ἀνόνητον ἀπορρίψασα φαρέτρην   75
Ἥρης κάλλιπε δῆριν ἀρείονος· ἢν δ' ἐθελήσῃς,
ὡς λοχίη πολέμιζε τελεσσιγάμῳ Κυθερείῃ."

Ἔννεπε, τειρομένην δὲ παρήλυθεν Ἄρτεμιν Ἥρη.
τὴν δὲ φόβῳ μεθύουσαν ἀπὸ φλοίσβοιο κομίζων

---

[a] Cf. Il. xxi. 483. Many other close imitations will be

6

cunning nets. Dogs, not winged arrows, hunt and kill your beasts. You handle no weapon to kill lions; the sweats of your paltry labours are timid hares. Attend to your stags and your horned team, attend to your stags: why should you exalt the son of Zeus, the driver of panthers and the charioteer of lions? Keep your bow, if you like, for Eros also bends a bow. What you ought to do, you virgin marriage-hater, you midwife, is to carry the cestus, love's ferry, the helper of childbed, in company with Eros and the Paphian: for you have power over birth. Begone then to the bedchambers of women in labour of child, you the guide of creative birth, and shoot women with the arrows of childbirth; be like a lion[a] beside the young wife in labour, be midwife rather than warrior. Nay, cease to be chaste yourself because of your chaste girdle, since Zeus our Lord on High assumes your shape to woo virgins unwedded.[b] The Arcadian woods still tell of that love-stealing copy of you which seduced unwedded Callisto; the mountains lament still your bear who saw and understood, and reproached the false enamoured image of the Archeress, when a female paramour entered a woman's bed. Come, throw away your useless quiver, and cease fighting with Hera who is stronger than you. Fight Cythereia, if you like, the childbed-nurse against the marriage-maker."

[78] So Hera spoke, and passed on, leaving Artemis discomfited and drunken with fear. Phoibos threw

found if the reader compares this book with the passages cited in the note on the title of this book.

[b] He disguised himself as Artemis to approach Callisto; she was afterwards changed into a bear (authors differ as to the reasons).

ἀμφοτέρῳ πήχυνε κατηφέι Φοῖβος ἀγοστῷ,　　80
καί μιν ἄγων ἔστησεν ἐρημάδος ἔνδοθι λόχμης·
νοστήσας δ' ἀκίχητος ὁμίλεε θέσπιδι χάρμῃ.

Καὶ βυθίου προμάχου πυρόεις πρόμος ἀντίος ἔστη,
Φοῖβος ἐς ὑσμίνην Ποσιδήιον· ἀμφὶ δὲ νευρῇ
θῆκε βέλος καὶ πυρσὸν ἐκούφισε Δελφίδι πεύκῃ　85
ἀμφοτέρῃ παλάμῃ περιδέξιος, ὄφρα κορύσσῃ
ὁλκῷ κυματόεντι σέλας καὶ τόξα τριαίνῃ.
αἰχμὴ δ' αἰθαλόεσσα καὶ ὑδατόεντες ὀιστοὶ
σύμπεσον ἀλλήλοισι· κορυσσομένοιο δὲ Φοίβου
Αρεος ἐσμαράγησε μέλος πατρώιος Αἰθήρ,　　90
βρονταῖον κελάδημα· θυελλήεσσα δὲ σάλπιγξ
οὔασι Φοιβείοισιν ἐπέκτυπε ποντιὰς Ἠχώ·
Τρίτων δ' εὐρυγένειος ἐβόμβεεν ἠθάδι κόχλῳ
ἀνδροφυὴς ἀτέλεστος, ἀπ' ἰξύος ἔγχλοος ἰχθύς·
Νηρεΐδες δ' ἀλάλαζον· ὑπερκύψας δὲ θαλάσσης　95
σειομένου τριόδοντος "Αραψ μυκήσατο Νηρεύς.

Οὐρανίης δὲ φάλαγγος ὑπέρτερον ἦχον ἀκούων
Ζεὺς χθόνιος κελάδησε, μὴ ἐννοσίγαιος ἀράσσων
γαῖαν ἱμασσομένην ῥοθίων ἐνοσίχθονι παλμῷ
ἁρμονίην κόσμοιο μετοχλίσσειε τριαίνῃ,　　100
μή ποτε κινήσας χθονίων κρηπῖδα βερέθρων
θνητὴν τελέσειεν ἀθήτου χθονὸς ἕδρην,
μὴ βυθίων φλέβα πᾶσαν ἀναρρήξειεν ἐναύλων
Ταρταρίῳ κευθμῶνι χέων μετανάστιον ὕδωρ,
νέρτερον εὐρώεντα κατακλύζων πυλεῶνα.　　105

Τόσσος ἄρα κτύπος ὦρτο θεῶν ἔριδι ξυνιόντων,
καὶ χθόνιαι σάλπιγγες ἐπέβρεμον· ἀμφοτέρους δὲ
ῥάβδον ἐλαφρίζων ἀνεσείρασε μείλιχος Ἑρμῆς·

ᵃ To Nonnos Apollo is the Sun, though originally there is
no connexion between them. Here, then, Fire is fighting
Water.

both his arms about her in pity, and brought her out of the turmoil; he left her in a lonely coppice, and returned unnoticed to join the battle of the gods.

83 And now a fiery chief stood up to the champion of the deep, Phoibos,[a] to fight with Poseidon. He set shaft on string, and also lifted a brand of Delphic fir in each hand [b] doubledextrous, to use fire against the surging sweep of water, and arrows against the trident. Fiery lance and watery arrows crashed together: while Phoibos defended, his home the upper air rattled a thunderclap for a battlesong; the stormy trumpet of the sea brayed in the ears of Phoibos—a broadbeard Triton boomed with his own proper conch, like a man half-finished, from the loins down a greeny fish—the Nereïds shouted the battlecry—Arabian Nereus pushed up out of the sea and bellowed, shaking his trident.[c]

97 Then Zeus of the underworld [c] rumbled hearing the noise of the heavenly fray above; he feared that the Earthshaker, beating and lashing the solid ground with the earthquake-shock of his waves, might lever out of gear the whole universe with his trident, might move the foundations of the abysm below and show the forbidden sight of the earth's bottom, might burst all the veins of the subterranean channels and pour his water away into the pit of Tartaros, to flood the mouldering gates of the lower world.

106 So great was the din of the gods in conflict, and the trumpets of the underworld added their noise. But Hermes lifted his rod as peacemaker and

[b] If this means anything, it signifies that his bow and arrows (=sunrays) were of fire.

[c] Pluto in Hades.

τρισσοῖς δ᾽ ἀθανάτοισι μίαν ξυνώσατο φωνήν·
" Γνωτὲ Διὸς καὶ κοῦρε,
         σὺ μέν, κλυτότοξε, θυέλλαις 110
πυρσὸν ἔα καὶ τόξα, σὺ δὲ γλωχῖνα τριαίνης,
μὴ μακάρων Τιτῆνες ἐπεγγελάσωσι κυδοιμῷ,
μὴ Κρονίην μετὰ δῆριν ἀπειλήτειραν Ὀλύμπου
δεύτερον ἀθανάτοισιν Ἄρης ἐμφύλιος εἴη,
μὴ μόθον ἄλλον ἴδοιμι μετὰ κλόνον Ἰαπετοῖο,   115
μηδὲ μετὰ Ζαγρῆα καὶ ὀψιγόνου περὶ Βάκχου
φλέξας γαῖαν ἅπασαν ἑῷ πυρὶ χωόμενος Ζεὺς
ἀενάου κλύσσειε τὸ δεύτερον ἄντυγα κόσμου,
ὕδασιν ὀμβρήσας χυτὸν αἰθέρα· μηδὲ νοήσω
ἠερίοις πελάγεσσι διάβροχον ἅρμα Σελήνης·   120
μὴ ψυχρὴν ἐχέτω Φαέθων πάλιν ἔμπυρον αἴγλην.
πρεσβυτέρῳ δ᾽ ὑπόεικε κυβερνητῆρι θαλάσσης,
πατροκασιγνήτῳ τανύων χάριν, ὅττι γεραίρει
εἰναλίην σέο Δῆλον ἁλὸς μεδέων ἐνοσίχθων·
μή σε λίπῃ φοίνικος ἔρως καὶ μνῆστις ἐλαίης.   125
τίς πάλιν, ἐννοσίγαιε, δικασπόλος ἐνθάδε Κέκροψ,
τίς πάλιν Ἴναχος ἄλλος ἐὴν πόλιν ἴαχεν Ἥρῃ,
ὅττι καὶ Ἀπόλλωνι κορύσσεαι, ὥς περ Ἀθήνῃ,
καὶ μόθον ἄλλον ἔχεις προτέρην μετὰ φύλοπιν Ἥρης;
καὶ σύ, πάτερ μεγάλοιο, κερασφόρε, Δηριαδῆος,   130
Ἡφαίστου πεφύλαξο σέλας μετὰ λαμπάδα Βάκχου,
μή σε πυριγλώχινι καταφλέξειε κεραυνῷ."
   Ὣς εἰπὼν ἀνέκοψε θεῶν ἔμφυλον Ἐννώ.
καὶ τότε λυσσήεις παλινάγρετον ἄμφεπε χάρμην

<small>a Sacred trees in Delos.
b As he was between Poseidon and Athena.</small>

checked both parties, and addressed one speech to three of the immortals :

110 " Brother of Zeus, and you his son—you, famous Archer, throw to the winds your bow and your brand, and you, your pronged trident : lest the Titans laugh to see a battle among the gods. Let there not be intestine war in heaven once again, after that conflict with Cronos which threatened Olympos : let me not see another war after the affray with Iapetos. Let not Zeus be angry again for lateborn Bacchos as for Zagreus, and set the whole earth ablaze with his fire a second time, and pour down showers of rain through the air to flood the circuit of the eternal universe. I hope I may not behold the sea in the sky and Selene's car soaking ; may Phaëthon never again have his fiery radiance cooled !

122 " You then yield to your elder, the ruler of the sea ; do this grace to your father's brother, because Earthshaker the ruler of the brine honours your seagirt Delos : cease not to love your palmtree, to remember your olive.ᵃ And Earthshaker, what second Cecrops will be judge ᵇ here ? What second Inachos ᶜ has awarded her city to Hera that you take arms against Apollo as well as Athena, and seek a second quarrel after your quarrel with Hera ?—And you, horned one,ᵈ father of great Deriades, beware of the fire of Hephaistos after the torch of Bacchos, or he may consume you with his firepronged thunderbolt."

133 This appeal put an end to the gods' intestine strife. Then Deriades, mad and furious, when he

---

ᶜ When Poseidon and Hera strove for possession of Argos ; usually Phoroneus is said to have judged between them.
ᵈ Hydaspes.

Δηριάδης βαρύμηνις, ἀπήμονας ὡς ἴδε Βάκχας·   135
καὶ μόθον ἀρτεμέοντος ὀπιπεύων Διονύσου
εἰς ἐνοπὴν οἴστρησε πεφυζότας ἡγεμονῆας·
καὶ ξυνὴν πρυλέεσσι καὶ ἱππήεσσιν ἀπειλὴν
βάρβαρον ἐσμαράγησε βαρυφθόγγων ἀπὸ λαιμῶν·
" Σήμερον ἢ Διόνυσον ἐγὼ πλοκαμῖδος ἐρύσσω,   140
ἠὲ μόθος Βακχεῖος ἀιστώσει γένος Ἰνδῶν.
ὑμεῖς μὲν Σατύροισιν ἀλεξήτειραν ἀνάγκην
στήσατε· Δηριάδης δὲ κορυσσέσθω Διονύσῳ.
ἡμερίδων δὲ πέταλα καὶ ὄργανα ποικίλα Βάκχου
φλέξατε, καὶ κλισίας ἐμπρήσατε· Μαιναλίδας δὲ   145
δμωΐδας αὐχήεντι κομίσσατε Δηριαδῆι·
καὶ πυρὶ δήια θύρσα μαραίνετε· βουκεράων δὲ
Σειληνῶν Σατύρων τε πολυσπερέων κεφαλάων
λήιον ἀμήσαντες ἀλοιητῆρι σιδήρῳ
στέψατε πάντα μέλαθρα βοοκραίροισι καρήνοις.   150
μὴ Φαέθων στρέψειε πυραυγέας εἰς δύσιν ἵππους,
πρὶν Σατύρους καὶ Βάκχον ἀλυκτοπέδῃσι κομίσσω
σφιγγόμενον, καὶ στικτὸν ἐμῇ δεδαϊγμένον αἰχμῇ
ῥωγαλέον φορέοντα κατὰ στέρνοιο χιτῶνα,
θύρσον ἀπορρίψαντα· τανυπλοκάμων δὲ γυναικῶν   155
χαίτην ἀμπελόεσσαν ἐμῷ τεφρώσατε δαλῷ.
θαρσαλέοι δὲ γένεσθε, καὶ Ἰνδῴην μετὰ χάρμην
νίκην κυδιάνειραν ἀείσατε Δηριαδῆος,
ὄφρά τις ἐρρίγῃσι καὶ ὀψιγόνων στρατὸς ἀνδρῶν
Ἰνδοῖς Γηγενέεσσιν ἀνικήτοισιν ἐρίζειν."   160
Ἔννεπε, καὶ προμάχους μετανεύμενος
                    ἄλλον ἐπ' ἄλλῳ
ἡνιόχους οἴστρησεν ἀμετροβίων ἐλεφάντων,
καὶ πρυλέων πομπῆας ἐπεστήριξεν ὁμίλῳ
μαρναμένους πυργηδόν. ὁμοζήλῳ δὲ κυδοιμῷ
θυρσομανὴς Διόνυσος ἐρημονόμων στίχα θηρῶν   165
12

saw the Bacchants unharmed, began the battle again ; when he saw Bacchos whole on the field he goaded his fugitive captains to rally, and to footmen and horsemen alike he roared his barbaric threats in a loud voice :

140 " This day either I shall drag Dionysos by the hair, or his assault shall destroy the Indian nation ! You, fall on the Satyrs and check them by main force : let Deriades confront Dionysos. Burn the vine plants and all the various gear of Bacchos and set fire to their camp ; bring the Mainalids as slaves to triumphant Deriades ; consume with fire every thyrsus of the enemy ; as for the oxhorned Seilenoi and the crowds of Satyrs, shear off like a crop all their heads with devastating steel, and hang the oxhorned skulls in strings round all our houses. May Phaëthon not turn his fireblazing horses to his setting before I bring in the Satyrs, and Bacchos bound with galling fetters, with his spotted cloak torn to rags on his chest by my spear and his thyrsus thrown away. Burn to ashes with my brand the long flowing hair of the women and their wreaths of vine ! Courage all ! After the Indian battle you may sing the glorious victory of Deriades, that even in many generations to come people may shiver to face the unconquerable Indians born of the Earth ! "

161 He spoke, and passing from one to another of his chieftains he goaded on the drivers of the elephants, those creatures of endless life, and set the chiefs in their places to lead the army of footsoldiers to the battle in close columns. With equal passion for the fight, Bacchos thyrsusmad drove to the combat

13

εἰς ἐνοπὴν βάκχευεν· ὀριτρεφέες δὲ μαχηταὶ
δαιμονίῃ βρυχηδὸν ἐβακχεύθησαν ἱμάσθλῃ,
καὶ πολὺς ἐκ στομάτων ἐκορύσσετο μαινόμενος θήρ·
ὠμοβόρων δὲ δράκοντες ἀποπτύοντες ὀδόντων
τηλεβόλους πόμπευον ἐς ἠέρα πίδακας ἰοῦ   170
χάσματι συρίζοντι μεμυκότος ἀνθερεῶνος,
λοξὰ παρασκαίροντες· ἐς ἀντιβίους δὲ θορόντες
αὐτόματον σκοπὸν εἶχον ἐχιδνήεντες ὀιστοί·
καὶ σκολιαῖς ἑλίκεσσιν ἐμιτρώθη δέμας Ἰνδῶν
εἱλομένων, βροτέους δὲ πόδας σφηκώσατο σειρὴ   175
εἰς δρόμον ἀίσσοντας. Ἀρειμανέες δὲ γυναῖκες
δῆριν ἐμιμήσαντο δρακοντοβόλου Φιδαλείης,
ἥ ποτε κέντρον ἔχουσα γυναικείοιο κυδοιμοῦ
δυσμενέας νίκησεν ἐχιδνήεσσι κορύμβοις . . .
καί τις ἀπὸ στομάτων δολιχόσκιον ἔγχος ἰάλλων   180
ἰὸν ἀκοντιστῆρα κατέπτυε Δηριαδῆος,
καὶ φονίῃ ῥαθάμιγγι χάλυψ ἐδιαίνετο θώρηξ.
καὶ νέκυς ἐν χθονὶ κεῖτο τυπεὶς ζώοντι βελέμνῳ,
ἄπνοος ἀμφιέπων βέλος ἔμπνοον. ὀρθοπόδων δὲ
εἰς λοφιὴν ἐπίκυρτον ἀναΐξας ἐλεφάντων   185
πόρδαλις ἠώρητο μετάρσιος ἅλματι ταρσῶν·
πυκνὰ δὲ θηρείοιο κατεστήρικτο καρήνου,
καὶ δρόμον ἠώρησε τανυκνήμων ἐλεφάντων.
καὶ πολὺς ἑσμὸς ἔπιπτε, βαρυσμαράγων ἀπὸ λαιμῶν
φρικτὸν ἐρημονόμων ἀίων βρύχημα λεόντων·   190
καί τις ἐνικήθη τρομέων μυκήματα ταύρου,
καὶ βοὸς εἰσορόων βλοσυρῆς γλωχῖνα κεραίης
λοξὸν ἀκοντίζουσαν ἐς ἠέρα· φοιταλέος δὲ
εἰς φόβον ἄλλος ὄρουσεν ὑποφρίσσων γένυν ἄρκτου·
θηρείαις δ᾽ ἰαχῆσιν ὁμόκτυπος ἄλλος ἐπ᾽ ἄλλῳ   195
14

his line of wild beasts from the wilderness. These mountainbred warriors roaring under the divine whip rushed madly on. Many wild beasts were there with their weapons in their mouths. There were serpents spitting from their ravening teeth fountains of poison, which they sent farshot into the air with hissing gape and rattling throat. Leaping sideways and darting at their foes, the snaky arrows found a mark which offered itself; the bodies of the Indians were surrounded and imprisoned by the coils, the feet of men starting to run were entangled in a rope. The war-maddened women imitated the attack of Phidaleia [a] the snakethrower, who once was stung to show what a woman could do in battle, and conquered her enemies with clusters of snakes.

180 One shooting a spike of poison from his mouth like a longshafted spear bespattered Deriades, and his corselet of steel was wetted by the deadly drops. Dead on the ground lay a body struck by a living missile, lifeless with a living shot in him. A panther leapt through the air with his feet upon the curved neck of a straightleg elephant, and stuck close to the monster's head delaying the course of all the longlegged elephants. A great swarm fell, when they heard the lions from the wilderness and the terrible loud roar resounding from their throats. One was conquered trembling at the bellow of a bull, and seeing the point of his formidable horn stabbing sideways into the air; another leaped into flight shuddering at the jaws of a bear; the hounds of an invincible Pan gave tongue one after another, in

---

[a] Wife of Byzas, founder of Byzantium. The Scythians attacked the city in his absence, and she drove them off by throwing snakes at them.

Πανὸς ἀνικήτοιο κύων συνυλάκτεε λαιμῷ,
καὶ μόθον ὑλακόμωρον ἐδείδισαν αἴθοπες Ἰνδοί.
　Ξυνὴ δ' ἀμφοτέροισιν ὁμόζυγος ἦεν Ἐννώ·
γαῖα δὲ διψώουσα φόνου κυμαίνετο λύθρῳ
κτεινομένων ἑκάτερθε, πολυσπερέων δὲ δαμέντων　200
πληθύι τοσσατίη νεκύων ἐστείνετο Λήθη·
χειρὶ δ' ἀνοχλίζων Ἀίδης ὀρφναῖον ὀχῆα
εὐρυτέρους πυλεῶνας ἑῶν ὤιξε μελάθρων
κτεινομένων ἑκάτερθε, διεσσυμένων δὲ βερέθρου
Ταρτάριον μύκημα Χαρωνίδες ἔκτυπον ὄχθαι.　205
　Καὶ πολὺς ἐγρεκύδοιμος ἔην κτύπος, ἀντιβίων δὲ
ὠτειλὴ κταμένων ἑτερότροπος, ὧν ὁ μὲν αὐτῶν
ἱππόθεν ὠλίσθησε τετυμμένος ἀνθερεῶνα,
ὃς δὲ κατὰ στέρνοιο περίτροχον ἄντυγα μαζοῦ,
ὃς δὲ μέσον κενεῶνα πεπαρμένος ἔκπεσε δίφρου·　210
ἄλλος ἐυγλώχινι παρ' ὀμφαλὸν ἄκρον ὀιστῷ
βλήμενος αὐτοκύλιστος ὁμίλεε γείτονι πότμῳ,
ὃς δὲ τυπεὶς μεσάτης ὑπὲρ ἄντυγος, ὃς δὲ δι' ὤμου
καὶ φυγὰς ἄλλος ἔπιπτε ῥάχιν τετορημένος αἰχμῇ,
πεζὸς ἀελλήεντα τετυμμένον ἵππον ἐάσας·　215
ὃς δὲ πεσὼν ἀνίουλος ὀδύρετο σύντροφον ἥβην
καί τις ἀναλθήτῳ κεχαραγμένος ἧπαρ ὀιστῷ
κύμβαχος ἐξ ἐλέφαντος ἐπεγδούπησε κονίῃ,
κρᾶτα παρακλίνας δαπέδῳ, καὶ χεῖρας ἑλίξας
αἱμαλέην πήχυνε κατηφέι γαῖαν ἀγοστῷ.　220
　Καί τις ἀνὴρ ἱππῆος ἐναντία δόχμιος ἔστη,
καὶ σάκεος κενεῶνα χυτῆς ἔπλησε κονίης,
καὶ χθονὶ ταρσὸν ἔπηξε, δεδεγμένος ἀνέρος ὁρμήν·
χειρὶ δὲ θαρσαλέῃ πολυδαίδαλον ἀσπίδα τείνων
ἱππείην ψαμάθοισιν ὅλην ἔρραινεν ὀπωπήν·　225
βακχεύσας δὲ κάρηνον ἄνω νεύοντι προσώπῳ
ἵππος ἀνηώρητο κονισαλέην τρίχα σείων,

16

concert with the roars of the wild beasts, and the swarthy Indians feared their loudbarking attack.

198 There was hard fighting on both sides alike; the thirsty earth was inundated with blood and gore in the common carnage, and Lethe was choked with that great multitude of corpses brought low and scattered on every side. Hades heaved up his bar in the darkness, and opened his gates wider for the common carnage; as they descended into the pit the banks of Charon's river echoed the rumblings of Tartaros.

206 Loud indeed was the battlestirring noise, many the wounds of the falling combatants on both sides. One struck in the throat slipt from his horse, one pierced through the chest in his rounded bosom, one wounded in the belly fell from a chariot. Another hit just in the midnipple with a barbed arrow rolled himself over to meet approaching death; one fell struck right on the waist, one through the shoulder, another left his swift horse struck, and fleeing on foot fell pierced by a lance through the spine. Another, felled before the down was on his face, mourned for his yearsmate youth. Another mortally wounded by an arrow in the liver, fell tumbling off his elephant with a thud into the dust; his head sank on the ground, he scrabbled with his hands and clutched the bloody soil in despair.

221 A man stood sideways to meet a horseman; he had filled the hollow of his shield with dust, and fixed his foot firmly awaiting the man's onset. Pushing out the handsome shield in his bold hand, he smothered the horse's head with sand. The horse reared wildly and threw up his head shaking the dust

καμπύλα δ' εὐλάιγγος ἀπέπτυεν ἄκρα χαλινοῦ·
τρίβων δ' ἀγκυλόδοντα παλυνομένην γένυν ἀφρῷ
ὑψιτενὴς δεδόνητο, καὶ ὄρθιον αὐχένα πάλλων   230
οἰστρήεις ἀχάλινος ἐπεστηρίζετο γαίῃ
ποσσὶν ὀπισθιδίοισι, καὶ αἰθύσσων κόνιν ὁπλῇ
εἰς πέδον ἠκόντιζεν ἀπόσσυτον ἡνιοχῆα.
αὐτὰρ ὁ κεκλιμένῳ ταχὺς ἔδραμε κάρχαρος ἀνήρ,
γυμνὸν ἔχων θοὸν ἄορ· ὑπὲρ δαπέδον δὲ ταθέντος   235
κυανέου προμάχοιο διέθρισεν ἀνθερεῶνα.

"Αλλος ἐριπτοίητος ἐχάζετο πῶλος ἀλήτης,
γείτονος ἡνιόχοιο δεδεγμένος ἦχον ἱμάσθλης,
οἰκτρὸν ἑὸν θνῄσκοντα διαστείβων ἐλατῆρα,
κείμενον ἀρτιδάικτον, ἐπισπαίροντα κονίῃ.   240

Κολλήτης δ' ἀπέλεθρος ἔχων περιμήκεα μορφήν,
δύσμαχος, ἐννεάπηχυς, ὁμοίιος 'Αλκυονῆι,
Βακχείης κατὰ μέσσον ἐμαίνετο δηιοτῆτος·
Βασσαρίδων δὲ φάλαγγα μετὰ κλόνον ἤθελεν ἕλκειν
εἰς εὐνὴν ἀνάεδνον ἀναγκαίων ὑμεναίων,   245
καὶ κενεῇ πολέμιζεν ἐπ' ἐλπίδι, τηλίκος ἀνήρ,
οἷος ἔην θρασὺς 'Ωτος ἀνέμβατον αἰθέρα βαίνων,
ἁγνὸν ἀνυμφεύτου ποθέων λέχος ἰοχεαίρης,
οἷος ἔην φιλέων καθαρῆς ὑμέναιον 'Αθήνης
ὑψινεφὴς ἐς "Ολυμπον ἀκοντίζων 'Εφιάλτης·   250
Κολλήτης πέλε τοῖος ὑπέρτερος, αἰθέρι γείτων,
Γηγενέος προγόνοιο θεημάχον αἷμα κομίζων,
'Ινδοῦ πρωτογόνοιο· καὶ ἄρκιος ἔπλετο μορφῇ
δῆσαι θοῦρον "Αρηα μεθ' υἱέας 'Ιφιμεδείης·
ἀλλὰ τόσον περ ἐόντα γυνὴ κτάνεν ὀξέι πέτρῳ,   255

---

[a] A giant.
[b] Otos and Ephialtes, the gigantic sons of Aloeus and

18

out of his mane, and spat out the curved ends of
his jewelled bit. His champing teeth and jaw were
covered with foam, he rose high, shaken, mad, and
now free of the bit he rose up on his hind legs
quivering and shivering his outstretched neck ; then
pawing the dust with his hoof he shot his rider
flying to the ground. The other man rushed fiercely
upon him as he lay, with swift sword drawn, and cut
the throat of the black soldier stretched on the
ground.

[237] Another horse hearing the crack of some
driver's whip hard by, took fright and bolted in re-
treat, trampling on his own rider, who lay wounded
and dying, poor wretch, gasping in the dust.

[241] Colletes with his huge body, immense, for-
midable, nine cubits high, equal to Alcyoneus,[a] went
raging through the fighting hosts of Bacchos. He
wished after the battle to drag a company of Bas-
sarids to his bed, and no brideprice paid for the
forced bridals. But that was an empty hope he
fought for, that mighty man : like bold Otos,[b] who
would tread the forbidden ground of heaven for lust
of the holy bed of Archeress the unwedded ; like
Ephialtes, whose love was for wedlock with pure
Athena, when he attacked Olympos in the clouds
on high. Such was Colletes, gigantic, heavenhigh,
having in him the sacrilegious blood of his giant
ancestor the founder of the Indian race. He was
great enough to put Ares in prison like the sons of
Iphimedeia. But huge as he was, a woman killed

Iphimedeia, tried to scale heaven by piling mountains on
one another, Hom. *Od.* xi. 305 ff. (That they did it to win
goddesses to wife is a later fancy; in Homer they are children.)
They also bound Ares, *Il.* v. 385 ff.

NONNOS

Βακχιάδος Χαρόπεια κυβερνήτειρά χορείης.
　Καί τις ἀριστεύουσαν ἰδὼν ὑψαύχενα κούρην
θαῦμα χόλῳ κεράσας τρομερὴν ἐφθέγξατο φωνήν·
‘‘ Ἄρες, Ἄρες, λίπε τόξα
　　　　　　καὶ ἀσπίδα καὶ σέο λόγχην,
Ἄρες, ἐσυλήθης, λίπε Καύκασον· ἀνδροφόνους γὰρ 260
ἀλλοίας Διόνυσος Ἀμαζόνας εἰς μόθον ἕλκει·
ὁπλοφόρους δονέουσιν ἀνάσπιδες· ὑμετέρου γὰρ
οὐκ ἀπὸ Θερμώδοντος ἑὰς ἐκόμισσε γυναῖκας.
ξεῖνον ἴδον καὶ ἄπιστον ἐγὼ τύπον· οὐ σάκος ὤμοις,
οὐ δόρυ θοῦρον ἔχουσιν Ἀμαζονίδες Διονύσου·　265
οὐ τόσον εὐθώρηκες ἀριστεύουσι γυναῖκες
Καυκασίδες· Βάκχαι δὲ φιλοπτόρθων ἀπὸ χειρῶν
φυλλάδας αἰχμάζουσι, καὶ οὐ χατέουσι σιδήρου.
ὤμοι Δηριάδαο μεμηνότος, ὅττι γυναῖκες
χαλκείους ὀνύχεσσι διασχίζουσι χιτῶνας.’’　　265

　Ἔννεπε θαμβήσας κραναὸν βέλος, οἷον ἑλοῦσα
τηλίκον ὑψικάρηνον ἀπέκτανεν ἀνέρα Βάκχη.

　Δηριάδης δ’ ἀκίχητος ἐπέδραμε θυιάσι Βάκχαις,
καὶ Χαρόπην ἐδίωκε λιθοσσόον· ἡ δὲ φυγοῦσα
μάρνατο θαρσήεσσα παρισταμένη Διονύσῳ,　　275
θύρσον ἀκοντίζουσα φιλάνθεμον Εὐάδι χάρμῃ.
Δηριάδης δ’ Ὀρίθαλλον ἀπηλοίησε σιδήρῳ,
Κουρήτων ὁμόφυλον, Ἀβαντίδος ἀστὸν ἀρούρης.
καὶ κοτέων ἑτάροιο δεδουπότος ἀρχὸς Ἀβάντων
Καρμίνων βασιλῆα κατεπρήνιξε Μελισσεύς,　　280
Κύλλαρον, ὀξυόεντι κατ’ αὐχένος ἄορι τύψας,
Λωγασίδην θ’, ὃς μοῦνος, ἐπεὶ σοφὸς ἔσκε μαχητής,
Δηριάδῃ μεμέλητο δοριθρασέων πλέον Ἰνδῶν

　　ᵃ Hindu Kush.　　　　　　　ᵇ See xx. 198.

20

him with a sharp stone, Charopeia a leader of the Bacchic dance.

257 And one seeing the noble deed of the high-necked girl, spoke in trembling tones with wonder and anger mixed :

259 "Ares! Ares! Leave your bow and shield and your spear! Ares, you are conquered! Leave the Caucasos,ᵃ for Dionysos is bringing another sort of Amazons into the field, to kill men. Shieldless they rout men-at-arms. Not from your Thermodon ᵇ has he brought his women. I have seen a strange and incredible spectacle ; the Amazons of Dionysos have no shields on their shoulders, carry no valiant spear ; with strong corselets and all, the Caucasian women do not so play the heroes. The Bacchant women cast bunches of leaves from foliage-loving hands, and they need no steel. Alas for the madman Deriades, when women tear coats of mail with their fingernails!"

271 This he said, when he marvelled at the rude missile which the Bacchant girl picked up and killed that huge highheaded man.

273 But Deriades ran untouched against the frenzied Bacchants, and pursued Charope who threw the stone ; but she escaped, and took her stand fighting boldly beside Dionysos, stabbing with her flowery thyrsus in the Euian battle. Then Deriades killed Orithallos with his spear, one of the Curetian tribe from the land of the Abantes. Their chief Melisseus in anger for his comrade's fall, struck down Cyllaros king of the Carminians, cutting his throat with his sharp sword, and Logasides, who alone, because he was accomplished in the art of war, was more precious to Deriades than any of the bold Indian spearmen,

καί μιν ἄναξ φιλέει[1] μετὰ Μορρέα· πολλάκι δ' αὐτῇ
Ὀρσιβόῃ καὶ ἄνακτι μιῆς ἔψαυσε τραπέζης,   285
θυγατέρων βασιλῆος ὁμέστιος· ἀμφοτέροις γὰρ
ἔγχεϊ καὶ πραπίδεσσιν ὑπέρβαλε σύντροφον ἥβην.
ἔνθα πολὺς προμάχῳ πρόμος ἤρισεν· ὑψιφανὴς δὲ
Πευκετίῳ πολέμιζεν ἀερσιπόδης Ἁλιμήδης,
καὶ Φλογίῳ κεκόρυστο Μάρων καὶ Θουρέι Ληνεύς. 290
   Ὑσμίνης δὲ τάλαντα πατὴρ ἔκλινε Κρονίων·
καὶ βριαρῷ Διόνυσος ἐμάρνατο Δηριαδῆι,
μίξας ἔγχεϊ θύρσον· ἀκοντοφόρῳ δὲ μαχητῇ
πῇ μὲν ἀκοντίζοντι μετάτροπον εἶδος ἀμείβων
δύσατο παντοίης πολυδαίδαλα φάσματα μορφῆς·   295
πῇ δὲ θυελλήεσσα κορύσσετο μαινομένη φλόξ,
ἀγκύλον αἰθύσσουσα σέλας βητάρμονι καπνῷ.
ἄλλοτε κυμαίνων ἀπατήλιον ἔρρεεν ὕδωρ,
ὑγρὸς ὀιστεύων διερὸν βέλος· ἀμφιέπων δὲ
ἰσοφυὲς μίμημα λεοντείοιο προσώπου   300
ὄρθιον ἠέρταζε μετάρσιον ἀνθερεῶνα,
τρηχαλέον βρύχημα χέων πυκινότριχι λαιμῷ
καὶ κέλαδον βρονταῖον ἐρισμαράγοιο τοκῆος·
καὶ σκιερῆς φορέων πολυδαίδαλον εἶδος ὀπώρης
ἀλλοφανὴς μορφοῦτο, καὶ εἴκελος ἔρνεϊ γαίης   305
αὐτοτελὴς ἀκίχητος ἀνέδραμεν, αἰθέρα τύπτων,
ὡς πίτυς, ὡς πλατάνιστος· ἀμειβομένου δὲ καρήνου
μιμηλοῖς πετάλοισι νόθην δενδρώσατο χαίτην,
γαστέρα θάμνον ἔχων περιμήκετον· ἀκρεμόνας δὲ
χεῖρας ἑὰς ποίησε, καὶ ἐφλοίωσε χιτῶνας,   310
καὶ πόδας ἐρρίζωσεν· ἀνακρούων δὲ κεραίαις[2]
μαρναμένου βασιλῆος ἐπεψιθύριζε προσώπῳ·
καὶ στικτοῖς μελέεσσι τύπον μιμηλὸν ὑφαίνων
πόρδαλις ὑψιπότητος ἀνέδραμεν ἅλματι ταρσῶν,
καὶ λοφιῆς ἐπέβαινεν ἀερσιλόφων ἐλεφάντων   315
22

the elephant lunging sideways smashed the car and
shot the impious driver to the ground, shaking off
yokepads and bit and bridle.[a] Even though fallen
the gigantic warrior would not leave him alone, but
fought with Lyaios transformed and wounded the
panther with his spear. But again the god changed
his shape : a moving firebrand he rose high, heating
the air and shooting a fiery bolt through the wind,
running all over the breast and shaggy chest of
Deriades. His Arabian mailcoat was blackened as
the gusts of smoke struck on his white flanks from
above and the sparks fell on him ; his crest burnt
up and the helmet grew hot, half-scorched upon the
firestruck wearer. [Then he took a lion's shape,
and . . .[b]] From a grim lion he changed to a wild
boar, opening the wide gape of his hairy throat, and
bringing his bristles close to the belly of Deriades
he stood up straight rearing on his hind legs, and
tore through his flank with sharp hooves.

³³⁴ Proud Deriades went on fighting against these
unsubstantial phantoms, driven by vain hopes, ever
seeking to grasp the intangible image with hands
that could not touch. At last he thrust his lance
in the face of the lion before him, and cried
threatenings against Bacchos of many shapes :

³³⁹ " Why do you hide yourself, Dionysos ? why
tricks instead of battle ? Do you fear Deriades, that
you change into so many strange forms ? The
panther of runaway Dionysos does not frighten me,
his bear I shoot, his tree I cut down with my sword, the
pretended lion I will tear in the flank ! Well then,
I muster against you my wise Brahmans, unarmed.

[a] He seems to see the elephant yoked to a chariot, as at
Pompey's triumph.　　　[b] Several lines are lost here.

γυμνοὶ γὰρ γεγάασι, θεοκλήτοις δ' ἐπαοιδαῖς   345
πολλάκις ἠερόφοιτον, ὁμοίιον ἄζυγι ταύρῳ,
οὐρανόθεν κατάγοντες ἐφαρμάξαντο Σελήνην,
πολλάκι δ' ἱππεύοντος ἐπειγομένων ἐπὶ δίφρων
ἀσταθέος Φαέθοντος ἀνεστήσαντο πορείην."
    Ἔννεπε παπταίνων ἑτερότροπα φάσματα Βάκχου· 350
καὶ νόον εἶχεν ἄπιστον· ἀκηλήτῳ δὲ μενοινῇ
τέχνην φαρμακόεσσαν ἐπιρράψας Διονύσῳ
ἔλπετο νικήσειν Διὸς υἱέα μύστιδι τέχνῃ.
    Ἔνθα θορὼν ἀκίχητος ἀνέδραμεν ὑψόθι δίφρων·
καὶ θεὸς ἀφραίνοντα θεημάχον ἄνδρα δοκεύων   355
ἄμπελον ἐβλάστησεν ἀρηγόνα δηιοτῆτος.
καί τις ἐυσταφύλοιο θεήλατος οἰνάδος ὄρπηξ
ἑρπύζων κατὰ βαιὸν ἐς ἀργυρόκυκλον ἀπήνην
Δηριάδην ἔσφιγξεν ἀπειλητῆρι κορύμβῳ,
ἀμφιπεριπλέγδην πεπεδημένον· ἀρτιθαλῆ δὲ   360
σύμφυτον αἰθύσσων ἐπὶ βότρυϊ βότρυν ἀλήτην
μαινομένου βασιλῆος ἐπισκιόωντα προσώπῳ
σείετο μιτρώσας ὅλον ἀνέρα· Δηριάδην δὲ
αὐτοφυὴς ἐμέθυσσεν ἕλιξ εὐώδεϊ καρπῷ·
γυιοπέδην δ' ἀσίδηρον ἐπέπλεκε δίζυγι ταρσῷ,   365
καὶ πόδας ἐρρίζωσεν ὁμοζυγέων ἐλεφάντων . . .
ἀρραγέος κισσοῖο· καὶ οὐ τόσον ὁλκάδα πόντου
θηκτὰ περιπλεκέων ἐχενηΐδος ἄκρα γενείων
δεσμῷ καρχαρόδοντι διεστήριξε θαλάσσῃ·
τοῖον ἔην μίμημα.   μάτην δ' ἐλέφαντας ἐπείγων 370
ἡνίοχος βαρύδουπον ἑὴν ἐλέλιζεν ἱμάσθλην,
κέντροις ὀξυτέροισιν ἀπειθέα νῶτα χαράσσων.
καὶ τόσον Ἰνδὸν ἄνακτα,
                    τὸν οὐ κτάνεν ἄσπετος αἰχμή,
ἀμπελόεις νίκησεν ἕλιξ πρόμος· ἀμφιέπων δὲ
ἡμερίδων ὄρπηκι κατάσχετον ἀνθερεῶνα   375
26

For they go naked ; but their inspired incantations have often enchanted Selene as she passes through the air like an untamed bull, and brought her down from heaven, and often stayed the course of Phaëthon swiftly driving his hurrying car."

350 He spoke, surveying the varied visions of Bacchos, and his mind was still unbelieving : with implacable will he hoped to contrive some scheme of magic against Dionysos, and to conquer the son of Zeus by mystic arts.

354 Then he leapt unhindered into his car ; but the god seeing the impious man still foolish, made a vine grow to help his attack. The godsent plant laden with clusters of winefruit crept quietly upon the cart with its silver wheels, and smothered Deriades in its threatening clusters, and entangled him round about and over all, dangling bunch after bunch new grown upon itself before the mad king, shading his face and enveloping the whole man. And Deriades was intoxicated by the sweetsmelling fruit of the selfgrown vine ; it threw fetters not of steel about his two feet, and rooted to the ground the legs of the yoked elephants with trails of unbreakable ivy [a] : not so firmly is the seagoing barge held fast on the main by the toothed bond of a holdtheship,[b] when she fastens her sharp fangs on the timbers. Yes, it was just like that ! In vain the driver whipt up his elephants and swung his cracking lash, tearing the obstinate hide with sharper prickles. The great Indian prince, whom countless blades could not kill, was conquered by the tendrils of a champion vine ! Deriades struggling with his throat entangled in the

---

[a] This seems the general sense of the Greek.
[b] See xxi. 45 and note.

πνίγετο Δηριάδης σκολιῷ τεθλιμμένος ὁλκῷ.
καὶ μογέων ἀτίνακτος ἐλίσσετο μαινάδι φωνῇ,
λεπτὸν ἔχων ὀλόλυγμα θεουδέος ἀνθερεῶνος,
νεύμασιν ἀφθόγγοις ἱκετήσια δάκρυα λείβων·
καὶ παλάμην ὤρεξεν ἀναυδέα, μάρτυρι σιγῇ   380
μόχθον ὅλον βοόων· τὸ δὲ δάκρυον ἔπλετο φωνή.
καὶ σκεδάσας Διόνυσος ἑὴν πολύδεσμον ὀπώρην
γυιοπέδην εὔβοτρυν ἀνέσπασε Δηριαδῆος,
καὶ στέφος ἡμερίδων ἑλικώδεα κισσὸν ἐλάσσας
δέσμιον αὐχένα λῦσεν ὁμοπλεκέων ἐλεφάντων.   385
οὐ δὲ φυγὼν δρυόεντα τανυπτόρθοιο κορύμβου
δεσμὸν ἀπειλητῆρα καὶ αὐτοέλικτον ἀνάγκην
Δηριάδης ἀπέειπεν ἐθήμονα κόμπον ἀπειλῆς,
ἀλλὰ πάλιν πρόμος ἔσκε θεημάχος· εἶχε δὲ βουλὴν
διχθαδίην, ἢ Βάκχον ἑλεῖν ἢ δμῶα τελέσσαι.   390
   Ἀμφοτέρους δ' ἀνέκοψε μάχης ἀμφίδρομος ὀρφνή.
καὶ μόθος ἦν μετὰ νύκτα, καὶ ὑπναλέως ἀπὸ λέκτρων
ἐγρομένους θώρηξεν ἀμοιβαίη πάλιν Ἠώς.
   Οὐδὲ μόθων τέλος ἦεν ἐπειγομένῳ Διονύσῳ,
ἀλλὰ τόσων μετὰ κύκλα κυλινδομένων ἐνιαυτῶν   395
ῥυθμὸν Ἐνναλίοιο μάτην ἐπεβόμβεε σάλπιγξ.
ἤδη δ' ἐγρεμόθων ἐτέων πολυκαμπέι νύσσῃ
Βακχιὰς ὀψιτέλεστος ἐμαίνετο μᾶλλον Ἐννώ.
   Οὐ μὲν ἀφειδήσαντες Ἀρειμανέος Διονύσου
κάλλιπον ἀμνήστοισι μεμηλότα μῦθον ἀήταις   400
Δικταῖοι Ῥαδαμᾶνες ὁμόφρονες· ἀλλὰ Λυαίῳ
νῆας ἐτεχνήσαντο μαχήμονας· ἀμφὶ δὲ λόχμας
ποίπνυον ἄλλοθεν ἄλλος· ὁ μὲν τορνώσατο γόμφους,
28

vine-twigs was choked and crushed in the winding
trails. For all his labour he could not stir; where-
fore he adjured in tones of madness and sent out
a stifled cry from a throat now pious, and prayed
with voiceless movements shedding tears of supplica-
tion; held out a dumb hand, with eloquent silence
uttered all his trouble; his tears were a voice.

382 Then Dionysos dispersed his entangling fruit,
and broke off the fettering grapes from Deriades;
then shedding the twines of ivy, he undid the wreath-
ing garland of garden-vines from the yoked elephants'
necks. Yet Deriades, now free from the woody
bonds of the long branching clusters crawling of
themselves, and the constraint which threatened
him, did not desist from his wonted threats and
boasts. Once more he was the chieftain defying
the gods; he only hesitated whether to slay Bacchos
or to make him a slave.

391 But darkness surrounded both armies and put
a stop to the fight. Night past, the battle began
again; when they awoke from sleep and bed, the
succeeding dawn armed them once more.

394 Not yet was it the end of conflict for impatient
Dionysos; yet first there must be many cycles of
rolling years while the trumpet blazed the tune of
war in vain; but after the varied course of so many
battle-stirring years, now the conflict of Bacchos
grew more violent for the end.

399 Now the Rhadamanes of Dicte did not neglect
the command of warmad Dionysos, nor left it for
the forgetful winds to care for; but with one accord
they built ships of war for Lyaios. Through the
woods they were busy, some here, some there. One
was turning pegs, one worked at the middle of the

ὃς δὲ μέσην πεπόνητο περὶ τρόπιν, ἴκρια δ' ἄλλος
ὀρθὰ περὶ σταμίνεσσιν ἀμοιβαίησιν ὑφαίνων   405
ὁλκάδι τοῖχον ἔτευχεν, ἐπηγκενίδας δὲ συνάπτων
μηκεδανὰς κατέπηξε, βαθυνομένῃ δὲ μεσόδμῃ
μεσσοφανῆ μέσον ἱστὸν ῎Αραψ ὠρθώσατο τέκτων
λαίφεϊ πεπταμένῳ πεφυλαγμένον· αὐτὰρ ἐπ' ἄκρῳ
δουρατέην ἐπίκυρτον ἐτορνώσαντο κεραίην   410
ἴδμονες εὐπαλάμοιο καὶ ᾿Ηφαίστου καὶ ᾿Αθήνης.
  ῝Ως οἱ μὲν μογέοντες ἀμιμήτῳ τινὶ τέχνῃ
Βάκχῳ νῆας ἔτευχον. ἐπασχαλόων δὲ κυδοιμῷ
μαντοσύνης Διόνυσος ἑῆς ἐμνήσατο ῾Ρείης,
ὅττι τέλος πολέμοιο φανήσεται, ὁππότε Βάκχοι   415
εἰναλίην ᾿Ινδοῖσιν ἀναστήσωσιν ᾿Εννώ.
  Καὶ Λύκος ἀκροτάτοιο δι' οἴδματος ἡγεμονεύων,
νεύμασιν ἀτρέπτοισιν ὑποδρήσσων Διονύσου,
ἄβροχον ἡνιόχευεν ὁδοιπόρον ἅρμα θαλάσσης,
ᾗχι σοφοὶ ῾Ραδαμᾶνες, ἁλιπλανέες μετανάσται,   420
νῆας ἐτεχνήσαντο θαλασσοπόρῳ Διονύσῳ.
καὶ τότε τετραπόροιο χρόνου στροφάλιγγα κυλίνδων,
ἱππεύων ἔτος ἕκτον, ἑλίσσετο καμπύλος Αἰών . . .
εἰς ἀγορὴν ἐκάλεσσε μελαρρίνων γένος ᾿Ινδῶν
Δηριάδης σκηπτοῦχος· ἐπειγομένῳ δὲ πεδίλῳ   425
λαὸν ἀολλίζων ἑτερόθροος ἤιε κῆρυξ.
αὐτίκα δ' ἠγερέθοντο πολυσπερέων στίχες ᾿Ινδῶν,
ἑζόμενοι στοιχηδὸν ἀμοιβαίων ἐπὶ βάθρων·
λαοῖς δ' ἀγρομένοισιν ἄναξ ἀγορήσατο Μορρεύς·
  "῎Ιστε, φίλοι, τάχα πάντες,
                        ἅ περ κάμον ὑψόθι πύργων, 430
εἰσόκε γαῖα Κίλισσα καὶ ᾿Ασσυρίων γένος ἀνδρῶν
αὐχένα δοῦλον ἔκαμψεν ὑπὸ ζυγὰ Δηριαδῆος·
ἴστε καί, ὅσσα τέλεσσα καταιχμάζων Διονύσου,

keel, one fitted the planks straight over the pairs of
ribs, and fastened the long sideplanks fixed to the
ribs making the vessel's wall[a]; an Arabian shipwright
raised upright in the middle of the deep mastbox
the mast amidships, reserved for the spreading sail;
and skilled workmen of deft Hephaistos and Athena
rounded the wooden yard for the top.

[412] So they wrought ships for Bacchos with
really incomparable art. And Dionysos amid the
anxieties of war remembered the prophecy of his
own Rheia : that the end of the war would be seen,
when Bacchants fought by sea against Indians.

[417] Lycos appointed by irrevocable command of
Dionysos to serve as commander on the surface of
the sea, drove his seachariot undrenched travelling
upon its way to the place, where the Rhadamanes,
those clever voyagers into foreign parts, had built
the ships for seafaring Dionysos. And then circling
Time, rolling the wheel of the fourseason year, was
whirling along for the sixth year. King Deriades
summoned to assembly the blackskin nation of
Indians; the herald with hurrying steps went
gathering the people and cried his call in their
different languages. At once the many tribes of
Indians assembled, and sat down in companies on
rows of benches, and prince Morrheus addressed
the assembly :

[430] " You all know, I think, my friends, what labours
I went through among the mountain strongholds,
until the Cilician land and the Assyrian nation bowed
their necks as slaves under the yoke of Deriades.
You know also what I have done in resisting Dionysos,

---

[a] Hom. *Od.* v. 252-253.

NONNOS

μαρνάμενος Σατύροισι καὶ ἀμητῆρι σιδήρῳ
τέμνων ἐχθρὰ κάρηνα βοοκραίροιο γενέθλης, 435
ὁππότε Βασσαρίδων πεπεδημένον ἐσμὸν ἐρύσσας
ὤπασα Δηριάδῃ, πολέμου γέρας, ὧν ὑπὸ λύθρῳ
ἄστεος εὐλάιγγες ἐφοινίχθησαν ἀγυιαὶ
κτεινομένων· ἕτεραι δὲ μετάρσιον ἀμφὶ χορείην
ἀγχονίῳ θλίβοντο περίπλοκον αὐχένα δεσμῷ· 440
ἄλλαι δ᾽ ὑδατόεντος ἐπειρήθησαν ὀλέθρου,
κρυπτόμεναι κευθμῶνι πεδοσκαφέος κενεῶνος.
ἀλλὰ πάλιν ναέτῃσιν ἀρείονα μῆτιν ὑφαίνω·
εἰσαΐω Ῥαδάμανας, ὅτι δρυτόμῳ τινὶ τέχνῃ
νῆας ἐτεχνήσαντο φυγοπτολέμῳ Διονύσῳ· 445
ἔμπης οὐ τρομέω δόρυ ναύμαχον· ἐν πολέμοις γὰρ
ἄνδρα φερεσσακέων κεκορυθμένον ὑψόθι νηῶν
οὐτιδανοῖς πετάλοισι πότε κτείνουσι γυναῖκες;
ἢ πότε λυσσώων ὀρεσίδρομος ὑψίκερως Πὰν
θηγαλέοις ὀνύχεσσι διατμήξει νέας Ἰνδῶν; 450
οὐ δύναται βαρύδουπον ὕδωρ Σειληνὸς ἀράσσων
ἀπτολέμῳ νάρθηκι μαχήμονα νῆα καλύψαι,
εἰς χορὸν αἱματόεντα θορὼν λυσσώδεϊ ταρσῷ,
κῶμον ἀνακρούων θανατηφόρον· οὐδ᾽ ἐνὶ πόντῳ
ταυρείοις κεράεσσι πεπαρμένον ἄνδρα δαμάζει 455
ἀγχιφανῆ μεσάτοιο διχαζομένου κενεῶνος,
ἀλλὰ τυπεὶς προκάρηνος ἀτυμβεύτῳ τινὶ μοίρῃ
κείσεται ἐν ῥοθίοισιν· ὀλισθήσουσι δὲ Βάκχαι
ἔγχεσι μηκεδανοῖσι μιαιφόνον εἰς βυθὸν ἅλμης,
τυπτόμεναι· καὶ νῆας ἀιστώσω Διονύσου, 460
ναύμαχον εἰκοσίπηχυ δι᾽ ὁλκάδος ἔγχος ἑλίσσων.
ἀλλά, φίλοι, μάρνασθε πεποιθότες· ἀντιβίων δὲ
μή τις ὑποπτήσσειεν ὀπιπεύων στίχα νηῶν
Βακχιάδων· Ἰνδοὶ γὰρ ἐθήμονές εἰσι κυδοιμοῦ
εἰναλίου, καὶ μᾶλλον ἀριστεύουσι θαλάσσῃ 465

fighting Satyrs, and cutting off the hateful heads of that oxhorned generation with shearing steel, when I dragged away and delivered to Deriades that fettered swarm of Bassarids, the prizes of war; and how the paved streets of the city were purpled by their gore as they were massacred, how others had a dance in the air with their necks choked in a throttling noose, how others were swallowed in a deepdug hollow pit and learnt what a watery death is like. But again I weave a better notion still for our people. I hear that the Rhadamanes have built ships for Dionysos the runaway by some woodcutter's art of theirs. However, I fear not the seafighting tree! When was it known in war that women with paltry leaves kill a man in a ship full of shields? When will highhorn Pan, the crazy ranger of the hills, tear Indian ships to pieces with sharp claws? No Seilenos can row over the loudrumbling waters, and sink a ship of war with a peaceful ferule, leaping to bloody dance with frenzied foot, striking up a chant with death in it; in the sea he will never transfix a man with his bullhorns, and get near enough to cut him in two at the waist and vanquish him. No! one blow shall send him headlong, and he shall lie in the billows where he will find no tomb; the Bacchant women struck down with long spears shall sink into the depths of the sea soiled in blood. And the ships of Dionysos I will destroy, thrusting a twentycubit seafighting spear through the hulk!

462 " Come on, friends, fight with all confidence. Let no one shrink when he sees opposed to us the ships of Bacchos in line; for Indians are used to fighting by sea, indeed they have more prowess when

ἢ χθονὶ δηριόωντες. ἀνικήτῳ δὲ σιδήρῳ
οὐ πολέας Σατύρους ληίσσομαι, ἀλλὰ κομάων
ἀντὶ διηκοσίων προμάχων ἕνα μοῦνον ἐρύσσω
θηλυμανῆ Διόνυσον, ὀπάονα Δηριαδῆος.''

"Ὡς εἰπὼν παρέπεισεν ἀθελγέα Δηριαδῆα   470
Μορρεὺς αἰολόμητις· ἐπεφθέγξαντο δὲ λαοὶ
μῦθον ἐπαινήσαντες· ὁμογλώσσων δ' ἀπὸ λαιμῶν
οἴδμασι κινυμένοισιν ἰσόθροος ἔβρεμεν ἠχώ.
λῦσε δ' ἄναξ ἀγορήν. Βρομίῳ δ' ἐστέλλετο κῆρυξ
πόντιον ὑσμίνην ἐνέπων πειθήμονι Βάκχῳ.   475

"Ἄμφω δ' εἰς ἓν ἰόντες ἐρυκομένοιο κυδοιμοῦ
ἀμβολίην ποίησαν ἐπὶ τρία κύκλα Σελήνης,
εἰσόκε ταρχύσωσι δαϊκταμένων στίχα νεκρῶν·
ἦν δέ τις εἰρήνη μινυώριος "Ἀρεϊ γείτων,
φύλοπιν ὠδίνουσαν ἀφαπλώσασα γαλήνην.   480

they fight by sea than by land. My invincible steel shall not take many Satyrs; but instead of two hundred warriors I will drag home one by the hair alone, womanmad Dionysos, to be the servant of Deriades."

470 With this appeal, Morrheus, cunning man, persuaded implacable Deriades. The people all cheered loudly and applauded the speech: one concordant cry resounded from all throats like the noise of stirring waves. The king dismissed the assembly. The herald was sent to Bromios to declare war by sea against willing Bacchos.

476 But both men agreed to forbid war and make a truce for three circuits of the moon, until they should do the solemn burial rites for the host of the dead who had fallen. So for a short time there was peace, never far from war, spreading abroad a calm that was pregnant with strife.

ΔΙΟΝΥΣΙΑΚΩΝ ΤΡΙΑΚΟΣΤΟΝ
ΕΒΔΟΜΟΝ

Ἧχι τριηκοστὸν πέλεν ἕβδομον, εἵνεκα νίκης
ἀνδράσιν ἀθλοφόροις ἐπιτύμβιοί εἰσιν ἀγῶνες.

Ὡς οἱ μὲν φιλότητι μεμηλότες ἔμφρονες Ἰνδοί,
Βακχείην ἀνέμοισιν ἐπιτρέψαντες Ἐννώ,
ὄμμασιν ἀκλαύτοισιν ἐταρχύσαντο θανόντας,
οἷα βίου βροτέου γαιήια δεσμὰ φυγόντας
ψυχῆς πεμπομένης, ὅθεν ἤλυθε, κυκλάδι σειρῇ   5
νύσσαν ἐς ἀρχαίην· στρατιὴ δ' ἀμπαύετο Βάκχου.

Καὶ φιλίην Διόνυσος ἰδὼν πολέμοιο γαλήνην
πρώιος ἡμιόνους καὶ ὁμήλυδας ἄνδρας ἐπείγων
ἀζαλέην ἐκέλευσεν ἄγειν ὀρεσίτροφον ὕλην,
ὄφρα πυρὶ φλέξειεν ὀλωλότα νεκρὸν Ὀφέλτην.   10

Τῶν μὲν ἔην προκέλευθος ἔσω πιτυώδεος ὕλης
Φαῦνος ἐρημονόμῳ μεμελημένος ἠθάδι λόχμῃ,
μητρὸς ὀρεστιάδος δεδαημένος ἔνδια Κίρκης.
καὶ δρυτόμῳ στοιχηδὸν ἐτέμνετο δένδρα σιδήρῳ·
πολλὴ μὲν πτελέη τανυήκεϊ τάμνετο χαλκῷ,   15

---

[a] The transmigration of souls was and is an Indian
doctrine ; this was one of the few things about India known
to the average Greek.

[b] This description imitates the burial of Patroclos in Homer,

BOOK XXXVII

When the thirty-seventh takes its turn, there are
contests about the tomb, the men competing
for prizes.

So the Indians, now sensible and busy with friend-
ship, threw their Bacchic war to the winds, and buried
their dead with tearless eyes, as prisoners now set free
from the earthy chains of human life, and the soul re-
turning whence it came, back to the starting-place in
the circling course.[a] So the army of Bacchos had rest.

[7] When Dionysos saw friendly calm instead of war,
early in the morning he sent out mules and their
attendant men to bring dry wood from the mountains,
that he might burn with fire the dead body of
Opheltes.[b]

[11] Their leader into the forest of pines was Phaunos
who was well practised in the secrets of the lonely
thickets which he knew so well, for he had learnt
about the highland haunts of Circe [c] his mother. The
woodman's axe cut down the trees in long rows.
Many an elm was felled by the long edge of the axe,

Il. xxiii. The whole book is quite minutely imitated from
the same model.

[c] Circe is mother of Latinos and Agrios as early as the
Hesiodic poems ; here she is the mother of the Latin wood-
fairy.

πολλὴ δ' ὑψιπέτηλος ἐπέκτυπε κοπτομένη δρῦς,
καὶ πολλὴ τετάνυστο πίτυς, καὶ ἐκέκλιτο πεύκη
αὐχμηροῖς πετάλοισι· πολυσπερέων δ' ἀπὸ δένδρων
τεμνομένων κατὰ βαιὸν ἐγυμνώθησαν ἐρίπναι·
καί τις Ἀμαδρυάδων μετανάστιος ἔστιχε Νύμφη,   20
πηγαίῃ δ' ἀκίχητος ἀήθεϊ μίγνυτο κούρῃ.

Καὶ πολὺς ἐρχομένοισιν ὁρίδρομος ἤιεν ἀνήρ,
οὔρεος οἶμον ἔχων ἑτερότροπον· ἦν δὲ νοῆσαι
ὑψιφανῆ προβλῆτα κατήλυδα λοξὸν ὁδίτην
ποσσὶ πολυπλανέεσσιν· ἐυπλέκτοιο δὲ σειρῆς   25
πυκνὰ περισφίγξαντες ἀρηρότι δούρατα δεσμῷ
οὐρήων ἐπέθηκαν ὑπὲρ ῥάχιν· ἐσσυμένων δὲ
ἡμιόνων στοιχηδὸν ὁρίδρομος ἔκτυπεν ὁπλὴ
σπερχομένων, καὶ νῶτα πολυψαμάθοιο κονίης
συρομένων κατόπισθε φυτῶν ἐβαρύνετο φόρτῳ.   30
καὶ Σάτυροι καὶ Πᾶνες ἐποίπνυον, ὧν ὁ μὲν αὐτῶν
ὑλοτόμοις . . . παλάμῃσιν
                    ἀμοιβαίων ἀπὸ δένδρων . . .
φιτροὺς ἀκαμάτοισιν ἐλαφρίζοντες ἀγοστοῖς
ποσσὶ φιλοσκάρθμοισιν ἐπεκροτάλιζον ἐρίπνῃ·
καὶ τὰ μὲν ὑλονόμοι χθονὶ κάτθεσαν, ᾗχι τελέσσαι   35
Εὔιος ἐν δαπέδῳ σημήνατο τύμβον Ὀφέλτῃ.

Καὶ πολὺς ἑσμὸς ἔην ἑτερόπτολις· ἀμφὶ δὲ νεκρῷ
πενθαλέην πλοκαμίδα κατήφεϊ τάμνε σιδήρῳ·
ἀμφὶ δέ μιν στενάχοντες ἐπέρρεον ἄλλος ἐπ' ἄλλῳ,
νεκρὸν ἀμοιβαίῃσιν ὅλον σκιόωντες ἐθείραις.   40
καὶ νέκυν ἔστενε Βάκχος ἀπενθήτοιο προσώπου
ὄμμασιν ἀκλαύτοισιν, ἀκερσικόμου δὲ καρήνου
πλοχμὸν ἕνα τμήξας ἐπεθήκατο δῶρον Ὀφέλτῃ.

Ποίησαν δὲ πυρὴν ἑκατόμπεδον ἔνθα καὶ ἔνθα
Ἰδαῖοι θεράποντες ὀριτρεφέος Διονύσου·   45
ἐν δὲ πυρῇ μεσάτῃ στόρεσαν νέκυν. ἀμφὶ δὲ νεκρῷ

many an oak with leaves waving high struck down
with a crash, many a pine lay all along, many a fir
stooped its dry needles ; as the trees were felled far
and wide, little by little the rocks were bared. So
many a Hamadryad Nymph sought another home,
and swiftly joined the unfamiliar maids of the
brooks.

²² Parties coming up would often meet, men on
the hills traversing different mountain-paths. One
saw them up aloft, out in front, coming down,
crossing over, with feet wandering in all directions.
The sticks were packed in bundles with ropes well
twisted and fastened tight and trim, and laid on the
mules' backs ; the animals set out in lines, and the
hooves rang on the mountain-paths as they hurried
along, the surface of the sandy dust was burdened
by heavy logs dragged behind. Satyrs and Pans
were busy ; some cut wood with axes, . . . some pulled
it from tree after tree with their hands, . . . or lifted
trunks with untiring arms and rattled over the rocks
with dancing feet. All this woodmen laid out upon
the earth, where Euios had marked a place on the
ground for the tomb of Opheltes.

³⁷ There was a great swarm of men from different
cities. Over the body they cut the tress of mourning
with the steel of sadness. Groaning for him, they
streamed one after another, and covered the whole
body with their hair each in his turn. Bacchos
lamented the dead with unmournful face and tearless
eyes, and cutting one lock from his uncropt head he
laid it upon Opheltes as his gift.

⁴⁴ The Idaian servants of mountainbred Dionysos
built the pyre a hundred feet this way and that way,
and on the middle of the pyre they laid out the body.

NONNOS

Ἀστέριος Δικταῖος ἐπήορον ἆορ ἐρύσσας
Ἰνδοὺς κυανέους δυοκαίδεκα δειροτομήσας
θῆκεν ἄγων στεφανηδὸν ἐπασσυτέρῳ τινὶ κόσμῳ·
ἐν δ' ἐτίθει μέλιτος καὶ ἀλείφατος ἀμφιφορῆας.   50
καὶ πολέες σφάζοντο βόες καὶ πώεα ποίμνης
πρόσθε πυρῆς· κταμένων δὲ βοῶν ἐπενήνεε νεκρῷ
σώματα κυκλωθέντα καὶ ἀρτιτόμων στίχας ἵππων,
ὧν ἄπο δημὸν ἅπαντα λαβὼν στοιχηδὸν ἑκάστου,
ἀμφὶ νέκυν στορέσας, κυκλώσατο πίονα μίτρην.   55
Ἔνθα πυρὸς χρέος ἔσκε· φιλοσκοπέλοιο δὲ Κίρκης
Φαῦνος ἐρημονόμος, Τυρσηνίδος ἀστὸς ἀρούρης,
ὡς πάις ἀγροτέρης δεδαημένος ἔργα τεκούσης,
πυρσοτόκους λάιγγας, ὀρειάδος ὄργανα τέχνης,
ἤγαγεν ἐκ σκοπέλοιο, καί, ὁππόθι σήματα Νίκης   60
ἠερόθεν πίπτοντες ἐπιστώσαντο κεραυνοί,
λείψανα θεσπεσίου πυρὸς ἤγαγεν, ὥς κεν ἀνάψῃ
πυρκαϊὴν φθιμένοιο· Διοβλήτῳ δὲ θεείῳ
ἀμφοτέρων ἔχρισε λίθων κενεῶνας ἀλείψας
πυρσοτόκων· καὶ λεπτὸν Ἐρυθραίοιο κορύμβου   65
κάρφος ἀποξύσας διδυμάονι μίγνυε πέτρῳ·
τρίβων δ' ἔνθα καὶ ἔνθα καὶ ἄρσενι θῆλυν ἀράσσων
ἔγκρυφον αὐτολόχευτον ἀνείρυε λάινεον πῦρ,
πυρκαϊῇ δ' ὑπέθηκεν, ὅπῃ πέλεν ἀγριὰς ὕλη.
Οὐ δὲ πυρὴν φθιμένου
             περιδέδρομεν ἁπτόμενον πῦρ,   70
ἀλλὰ θεὸς Φαέθοντος ἐναντίον ὄμμα τανύσσας
ἀγχιφανὴς ἐκάλεσσεν Ἐώιον Εὖρον ἀήτην,
πυρκαϊῆς ἐπίκουρον ἄγειν ἀντίπνοον αὔρην.
καὶ Βρομίου καλέοντος Ἑωσφόρος ἔκλυε γείτων

---

[a] Nonnos seems to confuse the striking together of flints
with the rubbing or twirling of a hardwood (" male ") stick
in a groove or hole in one of soft wood (" female ").

Asterios of Dicte drew the sword that hung by his side, and cut the throats of twelve swarthy Indians over the body, then brought and laid them in a close orderly circle around it. There also he placed jars of honey and oil. Many oxen and sheep of the flock were butchered in front of the pyre ; he heaped the bodies of the slain cattle round the body, together with rows of newly slaughtered horses, taking from each of them in turn all the fat which he laid like a rich girdle all round the body.

⁵⁶ Now fire was wanted. So Phaunos the son of rock-loving Circe, the frequenter of the wilderness, who dwelt in the Tyrsenian land, who had learnt as a boy the works of his wild mother, brought from a rock the firebreeding stones which are tools of the mountain lore ; and from a place where thunderbolts falling from heaven had left trusty signs of victory, he brought the relics of the divine fire to kindle the pyre of the dead. With the sulphur of the divine bolt he smeared and anointed the hollows of the two fire-breeding stones. Then he scraped off a light dry sprig of Erythraian growth and put it between the two stones ; he rubbed them to and fro, and thus striking the male against the female, he drew forth the fire hidden in the stone to a spontaneous birth,[a] and applied it to the pyre where the wood from the forest lay.

⁷⁰ But the fire kindled would not run round the dead man's pyre ; so the god came near, and fixing his eye on Phaëthon,[b] called upon Euros the eastern wind to bring him a breeze to blow on his pyre and help. As Bromios called, the Morning Star hard by heard his

[b] Looking straight at the sun, which apparently was just rising or risen.

41

ἱκεσίης, καὶ γνωτὸν ἐὸν προέηκε Λυαίῳ,   75
ἄσθματι πυκνοτέρῳ φλογοειδέα πυρσὸν ἀνάπτειν.
  Καὶ θάλαμον ῥοδόεντα λιπὼν μητρώιον Ἠοῦς
πυρκαϊὴν φλογόεσσαν ἀνερρίπιζεν ἀήτης
πάννυχος, αἰθύσσων ἀνεμοτρεφὲς ἀλλόμενον πῦρ·
καὶ σέλας ἠκόντιζον ἐς ἠέρα θυιάδες αὖραι,   80
γείτονες Ἠελίοιο. σὺν ἀχνυμένῳ δὲ Λυαίῳ
Ἀστέριος Δικταῖος, ὁμόγνιον αἷμα κομίζων,
Κνώσσιον ἀμφικύπελλον ἔχων δέπας ἡδέος οἴνου
εὐόδμου, δαπέδοιο χυτὴν ἐμέθυσσε κονίην,
ψυχὴν ἠνεμόφοιτον Ἀρεστορίδαο γεραίρων.   85
  Ἀλλ' ὅτε δὴ δροσεροῖο προάγγελος ἅρματος Ἠοῦς
ὄρθρος ἐρευθιόων ἀμαρύσσετο νύκτα χαράσσων,
δὴ τότε πάντες ὄρουσαν, ἀμοιβαίῳ δὲ κυπέλλῳ
πυρκαϊὴν ἑτάροιο κατέσβεσαν ἰκμάδι Βάκχου.
καὶ βαλίαις πτερύγεσσιν ἐχάζετο θερμὸς ἀήτης   90
εἰς δόμον Ἠελίοιο φαεσφόρον. Ἀστέριος δὲ
ὀστέα συλλέξας κεκαλυμμένα δίπλακι δημῷ
εἰς χρυσέην φιάλην κατεθήκατο λείψανα νεκροῦ.
καὶ τροχαλοὶ Κορύβαντες, ἐπεὶ λάχον ἔνδιον Ἴδης, 94
νεκρὸν ἐταρχύσαντο, μιῆς οἰκήτορα πάτρης,   96
Κρήτης γνήσιον αἷμα, βαθυνομένων δὲ θεμέθλων   95 97
τύμβον ἐτορνώσαντο πεδοσκαφέος διὰ κόλπου·   97 95
καὶ κόνιν ὀθνείην πυμάτην ἐπέχευαν Ὀφέλτῃ,   98
καὶ τάφον αἰπυτέροισιν ἀνεστήσαντο δομαίοις,
τοῖον ἐπιγράψαντες ἔπος νεοπενθέι τύμβῳ·   100
" νεκρός Ἀρεστορίδης μινυώριος ἐνθάδε κεῖται,
Κνώσσιος, Ἰνδοφόνος,
               Βρομίου συνάεθλος, Ὀφέλτης."
  Καὶ θεὸς ἀμπελόεις ἐπιτύμβια δῶρα κομίζων

appeal, and sent his brother [a] to Lyaios, to make the pyre burn up by his brisker breath.

[77] The Wind left the rosy chamber of Dawn his mother, and fanned the blazing pyre all night [b] long, stirring up the windfed leaping fire ; the wild breezes, neighbours of the sun, shot the gleams into the air. Along with sorrowing Lyaios, Asterios of Dicte who was one of his kindred, holding a twohandled cup of sweet fragrant wine, made the dust of the earth drunken in honour of the soul of Arestor's son now carried on the wind.

[86] But when morning, the harbinger of Dawn's dewy car, scored the night with his ruddy gleams, then all awoke, and quenched their comrade's pyre with cups of Bacchos's juice in turn. Then the hot wind returned on quick pinions to the lightbringing mansion of Helios. Asterios collected the bones, and wrapping them in folded fat laid the relics of the dead in a golden urn. Then the whirling Corybants, since their lot was cast in the haunts of Ida, gave burial to the body as an inhabitant of one country, a true-born son of Crete, and digging the foundations deep they made his round tomb in a hollow dug in the earth, and last of all they poured foreign dust over Opheltes. They built up his barrow with taller stones, and engraved these lines on this monument of their recent sorrow : " Here lies Arestor's son who untimely died : Cnossian, Indianslayer, comrade of Bromios, Opheltes."

[103] Then the god of the vine brought the funeral

---

[a] Euros ; presumably both are children of Astraios, cf. vi. 18, 40. No earlier author has this genealogy.

[b] Taken over from Hom. Il. xxiii. 217, but there it is in place, here Nonnos has just implied that it was early morning.

αὐτόθι λαὸν ἔρυκε, καὶ ἵζανεν εὐρὺν ἀγῶνα,
τέρμα δρόμου τελέσας ἱππήλατον· ἐν δαπέδῳ δὲ   105
ὀργυίης ἰσόμετρος ἔην λίθος εὐρέι μέτρῳ,
ἡμιτόμου κύκλοιο φέρων τύπον, εἰκόνα μήνης,
ἀντιτύποις λαγόνεσσιν ἔυξοος, οἷον ὑφαίνων
ἐργοπόνοις παλάμῃσι γέρων τορνώσατο τέκτων,
ἔνθεον ἀσκῆσαι ποθέων βρέτας· ὃν τότε γαίη   110
κουφίζων παλάμῃσι πέλωρ ἱδρύσατο Κύκλωψ
νύσσης λαϊνέης ἀντίρροπον, ἶσον ἐκείνῳ
ἀντίπορον λίθον ἄλλον ὁμόζυγον ἐν χθονὶ πήξας.
ποικίλα δ' ἦεν ἄεθλα, λέβης, τρίπος, ἀσπίδες, ἵπποι,
ἄργυρος, Ἰνδὰ μέταλλα, βόες, Πακτώλιος ἰλύς.   115
    Καὶ θεὸς ἱππήεσσιν ἀέθλια θήκατο νίκης·
πρώτῳ μὲν θέτο τόξον Ἀμαζονίην τε φαρέτρην
καὶ σάκος ἡμιτέλεστον Ἀρηιφίλην τε γυναῖκα,
τήν ποτε Θερμώδοντος ὑπ' ὀφρύσι πεζὸς ὁδεύων
λουομένην ζώγρησε, καὶ ἤγαγεν εἰς πόλιν Ἰνδῶν·   120
δευτέρῳ ἵππον ἔθηκε Βορειάδι σύνδρομον αὔρῃ,
ξανθοφυῆ, δολιχῇσι κατάσκιον αὐχένα χαίταις,
ἡμιτελὲς κυέουσαν ἔτι βρέφος, ἧς ἔτι φόρτῳ
ἵππιον ὄγκον ἔχουσα γονῆς οἰδαίνετο γαστήρ·
καὶ τριτάτῳ θώρηκα, καὶ ἀσπίδα θῆκε τετάρτῳ·   125
τὸν μὲν ἀριστοπόνος τεχνήσατο Λήμνιος ἄκμων
ἀσκήσας χρυσέῳ δαιδάλματι, τῆς δ' ἐνὶ μέσσῳ
ὀμφαλὸς ἀργυρέῳ τροχόεις ποικίλλετο κόσμῳ·
πέμπτῳ δοιὰ τάλαντα, γέρας Πακτωλίδος ὄχθης.
ὀρθωθεὶς δ' ἀγόρευεν ἐπισπέρχων ἐλατῆρας·   130
    " Ὦ φίλοι, οὓς ἐδίδαξεν Ἄρης πολίπορθον Ἐννώ,
οἷς δρόμον ἱπποσύνης δωρήσατο κυανοχαίτης,
οὐ μὲν ἐγὼ καμάτων ἀδαήμονας ἄνδρας ἐπείγω,
ἀλλὰ πόνοις βριαροῖσιν ἐθήμονας· ἡμέτεροι γὰρ
παντοίαις ἀρετῇσι μεμηλότες εἰσὶ μαχηταί·   135

44

prizes. He kept the people there, and marked out a wide space for games with the goal for a chariot-race. There was on the ground a stone of a fathom's width, rounded into a half-circle, like the moon, well smoothed on its two sides, such as an old craftsman has fashioned and rounded with industrious hands wishing to make the statue of a god. A giant Cyclops lifted this in his hands and set it in the earth for a stone turning-post, and fixed another like it at the opposite end. There were various prizes, cauldron, tripod, shields, horses, silver, Indian jewels, cattle, Pactolian silt.[a]

116 The god offered prizes of victory for the charioteers. For the first, a bow and Amazonian quiver, a demilune buckler, and one of those warlike women, whom once as he walked on the banks of Thermodon he had taken while bathing and brought to the Indian city. For the second, a bay mare swift as the north wind, with long mane overshadowing her neck, still in foal and gone half her time and her belly swollen with the burden her mate had begotten. For the third, a corselet, and a shield for the fourth. This was a masterpiece made on the Lemnian anvil[b] and adorned with gold patterns; the round boss in the middle was wrought with silver ornaments. For the fifth, two ingots, treasure from the banks of Pactolos. Then he stood up and encouraged the drivers:

131 " My friends, whom Ares has taught citystorming war, to whom Seabluehair has given the racer's horsemanship ! You whom I urge are men not unacquainted with hardship, but used to heavy toils; for our warriors hold dear all sorts of manly prowess.

---

[a] *i.e.* gold.
[b] Therefore presumably by Hephaistos.

εἰ γὰρ ἀπὸ Τμώλοιο γένος λάχε Λύδιος ἀνήρ,
ἱππείης τελέσει Πελοπηίδος ἄξια νίκης·
εἰ δὲ πέδον Πισαῖον ἔχει μαιμίον ἵππων
Ἤλιδος εὐδίφροιο καὶ Οἰνομάοιο πολίτης,
οἶδεν Ὀλυμπιάδος κοτινηφόρον ὄζον ἐλαίης·   140
ἀλλ' οὐκ Οἰνομάοιο πέλει δρόμος, οὐκ ἐλατῆρες
ἐνθάδε κέντρον ἔχουσι κακοξείνων ὑμεναίων,
ἀλλ' ἀρετῆς δρόμος οὗτος, ἐλεύθερος ἀφρογενείης·
εἰ πέδον¹ Ἀονίης ἢ Φωκίδος αἷμα κομίζει,
Πύθιον Ἀπόλλωνι τετιμένον οἶδεν ἀγῶνα·   145
εἰ μεθέπει σοφὸν οὐδας ἐλαιοκόμου Μαραθῶνος,
ἔγνω πιαλέης ἐγκύμονα κάλπιν ἐέρσης·
εἰ πέλεν εὐώδινος Ἀχαιίδος ἀστὸς ἀρούρης,
Πελλήνην δεδάηκεν, ὅπη ῥιγηλὸν ἀγῶνα
ἄνδρες ἀεθλεύουσι φιλοχλαίνου περὶ νίκης,   150
χειμερίῳ σφίγγοντες ἀθαλπέα γυῖα χιτῶνι·
εἰ ναέτης βλάστησεν ἁλιζώνοιο Κορίνθου,
Ἴσθμιον ἡμετέροιο Παλαίμονος οἶδεν ἀγῶνα."

Ὣς φαμένου σπεύδοντες ἐπέτρεχον ἡγεμονῆες,
δίφρα περιτροχόωντες ἀμοιβαδίς· ὠκυπόδην δὲ   155
Ξάνθον ἄγων πρώτιστος ὑπὸ ζυγὰ δῆσεν Ἐρεχθεὺς

---

¹ So MSS.: σχεδὸν Ludwich.

ᵃ In this passage, Nonnos takes occasion to exploit his knowledge of the mythology of athletic contests. Dionysos's men include Lydians; but Pelops (137) was son of Tantalos the Lydian, so they may take example from his defeat of Oinomaos (*cf.* xix. 152). But this is one of the many mythical origins of the games at Olympia, so if they come from Pisa (the nearest town to the precinct of Zeus where the games were held) that may encourage them, especially as this is to be a clean and fair contest, with no tricks such as Pelops played for the sake of his love of Hippodameia (141-143; the Foamborn is Aphrodite). Or

46

If one is of Lydian birth from Tmolos, he will do deeds
worthy of the victorious racing of Pelops. If one
comes from the land of Pisa, nurse of horses, a man of
Elis with its fine chariots, a countryman of Oinomaos,
he knows the sprigs of Olympian wild olive : but this
is not the race of Oinomaos, our drivers here have not
the goad of a marriage fatal to strangers—this is a
race for honour and free from the Foamborn. If one
has the land of Aonia or the blood of Phocis, he knows
the Pythian contest honoured by Apollo. If he holds
Marathon, rich in olives, the home of artists, he knows
those jars teeming with rich juice. If one is a habitant
of the fruitful land of Achaia, he has learnt of Pellene,
where men wage a shivery contest for the welcome
prize of a woollen cloak, a coat to huddle up their cold
limbs in winter. If he has grown up to live in sea-
girdled Corinth, he knows the Isthmian contest of our
Palaimon." [a]

154 He spoke, and the leaders came hastening up
and ran round each to his chariot. First Erechtheus
brought his horse Bayard under the yoke, and

if they are from the regions near Delphi (144), they are
neighbours of the Pythian Games (that these were not
founded till centuries later does not seem to trouble Nonnos).
If they are from the Isthmus of Corinth (152-153) they are to
remember that the Games there are in honour of Palaimon
(*cf.* ix. 90). Apparently a chronological scruple prevents him
naming the Nemean Games, said to have been founded by
the Seven champions on their way to Thebes. Of the minor
Games, the prizes for which were not wreaths but objects of
value, he mentions (146) the (Heracleia at) Marathon, but
obviously confuses them with the Panathenaia, for the
Marathonian prizes were silver goblets (schol. Pind. *Ol.* xiii.
110), oil being the prize of the Panathenaia. In 148-149 the
allusion is to the Hermaia at Pellene in Achaia, where the
prize was a woollen cloak. Probably he had his information
from Pindar and his scholiast.

ἄρσενα, καὶ θήλειαν ἐπεσφήκωσε Ποδάρκην,
οὓς Βορέης ἔσπειρεν ἐυπτερύγων ἐπὶ λέκτρων
Σιθονίην Ἅρπυιαν ἀελλόπον εἰς γάμον ἕλκων,
καί σφεας, Ὠρείθυιαν ὅθ᾽ ἥρπασεν Ἀτθίδα νύμφην, 160
ὤπασεν ἕδνον ἔρωτος Ἐρεχθέι γαμβρὸς ἀήτης.
δεύτερος Ἀκταίων Ἰσμηνίδα πάλλεν ἱμάσθλην·
καὶ τρίτος ὑγρομέδοντος ἀπόσπορος ἐννοσιγαίου
Σκέλμις ἔην ταχύπωλος, ὃς ἔγραφε πολλάκις ὕδωρ
πάτριον ἰθύνων Ποσιδήιον ἅρμα θαλάσσης. 165
τέτρατος ἄνθορε Φαῦνος, ὃς εἰς μέσον ἦλθεν ἀγῶνος
μοῦνος ἔχων τύπον ἶσον ἑῆς γενέταο τεκούσης,
Ἡελίου μίμημα φέρων τετράζυγας ἵππους·
καὶ Σικελῶν ὀχέων ἐπεβήσατο πέμπτος Ἀχάτης,
οἶστρον ἔχων Πισαῖον ἐλαιοκόμου ποταμοῖο, 170
ἱπποσύνης ἀκόρητος, ἐπεὶ πέδον ᾤκεε νύμφης
Ἀλφειοῦ δυσέρωτος, ὃς εἰς Ἀρέθουσαν ἱκάνει
ἄβροχον ἕδνον ἔρωτος ἄγων στεφανηφόρον ὕδωρ.

Καὶ θρασὺν Ἀκταίωνα λαβὼν ἀπάνευθεν ὁμίλου
παιδὶ πατὴρ σπεύδοντι φίλους ἐπετέλλετο μύθους· 175
" Τέκνον Ἀρισταίοιο περισσονόοιο τοκῆος,
οἶδα μέν, ὅττι φέρεις σθένος ἄρκιον, ὅττι κομίζεις
σύμφυτον ἠνορέη κεκερασμένον ἄνθεμον ἥβης,
πάτριον αἷμα φέρων Φοιβήιον, ἡμέτεραι δὲ
κρείσσονες ἀίσσουσιν ἐπὶ δρόμον Ἀρκάδες ἵπποι· 180

---

[a] *Cf.* ii. 688; Oreithyia was daughter of Erechtheus (or Pandion) king of Athens.

[b] Theban, from the river Ismenos (properly Hismenos), near Thebes.

[c] The genealogy is Helios-Circe-Faunus, *cf.* xxxvii. 13.

[d] The story of how Alpheios, the river of Elis, loved Arethusa, the fountain of Syracuse (among other places),

fastened in his mare Swiftfoot; both sired by North-wind Boreas in winged coupling when he dragged a stormfoot Sithonian Harpy to himself, and the Wind gave them as loveprice to his goodfather Erechtheus when he stole Attic Oreithyia for his bride.[a]

162 Second, Actaion swung his Ismenian [b] lash. Third was speedyfoal Scelmis, offspring of Earthshaker lord of the wet, who often cut the water of the sea driving the car of his father Poseidon. Fourth Phaunos leapt up, who came into the assembly alone bearing the semblance of his mother's father,[c] with four horses under his yoke like Helios; and fifth Achates mounted his Sicilian chariot, one insatiable for horsemanship, full of the passion which belongs to the river that feeds the olivetrees of Pisa. For he lived in the land of the nymph loved by hapless Alpheios, who brings to Arethusa as a gift of love his garlanded waters untainted by the brine.[d]

174 Bold Actaion was led away from the crowd by his father, who addressed these loving injunctions to his eager son:

176 " My son, your father Aristaios has more experience than you. I know you have strength enough, that in you the bloom of youth is joined with courage; for you have in you the blood of Apollo my father, and our Arcadian mares are stronger than any

and consequently his waters flow under the sea without mingling with the salt water, to join hers, is told a hundred times in ancient authors, e.g., in Strabo vi. 2. 4. The epithet στεφανηφόρον probably means that if a garland is thrown into Alpheios it will reappear in Arethusa; elsewhere it is a silver cup, or dirt of some kind, or generally anything that may be thrown into the river which gives this proof of the story. But it may simply refer to the garlands given as prizes at Olympia.

ἀλλὰ μάτην τάδε πάντα,
        καὶ οὐ σθένος, οὐ δρόμος ἵππων
νικῆσαι δεδάασιν, ὅσον φρένες ἡνιοχῆος·
μούνης κερδοσύνης ἐπιδεύεαι· ἱπποσύνη γὰρ
χρηίζει πινυτοῖο δαήμονος ἡνιοχῆος.
ἀλλὰ σὺ πατρὸς ἄκουε, καὶ ἵππια κέρδεα τέχνης, 185
ὅσσα χρόνῳ δεδάηκα πολύτροπα, καὶ σὲ διδάξω.
σπεῦδε, τέκος, γενετῆρα τεαῖς ἀρετῇσι γεραίρειν·
καὶ δρόμος ἱπποσύνης μεθέπει κλέος, ὅσσον Ἐννώ·
σπεῦδε καὶ ἐν σταδίοισι
        μετὰ πτολέμους με γεραίρειν·
Ἄρεα νικήσας ἑτέρην ὑποδύσεο νίκην, 190
ὄφρα μετ' αἰχμητῆρα καὶ ἀθλοφόρον σε καλέσσω.
ὦ τέκος, ἄξια ῥέξον ὁμογνήτῳ Διονύσῳ,
ἄξια καὶ Φοίβοιο καὶ εὐπαλάμοιο Κυρήνης,
καὶ καμάτους νίκησον Ἀρισταίοιο τοκῆος·
ἱπποσύνην δ' ἀνάφαινε, φέρων τεχνήμονα νίκην, 195
κερδαλέην σέο μῆτιν, ἐπεὶ κατὰ μέσσον ἀγῶνος
ἄλλος ἀνὴρ ἀδίδακτος ἀπόσσυτον ἅρμα παρέλκων
πλάζεται ἔνθα καὶ ἔνθα,
        καὶ ἀντιπόρων δρόμος ἵππων
ἄστατος οὐ μάστιγι βιάζεται, οὐδὲ χαλινῷ
πείθεται, ἡνίοχος δὲ μετάτροπος ἔκτοθι νύσσης 200
ἕλκεται, ἧχι φέρουσιν ἀπειθέες ἅρπαγες ἵπποι·
ὃς δέ κε τεχνήεντι δόλῳ μεμελημένος εἴη
ἡνίοχος πολύμητις, ἔχων καὶ ἐλάσσονας ἵππους,
ἰθύνει, προκέλευθον ὀπιπεύων ἐλατῆρα,
ἐγγὺς ἀεὶ περὶ νύσσαν ἄγων δρόμον,
        ἅρμα δὲ κάμπτει 205
ἱππεύων περὶ τέρμα καὶ οὔ ποτε τέρμα χαράσσων.
σκέπτεό μοι καὶ σφίγγε κυβερνητῆρι χαλινῷ
δοχμώσας ὅλον ἵππον ἀριστερὸν ἐγγύθι νύσσης,

for the race. But all this is in vain, neither strength nor running horses know how to win, as much as the driver's brains. Cunning, only cunning you want; for horseracing needs a smart clever man to drive.

185 " Then listen to your father, and I will teach you too all the tricks of the horsy art which time has taught me, and they are many and various. Do your best, my boy, to honour your father by your successes. Horseracing brings as great a repute as war ; do your best to honour me on the racecourse as well as the battlefield. You have won a victory in war, now win another, that I may call you prizewinner as well as spearman. My dear boy, do something worthy of Dionysos your kinsman, worthy both of Phoibos and of skilful Cyrene, and outdo the labours of your father Aristaios. Show your horsemastery, win your event like an artist, by your own sharp wits; for without instruction one pulls the car off the course in the middle of a race, it wanders all over the place, and the obstinate horses in their unsteady progress are not driven by the whip or obedient to the bit, the driver as he turns back misses the post,[a] he loses control, the horses run away and carry him back where they will. But one who is a master of arts and tricks, the driver with his wits about him, even with inferior horses, keeps straight and watches the man in front, keeps a course ever close to the post, wheels his car round without ever scratching the mark. Keep your eyes open, please, and tighten the guiding rein swinging the whole near horse about and just clearing the post, throwing your weight

---

[a] Not the goal, but the mark at the end of the track where the cars were to turn ; it was a point of horsemanship to come as near as possible without actually hitting it.

λοξὸς ἐπὶ πλευρῇσι παρακλιδὸν ἅρμα βαρύνων,
ἀγχιφανὴς ἄψαυστος ἀναγκαίῳ τινὶ μέτρῳ   210
σὸν δρόμον ἰθύνων, πεφυλαγμένος, ἄχρι φανείη
πλήμνη ἑλισσομένου σέθεν ἅρματος οἷά περ ἄκρου
τέρματος ἁπτομένη τροχειδέι γείτονι κύκλῳ·
ἀλλὰ λίθον πεφύλαξο, μὴ ἄξονι νύσσαν ἀράξας
εἰν ἑνὶ δηλήσαιο καὶ ἅρματα καὶ σέθεν ἵππους.   215
καὶ τεὸν ἔνθα καὶ ἔνθα κατὰ δρόμον ἅρμα νομεύων
ἔσσο κυβερνήτῃ πανομοίιος· ἀμφότερον δέ,
κέντρῳ ἐπισπέρχων, προχέων πλήξιππον ἀπειλήν,
δεξιὸν ἵππον ἔλαυνε, θοώτερον εἰς δρόμον ἕλκων
ἀθλιβέος μεθέποντα παρειμένα κύκλα χαλινοῦ·   220
ἔσσο κυβερνήτῃ πανομοίιος ἅρμα νομεύων
εἰς δρόμον ἰθυκέλευθον, ἐπεὶ τεχνήμονι βουλῇ
πηδάλιον δίφροιο πέλει νόος ἡνιόχηος.''
    ̔Ως εἰπὼν παλίνορσος ἐχάζετο, παῖδα διδάξας
ἤθεος ἱπποσύνης ἑτερότροπα κέρδεα τέχνης.   225
    Καὶ κυνέης ἔντοσθεν ἐθήμονος ἄλλος ἐπ' ἄλλῳ
τυφλὴν χεῖρα τίταινε φυλασσομένοιο προσώπου,
κλῆρον ἔχειν ἐθέλων ἑτερότροπον, οἷά τις ἀνὴρ
εἰς κύβον ἀλλοπρόσαλλον ἐκηβόλα δάκτυλα πάλλων.
καὶ λάχον ἡνιοχῆες ἀμοιβαδίς· ἱππομανὴς δὲ   230
Φαῦνος ἀειδομένης Φαεθοντίδος αἷμα γενέθλης
κλήρῳ πρῶτος ἔην, καὶ δεύτερος ἦεν Ἀχάτης,
τῷ δ' ἐπὶ Δαμναμενῆος ἀδελφεός,
                                  ἀμφὶ δ' ἄρ' αὐτῷ
ἔλλαχεν Ἀκταίων· ὁ δὲ φέρτατος εἰς δρόμον ἔστη
ὑστατίου κλήροιο τυχὼν πλήξιππος Ἐρεχθεύς.   235
    Καὶ βοέας μάστιγας ἐκούφισαν ἡνιοχῆες,
ἱστάμενοι στοιχηδὸν ἀμοιβαίων ἐπὶ δίφρων.
καὶ σκοπὸς Αἰακὸς ἦεν ἐτήτυμος, ὄφρα νοήσας
καμπτομένους περὶ τέρμα φιλοστεφάνους ἐλατῆρας

sideways to make the car tilt, guide your course
by needful measure, watch until as your car turns
the hub of the wheel seems almost to touch the
surface of the mark with the near-circling wheel.
Come very near without touching; but take care of
the stone, or you may strike the post with the axle
against the turning-post and wreck both horses and
car together. As you guide your team this way and
that way on the course, act like a steersman; ply the
prick, scold and threaten the whip without sparing,
press the off horse, lift him to a spurt, slacken the
hold of the bit and don't let it irk him. Manage
your car like a good steersman; guide your car on a
straight course, for the driver's mind is like a car's
rudder if he drives with his head."

²²⁴ With this advice, he turned away and retired,
having taught his son the various tricks of his trade
as a horseman, which he knew so well himself.

²²⁶ One after another as usual each put a blind hand
into the helmet,[a] turning away his face, and hoping
to get the uncertain lot in his favour, as one who
shakes his fingers for a throw of the doubtful dice far
from him. So the leaders in turn took their lots.
Horsemad Phaunos, offspring of the famous blood of
Phaëthon, was first by lot, and Achates was second,
next came the brother of Damnamenes,[b] and next
to him Actaion; but the best racer of all got the
last lot, horsewhipper Erechtheus.

²³⁶ Then the drivers lifted their leather whips, and
stood in a row each in his chariot. The umpire was
honest Aiacos; his duty was to view the crown-eager
drivers turning the post, and to watch with unerring

---

[a] They drew lots to see which should drive nearest the
inside of the track.　　　　　　[b] Scelmis.

μάρτυς ἀληθείης ἑτερόθροα νείκεα λύσῃ,   240
ὄμμασιν ἀπλανέεσσι διακρίνων δρόμον ἵππων.
  Τοῖσι μὲν ἐκ βαλβῖδος ἔην δρόμος· ἐσσυμένων δὲ
ὃς μὲν ἔην προκέλευθος, ὃ δὲ προθέοντα κιχῆσαι
ἤθελεν, ὃς δ' ἐδίωκε μεσαίτατον, ὃς δὲ χαράξαι
ἀγχιφανὴς μενέαινεν ὀπίστερον ἡνιοχῆα.   245
καί τις ἐνὶ σταδίοις ἐλατὴρ ἐλατῆρα κιχήσας
ἅρματι δίφρον ἔμιξε, καὶ ἡνία χερσὶ τινάσσων
ἵππους ἀγκυλόδοντι διεπτοίησε χαλινῷ·
ἄλλος ἐπαΐσσοντι συνέμπορος ἡνιοχῆι
εἰς ἔριν ἀμφήριστον ἰσόρροπον εἶχε πορείην,   250
δόχμιος ὀκλάζων, τετανυσμένος, ὀρθὸς ἀνάγκῃ,
ἰξύι καμπτομένη, καὶ ἑκούσιον ἵππον ἐλαύνων,
φειδομένη παλάμη τεχνήμονι βαιὸν ἱμάσσων,
ἐντροπαλιζομένης δοχμώσατο κύκλον ὀπωπῆς·
δίφρον ὀπισθοπόρου πεφυλαγμένος ἡνιοχῆος·   255
καί νύ κεν ἀίσσοντι ποδῶν ἐπιβήτορι παλμῷ
εἰς τροχὸν αὐτοκύλιστον ὄνυξ ὠλίσθανεν ἵππων,
εἰ μὴ ἔτι σπεύδουσαν ἑὴν ἀνέκοψεν ἐρωὴν
ἡνίοχος, κατόπισθεν ἐπήλυδα δίφρον ἐρύκων.
καί τις ἔχων προκέλευθος ὀπίστερον ἡνιοχῆα   260
ἀντίτυπον δρόμον εἶχεν ὁμοζήλων ἐπὶ δίφρων,
ἄστατος ἔνθα καὶ ἔνθα περικλείων ἐλατῆρα
ἀγχιφανῆ. καὶ Σκέλμις, ἀπόσπορος ἐννοσιγαίου,
εἰναλίην μάστιγα Ποσειδάωνος ἑλίσσων
πάτριον ἡνιόχευε θαλασσονόμων γένος ἵππων·   265
οὐδὲ τόσον πεπότητο τανύπτερος ἠέρα τέμνων
Πήγασος ὑψιπότητος, ὅσον βυθίων πόδες ἵππων
χερσαίην ἀκίχητον ἐποιήσαντο πορείην.
  Λαοὶ δ' εἰς ἓν ἰόντες, ἐν ὑψιλόφῳ τινὶ χώρῳ
ἑζόμενοι στοιχηδὸν ὀπιπευτῆρες ἀγῶνος,   270
τηλόθεν ἐσκοπίαζον ἐπειγομένων δρόμον ἵππων·

eyes how the horses ran. He was the witness of truth, to settle quarrels and differences.

²⁴² The race started from the barrier. Off they went—one leading in the course, one trying to catch him as he raced in front, another chasing the one between, and the last ran close to the latter of these two and strove to graze his chariot. As they got farther on driver caught driver and ran car against car, then shaking the reins forced off the horses with the jagged bit. Another neck and neck with a speeding rival ran level in the doubtful race, now crouching sideways, now stretching himself, now upright when he could not help it, with bent hips urging the willing horse, just a touch of the master's hand and a light flick of the whip. Again and again he would turn and look back for fear of the car of the driver coming on behind : or as he made speed, the horse's hoof in the spring of his prancing feet would be slipping into a somersault, had not the driver checked his still hurrying pace and so held back the car which pressed him behind. Again, one in front with another driver following behind would change his course to counter the rival car, moving from side to side uncertainly so as to bar the way to the other who pressed him close. And Scelmis, offspring of the Earthshaker, swung Poseidon's sea-whip and drove his father's team bred in the sea ; not Pegasos flying on high so quickly cut the air on his long wings, as the feet of the seabred horses covered their course on land unapproachable.

²⁶⁹ The people collected together sat in rows on a high hill, to see the race, and watched from

ὧν ὁ μὲν εἱστήκει πεφοβημένος, ὃς δὲ τινάσσων
δάκτυλον ἄκρον ἔσειεν ἐπισπέρχων ἐλατῆρα,
ἄλλος ἁμιλλητῆρι πόθῳ δεδονημένος ἵππων
ἱππομανῆ νόον εἶχεν ὁμόδρομον ἡνιοχῆος·   275
καί τις ἑοῦ προκέλευθον ἰδὼν δρόμον ἡνιοχῆος
χερσὶν ἐπεπλατάγησε καὶ ἴαχε πενθάδι φωνῇ
θαρσύνων, γελόων, τρομέων, ἐλατῆρι κελεύων.
   Ἅρματα δ' εὐποίητα θοώτερα θυιάδος ἄρκτου
ἄλλοτε μὲν πεπότητο μετάρσια, πῇ δ' ἐπὶ γαίῃ   280
ἀκροφανῆ πεφόρητο μόγις ψαύοντα κονίης·
καὶ ταχινῷ ψαμαθῶδες ἕδος τροχοειδέι κύκλῳ
ἅρματος ἰθυπόροιο κατέγραφεν ὁλκὸς ἀλήτης·
συμφερτὴ δ' ἔρις ἦεν· ἐγειρομένη δὲ καὶ αὐτὴ
στήθεσιν ἱππείοισιν ἀνηώρητο κονίη,   285
χαῖται δ' ἠερίῃσιν ἐπερρώοντο θυέλλαις·
ὀτρηροὶ δ' ἐλατῆρες ὁμογλώσσων ἀπὸ λαιμῶν
ὀξυτέρην μάστιγος ἀπερροίβδησαν ἰωήν.
   Ἀλλ' ὅτε δὴ πύματον τέλεον δρόμον,
                                   ὀξὺς ὀρούσας
Σκέλμις ἔην πρώτιστος ἁλίδρομον ἅρμα τιταίνων·   290
καὶ οἱ ὁμαρτήσας ἐπεμάστιεν ἵππον Ἐρεχθεὺς
ἀγχιφανής, καὶ δίφρον ὀπισθοπόρον τάχα φαίης
εἰναλίου Τελχῖνος ἰδεῖν ἐπιβήτορα δίφρων·
καὶ γὰρ ἀερσιπότητος Ἐρεχθέος ἵππος ἀγήνωρ
διχθαδίῳ μυκτῆρι παλίμπνοον ἄσθμα τιταίνων   295
ἀλλοτρίου θέρμαινε μετάφρενον ἡνιοχῆος,
καὶ νύ κεν αὐχενίων ἐδράξατο χερσὶ κομάων,
ἐντροπαλιζομένοις βλεφάροις ἐλατῆρα δοκεύων,
καὶ νύ κε σειομένων τροχαλῇ στροφάλιγγι γενείων   299
ἀφριόων στατὸς ἵππος ἀπέπτυεν ἄκρα χαλινοῦ,   303
ἀλλὰ παρατρέψας ἀνεσείρασε δίφρον Ἐρεχθεύς,   300
ἡνία δ' εὐποίητα κατέσπασεν ἅρπαγι παλμῷ,   301

56

a distance the course of the galloping horses. One stood anxious, another shook a finger and beckoned to a driver to hurry. Another possessed with the fever of horses' rivalry, felt a mad heart galloping along with his favourite driver; another who saw a man running ahead of his favourite, clapt his hands and shouted in melancholy tones, cheering on, laughing, trembling, warning the driver.

279 The fine chariots, faster than the furious Bear,[a] now flew high aloft, now skimmed the earth scarcely touching the surface of dust. The track of the car dashing straight on with quick circling wheel scratched the sandy soil as it passed. Then there was a confused struggle; the dust also was stirred and rose to the horses' chests, their manes shook in the airy breezes, the busy drivers shouted all with one voice together louder than their cracking whips.

289 Now they were on the last lap. Scelmis with a swift leap was first of all pressing on his scachariot. Erechtheus was close upon him whipping up his team, and you might almost say you saw the second car ready to climb aboard the car of the maritime Telchis; for the spirited stallion of Erechtheus was up in the air, panting and snorting with both nostrils, so as to warm the back of the other charioteer. The eyes of Scelmis were turned back again and again on the other driver, and he might have pulled Erechtheus' horse by the mane, and the foaming stallion might have shaken his jaw with a quick jerk and spat out the bit; but Erechtheus checked the car, and turned it to one side with a vigorous pull at the

[a] Moving faster than Ursa Maior, otherwise the Waggon (ἄμαξα), travels around the pole.

ἀγχιφανῆ κατὰ βαιὸν ἐπισφίγγων γένυν ἵππων·   302
καὶ πάλιν ἐγγὺς ἔλασσε φυγὼν ἀχάλινον ἀνάγκην. 304
καί μιν ἑοῖς ὀχέεσσιν ἐπαΐσσοντα δοκεύων   305
Σκέλμις ἀπειλήτειραν ἀπερροίβδησεν ἰωήν·

   " Λῆγε θαλασσαίοισι μάτην ἵπποισιν ἐρίζων·
ἄλλον ἐμοῦ γενέταο Πέλοψ ποτὲ δίφρον ἐλαύνων
Οἰνομάου νίκησεν ἀνικήτων δρόμον ἵππων.
ἱπποσύνης μὲν ἔγωγε κυβερνητῆρα καλέσσω   310
ἵππιον ὑγρομέδοντα· σὺ δέ, πλήξιππε, τιταίνεις
νίκης ἐλπίδα πᾶσαν ἐς ἱστοτέλειαν Ἀθήνην.
οὐ δὲ τεῆς ὀλίγης μορίης χρέος, ἀλλὰ κομίζω
ἀμπελόεν στέφος ἄλλο καὶ οὐκ ἐλάχειαν ἐλαίην.''

   Ὣς φαμένου

          ταχύβουλος ἐχώσατο μᾶλλον Ἐρεχθεύς, 315
καὶ δόλον ἠπεροπῆα καὶ ἔμφρονα μῆτιν ὑφαίνων
χερσὶ μὲν ἡνιόχευεν ἑὸν δρόμον, ἐν κραδίῃ δὲ
ἱπποσύνης πολιοῦχον ἑὴν ἐπίκουρον Ἀθήνην
κικλήσκων ταχύμυθον ἀνήρυγεν Ἀτθίδα φωνήν·

   " Κοίρανε Κεκροπίης, ἱπποσσόε Παλλὰς ἀμήτωρ, 320
ὡς σὺ Ποσειδάωνα τεῷ νίκησας ἀγῶνι,
οὕτω σὸς ναέτης Μαραθώνιον ἵππον ἐλαύνων
υἱέα νικήσειε Ποσειδάωνος Ἐρεχθεύς.''

   Τοῖον ἔπος βοόων ἐπεμάστιεν ἰσχία πώλων,
ἅρματι δ' ἅρμα πέλασσεν ἰσόζυγον· ἀντιβίου δὲ   325
λαιῇ μὲν βαρύδεσμον ἐπισφίγγων γένυν ἵππων,
σύνδρομον αὖ ἐρύων βεβιημένον ἅρμα χαλινῷ,
δεξιτερῇ μάστιζεν ἑοὺς ὑψαύχενας ἵππους

---

   [a] Pelops got from Poseidon the team with which he carried
off Hippodameia, Pind. *Ol.* i. 87.
   [b] μορία, a sacred olive, especially watched over by Zeus
and Athena, Soph. *O.C.* 705-706.
   [c] For possession of Attica, *cf.* xxxvi. 126.

stout reins, wrenching the horses' jaws slowly towards himself. Then again he drove close, having escaped the disaster of a horse without bit and bridle. And Scelmis when he saw him making for his car shouted in threatening tones—

307 "That will do now! It's of no use to run a match with horses of the sea! Pelops long ago driving another car of my father's[a] beat in a race the unconquered horses of Oinomaos. As guide of my horsemanship I will call on the Horse God of the deep : you, my friend the horse flogger, direct all your hope to Athena the Perfect Webster. I do not want your paltry olive[b] ; I'll carry off a different garland, a vinewreath and not your trumpery olive."

315 Erechtheus was a hasty man, and these words of Scelmis made him angrier than before, and his quick intelligent mind began at once to weave plots and plans. His hands went on with his driving, but in his heart he uttered a quick prayer to Athena the queen of his own city in his own country language, to crave help in his horsemanship :

320 "Lady of Cecropia, horsemistress, Pallas un-mothered ! As thou didst conquer Poseidon in thy contest,[c] so may Erechtheus thy subject, who drives a horse of Marathon, conquer Poseidon's son ! "

324 With this appeal he touched up the flanks of his colts and brought up level car to car and yoke to yoke, and with his left hand caught at the mouth of his rival's horse, and pulled at the heavy grip of the bit, forcing back by the bridle the car running by his side[d] ; with his right hand he lashed his own

[d] Apparently a good deal of fouling was tolerated in ancient racing.

ἐσσυμένους προτέρωσε· μεταστήσας δὲ κελεύθου
θῆκε παλινδίνητον ὀπίστερον ἡνιοχῆα.   330
καὶ τροχαλοῖς στομάτεσσι χέων φιλοκέρτομον ἠχὼ
υἷα Ποσειδάωνος ἀμοιβάδι νείκεε φωνῇ,
ἐντροπαλιζομένην μεθέπων γελόωσαν ὀπωπήν·
  " Σκέλμις, ἐνικήθης·
                      σέο φέρτερός ἐστιν Ἐρεχθεύς,
ὅττι τεὸν Βαλίον, Ζεφυρηΐδος αἷμα γενέθλης,   335
ἄρσενα καὶ νέον ἵππον ὁδοιπόρον ἄβροχον ἅλμης
γηραλέη νίκησεν ἐμὴ θήλεια Ποδάρκη.
εἰ μὲν ἀγηνορέεις Πελοπηΐδος εἵνεκα τέχνης
ὑμετέρου γενετῆρος ἁλίδρομον ἅρμα γεραίρων,
Μυρτίλος αἰολόμητις ἐπίκλοπον ἤνυσε νίκην,   340
μιμηλῷ τελέσας ἀπατήλιον ἄξονα κηρῷ·
εἰ δὲ μέγα φρονέεις γενεῆς χάριν ἐννοσιγαίου,
ἵππιον ὃν καλέεις, βυθίων ἐπιβήτορα δίφρων,
πόντιον αὐτὸν ἄνακτα, κυβερνητῆρα τριαίνης,
ἄρσενα σὸν νίκησεν ἀρηγόνα θῆλυς Ἀθήνη."   345
  Ὣς φάμενος Τελχῖνα παρέδραμεν ἀστὸς Ἀθήνης.
τῷ δ' ἐπὶ Φαῦνος ἔλαυνεν ὄχον τέθριππον ἱμάσσων·
Ἀκταίων δὲ τέταρτος ἐπίκλοπος ἕσπετο Φαύνῳ,
πατρὸς Ἀρισταίου μεμνημένος εἰσέτι μύθων
κερδαλέων· καὶ λοῖσθος ἔην Τυρσηνὸς Ἀχάτης.   350
  Καὶ θρασὺς Ἀκταίων δολίην ἐφράσσατο βουλήν·
Φαῦνον ἑοῖς ὀχέεσσιν ἔτι προθέοντα κιχήσας
ὀξυτέρῃ μάστιγι μεταστρέψας δρόμον ἵππων
σύνδρομος ἡνιόχευε, παρακλέπτων ἐλατῆρα,
βαιὸν ὑποφθάμενος· καὶ ἐπ' ἄντυγι γούνατα πήξας 355
δίφρον ἁμιλλητῆρα κατέγραφεν ἅρματι λοξῷ,
ἱππείους τροχόεντι διαξύνων πόδας ὁλκῷ.
καὶ δαπέδῳ πέσεν ἅρμα· τινασσομένοιο δὲ δίφρου

highnecked steeds putting on a spurt. So he took the place of Scelmis on the course, and made that charioteer fall behind. Then he looked back with a laughing countenance on the son of Poseidon, and mocked him in his turn with raillery, the words tumbling over his shoulder in a stream—

³³⁴ "Scelmis, you're beaten! Erechtheus is a better man than you, for my old ambling mare Swiftfoot has beaten your Piebald, with Zephyros for sire, a horse too, and a young one, and one that can run on the sea without getting wet! If you are so proud of the skill of Pelops and praise the seacoursing car of your father, it was Myrtilos [a] who contrived that cheating victory, with his clever invention, when he made a wax model of an axle to deceive his master. If you are haughty because of your father Earthshaker, the Horse God as you call him, who rides in the chariot of the deep, himself lord of the sea and master of the trident, Athena, a female, has beaten your backer, the male!"

³⁴⁶ As he said this, the man of Athena's town ran past the Telchis. Next after him came Phaunos flogging his fourhorse team. Fourth was Actaion the cunning and artful, who had not forgotten his father's good advice; and the last was Tyrsenian Achates.

³⁵¹ Now bold Actaion thought of a cunning plan. His car was just behind Phaunos and catching him up, when with a sharper cut of the whip, he turned his horses aside and drove them up level, slipping by the driver and getting a little in front, then pressing his knees against the rail, he scraped the rival car with his own crossing car and scratched the horse's legs with his running wheel. The car was upset, and over

[a] Oinomaos's charioteer.

τρεῖς μὲν ὑπὲρ δαπέδοιο πέλον πεπτηότες ἵπποι,
ὃς μὲν ὑπὲρ λαγόνων, ὁ δὲ γαστέρος, ὃς δ' ἐπὶ δειρήν, 360
εἷς δέ τις ὀρθὸς ἔμιμνε παρακλιδόν, ἀμφὶ δὲ γαίῃ
ἄκρα ποδῶν ῥίζωσε, καὶ ἄστατον αὐχένα σείων
σύζυγος ἐστήριξεν ὅλον πόδα γείτονος ἵππου,
κουφίζων ζυγόδεσμα, καὶ ὑψόσε δίφρον ἀνέλκων.
οἱ μὲν ἔσαν προχυθέντες ἐπὶ χθονός.
                                        αὐσταλέος δὲ   365
ἡνίοχος κεκύλιστο παρὰ τροχόν, ἅρματι γείτων·
θρύπτετο δ' ἄκρα μέτωπα, μιαινομένῳ δὲ γενείου
ὀξυτενὴς κεκόνιστο πέδῳ κεχαραγμένος ἀγκών.
ἡνίοχος δ' ἀνέπαλτο θοώτερος· ἐσσυμένως δὲ
εἰς χθόνα πεπτηῶτι παρίστατο γείτονι δίφρῳ,   370
αἰδομένη παλάμη τετανυσμένον ἵππον ἀνέλκων·
καὶ βαλίῃ μάστιγι κατηφέα πῶλον ἱμάσσων.
καὶ θρασὺς Ἀκταίων πεπονημένον ἐγγύθι δίφρου
Φαῦνον ὀπιπεύων φιλοπαίγμονα ῥήξατο φωνήν·
" Λῆγε μάτην ἀέκοντας ἐπισπέρχων σέθεν ἵππους, 375
λῆγε μάτην· φθάμενος γὰρ ἀπαγγέλλω Διονύσῳ,
Φαῦνος ὅτι προθέοντας ὅλους ἐλατῆρας ἐάσας
νόστιμος ὀψικέλευθος ἐλεύσεται ἅρματα σύρων·
φείδεο σῆς μάστιγος, ἐπεὶ ταμεσίχροϊ κέντρῳ
σῶν ὀρόων ᾤκτειρα δέμας κεχαραγμένον ἵππων." 380
Ἔννεπεν ἀστήρικτον ὄχον προκέλευθον ἐλαύνων
ὠκυτέρῃ μάστιγι· καὶ ἄχνυτο Φαῦνος ἀκούων.
καὶ μόγις ἐν δαπέδῳ λασίης δεδραγμένος οὐρῆς
κεκλιμένων ὤρθωσε δέμας κεκονιμένον ἵππων,
καί τινα λυομένοιο παραΐξαντα λεπάδνου   385
πῶλον ἄγων παλίνορσον ἐπεσφήκωσε χαλινῷ·
στήσας δ' ἔνθα καὶ ἔνθα παρεσσυμένων πόδας ἵππων
ἅρματος ὕψι βέβηκε, καὶ ἴχνιον ἅρματι πήξας
φρικαλέῃ μάστιξε τὸ δεύτερον ἵππον ἱμάσθλῃ·

the wreckage three of the horses lay fallen on the ground, one on the flank, one on the belly, one on the neck. But one kept clear by a swerve and remained standing, his feet firmly rooted on the earth, shaking his trembling neck; he supported the whole leg of the horse yoked next to him, and lifting the yokeband pulled the car up again. There they were in a mess on the ground; the driver rolled in the dirt beside his wheel, close to the car, the skin of his forehead barked, his chin soiled, his arm stretched out in the dust and the elbow torn by the ground. The driver leapt up quickly, and in a moment he was standing beside his wrecked car, dragging up the prostrate horse with shamed hand and flogging the discomfited beast with quick lash. Bold Actaion watched Phaunos in difficulties beside his car, and made merry at his plight :

375 " That will do now ! It's of no use to press your unwilling horses. That will do, it's all of no use ! I shall be there first, and I will inform Dionysos that Phaunos will let all the other drivers pass, and he will come in last dragging his own car. Spare your whip. It really makes me sorry to see your poor horses torn like that with a fleshcutting prick ! "

381 Phaunos was furious to hear these words, as the speaker drove his team quickly on with speeding whip. He pulled at the thick tails of the horses lying on the ground, and with great difficulty made the beasts get up from the dust. One colt which had struggled out of the untied yokestrap he brought back again and fastened into the bridle. He put the feet of the struggling horses into their places on both sides, and mounted the car, taking his stand firmly in it, then once more whipt up the team with

καὶ πλέον ἤλασε Φαῦνος ἐπισπέρχων δρόμον ἵππων, 390
ὠκύτερον δ' ἐδίωκε παροίτερον ἡνιοχῆα·
καὶ φθαμένους ἐκίχησεν, ἐπεὶ μένος ἔμβαλεν ἵπποις
ἵππιος ἐννοσίγαιος ἑὸν θρασὺν υἷα γεραίρων·
στεινωπὴν δὲ κέλευθον ἰδὼν παρὰ κοιλάδι πέτρῃ
ἔμφρονα μῆτιν ὕφαινε δολοπλόκον, ὄφρα κιχήσας 395
ἅρματι τεχνήεντι παραΐξειεν Ἀχάτην.
ῥωγμὸς ἔην βαθύκολπος, ὃν ἐξέρρηξε κελεύθου
χειμερίῃ μάστιγι Διὸς μετανάστιον ὕδωρ
ἠερόθεν προχέοντος· ἐεργομένῳ δὲ ῥεέθρῳ
ὄμβρου γειοτόμοιο ῥάχις κοιλαίνετο γαίης, 400
ἧχι μολὼν ἀέκων ἀνεσείρασε δίφρον Ἀχάτης,
φεύγων ἀγχικέλευθον ἐπηλυσίην ἐλατῆρος·
καί οἱ ἐπεσσυμένῳ τρομερὴν ἀνενείκατο φωνήν·
" Εἰσέτι, νήπιε Φαῦνε, τεοὶ ῥυπόωσι χιτῶνες,
εἰσέτι σῶν ὀχέων ψαμαθώδεές εἰσι κορῶναι, 405
οὔ πω σῶν ἐτίναξας ἀκοσμήτων κόνιν ἵππων·
λύματα σεῖο κάθαιρε· τί σοι τόσον ἵππον ἐλαύνειν;
μή σε πάλιν πίπτοντα καὶ ἀσπαίροντα νοήσω.
τὸν¹ θρασὺν Ἀκταίωνα φυλάσσεο, μή σε κιχήσας
ταυρείῃ σέο νῶτον ὑποστίξειεν ἱμάσθλῃ, 410
μή σε πάλιν προκάρηνον ἀκοντίζειε κονίη.
εἰσέτι σῆς μεθέπεις κεχαραγμένα κύκλα παρειῆς·
Φαῦνε, τί μαργαίνεις, ξυνήονα μῶμον ἀνάπτων
πατρὶ Ποσειδάωνι καὶ Ἡελίῳ σέο πάππῳ;
ἅζεό μοι Σατύρων φιλοκέρτομον ἀνθερεῶνα. 415
Σειληνοὺς πεφύλαξο καὶ ἀμφιπόλους Διονύσου,
μή σοι ἐπεγγελάσωσι καὶ αὐσταλέῳ σέο δίφρῳ.
πῇ θρόνα; πῇ βοτάναι;
                    πῇ φάρμακα ποικίλα Κίρκης;
πάντά σε, πάντα λέλοιπεν,
                    ὅτ' εἰς δρόμον ἦλθες ἀγῶνος.

his terrible lash. Harder than ever Phaunos drove and urged on his galloping horses, quicker than ever he pursued the driver in front of him—and he caught up the team ahead, for horsegod Earthshaker put spirit into the horses to honour his bold son. Then seeing a narrow pass by a beetling cliff, he wove a tangled web of deceitful artifice, to catch Achates and pass him by skilful driving.

397 There was a deep ravine, which the errant flood of rain pouring from the sky had torn by the side of the course under the wintry scourge of Zeus ; the torrent of rain confined there had cut away a strip of earth and hollowed the ground so as to form a narrow ridge. Achates when he got there had unwillingly checked his car, to avoid a collision with the approaching driver ; and as Phaunos galloped upon him, he called out in a trembling voice—

404 " Your dress is dirty still, foolish Phaunos ! the tips of your harness are still covered with sand ! You have not yet dusted your untidy horses ! Clean off your dirt ! What's the good of all that driving ? I fear I may see you tumbling and struggling again ! Take care of that bold Actaion, or he may catch you and flick your back with his leather thong and shoot you headlong into the dust again. You still show scratches on your round cheeks. Why do you still rage, Phaunos, bringing disgrace alike on Poseidon your father and Helios your gaffer ? Pray have respect for the mocking throat of the Satyrs—beware of the Seilenoi and the attendants of Dionysos, or they may laugh at your dirty car ! Where are your herbs and your plants, where all the drugs of Circe ? All have left you, all, as soon as you began this race. Who

---

¹ τὸν H. J. Rose, σὸν MSS. and edd.

τίς κεν ἀπαγγείλειεν ἀγήνορι σεῖο τεκούσῃ　420
καὶ σέο κύμβαχον ἅρμα καὶ αὐχμώουσαν ἱμάσθλην;''

Τοῖον ἀπερροίβδησεν ἀγήνορα μῦθον Ἀχάτης,
κερτομέων· Νέμεσις δὲ τόσην ἐγράψατο φωνήν.
καὶ σχεδὸν ἤλυθε Φαῦνος ὁμήλυδα δίφρον ἐλαύνων·
ἅρματι δ' ἅρμα πέλασσε, καὶ ἄξονι γόμφον ἀράσσων　425
μεσσοπαγῆ συνέαξε βαλὼν τροχοειδέι κύκλῳ·
καὶ τροχὸς αὐτοκύλιστος ἕλιξ ἐπεκέκλιτο γαίῃ,
ἅρμασιν Οἰνομάοιο πανείκελος, ὁππότε κηροῦ
θαλπομένου Φαέθοντι λυθεὶς ἀπατήλιος ἄξων
ἱπποσύνην ἀνέκοπτε μεμηνότος ἡνιοχῆος.　430
στεινωπὴν δὲ κέλευθον ἔχων ἀνέμιμνεν Ἀχάτης,
εἰσόκε τετραπόρων ὑπὲρ ἄντυγος ἥμενος ἵππων
ὠκυτέρῃ μάστιγι παρήλυθε Φαῦνος Ἀχάτην,
οἷά περ οὐκ ἀίων· καὶ ἐκούφισε μᾶλλον ἱμάσθλην,
μαστίζων ἀκίχητος ἐπειγομένων λόφον ἵππων·　435
καὶ πέλεν Ἀκταίωνος ὀπίστερος, ὅσσα θορόντος
δίσκου πεμπομένοιο πέλει δολιχόσκιος ὁρμή,
ὃν βριαρῇ παλάμῃ δονέων αἰζηὸς ἰάλλει.

Λαοῖς δ' ἔμπεσε λύσσα·
καὶ ἤρισαν ἄλλος ἐπ' ἄλλῳ,
συνθεσίας τεύχοντες ἀτεκμάρτου περὶ νίκης　440
ἐσσομένης· τὰ δὲ δῶρα θυελλοπόδων χάριν ἵππων
ἢ τρίπος ἠὲ λέβης ἢ φάσγανον ἠὲ βοείη·
καὶ ναέτης ναετῆρι, φίλος δ' ἐριδαινεν ἑταίρῳ,
γηραλέος δὲ γέροντι, νέῳ νέος, ἀνέρι δ' ἀνήρ.
ἦν δ' ἔρις ἀμφοτέρων ἑτερόθροος, ὃς μὲν Ἀχάτην　445
κυδαίνων, ἕτερος δὲ χερείονα Φαῦνον ἐλέγχων
ἐν χθονὶ πεπτηῶτα κυλινδομένων ἀπὸ δίφρων,
ἄλλος ἐριδμαίνων, ὅτι δεύτερος ἦεν Ἐρεχθεὺς
εἰναλίου Τελχῖνος ὀπίστερος ἡνιοχῆος·
ἄλλῳ δ' ἄλλος ἔριζον, ὅτι φθαμένων δρόμον ἵππων　450

will tell your proud mother the tale of a tumbling
chariot and a filthy whip ? ''

⁴²² Such were the proud words that Achates
shouted in mockery : but Nemesis recorded that big
speech. Now Phaunos came close and drove along-
side. Chariot struck chariot, and hitting the middle
bolt with his axle he broke it with his rolling wheel—
the other wheel rolled off by itself and fell twisting
on the ground, as with the chariot of Oinomaos, when
the wax of the false axle melted in Phaëthon's heat
and ended the horsemanship of that furious driver.
Achates remained in the narrow way, while Phaunos
in his car, leaning over the rail of his four-in-hand,
passed him with speeding whip as if he did not
hear ; he lifted his lash more than ever, flogging the
necks of the galloping horses beyond pursuit. Now
he was next behind Actaion, as far as the long throw
of a hurtling quoit when some stout lad casts it with
strong hand.

⁴³⁹ The spectators were mad with excitement, all
quarrelling and betting upon the uncertain victory
that was not yet. They lay their wagers on the storm-
foot horses—tripod or cauldron or sword or shield ;
native quarrelled with native, friend with comrade, old
with old and young with young, man with man.
All took sides shouting in confusion, one praised up
Achates, a second would prove Phaunos the worse,
for falling to the ground from his upset car ; another
maintained that Erechtheus was second behind
Telchis the driver from the sea ; another would have
it that the resourceful man of Athens was visible

ἀγχιφανὴς νίκησε πολύτροπος ἀστὸς Ἀθήνης,
Σκέλμιν ἔτι προθέοντα παραΐξας ἐλατῆρα.
  Οὔ πω νεῖκος ἔληγε,
                    καὶ ἔφθασεν ἐγγὺς Ἐρεχθεύς,
ἵππους ἔνθα καὶ ἔνθα κατωμαδὸν αἰὲν ἱμάσσων·
καὶ πολὺς ἱππείοιο δι' αὐχένος ἔρρεεν ἱδρὼς   455
καὶ λασίου στέρνοιο, καθ' ἡνιόχοιο δὲ πυκναὶ
αὐχμηραὶ ῥαθάμιγγες ἐπερρώοντο κονίης·
ἅρματα δ' ἀγχιπόροισιν ἐπέτρεχεν ἴχνεσιν ἵππων
ἀλλομένη στροφάλιγγι· καὶ οὐ τροχόεντι σιδήρῳ
λεπταλέης ἀτίνακτα τινάσσετο νῶτα κονίης.   460
αὐτὰρ ὁ πωτήεντα μετὰ δρόμον ὑψόθι δίφρου
εἰς μέσον ἦλθεν ἀγῶνος· ἑῷ δ' ἔσμηξε χιτῶνι
μυδαλέων ἱδρῶτα διαστάζοντα μετώπων·
καὶ ταχὺς ἐκ δίφροιο κατήιε· μηκεδανὴν δὲ
εἰς ζυγὸν εὐποίητον ἑὴν ἔκλινεν ἱμάσθλην·   465
ἵππους δ' Ἀμφιδάμας θεράπων λύεν· ὠκύτερος δὲ
τερπομένη παλάμῃ πρωτάγρια κούφισε νίκης,
ἰοδόκην καὶ τόξα καὶ εὐπήληκα γυναῖκα,
πάλλων ἡμιτόμοιο μεσόμφαλα νῶτα βοείης.
  Τῷ δ' ἐπὶ δεύτερος ἦλθε θαλασσαίων ἐπὶ δίφρων   470
Σκέλμις, ἐπισπέρχων Ποσιδήιον ἅρμα θαλάσσης,
κύκλος ὅσον τροχόεις ἀπολείπεται ὠκέος ἵππου,
τοῦ μὲν ἐπαΐσσοντος ἐπισσώτρων μόγις ἄκραι
ἐκταδίης ψαύουσιν ἑλισσομένης τρίχες οὐρῆς·
δεύτερα δ' εἷλεν ἄεθλα, καὶ ὤρεγε Δαμναμενῆι   475
ἔγκυον ἵππον ἔχειν, ζηλήμονι χειρὶ τιταίνων.
  Καὶ τρίτος Ἀκταίων ἀνεκούφισε σύμβολα νίκης
χρυσοφαῆ θώρηκα, παναίολον ἔργον Ὀλύμπου.
  Τῷ δ' ἐπὶ Φαῦνος ἵκανε·
                    καὶ αὐτόθι δίφρον ἐρύσσας
ὀμφαλὸν ἀργυρόκυκλον ἀνήρταζε βοείης,   480
68

close by, that his team was in front and he had won
after passing Scelmis the leading driver.

451 The quarrel had not ended when Erechtheus
came in first, a near thing! unceasingly lashing his
horses right and left down from the shoulder. Sweat
ran in rivers over the horses' necks and hairy chests,
their driver was sprinkled with plentiful dry spatter-
ings of dust; the car was running hard on the horses'
footsteps amid rising whirls, and the undisturbed sur-
face of the light dust was disturbed by the rolling
tyres. After this flying race, he came into their midst
in his car. He wiped off with his dress the sweat which
poured from his wet brow, and quickly got out of
the car. He rested his long whip against the fine
yoke, and his groom Amphidamas unloosed the
horses. Then quickly with happy hand he lifted the
first prize of victory, quiver and bow and helmeted
woman, and shook the flat half-shield with the boss
in the middle.

470 Scelmis came second in his chariot from the sea
—for he drove Poseidon's car from the sea, as far
behind as the round wheel is behind the running
horse—as he gallops, the hairy tip of his long waving
tail just touches the tyre. He took the second prize,
the mare in foal, and gave her in charge to Damna-
menes, offering her with jealous hand.

477 Third Actaion lifted his token of victory, the
corselet shining with gold, the gorgeous work of
Olympos.

479 Next came Phaunos, and there checked his
car. He lifted the shield with rounded silver

αὐχμηρῆς μεθέπων ἔτι λείψανα κεῖνα κονίης.

Καὶ Σικελὸς θεράπων βραδυδινέος ἐγγύθι δίφρου
χρυσοῦ δισσὰ τάλαντα κατηφέι δεῖξεν Ἀχάτῃ,
οἰκτρὸν ἀγηνορέοντι φιλοστόργῳ Διονύσῳ.

Αὐτὰρ ὁ πυγμαχίης χαλεπῆς ἔστησεν ἀγῶνα·   485
πρώτῳ μὲν θέτο ταῦρον ἀπ' Ἰνδώοιο βοαύλου
δῶρον ἄγειν, ἑτέρῳ δὲ μελαρρίνων κτέρας Ἰνδῶν
βάρβαρον αἰολόνωτον ἑλὼν κατέθηκε βοείην.
ὀρθωθεὶς δ' ἀγόρευεν ἀεθλητῆρας ἐπείγων,
εὐπαλάμου δύο φῶτας ἐριδμαίνειν περὶ νίκης·   490
  " Πυγμῆς οὗτος ἄεθλος ἀτειρέος· ἀθλοφόρῳ δὲ
ἀνέρι νικήσαντι δασύτριχα ταῦρον ὀπάσσω,
ἀνδρὶ δὲ νικηθέντι πολύπτυχον ἀσπίδα δώσω."
  Ὣς φαμένου Βρομίοιο
                    σακέσπαλος ὦρτο Μελισσεύς,
ἠθάδι πυγμαχίῃ μεμελημένος· εὐκεράου δὲ   495
ἀψάμενος ταύροιο τόσην ἐφθέγξατο φωνήν·
  " Ἐλθέτω, ὃς ποθέει σάκος αἰόλον· οὐ γὰρ ἐάσω
ἄλλῳ πίονα ταῦρον, ἕως ἔτι χεῖρας ἀείρω."
  Ὣς φαμένου ξύμπαντας ἐπεσφρήγισσε σιωπή·
Εὐρυμέδων δέ οἱ οἶος ἀνίστατο, τῷ πόρεν Ἑρμῆς   500
ὄργανα πυγμαχίης γυιαλκέος, ὃς πάρος αἰεὶ
πατρῴῳ μεμέλητο παρήμενος ἐσχαρεῶνι,
Ἡφαιστηιάδης, σφυρήλατον ἄκμονα τύπτων.
τὸν μὲν ἐριπτοίητος¹ ἀδελφεὸς ἄμφεπεν Ἄλκων,
ζῶμα δέ οἱ παρέθηκε, καὶ ἥρμοσεν ἰξύι μίτρην,   505
καὶ δολιχαῖς παλάμῃσι κασιγνήτοιο συνάπτων

---

¹ So mss. : ἐριπτοίητον Ludwich.

boss, and he still showed those relics of the dirty dust.

482 When Achates arrived despondent beside his slowrolling car, a Sicilian groom displayed two ingots of gold, a consolation from his kind friend the splendid Dionysos.

485 Next the god put up the boxing, a hard match that. For the first man, he offered a bull from an Indian stall as a prize ; for the second, he put up a barbaric manicoloured shield which had been a treasure of the blackskin Indians. Then standing up he called with urgent voice for competitors, inviting two men to contend for the prize of ready hands :

491 " This is the battle for hardy boxers. The victor in this contest shall have a shaggy bull, to the loser I will give a shield with many layers of good hide."

494 When Bromios had spoken, shakeshield Melisseus stood up, one well practised and familiar with boxing ; and seizing the bull's horn he shouted these big words,

497 " This way anyone who wants a painted shield ! For I will not let another have the fat bull as long as I can hold up my hands ! "

499 At these words, silence sealed all lips. Only Eurymedon rose to face him, one to whom Hermes had given the gear of stronglimbed boxing. This man, a son of Hephaistos, had always been used to remain busy beside his father's furnace hammering away at the beaten anvil. Now his brother Alcon attended him full of excitement, placed his body-belt beside him [a] and fitted the girdle to his loins, coiled the

---

[a] There is no need to alter the text to περίθηκε, as L. suggests : the word imitates Homer, *Il.* xxiii. 683, παρακάββαλεν.

ἀζαλέων ἔσφιγξε περίπλοκον ὁλκὸν ἱμάντων.
καὶ πρόμος εἰς μέσον ἦλθεν,
      ἑοῦ προβλῆτα προσώπου
λαιὴν χεῖρα φέρων, σάκος ἔμφυτον· ἀντὶ δὲ λόγχης
ποιητῆς παλάμης ταμεσίχροες ἦσαν ἱμάντες. 510
αἰεὶ δ᾽ ἀντιπάλοιο φυλάσσετο δύσμαχον ὁρμήν,
μή ποτέ μιν πλήξειε κατ᾽ ὀφρύος ἠὲ μετώπου,
ἠέ μιν αἱμάξειε, τετυμμένον ἄρθρον ἀμύξας,
ἠὲ διατμήξειε, κατὰ κροτάφοιο τυχήσας,
εἰς μέσον ἐγκεφάλοιο νοήμονος ἄκρον ἀράξας, 515
ἢ παλάμην τρηχεῖαν ἐπὶ κροτάφοισι τιταίνων
ὄμματα γυμνώσειε λιπογλήνοιο προσώπου,
ἠὲ δαφοινήεντος ἀρασσομένοιο γενείου
ὀξυτέρων ἐλάσειε πολύστιχον ὄγμον ὀδόντων.

 Ἔνθα μὲν Εὐρυμέδοντος ἐπεσσυμένοιο Μελισσεὺς 520
στήθεος ἄκρον ἔλασσεν· ὁ δὲ σχεδὸν ἄντα προσώπου
χεῖρα μάτην ἐτίταινε, καὶ ἤμβροτεν ἠέρα τύπτων·
καί μιν ἀεὶ τρομέων περιδέδρομε, κόλπον ἀμείβων,
δεξιτερὴν γυμνοῖο κάτω μαζοῖο τιταίνων.
ἄμφω δ᾽ εἰς ἓν ἵκανον ἐπήλυδες, ἄλλος ἐπ᾽ ἄλλῳ 525
ἴχνεσι φειδομένοισι ποδὸς πόδα τυτθὸν ἀμείβων·
χερσὶ δὲ χεῖρας ἔμιξαν· ἐπασσυτέρῃσι δὲ ῥιπαῖς
φρικτὸς ὁμοπλεκέων ἐπεβόμβεε δοῦπος ἱμάντων
ἀκροτάτην περὶ χεῖρα· χαρασσομένης δὲ παρειῆς
αἱμαλέαις λιβάδεσσιν ἐφοινίχθησαν ἱμάντες· 530
καὶ γενύων πέλε δοῦπος· ἐπὶ θρωσμῷ δὲ προσώπου
εὐρυτέρου γεγαῶτος ἐκυμαίνοντο παρειαί,
ὀφθαλμοὶ δ᾽ ἑκάτερθεν ἐκοιλαίνοντο προσώπου.

 Εὐρυμέδων μὲν ἔκαμνε Μελισσέος ἴδμονι τέχνῃ,
ἄσχετον ἠελίοιο μένων ἀντώπιον αἴγλην, 535
ὄμμα καταυγάζοντος· ἐπαΐξας δὲ Μελισσεὺς

straps of dry leather neatly round his brother's long hands. Then the champion advanced into the ring, holding his left hand on guard before his face like a natural shield, and the fleshcutting straps of his artificial hand did for a wrought lance. Always he kept on his defence before the dangerous attack of his adversary, that he might not get one in upon brow or forehead, or land on the face and draw blood, or smash his temple with a lucky blow, tearing a way to the very centre of his busy brain, or with a hard hook over the temples tear the eyes out of his blinded face, and smash his bloody jaw and drive in a long row of his sharp teeth.[a]

520 But now as Eurymedon rushed him, Melisseus landed one high up on the chest; he countered with a lead at the face but missed—hit nothing but air. Shaking with excitement, he skipt round the man past his chest with a side-step and brought home his right on the exposed breast under the nipple. Then they clinched, one against the other, shifting a bit their feet carefully in short steps, hands making play against hands: as the blows fell in quick succession the straps wreathed about their fingers made a terrible noise. Cheeks were torn, drops of blood stained the handstraps, their jaws resounded under the blows, the round cheeks swelled and spread on the puffy face, the eyes of both sunk in hollows.

534 Eurymedon was badly shaken by Melisseus and his artful dodging. He had to stand with the sun shining intolerably in his face and blinding his eyes; Melisseus rushed in, dancing about with quickened

---

[a] Nonnos had never seen any real boxing, and is thinking of the brutal and unscientific Roman slogging with the caestus.

ὀξυτέρῃ στροφάλιγγι μετάρσιον ἴχνος ἀείρων
ἄφνω γναθμὸν ἔτυψεν ὑπ' οὔατος· αὐτὰρ ὁ κάμνων
ὕπτιος αὐτοκύλιστος ἐρείσατο νῶτα κονίῃ,
θυμολιπὴς μεθύοντι πανείκελος· εἶχε δὲ κόρσην   540
κεκλιμένην ἑτέρωσε, καὶ αἵματος ἔπτυεν ἄχνην
λεπτὰ παχυνομένοιο· λαβὼν δέ μιν ἐκτὸς ἀγῶνος
στυγνὸς ὑπὲρ νώτοιο μετήγαγε σύγγονος Ἄλκων
πληγῇ ἀμερσινόῳ βεβαρημένον. ἐσσύμενος δὲ
Ἰνδώην περίμετρον ἀνηέρταξε βοείην.   545

Καὶ διδύμους Διόνυσος ἀεθλητῆρας ἐπείγων
ἀνδράσιν ἀθλοφόροισι πάλης κήρυξεν ἀγῶνα·
καὶ τρίπος εἰκοσίμετρος ἀέθλιον ἵστατο νίκης
πρώτῳ ἀεθλητῆρι· τίθει δ' εἰς μέσσον ἀείρας
ἀνθεμόεντα λέβητα χερείονι φωτὶ φυλάσσων.   550
ὀρθωθεὶς δ' ἰάχησε πάλιν σημάντορι φωνῇ·
"Δεῦτε, φίλοι, καὶ τοῦτον ἐγείρατε καλὸν ἀγῶνα."

Ἔννεπε· κεκλομένου δὲ φιλοστεφάνου Διονύσου
πρῶτος Ἀρισταῖος, μετέπειτα δὲ δεύτερος ἔστη
Αἰακὸς εὐπαλάμοιο πάλης δεδαημένος ἔργα.   555
ζώματι δὲ σκεπόωντες ἀθήητου φύσιν αἰδοῦς
γυμνοὶ ἀεθλεύοντες ἐφέστασαν· ἀμφότεροι δὲ
πρῶτα μὲν ἀμφοτέρας παλάμας ἐπὶ δίζυγι καρπῷ
σύμπλεκον ἔνθα καὶ ἔνθα, χυτῆς ἐπὶ νῶτα κονίης
ἀλλήλους ἐρύοντες ἀμοιβαδίς, ἅμματι χειρῶν   560
ἀκροτάτῳ σφίγξαντες· ἔην δ' ἀμφίδρομος ἀνήρ,
ἄνδρα παλινδίνητον ἄγων ἑτερόζυγι παλμῷ,
ἕλκων ἑλκόμενός τε· συνοχμάζοντο γὰρ ἄμφω
χερσὶν ἀμοιβαίῃσιν, ἐκυρτώσαντο δὲ δειρήν,
μεσσατίῳ δὲ κάρηνον ἐπηρείδοντο μετώπῳ   565
ἀκλινέες, νεύοντες ἐπὶ χθονός· ἐκ δὲ μετώπων
θλιβομένων καμάτοιο προάγγελος ἔρρεεν ἱδρώς·   567
ἀμφοτέρων δ' ἄρα νῶτα κεκυφότα πήχεος ὁλκῷ

twists and turns, and popped in a sudden one on the jaw beneath the ear; and Eurymedon being distressed fell on his back and rolled in the dust helpless, fainting, like a drunken man. He inclined his head to one side and spat out a foam of thickish blood. His brother Alcon slung him over his back and gloomily carried him out of the ring, stunned by the blow and unconscious, then quickly lifted the great Indian shield.

546 Next Dionysos called for a couple of competitors in wrestling, and announced the contest for this prize. He offered a tripod of twenty measures as prize for the winner, and brought out a cauldron with flower-ornaments reserved for the defeated man. Then he rose, and called out with announcing voice,

552 "This way, friends, for the next fine contest!"

553 He spoke, and at the summons of crownloving Dionysos, Aristaios first rose, then second Aiacos, one well schooled in the lore of strongarmed wrestling. The athletes came forward naked but for the body-belts that hid their unseen loins. They both began by grasping each other's wrists, and wreathed this way and that way, and pulled each other in turn over the surface of the widespread dust, holding the arms in a close grip of the fingers. Between the two men it was like ebb and flow, man drawing man with evenly balanced pulls, dragging and dragged; for they hugged each other with both arms and bent the neck, and pressed head to head on the middle of the forehead, pushing steadily downwards. Sweat ran from their rubbed foreheads to show the hard struggle; the backs of both were bent by the pull

δίζυγι συμπλεκέος παλάμης ἐτρίβετο δεσμῷ·   572
σμῶδιξ δ' αὐτοτέλεστος ἀνέδραμεν αἵματι θερμῷ,
αἰόλα πορφύρουσα· δέμας δ' ἐστίζετο φωτῶν.   575
   Οἱ δὲ παλαισμοσύνης ἑτερότροπα μάγγανα τέχνης
ἀλλήλοις ἀνέφαινον ἀμοιβαδίς· ἀντίβιον δὲ
πρῶτος Ἀρισταῖος παλάμης πηχύνατο καρπῷ,
ἐκ χθονὸς ὀχλίζων· δολίης δ' οὐ λήθετο τέχνης
Αἰακὸς αἰολόμητις, ὑποκλέπτοντι δὲ ταρσῷ   580
λαιὸν Ἀρισταίοιο ποδὸς κώληπα πατάξας
ὕπτιον αὐτοκύλιστον ὅλον περικάββαλε γαίῃ,
ἠλιβάτῳ πρηῶνι πανείκελον· ἀμφὶ δὲ λαοὶ
τηλίκον αὐχήεντα βοώμενον υἱέα Φοίβου
ὄμμασι θαμβαλέοισιν ἐθηήσαντο πεσόντα.   585
δεύτερος ἤερταζε μετάρσιον ὑψόθι γαίης
κουφίζων ἀμογητὶ πελώριον υἷα Κυρήνης
Αἰακός, ἐσσομένην ἀρετὴν τεκέεσσι φυλάσσων,
ἀκαμάτῳ Πηλῆι καὶ εὐρυβίῃ Τελαμῶνι,
ἀγκὰς ἔχων, οὐ νῶτον ἢ ὄρθιον αὐχένα κάμπτων,   590
πήχεσιν ἀμφοτέροισι μεσαίτατον ἄνδρα κομίζων,
ἶσον ἀμειβόντεσσιν ἔχων τύπον, οὓς κάμε τέκτων
πρηΰνων ἀνέμοιο θυελλήεσσαν ἀνάγκην.
καὶ πελάσας ὅλον ἄνδρα περιστρωθέντα κονίῃ
Αἰακὸς ἀντιπάλοιο μέσων ἐπεβήσατο νώτων   595
καὶ πόδα πεπταμένης διὰ γαστέρος ἑκταδὰ πέμπων,
καμπύλον ἀκροτάτῳ περὶ γούνατι δέσμα συνάπτων,
ταρσῷ ταρσὸν ἔρειδε παρὰ σφυρὸν ἄκρον ἑλίξας·
καὶ ταχὺς ἀντιβίου τετανυσμένος ὑψόθι νώτων,

ᵃ The genealogy is :

Endeïs = Aiacos = Psamathe

Peleus   Telamon   Phocos.

of the arms, and pressed hard by the two pairs of twined hands. Many a weal ran up of itself and made a purple pattern with the hot blood, until the fellows' bodies were marked with it.

576 So they showed each against the other all the various tricks of the wrestler's art. Then first Aristaios got his arms round his adversary and heaved him bodily from the ground. But Aiacos the crafty did not forget his cunning skill; with insinuating leg he gave a kick behind the left knee of Aristaios, and rolled him over bodily, helpless upon his back on the ground, for all the world like a falling cliff. The people round about all gazed with astonished eyes at the son of Phoibos, so grand, so proud, so famous, taking a fall! Next Aiacos without an effort lifted the gigantic son of Cyrene high above the ground, to be an example of valour for his future sons, Peleus the unwearying and Telamon the mighty[a]: he held the man in his arms, bending neither back nor upright neck, carrying the man with both arms by the middle, so that they were like a couple of cross-rafters which some carpenter has made to calm the stormy compulsion of the winds.[b] Aiacos threw down the man at full length in the dust, and got on his adversary's back as he lay, thrust both legs along under his belly and bent them in a close clasp just below the knees, pressing foot to foot, and encircling the ankles; quickly he stretched himself over his adversary's

[b] The picture in *Iliad* xxiii. 712, which Nonnos copies, is more exact : the two wrestlers stand on the ground, leaning against each other, like two rafters in a roof.

χεῖρας ἑὰς στεφανηδὸν ἐπ' ἀλλήλησιν ἑλίξας,   600
αὐχένι δεσμὸν ἔβαλλε βραχίονι, δάκτυλα κάμψας·   601
μυδαλέῳ δ' ἱδρῶτι χυτὴν ἔρραινε κονίην,   568
αὐχμηρῇ ψαμάθῳ διερὴν ῥαθάμιγγα καθαίρων,   569
μὴ διολισθήσειε περίπλοκος ἅμματι χειρῶν   570
θερμὴν τριβομένοιο κατ' αὐχένος ἰκμάδα πέμπων.   571

   Τοῦ δὲ πιεζομένοιο συνέρρεον ὀξέι παλμῷ   602
κεκριμένοι κήρυκες, ὀπιπευτῆρες ἀγῶνος,
μή μιν ἀποκτείνειεν ὁμόζυγι πήχεος ὁλκῷ.
οὐ γὰρ ἔην τότε θεσμὸς ὁμοίιος, ὃν πάρος αὐτοὶ   605
ὀψίγονοι φράσσαντο, τιταινομένων ὅτε δεσμῶν
αὐχενίων πνικτῆρι πόνῳ βεβαρημένος ἀνὴρ
νίκην ἀντιπάλου μνηστεύεται ἔμφρονι σιγῇ,
ἀνέρα νικήσαντα κατηφέι χειρὶ πατάξας.[1]

   Καὶ τρίπον εἰκοσίμετρον ἐπηχύναντο λαβόντες   610
Μυρμιδόνες, θεράποντες ἀεθλοφόρου βασιλῆος·
Ἀκταίων δὲ λέβητα ταχίονι κούφισε ῥιπῇ,
δεύτερα πατρὸς ἄεθλα κατηφέι χειρὶ κομίζων.

   Καὶ τότε Βάκχος ἔθηκε ποδῶν ταχυτῆτος ἀγῶνα·
πρώτῳ ἀεθλητῆρι τιθεὶς κειμήλια νίκης   615
ἀργύρεον κρητῆρα δορικτήτην τε γυναῖκα,
δευτέρῳ αἰολόδειρον ἐθήκατο Θεσσαλὸν ἵππον,
καὶ πυμάτῳ ξίφος ὀξὺ σὺν εὐτμήτῳ τελαμῶνι.
ὀρθωθεὶς δ' ἀγόρευε, ποδώκεας ἄνδρας ἐπείγων·
   " Ἀνδράσιν ὠκυπόροισιν ἀέθλια ταῦτα γενέσθω." 620
   Ὡς φαμένου
      Δικταῖος ἐθήμονα γούνατα πάλλων . . .

---

[1] So mss. : καθάψας Ludwich.

---

[a] From a wrestling bout this has suddenly become a
pancration, " all-in " wrestling. In true πάλη only clear

78

back and wound his two hands over each other
round the neck like a necklace, interlacing his
fingers, and so made his arms a fetter for the neck.
Sweat poured in streams and soaked the dust, but
he wiped away the running drops with dry sand,
that his adversary might not slip out of his encircling
grip by the streams of hot moisture which he sent out
of his squeezed neck.

602 As he lay in this tight embrace, the heralds came
came running up at full speed, men chosen to be over-
seers of the games, that the victor might not kill him
with those strangling arms. For there was then no
such law as in later days their successors invented,
for the case when a man overwhelmed by the suffo-
cating pain of a noose round the neck testifies the
victory of his adversary with significant silence, by
tapping the victor with submissive hand.[a]

610 Then the Myrmidons laid hands on the twenty-
measure tripod as the servants of the victorious prince;
and Actaion quickly lifted the cauldron, his father's
second prize, and carried it away with sorrowful hand.

614 Then Bacchos set the contest of the footrace.
For the first man he offered as treasures of victory a
silver mixing-bowl and a woman captive of the spear;
for the second he offered a Thessalian horse with
dappled neck; for the last, a sharp sword with well-
wrought sling-strap. He rose and made the announce-
ment, calling for quickfoot runners:

620 " Let these be the prizes for men who can run ! "
621 At these words, came Dictaian Ocythoös,[b]

___

falls counted (in which A throws B off his feet while still
standing himself).
  [b] The name inferred from what follows. A line has
dropt out.

τῷ δ' ἐπὶ ποικιλόμητις ἀνέδραμεν ὠκὺς Ἐρεχθεύς,
Παλλάδι Νικαίῃ μεμελημένος, αὐτὰρ ἐπ' αὐτῷ
Πρίασος ὠκυπόδης, Κυβεληίδος ἀστὸς ἀρούρης.
τοῖσι μὲν ἐκ βαλβῖδος ἔην δρόμος· Ὠκύθοος δὲ   625
πρῶτος ἀελλήεντι ποδῶν κουφίζετο παλμῷ,
ἰθυτενῆ προκέλευθον ἔχων δρόμον· ἐσσύμενος δὲ
δεύτερος ἀγχικέλευθος ὀπίστερος ἦεν Ἐρεχθεύς,
γείτονος Ὠκυθόοιο μετάφρενον ἄσθματι βάλλων,
καὶ κεφαλὴν θέρμαινε· φιληλακάτοιο δὲ κούρης   630
οἷα κανὼν στέρνοιο πέλει μέσος, ὅν τινι μέτρῳ
παρθένος ἱστοπόνος τεχνήμονι χειρὶ τανύσσῃ,
Ὠκυθόου πέλε τόσσον ὀπίστερος· ἀμφὶ δὲ γαίῃ
ἴχνια τύπτε πόδεσσι, πάρος κόνιν ἀμφιχυθῆναι.
καὶ νύ κεν ἀμφήριστος ἔην δρόμος· ἀλλὰ πορείην   635
μιμηλὴν ἰσόμετρον ἰδὼν ἐτιταίνετο ταρσῷ
κουφοτέρῳ, καὶ φῶτα παρέδραμε μείζονι μέτρῳ,
ὁππόσον ἀνέρος ἴχνος· ὅθεν τρομέων περὶ νίκης
τοῖον ἔπος βοόων Βορέην ἱκέτευεν Ἐρεχθεύς·

" Γαμβρέ, τεῷ χραίσμησον Ἐρεχθέι
                                        καὶ σέο νύμφῃ,   640
εἰ μεθέπεις γλυκὺν οἶστρον
                          ἐμῆς ἔτι παιδὸς Ἐρώτων·
δός μοι σῶν πτερύγων βάλιον δρόμον εἰς μίαν ὥρην,
Ὠκύθοον ταχύγουνον ἵνα προθέοντα παρέλθω."

Ὣς φαμένου Βορέης ἱκετήσιον ἔκλυε φωνήν,
καί μιν ἐυτροχάλοιο ταχίονα θῆκεν ἀέλλης.   645
τρεῖς μὲν ἐπερρώοντο ποδῶν ἀνεμώδεϊ παλμῷ,
ἀλλ' οὐκ ἴσα τάλαντα· καὶ ὁππόσον ὠκέι ταρσῷ
Ὠκυθόου προθέοντος ὀπίστερος ἦεν Ἐρεχθεύς,
τόσσον ἀελλήεντος Ἐρεχθέος ἔπλετο γείτων
Πρίασος αὐχήεις, Φρύγιον γένος. ἐσσυμένων δὲ   650
ὁππότε λοίσθιος ἦεν ἔτι δρόμος ἅλματι ταρσῶν,
80

wagging his experienced knees. Next ran up fleet
Erechtheus, a man full of craft, and dear to Victorious
Pallas; after him fleetfoot Priasos, one from the
arable land of Cybele. Off they went from scratch.
Ocythoös led, light as the stormwind on his feet,
going straight ahead and keeping his lead. Close
behind came Erechtheus second at full speed, with
his breath beating on the back of Ocythoös close
by, and warming his head with it: as near as the
rod lies between the web and the breast of a girl
who loves the shuttle, when she holds it at measured
distance with skilful hand working at the loom, so
much was he behind Ocythoös, and he trod in his
footmarks on the ground before the dust could settle
in them. Then it would have been a dead heat;
but Ocythoös saw this rival running pace for pace
with himself, so he made a spurt and ran past the
fellow by a longer distance, as much as a man's pace.
Then Erechtheus anxious for victory addressed a
prayer to Boreas and cried out:

640 " Goodson, help your own Erechtheus and your
own bride, if you still cherish a sweet passion for my
girl, your sweetheart! Lend me the speed of your
swift wings for one hour, that I may pass kneequick
Ocythoös now in front ! "

644 Boreas heard his supplicating voice, and made
him swifter than the rapid gale. All three were
moving their legs like the wind, but the balance was
not equal for all: as far as Erechtheus was behind
Ocythoös running before him with swift foot, so far
behind, near stormswift Erechtheus, was Priasos the
proud son of Phrygia. So they ran on, until just as
the end of the race was coming for their bounding

Ὠκύθοος ταχύγουνος ἐπωλίσθησε κονίη,
ἧχι βοῶν πέλεν ὄνθος ἀθέσφατος, οὓς παρὰ τύμβῳ
Μυγδονίη Διόνυσος ἀπηλοίησε μαχαίρῃ·
ἀλλὰ παλιννόστοιο ποδὸς ταχυδινέι παλμῷ   655
Ὠκύθοος πεφόρητο μετάλμενος· ἐσσυμένως δὲ   658
ἀντιπάλου προθέοντος ἐπήλυδα ταρσὸν ἀμείβων,   659
εἰ τότε βαιὸς ἔην ἔτι που δρόμος, ἦ τάχα βαίνων   656
ἢ πέλεν ἀμφήριστος ἢ ἔφθασεν ἀστὸν Ἀθήνης.   657
    Καὶ κτέρας αἰολόνωτον
                                    ἐκούφισεν ὠκὺς Ἐρεχθεύς,   660
Σιδόνιον κρητῆρα τετυγμένον· Ὠκύθοος δὲ
εἴρυσε Θεσσαλὸν ἵππον· ὁ δὲ τρίτος ἠρέμα βαίνων
Πρίασος ἄορ ἔδεκτο σὺν ἀργυρέῳ τελαμῶνι.
καὶ Σατύρων ἐγέλασσε χορὸς φιλοπαίγμονι θυμῷ,
παπταίνων Κορύβαντα χυτῇ ῥυπόωντα κονίῃ,   665
ὄνθον ἀποπτύοντα κατάρρυτον ἀνθερεῶνος.

    Καὶ σόλον αὐτοχόωνον ἄγων ἐπέθηκεν ἀγῶνι
δισκοβόλους Διόνυσος ἀκοντιστῆρας ἐπείγων·
πρώτῳ μὲν δύο δοῦρα σὺν ἱπποκόμῳ τρυφαλείῃ
θῆκεν ἄγων, ἑτέρῳ δὲ διαυγέα κυκλάδα μίτρην,   670
καὶ τριτάτῳ φιάλην, καὶ νεβρίδα θῆκε τετάρτῳ,
ἣν χρυσέῃ κληῖδι Διὸς περονήσατο χαλκεύς.
ὀρθωθεὶς δ' ἀνὰ μέσσον ἐγερσινόῳ φάτο φωνῇ·
    " Οὗτος ἀγὼν ἐπὶ δίσκον ἀεθλητῆρας ἐπείγει."
    Ὣς φαμένου Βρομίοιο
                                    σακέσπαλος ὦρτο Μελισσεύς,   675
τῷ δ' ἐπὶ δεύτερος ἦλθεν ἀερσιπόδης Ἁλιμήδης,
καὶ τρίτος Εὐρυμέδων καὶ τέτρατος ἤλυθεν Ἄκμων·
καὶ πίσυρες στοιχηδὸν ἐφέστασαν ἄλλος ἐπ' ἄλλῳ.
82

feet, kneeswift Ocythoös slipt in the dirt, where
was an infinite heap of dung from those cattle which
had been slaughtered by the Mygdonian knife of
Dionysos beside the tomb. But he sprang back-
wards with a quick-whirling spring of his foot and
jumped back again, then off he went—and he would
have quickly passed the travelling step of his rival
running in front if there had been even a little
space to run : whereby he would either have made
a dead heat by a spurt or he would have passed
the Athenian.

⁶⁶⁰ Swift Erechtheus then lifted the Sidonian mix-
ing-bowl, that treasure adorned with curious work-
manship on the surface ; Ocythoös took off the
Thessalian horse ; Priasos quietly walked in third,
and received the sword with silver sling-strap. The
company of Satyrs laughed in mocking spirit when
they saw the Corybant smeared all over with dirt,
and spitting out the dung that filled his throat.

⁶⁶⁷ Now Dionysos brought out a lump of crude ore
and laid it before him, and summoned competitors
to put the weight. For the first, he brought and
offered two spears and a helmet with horsehair
crest ; for the second, a brilliant round body-girdle ;
for the third, a flat bowl ; and for the fourth a
fawnskin, which the craftsman of Zeus had fastened
with a golden brooch. Then he rose, and made his
announcement among them in a rousing tone :

⁶⁷⁴ " This contest calls for competitors with the
weight ! "

⁶⁷⁵ At these words of Bromios up rose shakeshield
Melisseus ; second after him came footlifting Hali-
medes, and third, Eurymedon, and fourth, Acmon.
The four stood in a row side by side. Melisseus took

καὶ σόλον εὐδίνητον ἑλὼν ἔρριψε Μελισσεύς·
Σειληνοὶ δ' ἐγέλασσαν ὀλίζονα φωτὸς ἐρωήν.   680
δεύτερος Εὐρυμέδων παλάμην ἐπερείσατο δίσκῳ ...
καὶ σόλον εὐδίνητον ἑλὼν νωμήτορι καρπῷ
βριθὺ βέλος προέηκε περίτροχον εὔλοφος Ἄκμων·
καὶ βέλος ἠερόφοιτον ἐπέτρεχε σύνδρομον αὔραις,
καὶ σκοπὸν Εὐρυμέδοντος ὑπέρβαλε μείζονι μέτρῳ   685
ὀξείῃ στροφάλιγγι· καὶ ὑψιπόδης Ἁλιμήδης
εἰς σκοπὸν ἠκόντιζεν ἐν ἠέρι δίσκον ἀλήτην·
καὶ σόλος ἠερίῃσιν ἐπερροίζησεν ἀέλλαις
ἐκ βριαρῆς παλάμης πεφορημένος, ὡς ἀπὸ τόξου
ἵπταται ἀσταθέεσσι βέλος δεδονημένον αὔραις   690
ὄρθιον· ἠερόθεν δὲ πεσὼν ἐκυλίνδετο γαίῃ
ἅλματι τηλεπόρῳ, πεφορημένος εἰσέτι παλμῷ
χειρὸς ἐυστρέπτοιο, φέρων αὐτόσσυτον ὁρμήν,
εἰσόκε σήματα πάντα παρέδραμεν· ἀγρόμενοι δὲ
πάντες ἐπεσμαράγησαν ὀπιπευτῆρες ἀγώνων,   695
ἀλλοφύων δίσκοιο τεθηπότες ἄστατον ὁρμήν.
   Καὶ δονέων δύο δοῦρα σὺν ὑψιλόφῳ τρυφαλείῃ
διπλόα δῶρα κόμιζεν ἀγηνορέων Ἁλιμήδης·
Ἄκμων δ' εἰλιπόδης χρυσαυγέα κούφισε μίτρην·
καὶ τρίτος Εὐρυμέδων φιάλην ἀπύρωτον ἀείρας   700
ἀμφίθετον κτέρας εἷλε· κατηφιόων δὲ προσώπῳ
νεβρίδα ποικιλόνωτον ἀνηέρταξε Μελισσεύς.
   Καὶ προμάχοις Διόνυσος ἀέθλια θήκατο τόξου,
εὐστοχίης ἀνάθημα· καὶ ἑπταέτηρον ἐρύσσας
ἡμίονον ταλαεργὸν ἐνεστήριξεν ἀγῶνι,   705
καὶ δέπας εὐποίητον ἀέθλιον ἵστατο νίκης
ἀνδρὶ χερειοτέρῳ πεφυλαγμένον.   Εὐρύαλος δὲ
νήιον ὀρθώσας περιμήκετον ἱστὸν ἀρούρῃ
στῆσεν ὑπὲρ δαπέδου ψαμαθώδεος, ὑψιφανῆ δὲ

the lump, swung it well and threw : the Seilenoi
laughed loudly at the fellow's miserable throw!
Second, Eurymedon rested his hand on the weight
[and threw it farther]. Then highcrested Acmon
took the lump, swung it well with experienced
wrist, and cast the heavy missile hurtling through
the air ; the missile travelled through the air like
the wind, and passed Eurymedon's mark by a longer
measure, whirling swiftly. Then Halimedes, tower-
ing high on his feet, sent the weight travelling
through the air to the mark: the mass whistled
amid the stormwinds in the sky when hurled by
that strong hand—for it flew like an arrow straight
from a bow, twirled by unstable breezes ; down from
the sky to the earth it fell after its long leap, and
rolled along the ground still under the impulse of
the accomplished hand, moving of itself, until it had
passed all the marks. The spectators of the contest
crowded and cheered all together, amazed at the
unchecked movement of the weight bounding along.

⁶⁹⁷ Halimedes proudly received the double prize,
and went off with the highplumed helmet shaking
the pair of spears. Acmon came shuffling up and
lifted the body-belt shining with gold ; third Eury-
medon took up his treasure, the brand-new bowl with
two handles ; Melisseus with downcast countenance
lifted the dappled fawnskin.

⁷⁰³ Now Dionysos put prizes ready for champions
of the bow, the offering for good archery. He led
out for the contest a hardy sevenyear mule, and
made it stand before the company ; and laid down
a well-finished goblet as prize of victory to be kept
for the less competent man. Then Euryalos planted
a ship's tall mast in the ground, upright above the

δέσμιον ἠώρησε πελειάδα σύμπλοκον ἱστῷ, 710
λεπταλέον δισσοῖσι μίτον περὶ ποσσὶν ἑλίξας.
καὶ θεὸς ἀγρομένοις ἐναγώνιον ἴαχε φωνήν,
εἰς σκοπὸν ἠερόφοιτον οἰστευτῆρας ἐπείγων·
"Ὃς μὲν οἰστεύσειε πελειάδος ἄκρα τορήσας,
ἡμίονον φερέτω πολυαλφέα, μάρτυρα νίκης· 715
ὃς δὲ παραπλάζοιτο πελειάδος εἰς σκοπὸν ἕλκων,
ὄρνιν ἐυγλώχινι λιπὼν ἀχάρακτον ὀιστῷ,
ἄκρα δὲ μηρίνθοιο βαλὼν πτερόεντι βελέμνῳ,
ἥσσονα τοξεύσειε καὶ ἥσσονα δῶρα δεχέσθω·
ἀντὶ γὰρ ἡμιόνου δέπας οἴσεται, ὄφρά κε Φοίβῳ 720
τοξοφόρῳ σπείσειε καὶ οἰνοχύτῳ Διονύσῳ."
    Τοῖον ἔπος βοόωντος ἐχεκτεάνοιο Λυαίου
εὐχαίτης Ὑμέναιος ἑκηβόλος εἰς μέσον ἔστη . . .
εἰς σκοπὸν ἰθυκέλευθον ἄγων ἀντώπιον ἱστοῦ,
Κνώσσια τόξα φέρων τετανυσμένα κυκλάδι νευρῇ, 725
Ἀστέριος προέηκε βέλος κλήροιο τυχήσας,
καὶ τύχε μηρίνθοιο· δαϊζομένης δὲ βελέμνῳ
ἠερίη πεφόρητο μετάρσιος ὄρνις ἀλήμων·
καὶ μίτος εἰς χθόνα πῖπτε.
                                    δι' ὑψιπόρου δὲ κελεύθου
ὄμμα φέρων ἑλικηδόν, ὑπὲρ νεφέων δὲ δοκεύων 730
τοξευτὴρ Ὑμέναιος ἑτοιμοτάτης ἀπὸ νευρῆς
εἰς σκοπὸν ἠερόφοιτον ὑπηνέμιον βέλος ἕλκων
ὀξύτερον προέηκε, πελειάδος ἄντα τιταίνων·
καὶ πτερόεις πεπότητο δι' ἠέρος ἰὸς ἀλήτης
ἀκροφανής, μέσα νῶτα παραξύων νεφελάων, 735
συρίζων ἀνέμοισι· βέλος δ' ἴθυνεν Ἀπόλλων
πιστὰ φέρων δυσέρωτι κασιγνήτῳ Διονύσῳ·
ἱπταμένης δ' ἐτύχησε πελειάδος, ἐσσυμένης δὲ
στήθεος ἄκρον ἔτυψε· βαρυνομένου δὲ καρήνου
ὄρνις ἀελλήεσσα δι' ἠέρος ἔμπεσε γαίῃ· 740
86

sandy soil, and fastened a wild pigeon by a string to the top of the mast, winding a light cord about the two feet. The god called to all those assembled for the games, inviting any to shoot at the flying mark :

714 " Whoever shall pierce the skin of the pigeon, let him receive this valuable mule as witness to his victory : whoever shall draw at the mark and miss the pigeon, leaving the bird unwounded by the barbed arrow, but shall touch the string with his feathered shaft, he will be a worse shot and he shall receive a worse prize ; for instead of the mule he shall carry off the goblet, that he may pour a libation to Archer Apollo and Winegod Dionysos."

722 Such was the proclamation of wealthy Lyaios. Then Hymenaios the longshot, with his flowing hair, came forward [and after him Asterios. The lot fell to Asterios ;] and he taking aim straight at the mast in front of him, with his Cnossian bow and the string pulled back from it, let fly the first shot, and hit the string. When the shaft cut the string, the bird flew away up into the sky and the cord fell to the ground. Archer Hymenaios followed round the bird's high course with his eye and watched for him over the clouds ; he had his bowstring quite ready, and let fly a swift shot through the air at his highflying mark, aiming at the pigeon. The winged arrow sped travelling through the air visible on high, grazing the surface of the cloud in the middle, whistling at the winds. Apollo held the shot straight, keeping faith with his lovesick brother Dionysos ; the point hit the flying pigeon and struck it upon the breast as it sped, and the bird fell through the air quick as the wind to the earth, with heavy head, and half-dead

ἡμιθανὴς δὲ πέλεια περὶ πτερὰ πάλλε κονίῃ,
ποσσὶ περισκαίρουσα χοροπλεκέος Διονύσου.
Καὶ θεὸς ἡβητῆρος ἀναθρῴσκων ἐπὶ νίκῃ
χεῖρας ἐπεπλατάγησεν ἐπικλάγξας Ὑμεναίῳ·
ξυνοὶ δ' εἰν ἑνὶ πάντες, ὅσοι παρέμιμνον ἀγῶνι,   745
ἀγχινεφῆ θάμβησαν ἐκηβολίην Ὑμεναίου.
καὶ γελόων Διόνυσος ἑαῖς παλάμῃσιν ἐρύσσας
ἡμίονον πόρε δῶρον ὀφειλομένην Ὑμεναίῳ·
καὶ γέρας Ἀστερίοιο δέπας κούφιζον ἑταῖροι.
Καὶ φιλίην ἐπὶ δῆριν ἀκοντιστῆρας ἐπείγων   750
Ἰνδικὰ Βάκχος ἄεθλα φέρων παρέθηκεν ἀγῶνι,
διχθαδίην κνημῖδα καὶ Ἰνδῴης λίθον ἅλμης.
ὀρθωθεὶς δ' ἀγόρευε, δύω δ' ἐκέλευσε μαχηταῖς,
ὄφρα μόθῳ παίζοντι καὶ οὐ κτείνοντι σιδήρῳ
μιμηλὴν τελέσωσιν ἀναίμονος εἰκόνα χάρμης·   755
"Οὗτος ἀγὼν δύο φῶτας ἀκοντιστῆρας ἐγείρων
μείλιχον οἶδεν Ἄρηα καὶ εὐδιόωσαν Ἐννώ."
Ὣς φαμένου Βρομίοιο σιδήρεα τεύχεα πάλλων
Ἀστέριος κεκόρυστο, καὶ Αἰακὸς εἰς μέσον ἔστη
χάλκεον ἔγχος ἔχων, πολυδαίδαλον ἀσπίδα πάλλων,   760
οἷα λέων ἄγραυλος ἐπαΐσσων τινὶ ταύρῳ
ἢ συῒ λαχνήεντι· σιδηρείῳ δὲ χιτῶνι
εἰς μέσον ἐρρώοντο καλυψάμενοι δέμας ἄμφω
Ἄρεος αἰχμητῆρες· ὁ μὲν δόρυ θοῦρον ἰάλλων
Ἀστέριος, Μίνωος ἔχων πατρῴον ἀλκήν,   765
οὔτασε δεξιτεροῖο βραχίονος ἄκρον ἀμύξας·
ὃς δὲ κατ' ἀσφαράγοιο σιδήρεον ἔγχος ἀείρων
Αἰακός, ὑψιμέδοντος ἑοῦ Διὸς ἄξια ῥέζων,
νύξαι μὲν μενέαινε μεσαίτατον ἀνθερεῶνα·
ἀλλά ἑ Βάκχος ἔρυκε καὶ ἥρπασε φοίνιον αἰχμήν,   770

the pigeon beat about with its wings in the dust, fluttering about the feet of Dionysos weaver of dances.

⁷⁴³ Then the god leapt up on the young man's victory, and clapt his hands to applaud Hymenaios ; and the company one and all who were present at the contest were astonished at the long shot of Hymenaios near the clouds. Dionysos laughing led forward with his own hands the mule which was due as a prize to Hymenaios, and gave it to him ; and the comrades of Asterios lifted his prize, the goblet.

⁷⁵⁰ Now Bacchos invited those present to a friendly match at casting the javelin, and brought forward Indian prizes, a pair of greaves, and a stone from the Indian sea. He rose and made his announcement, and called for two warriors, bidding them show a fictitious image of bloodless battle, with not-killing steel in sport :

⁷⁵⁶ " This contest summons two javelin-men, and knows only Ares gentle and Enyo tranquil."

⁷⁵⁸ So spoke Bromios, and Asterios came up armed, shaking his weapons of steel ; and Aiacos stept forward, holding a bronze spear and shaking a shield gorgeously adorned, like a lion in the country charging a bull or a shaggy boar. Both these spearmen of Ares marched forward covered with steel corselets. Asterios cast a furious spear with the vigour of Minos his father, and he wounded the right arm grazing the skin. Aiacos, doing a deed worthy of his father Zeus Lord in the highest, aimed his iron spear at the gullet and tried to pierce the throat right in the middle ; but Bacchos checked him and caught the deadly blade, that he might not strike

αὐχένα μὴ πλήξειεν ἀκοντιστῆρι σιδήρῳ·
ἀμφοτέρους δ' ἀνέκοψε καὶ ἴαχε θυιάδι φωνῇ·
" Ῥίψατε τεύχεα ταῦτα φίλην στήσαντες Ἐννώ·
ἄρθμιος οὗτος Ἄρης, καὶ ἀνούτατοί εἰσιν ἀγῶνες."
Ἔννεπεν· ἐγρεμόθου δὲ λαβὼν πρεσβήια νίκης   775
Αἰακὸς αὐχήεις χρυσέας κνημῖδας ἀείρων
δῶκεν ἑῷ θεράποντι· καὶ ὕστερα δῶρα κομίζων
Ἀστέριος κούφιζε δορικτήτην λίθον Ἰνδῶν.

the neck with the cast spear. Then he made them both stop, and called out with wild voice—

773 " Drop those spears ! Yours was a friendly battle. This is a peaceful war, a contest without wounds."

775 So he spoke. Aiacos proudly received the prize of battlestirring victory, and took the golden greaves, which he handed over to his servant. Asterios carried off the second prize, the Indian stone taken by force of arms.

ΔΙΟΝΥΣΙΑΚΩΝ ΤΡΙΑΚΟΣΤΟΝ ΟΓΔΟΟΝ

Ἧχι τριηκοστὸν πέλεν ὄγδοον, αἴθοπι δαλῷ
δειλαίου Φαέθοντος ἔχεις μόρον ἡνιοχῆος.

Λῦτο δ' ἀγών· λαοὶ δὲ μετήιον ἔνδια λόχμης,
καὶ σφετέραις κλισίῃσιν ὁμίλεον· ἀγρονόμοι δὲ
Πᾶνες ἐναυλίζοντο χαραδραίοισι μελάθροις,
αὐτοπαγῆ ναίοντες ἐρημάδος ἄντρα λεαίνης
ἑσπέριοι· Σάτυροι δὲ δεδυκότες εἰς σπέος ἄρκτου   5
θηγαλέοις ὀνύχεσσι καὶ οὐ τμητῆρι σιδήρῳ
πετραίην ἐλάχειαν ἐκοιλαίνοντο χαμεύνην,
εἰσόκεν ὄρθρος ἔλαμψε σελασφόρος, ἀρτιφανὲς δὲ
ἀμφοτέροις ἀνέτελλε γαληναίης φάος Ἠοῦς,
Ἰνδοῖς καὶ Σατύροισιν· ἐπεὶ τότε κυκλάδι νύσσῃ   10
Μυγδονίου πολέμοιο καὶ Ἰνδῴοιο κυδοιμοῦ
ἀμβολίην ἐτάνυσσεν ἕλιξ χρόνος· οὐδέ τις αὐτοῖς
οὐ φόνος, οὐ τότε δῆρις· ἔκειτο δὲ τηλόθι χάρμης
Βακχιὰς ἑξαέτηρος ἀραχνιόωσα βοείη.
   Ἀλλ' ὅτε δὴ πολέμων ἔτος ἕβδομον ἤγαγον Ὧραι,   15
οὐράνιον τότε σῆμα προάγγελον οἴνοπι Βάκχῳ
φαίνετο, θάμβος ἄπιστον· ἐπεὶ ζόφος ἤματι μέσσῳ
ἀπροϊδὴς τετάνυστο, κελαινιόωντι δὲ πέπλῳ

92

BOOK XXXVIII

When the thirty-eighth takes its turn, you have the
fate of unhappy Phaëthon in the chariot,
with a blazing brand.

THE games were over. The people retired into the
recesses of the forest, and entered their huts. The
rustic Pans housed themselves under shelter in
the ravines, for they occupied at evening time
the natural caverns of a lioness in the wilds. The
Satyrs dived into a bear's cave, and hollowed their
little bed in the rock with sharp finger-nails in place
of cutting steel; until the lightbringing morning
shone, and the brightness of Dawn newly risen
showed itself peacefully to both Indians and Satyrs.
For then Time rolling in his ambit prolonged the
truce of combat and strife between Indians and
Mygdonians; there was no carnage among them
then, no conflict, and the shield which Bacchos had
borne for six years lay far from the battle covered
with spiders' webs.[a]

15 But as soon as the Seasons brought the seventh
year of warfare, a foreboding sign was shown to wine-
faced Bacchos in the sky, an incredible wonder.
For at midday, a sudden darkness was spread abroad,

[a] From Bacchylides, frag. 3 (Jebb), 6-7. Nonnos means
there was perfect peace.

κρυπτόμενον Φαέθοντα μεσημβριὰς εἶχεν ὀμίχλη,
κλεπτομένης δ' ἀκτῖνος ἐπεσκιόωντο κολῶναι·   20
καὶ πολὺς ἔνθα καὶ ἔνθα κατήριπε πυρσὸς ἀλήτης,
ἅρματος οὐρανίοιο κατάρρυτος· ἄκρα δὲ γαίης
μυρίος ἔκλυσεν ὄμβρος, ἐκυμαίνοντο δὲ πέτραι
ἠερίαις λιβάδεσσιν, ἕως μόγις ὑψόθι δίφρου
ὑψιφανὴς ἀνέτελλε πάλιν πυρόεις Ὑπερίων.   25
   Βάκχῳ δ' ἀσχαλόωντι δι' ἠέρος αἴσιος ἔπτη
αἰετὸς ὑψικέλευθος, ὄφιν κερόεντα κομίζων
θηγαλέοις ὀνύχεσσιν· ὁ δὲ θρασὺν αὐχένα κάμπτων
κύμβαχος αὐτοκύλιστος ἐπωλίσθησεν Ὑδάσπῃ.
καὶ τρομερὴ νήριθμον ὅλον στρατὸν εἶχε σιωπή·   30
Ἴδμων δ' αἰολόμητις, ἐπεὶ μάθεν ὄργια Μούσης
Οὐρανίης εὔκυκλον ἐπισταμένης ἴτυν ἄστρων,
ἄτρομος ἵστατο μοῦνος, ἐπεὶ μάθεν ἴδμονι τέχνῃ
συμπλεκέος Φαέθοντι κατάσκια κύκλα Σελήνης,
καὶ φλόγα πορφύρουσαν ὑπὸ ζοφοειδέι κώνῳ   35
κλεπτομένου Φαέθοντος ἀθηήτοιο πορείης,
καὶ πάταγον βρονταῖον ἀρασσομένων νεφελάων,
αἰθέριον μύκημα, καὶ ἀστράπτοντα κομήτην,
καὶ δοκίδων ἀκτῖνα, καὶ ἔμπυρον ἅλμα κεραυνοῦ.
τοῖα παρ' Οὐρανίης δεδαημένος ἔργα θεαίνης   40
ἵστατο θαρσήεσσαν ἔχων φρένα· γυῖα δ' ἑκάστου
λύετο· μαντιπόλος δὲ γέρων γελόωντι προσώπῳ
Ἴδμων ἐμπεδόμυθον ἔχων ἐπὶ χείλεσι πειθὼ
λαὸν ὅλον θάρσυνεν, ὅτι χρονίοιο κυδοιμοῦ
ἐσσομένην μετὰ βαιὸν ἐπίστατο γείτονα νίκην.   45
   Καὶ Φρύγιον πολύιδριν ἀνείρετο μάντιν Ἐρεχθεύς,

ᵃ Nonnos seems to think that a solar eclipse causes
meteors.

and a midday obscurity covered Phaëthon with its black pall, and the hills were overshadowed as his beams were stolen away. Many a stray brand fell here and there scattered from the heavenly car [a] ; thousands of rainshowers deluged the surface of the earth, the rocks were flooded by drops from the sky, until fiery Hyperion rose again shining high on his chariot after his hard struggle.

[26] Then a happy omen was seen by impatient Bacchos, an eagle flying high through the air, holding a horned snake in his sharp talons. The snake twisted his bold neck, and slipt away of itself diving into the river Hydaspes. Trembling silence held all that innumerable host. Idmon alone stood untrembling, Idmon the treasury of learned lore, for he had been taught the secrets of Urania, the Muse who knows the round circuit of the stars : he had been taught by his learned art [b] the shades on the Moon's orb when in union with the Sun, and the ruddy flame of Phaëthon stolen out of sight from his course behind the cone of darkness, and the clap of thunder, the heavenly bellow of the bursting clouds, and the shining comet, and the flame of meteors, [c] and the fiery leap of the thunderbolt. Having been taught all these doings by Urania the goddess he stood with dauntless heart, while the limbs of every man were loosened. But Idmon that ancient seer encouraged all the host, with laughing countenance, and words of confident persuasion upon his lips : " I know," he said, " that victory is near, and soon it will end this long struggle."

[46] Erechtheus also inquired of the accomplisht Phry-

[b] Idmon means learned.

[c] δοκίς, a small beam of wood, was used for a long narrow meteor.

σύμβολα παπταίνων ὑπάτου Διός, εἰ πέλε χάρμης
αἴσια δυσμενέεσσιν ἢ Ἰνδοφόνῳ Διονύσῳ,
οὐ τόσον ὑσμίνης ποθέων τέλος, ὅσσον ἀκοῦσαι
μυστιπόλοις ὀάροισι μεμηλότα μῦθον Ὀλύμπου,   50
καὶ στίχας ἀστραίων ἑλίκων καὶ κυκλάδα μήνην,
καὶ δύσιν ἠματίην Φαεθοντίδος ἄμμορον αἴγλης
κλεπτομένης. αἰεὶ δὲ θεορρήτων περὶ μύθων
Ἀτθίδος ἀρχαίης φιλοπευθέες εἰσὶ πολῖται.

Οὐδὲ γέρων ἀμέλησε θεοπρόπος, ἀλλὰ Λυαίου   55
σείων Εὔια θύρσα καὶ οὐ Πανοπηΐδα δάφνην
τοῖον ἔπος μαντῷον ἀνήρυγεν ἀνθερεῶνος·

" Εἰσαΐειν ἐθέλεις φρενοθελγέα μῦθον, Ἐρεχθεῦ,
ὃν μοῦνοι δεδάασι θεοὶ ναετῆρες Ὀλύμπου;
λέξω δ᾽, ὥς με δίδαξεν ἐμὸς δαφναῖος Ἀπόλλων.   60
μὴ στεροπὴν τρομέοις, μὴ δείδιθι πυρσὸν ἀλήτην,
μὴ δρόμον Ἠελίου ζοφοειδέα, μηδὲ Λυαίου
νίκης ἐσσομένης πρωτάγγελον ὄρνιν Ὀλύμπου·
ὡς ὅ γε θηγαλέων ὀνύχων κεχαραγμένος αἰχμαῖς,
ἅρπαγος οἰωνοῖο πεπαρμένος ὀξέι ταρσῷ,   65
εἰς προχοὰς ποταμοῖο δράκων ὤλισθε κεράστης,
καὶ νέκυν ἑρπηστῆρα γέρων ἔκρυψεν Ὑδάσπης,
οὕτω Δηριάδην πατρώϊον οἶδμα καλύψει
εἴκελον εἶδος ἔχοντα βοοκραίρῳ γενετῆρι."

Τοῖα γέρων ἀγόρευε θεηγόρος· ἀμφὶ δὲ μύθῳ   70
μαντιπόλῳ γήθησεν ὅλος στρατός· ἔξοχι δ᾽ ἄλλων
θαύματι χάρμα κέρασσεν ἀμήτορος ἀστὸς Ἀθήνης,
τοῖος ἐὼν γλυκερῇσιν ἐπ᾽ ἐλπίσιν, ὡς ἐνὶ μέσσῳ
κωμάζων Μαραθῶνι μετ᾽ Ἄρεα Δηριάδηος.

Καὶ τότε μουνωθέντι φιλοσκοπέλῳ Διονύσῳ   75

───────────────

ᵃ Is this a reminiscence of St. Paul's words on the

gian prophet, when he saw the portents of Highest
Zeus, whether they were favourable to the enemy or
to Indian-slaying Dionysos. He did not so much wish
for the end of the conflict, but rather to hear the
message from Olympos, the theme of mystical
tales, and the orders of circling stars, and the round
moon, and the sunset at midday which has no light
of Phaëthon because this is stolen away. Always
the citizens of ancient Athens are ready to hear
discourses concerning the gods.[a]

55 Nor was the old seer neglectful; but shaking his
Euian thyrsus instead of the Panopeian laurel,[b] he
uttered these words of interpretation with his mouth:

58 " Do you wish, Erechtheus, to hear the heart-
consoling tale which only the gods know who dwell in
Olympos? Well, I will speak, as my laurelled Apollo
has taught me. Tremble not at the lightning, fear
not the travelling brand, nor the darkened course of
Helios, nor the bird of Olympos, first harbinger of
Lyaios's victory to come; as that horned snake, torn
by the sharp pointed claws of the robber bird and
pierced by its talons, slipt into the waters of the river,
and old Hydaspes swallowed the reptile corpse, so
Deriades shall be swallowed in the flood of his father's
stream under the likeness of his bullhorned sire."

70 Thus spoke the old prophet; and at the diviner's
words all the host was glad, but beyond others the
citizen of unmothered Athene mingled gladness with
wonder, as full of joy in his sweet hopes as if he were
triumphing in Marathon itself after the war with
Deriades.

75 And now to Dionysos, alone among the rocks

Areopagus, Acts xvii. 22 ἄνδρες ᾿Αθηναῖοι, κατὰ πάντα ὡς
δεισιδαιμονεστέρους ὑμᾶς θεωρῶ?

[b] Delphian: Panopeus was near Delphi.

NONNOS

σύγγονος οὐρανόθεν Διὸς ἄγγελος ἤλυθεν Ἑρμῆς,
καί τινα μῦθον ἔειπε παρηγορέων ἐπὶ νίκῃ·
 "Μὴ τρομέοις τόδε σῆμα,
                              καὶ εἰ πέλεν ἠματίη νύξ·
τοῦτό σοι, ἄτρομε Βάκχε, πατὴρ ἀνέφηνε Κρονίων
νίκης Ἰνδοφόνοιο προάγγελον· ἠελίῳ γὰρ   80
δεύτερον ἀστράπτοντι φεραυγέα Βάκχον ἐίσκω,
καὶ θρασὺν ὀρφναίῃ μελανόχροον Ἰνδὸν ὀμίχλῃ·
αἰθέρι γὰρ τύπος οὗτος ὁμοίιος· εὐφαέος δὲ
ὡς ζόφος ἠμάλδυνε καλυπτομένης φάος ἠοῦς,
καὶ πάλιν ἀντέλλων πυριφεγγέος ὑψόθι δίφρου   85
Ἥλιος ζοφόεσσαν ἀπηκόντιζεν ὀμίχλην,
οὕτω σῶν βλεφάρων μάλα τηλόθι καὶ σὺ τινάξας
Ταρταρίης ζοφόεσσαν Ἐρινύος ἄσκοπον ἀχλὺν
ἀστράψεις κατ' Ἄρεα τὸ δεύτερον ὡς Ὑπερίων.
τηλίκον οὖ ποτε θαῦμα γέρων τροφὸς¹ ἤγαγεν Αἰών, 90
ἐξ ὅτε δαιμονίοιο πυρὸς βεβολημένος ἀτμῷ
κύμβαχος Ἡελίοιο φεραυγέος ἔκπεσε δίφρου
ἡμιδαὴς Φαέθων, ποταμῷ δ' ἐκρύπτετο Κελτῷ·
καὶ θρασὺν ἡβητῆρα παρ' ὀφρύσιν Ἠριδανοῖο
Ἡλιάδες κινυροῖσιν ἔτι στενάχουσι πετήλοις."   95
 "Ὡς φαμένου Διόνυσος ἐγήθεεν ἐλπίδι νίκης·
Ἑρμείαν δ' ἐρέεινε, καὶ ἤθελε μᾶλλον ἀκοῦσαι
Κελτοῖς Ἑσπερίοισι μεμηλότα μῦθον Ὀλύμπου,
πῶς Φαέθων κεκύλιστο δι' αἰθέρος, ἢ πόθεν αὐταὶ
Ἡλιάδες παρὰ χεῦμα γοήμονος Ἠριδανοῖο   100
εἰς φυτὸν ἠμείβοντο, καὶ εὐπετάλων ἀπὸ δένδρων
δάκρυα μαρμαίροντα κατασταλάουσι ῥεέθροις.
 Καί οἱ ἀνειρομένῳ
                      πετάσας στόμα μείλιχος Ἑρμῆς
θέσκελον ἐρροίβδησεν ἔπος φιλοπευθέι Βάκχῳ·

---

¹ So mss.: χρόνος Ludwich.

which he loved, came Hermes his brother from heaven as messenger of Zeus, and spoke assuring him of victory:

78 "Tremble not at this sign, even though night came at midday. This sign, fearless Bacchos, your father Cronion has shown you to foretell your victory in the Indian War. For I liken Bacchos the light-bringer to the sun shining again, and the bold black Indian to the thick darkness. That is what is meant by the picture in the sky. For as the darkness blotted out and covered the light of shining day, and then Helios rose again in his fireshining chariot and dispersed the gross darkness, so you also shall shake from your eyes far far away the darksome sightless gloom of the Tartarian Fury, and blaze again on the battlefield like Hyperion. So great a marvel ancient eternal Time our foster-father has never brought, since Phaëthon, struck by the steam of fire divine, fell tumbling half-burnt from Helios's lightbearing chariot, and was swallowed up in the Celtic river; and the daughters of Helios are still on the banks of Eridanos, lamenting the audacious youth with their whimpering leaves."

96 At these words, Dionysos rejoiced in hope of victory; then he questioned Hermes and wished to hear more of the Olympian tale which the Celts of the west know well: how Phaëthon tumbled over and over through the air, and why even the daughters of Helios were changed into trees beside the moaning Eridanos, and from their leafy trees drop sparkling tears into the stream.

103 In answer, friendly Hermes opened his mouth and noised out his inspired tale to Bacchos eagerly listening:

" Ἀνδρομέου, Διόνυσε, βίου τερψίμβροτε ποιμήν, 105
εἴ σε παλαιγενέων ἐπέων γλυκὺς οἶστρος ἐπείγει,
μῦθον ὅλον Φαέθοντος ἐγὼ στοιχηδὸν ἐνίψω.
Ὠκεανὸς κελάδων, μιτρούμενος ἄντυγι κόσμου,
ἰκμαλέην περὶ νύσσαν ἄγων γαιήοχον ὕδωρ,
Τηθύος ἀρχεγόνοισιν ὁμιλήσας ὑμεναίοις 110
νυμφίος ὑδατόεις Κλυμένην τέκεν, ἥν ποτε Τηθὺς
κρείσσονα Νηιάδων διερῷ μαιώσατο μαζῷ,
παρθένον ὁπλοτέρην εὐώλενον, ἧς ἐπὶ μορφῇ
Ἥλιος λυκάβαντα δυωδεκάμηνον ἑλίσσων,
αἰθέρος ἑπτάζωνον ἴτυν στεφανηδὸν ὁδεύων, 115
κάμνε πυρὸς ταμίης ἑτέρῳ πυρί· καὶ φλόγα δίφρων
καὶ σέλας ἀκτίνων ἐβιήσατο πυρσὸς Ἐρώτων,
ὁππότε φοινίσσοντος ὑπὲρ κέρας Ὠκεανοῖο,
ἔμπυρον Ἠῴοισιν ἑὸν δέμας ὕδασι λούων,
παρθένον ἀγχικέλευθον ἐσέδρακεν, ὁππότε γυμνὴ 120
νήχετο πατρῴοισιν ἐπισκαίρουσα ῥεέθροις,
λουομένη δ᾽ ἤστραπτεν· ἔην δέ τις, ὡς ὅτε δισσῆς
μαρμαρυγὴν τροχόεσσαν ἀναπλήσασα κεραίης
ἑσπερίη σελάγιζε δι᾽ ὕδατος ὄμπνια Μήνη.
ἡμιφανὴς δ᾽ ἀπέδιλος ἐν ὕδασιν ἵστατο κούρη, 125
Ἥλιον ῥοδέῃσιν ὀιστεύουσα παρειαῖς·
καὶ προχοαῖς κεχάρακτο τύπος χροός· οὐ τότε μίτρη
κούρης στέρνα κάλυπτε, καταυγάζουσα δὲ λίμνην
ἀργυφέων εὔκυκλος ἴτυς φοινίσσετο μαζῶν.
Αἰθερίῳ δ᾽ ἐλατῆρι πατὴρ ἐζεύξατο κούρην· 130
καὶ Κλυμένης ὑμέναιον ἀνέκλαγον εὔποδες Ὧραι

---

[a] For the literary history of Phaëthon from Alexandrian
times on, see G. Knaack, *Quaestiones Phaëthonteae*, Berlin
1886.

[b] The Zodiac (because all the planets move within it).
The Greeks called the seven heavenly bodies planets; these

[105] " Dionysos, joy of mankind, shepherd of human life! If sweet desire constrains you to hear these ancient stories, I will tell you the whole tale of Phaëthon from beginning to end.[a]

[108] " Loudbooming Oceanos, girdled with the circle of the sky, who leads his water earth-encompassing round the turning point which he bathes, was joined in primeval wedlock with Tethys. The watery bridegroom begat Clymene, fairest of the Naiads, whom Tethys nursed on her wet breast, her youngest, a maiden with lovely arms. For her beauty Helios pined, Helios who spins round the twelvemonth licht-gang, and travels the sevenzone circuit[b] garland-wise —Helios dispenser of fire was afflicted with another fire! The torch of love was stronger than the blaze of his car and the shining of his rays, when over the bend of the reddened Ocean as he bathed his fiery form in the eastern waters, he beheld the maiden close by the way, while she swam naked and sported in her father's waves. Her body gleamed in her bath, she was one like the full Moon reflected in the evening waters, when she has filled the compass of her twin horns with light. Half-seen, unshod, the girl stood in the waves shooting the rosy shafts from her cheeks at Helios; her shape was outlined in the waters, no stomacher hid her maiden bosom, but the glowing circle of her round silvery breasts illuminated the stream.

[130] " Her father united the girl to the heavenly charioteer. The lightfoot Seasons acclaimed Cly-

were the real planets, Mercury, Venus, Mars, Jupiter, Saturn, and also the sun and moon. Thus the Zodiac is called seven-zoned. Note that they did not regard the Earth as a planet, and did not know the planets Uranus and Neptune.

καὶ γάμον Ἡελίοιο φαεσφόρον· ἀμφὶ δὲ Νύμφαι
Νηίδες ὠρχήσαντο· παρ' ὑδατόεντι δὲ παστῷ
εὔλοχος ἀστράπτοντι γάμῳ νυμφεύετο κούρη,
καὶ ψυχροῖς μελέεσσιν ἐδέξατο θερμὸν ἀκοίτην.   135
ἀστραίης δὲ φάλαγγος ἔην θαλαμηπόλος αἴγλη,
καὶ μέλος εἰς Ὑμέναιον ἀνέπλεκε Κύπριδος ἀστήρ,
συζυγίης προκέλευθος Ἑωσφόρος· ἀντὶ δὲ πεύκης
νυμφιδίην ἀκτῖνα γαμοστόλον εἶχε Σελήνη·
Ἑσπερίδες δ' ἀλάλαζον· ἐῇ δ' ἅμα Τηθύι νύμφῃ   140
Ὠκεανὸς κελάδησε μέλος πολυπίδακι λαιμῷ.

Καὶ Κλυμένης γονόεντι γάμῳ κυμαίνετο γαστήρ·
καὶ βρέφος ὠδίνουσα πεπαινομένου τοκετοῖο
γείνατο θέσκελον υἷα φαεσφόρον. ἀμφὶ δὲ κούρῳ
τικτομένῳ κελάδησε μέλος πατρώιος αἰθήρ·   145
Ὠκεανοῦ δὲ θύγατρες ἀποθρῴσκοντα λοχείης
υἱέα παππῴοισιν ἐφαιδρύναντο λοετροῖς·
σπάργανα δ' ἀμφεβάλοντο·
                    καὶ ἀστέρες αἴθοπι παλμῷ
εἰς ῥόον ἀίσσοντες ἐθήμονος Ὠκεανοῖο
κοῦρον ἐκυκλώσαντο, καὶ Εἰλείθυια Σελήνη   150
μαρμαρυγὴν πέμπουσα σελασφόρον· Ἥλιος δὲ
υἱέι δῶκεν ἔχειν ἑὸν οὔνομα μάρτυρι μορφῇ
ἄρμενον· ἠιθέου γὰρ ἐπ' ἀστράπτοντι προσώπῳ
Ἡελίου γενετῆρος ἐπέπρεπε σύγγονος αἴγλη.

Πολλάκι παιδοκόμοισιν ἐν ἤθεσιν ἁβρὸν ἀθύρων   155
Ὠκεανὸς Φαέθοντα παλινδίνητον ἀείρων
γαστρὶ μέσῃ κούφιζε, δι' ὑψιπόρου δὲ κελεύθου
ἄστατον αὐτοέλικτον ἀλήμονι σύνδρομον αὔρῃ
ἠερόθεν παλίνορσον ἐδέξατο κοῦρον ἀγοστῷ,
καὶ πάλιν ἠκόντιζεν· ὁ δὲ τροχοειδέι παλμῷ   160
χειρὸς ἐυστρέπτοιο παράτροπος Ὠκεανοῖο
δινωτῇ στροφάλιγγι κατήριπεν εἰς μέλαν ὕδωρ,

mene's bridal with Helios Lightbringer, the Naiad
Nymphs danced around; in a watery bridal-bower
the fruitful maiden was wedded in a flaming union,
and received the hot bridegroom into her cool arms.
The light that shone on that bridal bed came from the
starry train; and the star of Cypris, Lucifer, herald
of the union, wove a bridal song. Instead of the
wedding torch, Selene sent her beams to attend the
wedding. The Hesperides raised the joy-cry, and
Oceanos beside his bride Tethys sounded his song
with all the fountains of his throat.

142 "Then Clymene's womb swelled in that fruit-
ful union, and when the birth ripened she brought
forth a baby son divine and brilliant with light. At the
boy's birth his father's ether saluted him with song;
as he sprang from the childbed, the daughters of
Oceanos cleansed him, Clymene's son, in his grand-
sire's waters, and wrapt him in swaddlings. The
stars in shining movement leapt into the stream of
Oceanos which they knew so well, and surrounded
the boy, with Selene our Lady of Labour, sending
forth her sparkling gleams. Helios gave his son his
own name, as well suited the testimony of his
form; for upon the boy's shining face was visible
the father's inborn radiance.

155 "Often in the course of the boy's training
Oceanos would have a pretty game, lifting Phaëthon
on his midbelly and letting him drop down; he
would throw the boy high in the air, rolling over and
over moving in a high path as quick as the wander-
ing wind, and catch him again on his arm; then he
would shoot him up again, and the boy would avoid
the ready hand of Oceanos, and turn a somersault
round and round till he splashed into the dark

μάντις έοῦ θανάτοιο· γέρων δ' ὤμωξε νοήσας,
θέσφατα γινώσκων, πινυτῇ δ' ἔκρυψε σιωπῇ,
μὴ Κλυμένης φιλόπαιδος ἀπενθέα θυμὸν ἀμύξῃ   165
πικρὰ προθεσπίζων Φαεθοντιάδος λίνα Μοίρης.
  Καὶ πάϊς ἀρτικόμιστος ἔχων ἀνίουλον ὑπήνην
πῇ μὲν ἑῆς Κλυμένης δόμον ἄμφεπε,
                                πῇ δὲ καὶ αὐτῆς
Θρινακίης λειμῶνα μετήιεν, ἧχι θαμίζων
Λαμπετίῃ παρέμιμνε, βόας καὶ μῆλα νομεύων . . . 170
πατρὸς ἑοῦ ζαθέοιο φέρων πόθον ἡνιοχῆος,
ἄξονα τεχνήεντι συνήρμοσε δούρασι δεσμῷ,
κυκλώσας τροχόεντα τύπον ψευδήμονι δίφρῳ·
ἀσκήσας δὲ λέπαδνα καὶ ἀνθοκόμων ἀπὸ κήπων
πλέξας λεπταλέοισι λύγοις τριέλικτον ἱμάσθλην   175
ἀρνειοῖς πισύροισι νέους ἐπέθηκε χαλινούς·
καὶ νόθον εὐποίητον Ἑωσφόρον ἀστέρα τεύχων
ἄνθεσιν ἀργεννοῖσιν, ἴσον τροχοειδέι κύκλῳ,
θῆκεν ἑῆς προκέλευθον ἐυκνήμιδος ἀπήνης,
ἀστέρος Ἠῴοιο φέρων τύπον· ἀμφὶ δὲ χαίταις   180
ὄρθιον ἔνθα καὶ ἔνθα φεραυγέα δαλὸν ἐρείσας
ψευδομέναις ἀκτῖσιν ἑὸν μιμεῖτο τοκῆα,
ἱππεύων στεφανηδὸν ἁλίκτυπον ἄντυγα νήσου.
  Ἀλλ' ὅτ' ἀνηέξητο φέρων εὐάνθεμον ἥβην,
πολλάκι πατρῴης φλογὸς ἥψατο, χειρὶ δὲ βαιῇ   185
κούφισε θερμὰ λέπαδνα καὶ ἀστερόεσσαν ἱμάσθλην,
καὶ τροχὸν ἀμφιπόλευε, καὶ ἀμφαφόων δέμας ἵππων
χιονέαις παλάμῃσιν ἐτέρπετο κοῦρος ἀθύρων·
δεξιτερῇ δ' ἔψαυε πυριβλήτοιο χαλινοῦ.
μαίνετο δ' ἱπποσύνης μεθέπων πόθον· ἑζόμενος δὲ 190
γούνασι πατρῴοις ἱκετήσια δάκρυα λείβων

---

[a] The island (later identified with Sicily) where the cattle

waters, prophet of his own death. The old man groaned when he saw it, recognizing the divine oracle, and hid all in prudent silence, that he might not tear the happy heart of Clymene the loving mother by foretelling the cruel threads of Phaëthon's Fate.

167 " So the boy, hardly grown up, and still with no down on his lip, sometimes frequented his mother Clymene's house, sometimes travelled even to the meadows of Thrinacia,[a] where he would often visit and stay with Lampetië, tending cattle and sheep . . . There he would long for his father the charioteer divine; made a wooden axle with skilful joinery, fitted on a sort of round wheel for his imitation car, fashioned yoke-straps, took three light withies from the flowering garden and plaited them into a lash, put unheard-of bridles on four young rams. Then he made a clever imitation of the morning star round like a wheel, out of a bunch of white flowers, and fixed it in front of his spokewheeled waggon to show the shape of the star Lucifer. He set burning torches standing about his hair on every side, and mimicked his father with fictitious rays as he drove round and round the coast of the seagirt isle.

184 " But when he grew up into the fair bloom of youth, he often touched his father's fire, lifted with his little hand the hot yokestraps and the starry whip, busied himself with the wheel, stroked the horses' coats with snow-white hands—and so the playful boy enjoyed himself. With his right hand he touched the fireshotten bridle, mad with longing to manage the horses. Seated on his father's knees, he shed imploring tears, and begged for a run with

of the Sun were, see *Od*. xii. 127 ; Lampetië was in charge of them.

ἤτεεν ἔμπυρον ἅρμα καὶ αἰθερίων δρόμον ἵππων.
καὶ γενέτης ἀνένευεν· ὁ δὲ πλέον ἠδέι μύθῳ
αἰτίζων λιτάνευε· παρηγορέων δ' ἐπὶ δίφρῳ
ὑψιπόρῳ νέον υἷα φιλοστόργῳ φάτο φωνῇ·   195
  'Ὦ τέκος Ἠελίοιο, φίλον γένος Ὠκεανοῖο,
ἄλλο γέρας μάστευε· τί σοί ποτε δίφρος Ὀλύμπου;
ἱπποσύνης ἀκίχητον ἔα δρόμον· οὐ δύνασαι γὰρ
ἰθύνειν ἐμὸν ἅρμα, τό περ μόγις ἡνιοχεύω.
οὔ ποτε θοῦρος Ἄρης φλογερῷ κεκόρυστο κεραυνῷ, 200
ἀλλὰ μέλος σάλπιγγι καὶ οὐ βρονταῖον ἀράσσει·
οὐ νεφέλας Ἥφαιστος ἑοῦ γενετῆρος ἀγείρει,
οὐ νεφεληγερέτης κικλήσκεται οἷα Κρονίων,
ἀλλὰ παρ' ἐσχαρεῶνι σιδήρεον ἄκμονα τύπτει,
ἄσθμασι ποιητοῖσι χέων ποιητὸν ἀήτην·   205
κύκνον ἔχει πτερόεντα,
                    καὶ οὐ ταχὺν ἵππον Ἀπόλλων·
οὐ στεροπὴν πυρόεσσαν ἀερτάζει γενετῆρος
Ἑρμῆς ῥάβδον ἔχων, οὐκ αἰγίδα πατρὸς ἀείρει.
ἀλλ' ἐρέεις· "Ζαγρῆι πόρεν σπινθῆρα κεραυνοῦ"·
Ζαγρεὺς σκηπτὸν ἄειρε, καὶ ὡμίλησεν ὀλέθρῳ.   210
ἅζεο καὶ σύ, τέκος, πανομοία πήματα πάσχειν.'
  Εἶπε, καὶ οὐ παρέπεισε·
                    πάις δὲ γενήτορα νύσσων
δάκρυσι θερμοτέροισιν ἑοὺς ἐδίηνε χιτῶνας·
χερσὶ δὲ πατρῴης φλογερῆς ἔψαυσεν ὑπήνης,
ὀκλαδὸν ἐν δαπέδῳ κυκλούμενον αὐχένα κάμπτων, 215
λισσόμενος· καὶ παῖδα πατὴρ ἐλέαιρε δοκεύων.
καὶ κινυρὴ Κλυμένη πλέον ἤτεεν· αὐτὰρ ὁ θυμῷ
ἔμπεδα γινώσκων ἀμετάτροπα νήματα Μοίρης
ἀσχαλόων ἐπένευσεν, ἀπομήξας δὲ χιτῶνι
μυρομένου Φαέθοντος ἀμειδέος ὄμβρον ὀπωπῆς   220
χείλεα παιδὸς ἔκυσσε, τόσην δ' ἐφθέγξατο φωνήν·
106

the fiery chariot and heavenly horses. His father said no, but he only begged and prayed all the more with gracious pleading. Then the father said in affectionate words to his young son in the highfaring car :

¹⁹⁶ "'Dear son of Helios, dear grandson of Oceanos, ask me another boon ; what have you to do with the chariot of the sky ? Let alone the course of horsemanship. You cannot attain it, for you cannot guide my car—I can hardly drive it myself ! Furious Ares never armed him with flaming thunderbolt, but he blares his tune with a trumpet, not with thunder. Hephaistos never collects his father's clouds ; he is not called Cloudgatherer like Cronion, but hammers his iron anvil in the forge, and pours artificial blasts of artificial wind. Apollo has a winged swan, not a running horse. Hermes keeps his rod and wears not his father's aegis, lifts not his father's fiery lightning. But you will say—"He gave Zagreus the flash of the thunderbolt." Yes, Zagreus held the thunderbolt, and came to his death ! Take good care, my child, that you too suffer not woes like his.'

²¹² "So he spoke, but the boy would not listen ; he prodded his father and wetted his tunic with hotter tears. He put out his hands and touched his father's fiery beard ; kneeling on the ground he bent his arched neck, pleading, and when the father saw, he pitied the boy. Clymene cried and begged too. Then although he knew in his heart the immovable inflexible spinnings of Fate, he consented regretful, and wiped with his tunic the rain of tears from the unsmiling face of sad Phaëthon, and kissed the boy's lips while he said :

‘ Δώδεκα πάντες ἔασι πυρώδεος αἰθέρος οἶκοι,
Ζῳδιακοῦ γλαφυροῖο πεπηγότες ἄντυγι κύκλου,
κεκριμένοι στοιχηδὸν ἐπήτριμοι, οἷς ἔνι μούνοις
λοξὴ πουλυέλικτος ἀταρπιτός ἐστι πλανήτων   225
ἀσταθέων.   καὶ ἕκαστον ἕλιξ Κρόνος οἶκον ἀμείβει
ἑρπύζων βαρύγουνος, ἕως μόγις ὀψὲ τελέσσῃ
εἴκοσι καὶ δέκα κύκλα παλιννόστοιο Σελήνης,
ζώνης ἑβδομάτης ὑπὲρ ἄντυγος· ὑψόθι δ' ἕκτης
ὠκύτερον γενετῆρος ἔχει δρόμον ἀντίπορος Ζεύς,   230
καὶ δρόμον εἰς λυκάβαντα διέρχεται·
                                   ἐν τριτάτῃ δὲ . . .
ἤμασιν ἑξήκοντα παρέρχεται ἔμπυρος Ἄρης,
γείτων σεῖο τοκῆος· ἐπαντέλλων δὲ τετάρτῃ
αὐτὸς ἐγὼ στεφανηδὸν ὅλον πόλον ἅρμασι τέμνω
οὐρανίων Ἑλίκων πολυκαμπέα κύκλα διώκων,   235
μέτρα χρόνου πισύρῃσι φέρων κυκλούμενος Ὥραις,
τὴν αὐτὴν περὶ νύσσαν, ἕως ὅλον οἶκον ὁδεύσω,
πλήσας ἠθάδα μῆνα τελεσφόρον· οὐδὲ πορείην
καλλείψας ἀτέλεστον ὀπίστερον οἶμον ἀμείβω,
οὐδὲ πάλιν προκέλευθον, ἐπεὶ πολυκαμπέες ἄλλοι   240
ἀστέρες ἀντιθέοντες ἀεὶ στείχουσιν ἀλῆται,
ἂψ δ' ἀνασειράζοντες ἅμα πρόσσω καὶ ὀπίσσω
ἡμιτελῆ μεθέπουσι παλίλλυτα μέτρα κελεύθου,
δέγμενοι ἀμφοτέρωθεν ἐμὴν ἑτερόσσυτον αἴγλην·
οἷς ἔνι λευκαίνουσα πόλον κερόεσσα Σελήνη   245
κύκλον ὅλον πλήσασα σοφῷ πυρὶ μῆνα λοχεύει,
μεσσοφανής, ἐπίκυρτος, ὅλῳ πλήθουσα προσώπῳ·

---

[a] i.e. Saturn takes two and a half years to traverse one
sign (30°), and therefore thirty years for the whole Zodiac.

[b] A line to this effect has perhaps been lost.   The counting
is very odd: Saturn is " seventh," i.e. from the earth, but
Ares " third," i.e. counting from Saturn.

[c] The sun (regarded by the Greeks as a planet) never re-

222 "'There are twelve houses in all the fiery ether,
set in the circle of the rounded Zodiac, one close after
another in a row, each separate; through these alone is
the inclined winding path of the restless planets rolling
in their courses. All round these Cronos crawls from
house to house on his heavy knees along the seventh
zone upon the circle, until at last with difficulty he
completes thirty circuits of returning Selene.[a] On
the sixth, quicker than his father, Zeus has his course
opposite, and goes his round in a lichtgang. By
the third, fiery Ares passes [one sign that is, of the
Zodiac [b]] in sixty days, near your father. I myself
rise in the fourth, and traverse the whole sky gar-
land-wise in my car, following the winding circles
of the heavenly orbits. I carry the measures of
time, surrounded by the four Seasons, about the same
centre, until I have passed through a whole house
and fulfilled one complete month as usual; I never
leave my journey unfinished and change to a back-
ward course, nor do I go forward again; since the
other stars, the planets, in their various courses
always run contrary ways: they check backwards,
and go both to and fro; when the measures of their
way are half done they run back again, thus receiving
on both sides my one-sided light.[c] One of these
planets is the horned moon whitening the sky; when
she has completed all her circuit, she brings forth
with her wise fire the month, being at first half seen,
then curved,[d] then full moon with her whole face.

trogresses, as the other planets appear to do (ἀνασειράζοντες).
As half the other planets (including the moon) are above and
half below him (on the geocentric theory), each of them gets
his light from one side only.

[d] The curving outline between first quarter and full moon
(Stegemann).

Μήνη δ' ἀντικέλευθος ἐγὼ σφαιρηδὸν ἑλίσσων
μαρμαρυγὴν θρέπτειραν ἀμαλλοτόκου τοκετοῖο
Ζῳδιακὴν περὶ νύσσαν ἀτέρμονα κύκλον ὁδεύω,   250
τίκτων μέτρα χρόνοιο, καὶ οἴκοθεν οἶκον ἀμείβων
καὶ τελέσας ἕνα κύκλον ὅλον λυκάβαντα κομίζω.
ἄκρα δὲ συνδέσμοιο φυλάσσεο, μὴ σχεδὸν ἕρπων,
ἅρμασιν ὑμετέροις ζοφοειδέα κῶνον ἑλίξας,
φέγγος ὅλον κλέψειεν[1] ἐπισκιόων σέο δίφρῳ·   255
μηδὲ παριππεύσειας ἐθήμονος ἄντυγα κύκλου·
μηδὲ τανυπλέκτων ἑλίκων πολυκαμπέι δεσμῷ,
πέντε παραλλήλων δεδοκημένος ἄντυγα κύκλων,
οἶστρον ἔχοις, καὶ νύσσαν ὁμήθεα πατρὸς ἐάσῃς,
μή σε παραπλάγξειαν ἐν αἰθέρι φοιτάδες ἵπποι·   260
μηδὲ διοπτεύων δυοκαίδεκα κύκλα πορείης
ἐκ δόμου εἰς δόμον ἄλλον ἐπείγεο· καὶ σέο δίφρῳ
Κριὸν ἐφιππεύων μὴ δίζεο Ταῦρον ἐλαύνειν·
γείτονα μὴ μάστευε προάγγελον ἱστοβοῆος
Σκορπίον ἀστερόφοιτον ὑπὸ Ζυγὸν ἡνιοχεύων,   265
εἰ μὴ ἀναπλήσειας ἐείκοσι καὶ δέκα μοίρας.
ἀλλὰ σὺ μὲν κλύε μῦθον· ἐγὼ δέ σε πάντα διδάξω.
κέντρον ὅλου κόσμοιο,
            μεσόμφαλον ἄστρον Ὀλύμπου,
Κριὸν ἐγὼ μεθέπων ὑψούμενος εἶαρ ἀέξω,
καὶ τροπικὴν Ζεφύροιο προάγγελον ἄντυγα βαίνων,   270
νύκτα ταλαντεύουσαν ἰσόρροπον ἠριγενείῃ,

---

[1] κλέψειας Stegemann : κλέψειεν Ludwich, mss.

[a] Where the moon cuts the ecliptic. The cone is the conical shadow of the earth, but this of course is on the side away from the sun. Nonnos is hopelessly confused.

[b] The arctic, the two tropic, the equatorial and the antarctic circles. He must keep between the tropics, imaginary parallel circles drawn through the two solstitial points in Cancer and Capricorn, as these bound the Zodiac.

Against the moon I move my rolling ball, the
sparkling nourisher of sheafproducing growth, and
pass on my endless circuit about the turning-point
of the Zodiac, creating the measures of time. When
I have completed one whole circle passing from house
to house I bring off the lichtgang. Take care of
the crossing-point itself,[a] lest when you come close,
rounding the cone of darkness with your car, it
should steal all the light from your overshadowed
chariot. And in your driving do not stray from the
usual circuit of the course, or be tempted to leave
your father's usual goal by looking at the five parallel
circles [b] with their multiple bond of long encom-
passing lines, or your horses may run away and carry
you through the air out of your course. Do not,
when you look about on the twelve circles [c] as you
cross them, hurry from house to house. When you
are driving your car in the Ram, do not try to drive
over the Bull. Do not seek for his neighbour, the
Scorpion moving among the stars, the harbinger of
the plowtree,[d] when you are driving under the
Balance, until you complete the thirty degrees.[e]

267 " ' Just listen to me, and I will tell you every-
thing. When I reach the Ram, the centre [f] of the
universe, the navel-star of Olympos, I in my exaltation
let the Spring increase; and crossing the herald of
the west wind, the turning-line which balances night
equal with day, I guide the dewy course of that

[c] An absurd inaccuracy for the 12 signs.
[d] The beginning of autumn ploughing.
[e] The distance from the beginning of one sign to the
beginning of the next is 30 degrees. What follows describes
the Sun's yearly course through the Signs.
[f] More absurdity; Aries is the starting-point on the circle
of the Zodiac, not the centre of anything.

ἰθύνω δροσόεντα χελιδονίης δρόμον Ὥρης·
Κριοῦ δ' ἀντικέλευθον ἐνέρτερον οἶκον ἀμείβων,
χηλαῖς ἐν διδύμησιν ἰσήμερα φέγγεα πέμπων,
ἐντύνω παλίνορσος ἰσόζυγον ἦμαρ ὀμίχλῃ,   275
καὶ δρόμον εἰνοσίφυλλον ἄγω φθινοπωρίδος Ὥρης,
φέγγεϊ μειοτέρῳ χθαμαλὴν ἐπὶ νύσσαν ἐλαύνων
φυλλοχόῳ ἐνὶ μηνί· καὶ ἀνδράσι χεῖμα κομίζω
ὄμβριον ἰχθυόεντος ὑπὲρ ῥάχιν Αἰγοκερῆος,
ἀγρονόμοις ἵνα γαῖα φερέσβια δῶρα λοχεύσῃ,   280
νυμφίον ὄμβρον ἔχουσα καὶ εἰλείθυιαν ἐέρσην·
καὶ θέρος ἐντύνω σταχυηκόμον ἄγγελον ὄμπνης,
θερμοτέραις ἀκτῖσι πυρώδεα γαῖαν ἱμάσσων,
ὑψιτενὴς παρὰ νύσσαν ὅτ' εἰς δρόμον ἡνιοχεύω
Καρκίνον, ἀντικέλευθον ἀθαλπέος Αἰγοκερῆος,   285
ἀμφοτέρους καὶ Νεῖλον ὁμοῦ καὶ βότρυν ἀέξων.
ἀρχόμενος δὲ δρόμοιο μετέρχεο γείτονα Κέρνην,
Φωσφόρον ἀπλανέος μεθέπων πομπῆα κελεύθου,
ἱπποσύνης προκέλευθον· ἀμοιβαίῃ δὲ πορείῃ
σὸν δρόμον ἰθύνουσι δυώδεκα κυκλάδες Ὧραι.'   290
    Ὣς εἰπὼν Φαέθοντος ἐπεστήριξε καρήνῳ
χρυσείην τρυφάλειαν, ἑῷ δέ μιν ἔστεφε πυρσῷ,
ἑπτατόνους ἀκτῖνας ἐπὶ πλοκάμοισιν ἑλίξας,
κυκλώσας στεφανηδὸν ἐπ' ἰξύι λευκάδα μίτρην·
καί μιν ἀνεχλαίνωσεν ἑῷ πυρόεντι χιτῶνι,   295
καὶ πόδα φοινίσσοντι διεσφήκωσε πεδίλῳ.
παιδὶ δὲ δίφρον ἔδωκε· καὶ ἠῴης ἀπὸ φάτνης
ἵππους Ἠελίοιο πυρώδεας ἤγαγον Ὧραι·
καὶ θρασὺς εἰς ζυγὸν ἦλθεν Ἑωσφόρος,
                            ἀμφὶ δὲ φαιδρῷ
ἵππιον αὐχένα δοῦλον ἐπεκλήισσε λεπάδνῳ.   300
    Καὶ Φαέθων ἐπέβαινε· δίδου δέ οἱ ἡνία πάλλειν,

---

[a] The summer solstice.   [b] Cf. xvi. 45.

Season when the swallow comes. Passing into the lower house, opposite the Ram, I cast the light of equal day on the two hooves; and again I make day balanced equally with dark on my homeward course when I bring in the leafshaking course of the autumn Season, and drive with lesser light to the lower turning-point in the leafshedding month. Then I bring winter for mankind with its rains, over the back of fishtailed Capricorn, that earth may bring forth her gifts full of life for the farmers, when she receives the bridal showers and the creative dew. I deck out also contending summer the messenger of harvest, flogging the wheatbearing earth with hotter beams, while I drive at the highest point of my course [a] in the Crab, who is right opposite to the cold Capricorn : both Nile and grapes together I make to grow.

[287] " ' When you begin your course, pass close by the side of Cerne,[b] and take Lucifer as guide to lead the way for your car, and you will not go astray ; twelve circling Hours [c] in turn will direct your way.'

[291] " After this speech, he placed the golden helmet on Phaëthon's head and crowned him with his own fire, winding the seven rays like strings upon his hair, and put the white kilt girdlewise round him over his loins ; he clothed him in his own fiery robe and laced his foot into the purple boot, and gave his chariot to his son. The Seasons brought the fiery horses of Helios from their eastern manger ; Lucifer came boldly to the yoke, and fastened the horses' necks in the bright yokestraps for their service.

[301] " Then Phaëthon mounted, Helios his father gave

[c] The Sun has twelve minor hours attendant upon him, which are elsewhere assigned to the months, here clearly to the hours of the day.

ἡνία μαρμαίροντα καὶ αἰγλήεσσαν ἱμάσθλην
Ἠέλιος γενέτης· τρομερῇ δ᾽ ἐλελίζετο σιγῇ,
υἱέα γινώσκων μινυώριον· ἐγγύθι δ᾽ ὄχθης
ἡμιφανὴς Κλυμένη φλογερῶν ἐπιβήτορα δίφρων   305
δερκομένη φιλότεκνος ἐπάλλετο χάρματι μήτηρ.
   Ἤδη δὲ δροσόεις ἀμαρύσσετο Φωσφόρος ἀστήρ,
καὶ Φαέθων ἀνέτελλεν Ἑῷον ἄντυγα βαίνων,
ὕδασι παππῴοισι λελουμένος Ὠκεανοῖο.
καὶ θρασὺς εὐφαέων ἐλατὴρ ὑψίδρομος ἵππων   310
οὐρανὸν ἐσκοπίαζε χορῷ κεχαραγμένον ἄστρων,
ἑπτὰ περὶ ζώναις κυκλούμενον· εἶδεν ἀλήτας
ἀντιπόρους, καὶ γαῖαν ὁμοίιον ἔδρακε κέντρῳ
μεσσοπαγῆ, δολιχῇσιν ἀνυψωθεῖσαν ἐρίπναις,
πάντοθι πυργωθεῖσαν ὑπωροφίοισιν ἀήταις·   315
καὶ ποταμοὺς σκοπίαζε, καὶ ὀφρύας Ὠκεανοῖο
ἂψ ἀνασειράζοντος ἑὸν ῥόον εἰς ἑὸν ὕδωρ.
   Ὄφρα μὲν ὄμμα τίταινεν
                            ἐς αἰθέρα καὶ χύσιν ἄστρων
καὶ χθονὸς αἰόλα φῦλα καὶ ἄστατα νῶτα θαλάσσης,
παπταίνων ἑλικηδὸν ἀτέρμονος ἔδρανα κόσμου·   320
τόφρα δὲ διηθέντες ὑπὸ ζυγὸν αἴθοπες ἵπποι
Ζῳδιακοῦ παράμειβον ἐθήμονος ἄντυγα κύκλου.
καὶ Φαέθων ἀδίδακτος, ἔχων πυρόεσσαν ἱμάσθλην,
φαίνετο[1] μαστίζων λόφον ἵππιον· οἱ δὲ μανέντες,
κέντρον ὑποπτήσσοντες ἀφειδέος ἡνιοχῆος,   325
ἀρχαίης ἀέκοντες ὑπὲρ βαλβῖδα κελεύθου
ἀξονίην παρὰ νύσσαν ἀλήμονες ἔτρεχον ἵπποι,
δεχνύμενοι κτύπον ἄλλον ἐθήμονος ἡνιοχῆος.
καὶ Νότιον παρὰ τέρμα καὶ ἄρκτια νῶτα Βορῆος
ἦν κλόνος. οὐρανίῳ δὲ παριστάμεναι πυλεῶνι   330
ἀλλοφανὲς νόθον ἦμαρ ἐθάμβεον εὔποδες Ὧραι·

------

[1] So mss.: Ludwich μαίνετο.

him the reins to manage, shining reins and gleaming whip : he shook in trembling silence, for he understood that his son had not long to live. Clymene his mother could be half seen near the shore,[a] as she watched her dear son mounting the flaming car, and shook with joy.

307 "Already Lucifer was sparkling, that dewy star, and Phaëthon rose traversing the eastern ambit, after his bath in the waters of Oceanos his grandsire. The bold driver of brilliant horses, running on high, scanned the heavens dotted with the company of the stars, girdled about by the seven Zones ; he beheld the planets moving opposite, he saw the earth fixed in the middle like a centre, uplifted on tall cliffs and fortified on all sides by the winds in her caverns, he scanned the rivers, and the brows of Oceanos, driving back his own water into his own stream.

318 "While he directed his eye to the upper air and the flood of stars, the diverse races of earth and the restless back of the sea, gazing round and round on the foundations of the infinite universe, the shining horses rolled along under the yoke over their usual course through the zodiac. Now inexperienced Phaëthon with his fiery whip could be seen flogging the horses' necks ; they went wild shrinking under the goad of their merciless charioteer, and all unwilling they ran away over the limit of their ancient road beyond the mark of the zodiac, expecting a different call from their familiar driver. Then there was tumult along the bounds of the South and the back of the North Wind : the quickfoot Seasons at the celestial

---

[a] *i.e.* she was up to her waist in water.

ἔτρεμε δ' ἠριγένεια· καὶ ἴαχε Φωσφόρος ἀστήρ·
' Πῇ φέρεαι, φίλε κοῦρε ;
τί μαίνεαι ἵππον ἐλαύνων;
φείδεο σῆς μάστιγος ἀγήνορος· ἀμφοτέρων δὲ
πλαζομένων πεφύλαξο καὶ ἀπλανέων χορὸν ἄστρων, 335
μὴ θρασὺς Ὠρίων σε κατακτείνειε μαχαίρῃ,
μὴ ῥοπάλῳ πυρόεντι γέρων πλήξειε Βοώτης,
πλαγκτῆς δ' ἱπποσύνης ἔτι φείδεο, μηδέ σε μακρῷ
γαστέρι τυμβεύσειεν ἐν αἰθέρι Κῆτος Ὀλύμπου·
μηδέ σε δαιτρεύσειε Λέων, ἢ Ταῦρος Ὀλύμπου   340
αὐχένα κυρτώσας φλογερῇ πλήξειε κεραίῃ·
ἄζεο Τοξευτῆρα, τιταινομένης ἀπὸ νευρῆς
μή σε πυριγλώχινι κατακτείνειεν ὀιστῷ.
μὴ χάος ἄλλο γένοιτο, καὶ αἰθέρος ἄστρα φανείη
ἤματος ἱσταμένοιο, μεσημβρίζοντι δὲ δίφρῳ   345
ἄστατος ἠριγένεια συναντήσειε Σελήνη.'
    Ὣς φαμένου Φαέθων πλέον ἤλασεν,
                          ἅρμα παρέλκων
εἰς Νότον, εἰς Βορέην,
              Ζεφύρου σχεδόν, ἐγγύθεν Εὔρου.
καὶ κλόνος αἰθέρος ἦεν, ἀκινήτοιο δὲ κόσμου
ἁρμονίην ἐτίναξεν· ἐδοχμώθη δὲ καὶ αὐτὸς   350
αἰθέρι διηέντι μέσος τετορημένος ἄξων.
καὶ μόγις αὐτοέλικτον ἐλαφρίζων πόλον ἄστρων
ὀκλαδὸν ἐστήρικτο Λίβυς κυρτούμενος Ἄτλας,
μείζονα φόρτον ἔχων· καὶ ἰσήμερον ἔκτοθεν Ἄρκτου
κύκλον ἐπιξύων ἑλικώδεϊ γαστέρος ὁλκῷ   355
σύνδρομος ἀστερόεντι Δράκων ἐπεσύρισε Ταύρῳ,
καὶ Κυνὶ σειριάοντι Λέων βρυχήσατο λαιμῷ,
αἰθέρα θερμαίνων μαλερῷ πυρί, καὶ θρασὺς ἔστη
Καρκίνον ὀκταπόδην κλονέων λασιότριχι παλμῷ·
οὐρανίου δὲ Λέοντος ὀπισθιδίῳ παρὰ ταρσῷ   360
116

gate wondered at the strange and unreal day, Dawn trembled, and star Lucifer cried out.

333 " ' Where are you hurrying, dear boy ? Why have you gone mad with reins in your hand ? Spare your headstrong lash ! Beware of these two companies—both planets and company of fixed stars, lest bold Orion kill you with his knife, lest ancient Boötes hit you with fiery cudgel. Spare this wild driving, and let not the Olympian Whale entomb you in his belly in high heaven ; let not the Lion tear you to pieces, or the Olympian Bull arch his neck and strike you with fiery horn ! Respect the Archer, or he may kill you with a firebarbed arrow from his drawn bowstring. Let there not be a second chaos, and the stars of heaven appear at the rising day, or erratic Dawn meet Selene at noonday in her car ! '

347 " As he spoke, Phaëthon drove harder still, drawing his car aside to South, to North, close to the West, near to the East. There was tumult in the sky shaking the joints of the immovable universe : the very axle bent which runs through the middle of the revolving heavens. Libyan Atlas could hardly support the selfrolling firmament of stars, as he rested on his knees with bowed back under this greater burden. Now the Serpent scraped with his writhing belly the equator far away from the Bear, and hissed as he met with the starry Bull ; the Lion roared out of his throat against the scorching Dog, heating the air with ravening fire, and stood boldly to attack the eight claws of the Crab with his shaggy hair bristling, while the heavenly Lion's thirsty tail flogged the Virgin hard by

Παρθένον ἀγχικέλευθον ἐμάστιε δίψιος οὐρή·
Κούρη δὲ πτερόεσσα παραΐξασα Βοώτην
ἄξονος ἐγγὺς ἵκανε καὶ ὡμίλησεν Ἀμάξῃ·
καὶ δυτικὴν παρὰ νύσσαν ἀλήμονα φέγγεα πέμπων
Ἕσπερον ἀντικέλευθον Ἑωσφόρος ὤθεεν ἀστήρ·   365
πλάζετο δ' ἠριγένεια· καὶ ἠθάδος ἀντὶ Λαγωοῦ
Σείριος αἰθαλόεις ἐδράξατο διψάδος Ἄρκτου·
διχθὰ δὲ καλλείψαντες, ὁ μὲν Νότον, ὃς δὲ Βορῆα,
Ἰχθύες ἀστερόεντες ἐπεσκίρτησαν Ὀλύμπῳ,
γείτονες Ὑδροχόοιο· κυβιστητῆρι δὲ παλμῷ   370
σύνδρομος Αἰγοκερῆος ἕλιξ ὠρχήσατο Δελφίς·
καὶ Νοτίης ἑλικηδὸν ἀποπλαγχθέντα κελεύθου
Σκορπίον ἀγχικέλευθον, ἑῆς ψαύοντα μαχαίρης,
ἔτρεμεν Ὠρίων καὶ ἐν ἄστρασι, μὴ βραδὺς ἕρπων
ἄκρα ποδῶν ξύσειε τὸ δεύτερον ὀξέι κέντρῳ·   375
καὶ σέλας ἡμιτέλεστον ἀποπτύουσα προσώπου
ἀκροκελαινιόωσα μεσημβριὰς ἄνθορε Μήνη·
οὐ γὰρ ὑποκλέπτουσα νόθον σέλας ἄρσενι πυρσῷ
ἀντιπόρου Φαέθοντος ἀμέλγετο σύγγονον αἴγλην·
Πληιάδος δὲ φάλαγγος ἕλιξ ἑπτάστερος ἠχὼ   380
οὐρανὸν ἑπτάζωνον ἐπέβρεμε κυκλάδι φωνῇ·
καὶ κτύπον αἰθύσσοντες ἰσηρίθμων ἀπὸ λαιμῶν
ἀστέρες ἀντιθέοντες ἐβακχεύθησαν ἀλῆται·
Ζῆνα μὲν ὤθεε Κύπρις, Ἄρης Κρόνον, εἰαρινῆς δὲ
Πλειάδος ἐγγὺς ἵκανεν ἐμὸς μετανάστιος ἀστήρ,   385
ἄστρασι δ' ἑπταπόροις κεράσας ἐμφύλιον αἴγλην
ἡμιφανὴς ἀνέτελλεν ἐμῇ παρὰ μητέρι Μαίῃ,
Ἅρματος οὐρανίοιο παράτροπος, ᾧ πέλεν αἰεὶ

---

[a] Leo lashed his tail so hard that it hit the next constellation, Virgo!

[b] " Thirsty," because it never sets and so never touches the water.

his hind leg,[a] and the winged Maiden darting past the Waggoner came near the pole and met the Wain. The Morning Star sent forth his straying light in the setting region of the West and pushed away the Evening Star who met him there. Dawn wandered about; blazing Sirius grabbed the thirsty Bear[b] instead of his usual Hare. The two starry Fishes left one the South and one the North, and leapt in Olympos near Aquarius; the Dolphin danced in a ring and tumbled about with Capricorn. Scorpios also had wandered around from the southern path until he came near to Orion and touched his sword— Orion trembled even among the stars, lest he might creep up slowly and pierce his feet once again with a sharp sting.[c] The Moon leapt up at midday, spitting off the half-completed light from her face and growing black on the surface, for she could no longer steal the counterfeit light from the male torch of Phaëthon opposite and milk out his inborn flame. The sevenstar voices of the Pleiades rang circling round the sevenzone sky with echoing sound; the planets from as many[d] throats raised an outcry and rushed wildly against them. Cypris pushed Zeus, Ares Cronos[e]; my own wandering star[f] approached the Pleiad of Spring, and mingling a kindred light with the seven stars he rose halfseen beside my mother Maia—he turned away from the heavenly chariot, beside which he always runs or before it in the

[c] When he was on earth, Orion was killed by the sting of a huge scorpion, and the two constellations commemorate this.

[d] Presumably six; one planet, the Sun, was otherwise engaged. There are six Pleiades, omitting the one (Electra) which is too dim to see clearly.

[e] Venus, Jupiter, Mars, Saturn.

[f] The planet Mercury.

σύνδρομος ἢ προκέλευθος ἑώιος, ἑσπέριος δὲ
Ἠελίου δύνοντος ὀπίστερα φέγγεα πέμπει·   390
καί μιν, ὅτε δρόμον ἶσον ἔχων ἰσόμοιρος ὁδεύει,
Ἠελίου κραδίην ἐπεφήμισαν ἴδμονες ἄστρων·
καὶ δροσεραῖς νιφάδεσσι διάβροχον αὐχένα τείνων
νυμφίος Εὐρώπης μυκήσατο Ταῦρος Ὀλύμπου,
εἰς δρόμον ὀρθώσας πόδα καμπύλον· ὀξυτενὲς δὲ   395
δοχμώσας Φαέθοντι κέρας λοξοῖο μετώπου
οὐρανίην φλογερῇσιν ἐπέκτυπεν ἄντυγα χηλαῖς·
καὶ θρασὺς ἐκ κολεοῖο παρήορον αἴθοπι μηρῷ
Ὠρίων ξίφος εἷλκε· καλαύροπα πάλλε Βοώτης·
καὶ ποδὸς ἀστραίοιο μετάρσια γούνατα πάλλων   400
Πήγασος ἐχρεμέτιζε, καὶ αἰθύσσων πόλον ὁπλῇ
ἡμιφανὴς Λίβυς ἵππος ἐπέτρεχε γείτονι Κύκνῳ,
καὶ κοτέων πτερὰ πάλλεν, ὅπως πάλιν ἡνιοχῆα
ἄλλον ἀκοντίσσειεν ἀπ' αἰθέρος, οἷα καὶ αὐτὸν
ἄντυγος οὐρανίης ἀπεσείσατο Βελλεροφόντην.   405
οὐκέτι δ' ὑψιπόροιο Βορειάδος ἐγγύθι νύσσης
ἀλλήλων ἐχόρευον ἐπ' ἰξύι κυκλάδες Ἄρκτοι,
ἀλλὰ Νότῳ μίσγοντο, καὶ Ἑσπερίῃ παρὰ λίμνῃ
ἄβροχον ἴχνος ἔλουσαν ἀήθεος Ὠκεανοῖο.

Ζεὺς δὲ πατὴρ Φαέθοντα κατεπρήνιξε κεραυνῷ   410
ὑψόθεν αὐτοκύλιστον ὑπὲρ ῥόον Ἠριδανοῖο·
δήσας δ' ἁρμονίην παλινάγρετον ἥλικι δεσμῷ
ἵππους Ἠελίῳ πάλιν ὤπασεν, αἰθέριον δὲ
ἀντολίῃ πόρεν ἅρμα, καὶ ἀρχαίῃ παρὰ νύσσῃ
ἀμφίπολοι Φαέθοντος ἐπέτρεχον εὔποδες Ὧραι.   415
γαῖα δὲ πᾶσα γέλασσε τὸ δεύτερον· ἠερόθεν δὲ
ζωοτόκου Διὸς ὄμβρος ὅλας ἐκάθηρεν ἀρούρας,
καὶ διερῇ ῥαθάμιγγι κατέσβεσε πυρσὸν ἀλήτην,
120

morning, and in the evening when Helios sets he sends
his following light, and because he keeps equal course
with him and travels with equal portion, astronomers
have named him the Sun's Heart. Europa's bride-
groom the Olympian Bull bellowed, stretching his
neck drenched with damp snowflakes ; he raised a
foot curved for a run, and inclining his head sideways
with its sharp horn against Phaëthon, stamped on the
heavenly vault with fiery hooves. Bold Orion drew
sword from sheath hanging by his glowing thigh ;
Boötes shook his cudgel ; Pegasos neighed rearing
and shaking the knees of his starry legs—halfseen [a]
the Libyan courser trod the firmament with his foot
and galloped towards the Swan his neighbour, angrily
flapping his wings, that again he might send another
rider hurtling down from the sky as he had once
thrown Bellerophontes himself out of the heavenly
vault.[b] No longer the circling Bears danced back to
back beside the northern turningpost on high ; but
they passed to the south, and bathed their unwashen
feet in the unfamiliar Ocean beside the western main.

410 " Then Father Zeus struck down Phaëthon with
a thunderbolt, and sent him rolling helplessly from
on high into the stream of Eridanos. He fixed again
the joints which held all together with their primeval
union, gave back the horses to Helios, brought the
heavenly chariot to the place of rising ; and the agile
Hours that attended upon Phaëthon followed their
ancient course. All the earth laughed again. Rain
from lifebreeding Zeus cleared all the fields, and with
moist showers quenched the wandering fires, all that

[a] The figure of the constellation shows only the front half
of the heavenly horse, here called Pegasos.
[b] When he tried to ride to heaven on Pegasos's back.

NONNOS

ὅσσον ἐπὶ χθόνα πᾶσαν ἐριφλεγέων ἀπὸ λαιμῶν
οὐρανόθεν χρεμέθοντες ἀπέπτυον αἴθοπες ἵπποι.　　420
Ἥλιος δ' ἀνέτελλε παλίνδρομον ἅρμα νομεύων·
καὶ σπόρος ἠέξητο, πάλιν δ' ἐγέλασσαν ἀλωαί,
δεχνύμεναι προτέρην βιοτήσιον αἰθέρος αἴγλην.

Ζεὺς δὲ πατὴρ Φαέθοντα κατεστήριξεν Ὀλύμπῳ
εἴκελον Ἡνιόχῳ καὶ ἐπώνυμον· οὐράνιον δὲ　　425
πήχεϊ μαρμαίροντι σελασφόρον Ἅρμα τιταίνων
εἰς δρόμον ἀίσσοντος ἔχει τύπον Ἡνιόχηος,
οἷα πάλιν ποθέων καὶ ἐν ἄστρασιν ἅρμα τοκῆος.
καὶ ποταμὸς πυρίκαυτος ἀνήλυθεν εἰς πόλον ἄστρων
Ζηνὸς ἐπαινήσαντος, ἐν ἀστερόεντι δὲ κύκλῳ　　430
Ἠριδανοῦ πυρόεντος ἑλίσσεται ἀγκύλον ὕδωρ.

Γνωταὶ δ' ὠκυμόροιο δεδουπότος ἡνιόχηος
εἰς φυτὸν εἶδος ἄμειψαν, ὀδυρομένων δ' ἀπὸ δένδρων
ἀφνειὴν πετάλοισι κατασταλάουσιν ἐέρσην."

the glowing horses had spat whinnying from their flaming throats out of the sky over all the earth. Helios rose driving his car on his road again ; the crops grew, the orchards laughed again, receiving as of yore the life-giving warmth from the sky.

424 " But Father Zeus fixed Phaëthon in Olympos, like a Charioteer, and bearing that name. As he holds in the radiant Chariot of the heavens with shining arm, he has the shape of a Charioteer starting upon his course, as if even among the stars he longed again for his father's car. The fire-scorched river also came up to the vault of the stars with consent of Zeus, and in the starry circle rolls the meandering stream of burning Eridanos.[a]

432 " But the sisters of the charioteer fallen to his early death changed their shape into trees, and from the weeping trees they distil precious dew [b] out of their leaves."

[a] The Milky Way.   [b] Amber.

123

ΔΙΟΝΥΣΙΑΚΩΝ ΤΡΙΑΚΟΣΤΟΝ ΕΝΑΤΟΝ

Ἐν δὲ τριηκοστῷ ἐνάτῳ μετὰ κύματα λεύσσεις
Δηριάδην φεύγοντα πυριφλεγέων στόλον Ἰνδῶν.

Ὣς εἰπὼν ἀκίχητος ἐς οὐρανὸν ἤλυθεν Ἑρμῆς,
χάρμα λιπὼν καὶ θαῦμα κασιγνήτῳ Διονύσῳ.
Ὄφρα μὲν εἰσέτι Βάκχος
             ἀκοσμήτων χύσιν ἄστρων
θάμβεε καὶ Φαέθοντα δεδουπότα, πῶς παρὰ Κελτοὺς
Ἑσπερίῳ πυρίκαυτος ἐπωλίσθησε ῥεέθρῳ,   5
τόφρα δὲ νῆες ἵκανον ἐπήλυδες, ἃς ἐνὶ πόντῳ
στοιχάδας ἰθύνοντες ἐς Ἄρεα ναύμαχον Ἰνδῶν
ἀκλύστῳ Ῥαδαμᾶνες ἐναυτίλλοντο θαλάσσῃ,
πόντον ἀμοιβαίῃσιν ἐπιρρήσσοντες ἐρωαῖς
ὑσμίνης ἐλατῆρες· ἐπειγομένῳ δὲ Λυαίῳ   10
ὁλκάσιν ἀντιτύποις ἐπεσύρισε πομπὸς ἀήτης.
καὶ Λύκος ἡγεμόνευεν ἐν ὕδασι δίφρον ἐλαύνων,
ἱππείαις ἀχάρακτον ἐπιξύων ῥόον ὁπλαῖς.
Δηριάδης δ' ἀπέλεθρος ὑπέρτερος ὑψόθι πύργων
ἐσσυμένων νεφεληδὸν ἐδέρκετο λαίφεα νηῶν   15
ὀφθαλμῷ κοτέοντι, καὶ ὡς ὑπέροπλος ἀκούων,
ἐγρεμόθους ὅτι νῆας Ἄραψ τορνώσατο τέκτων,
ὤμοσεν ὑλοτόμοισιν ἄγειν Ἀράβεσσιν Ἐννώ,
καὶ πόλιν ἠπείλησεν ἀιστῶσαι Λυκοόργου,

124

BOOK XXXIX

In the thirty-ninth, you see Deriades after the
flood trying to desert the host of fire-
blazing Indians.

THIS story told, Hermes went into the heavens
unapproachable, leaving joy and amazement to his
brother Dionysos.

3 While Bacchos was wondering still at the con-
fusion of the disordered stars, and Phaëthon's
fall, how he slipt down among the Celts into the
Western river, firescorched, the foreign ships were
arriving, which the Rhadamanes had been navi-
gating over the tranquil sea, guiding their columns
on the deep towards the Indian War of ships,
splashing into the deep with alternating motions,
oarsmen of battle ; to suit the haste of Lyaios,
a following wind whistled against the ships. And
Lycos led them driving his car over the waters, and
skimmed over the flood, where the horses' hooves
left no mark.

14 But gigantic Deriades high on his battlements
saw with angry eye the sails of the ships like a cloud ;
and in his overweening pride, as he heard that an
Arabian shipwright had built battle-rousing ships, he
swore to make war on the woodcutting Arabs, and
threatened to mow down the Rhadamanes with de-

ἀμήσας 'Ραδαμᾶνας ἀλοιητῆρι σιδήρῳ.   20
καὶ στόλον ἀθρήσαντες ἀταρβέες ἔτρεμον Ἰνδοί,
Ἄρεα παπταίνοντες ἁλίκτυπον, ἄχρι καὶ αὐτοῦ
γούνατα τολμήεντος ἐλύετο Δηριαδῆος·
ποιητῷ δὲ γέλωτι γαληναίοιο προσώπου
Ἰνδὸς ἄναξ ἐκέλευσε τριηκοσίων ἀπὸ νήσων   25
ἧς ἐλεφαντοβότοιο παρὰ σφυρὰ δύσβατα γαίης
λαὸν ἄγειν· καὶ κραιπνὸς ἐς ἀτραπὸν ἤιε κῆρυξ,
ποσσὶ πολυγνάμπτοισιν ἀπὸ χθονὸς εἰς χθόνα βαίνων
καὶ στόλος ὀξὺς ἵκανε πολυσπερέων ἀπὸ νήσων
κεκλομένου βασιλῆος· ὁ δὲ θρασὺς αὐχένα τείνων, 30
ὁλκάδας εὐπήληκας ἐς Ἄρεα πόντιον ἕλκων,
λαὸν ὅλον θάρσυνε, καὶ ὑψινόῳ φάτο φωνῇ·
    " Ἀνέρες, οὓς ἀτίταλλεν
              ἐμὸς μενέχαρμος Ὑδάσπης,
ἄρτι πάλιν μάρνασθε πεποιθότες· αἰθόμενον δὲ
ἄξατε πῦρ ἐς Ἄρεα, καὶ ἄσπετον ἄψατε πεύκην, 35
νῆας ἵνα φλέξοιμι νεήλυδας αἴθοπι δαλῷ,
καὶ στρατὸν ὑγροκέλευθον ἐνικρύψοιμι θαλάσσῃ
σὺν δορί, σὺν θώρηκι, σὺν ὁλκάσι, σὺν Διονύσῳ.
εἰ θεὸς ἔπλετο Βάκχος, ἐμῷ πυρὶ Βάκχον ὀλέσσω·
οὐχ ἅλις, ὡς προχοῇσι πολύτροπα φάρμακα πάσσ   40
ἄνθεσι Θεσσαλικοῖσιν ἐμὸν φοίνιξεν Ὑδάσπην,
καί μιν ἰδὼν σίγησα, καὶ ἥσυχος εἰσέτι λεύσσειν
ἔτλην ξανθὰ ῥέεθρα μιαινομένου ποταμοῖο;
εἰ γὰρ ἔην ῥόος οὗτος ἀπ' ἀλλοτρίου ποταμοῖο,
μηδὲ πατὴρ ἐμὸς ἦεν Ἀρήιος Ἰνδὸς Ὑδάσπης,   45
καί κεν ἐγὼ τόδε χεῦμα χυτῆς ἔπλησα κονίης
ὀδμὴν βοτρυόεσσαν ἀμαλδύνων Διονύσου,
καὶ προχοὴν μεθύουσαν ἐμοῦ γενετῆρος ὀδεύων
ποσσὶ κονιομένοισι διέτρεχον ἄβροχον ὕδωρ,
οἷα παρ' Ἀργείοισι φατίζεται, ὡς ἐνοσίχθων   50

stroying steel and to devastate the city of Lycurgos.[a]
The fearless Indians trembled at sight of the fleet,
when they surveyed the seabeaten armada, until even
the knees of daring Deriades gave way. With a forced
laugh on a calm face, the Indian king ordered men
to be marshalled from three hundred islands along
the unapproachable slopes of his elephantfeeding
land. In haste a herald went on his way, travelling
from land to land with many a twist and turn, and
a fleet came with speed from the many scattered
isles at the summons of their king : boldly he
stretched his neck, and drew the helmeted ships into
the maritime war, with words of encouragement to
all his men which he uttered in high-hearted tones :

[33] " My men, bred beside my standfast Hydaspes,
now fight again with confidence ! Bring flaming fire
into battle, light unquenchable torches, that I may
burn those newly come ships with blazing brand and
sink in the sea that waterfaring host, with spear, with
corselet, with ships, with Dionysos ! If Bacchos is
a god, I will destroy Bacchos with my fire. Is it
not enough, that he has sprinkled those cunning
poisons in the water and reddened my Hydaspes with
Thessalian flowers ? That I have looked on him in
silence, and let myself quietly behold the yellow
streams of my maddened river ? For if that stream
came from a foreign river, if the warlike Indian
Hydaspes were not my own father, then I would
have filled that flood with heaps of dust to drown
the viny stink of Dionysos ; I would have walked
upon the drunken stream of my father and crossed
unwetting water with dusty feet, as once it is
said among the Argives that Earthshaker made

* The Lycurgos of books xx.-xxi.

ξηρὸν ὕδωρ ποίησε, καὶ αὐσταλέου ποταμοῖο
Ἰναχίην ἵππειος ὄνυξ ἐχάραξε κονίην.
οὐ θεός, οὐ θεὸς οὗτος· ἐὴν δ' ἐψεύσατο φύτλην·
ποίην γὰρ Κρονίωνος Ὀλύμπιον αἰγίδα πάλλει;
ποῖον ἔχει σπινθῆρα Διοβλήτοιο κεραυνοῦ;   55
ποίην δ' οὐρανίην στεροπὴν γενετῆρος ἀείρει;
οὐ Κρονίδης κατ' Ἄρηα κορύσσεται οἴνοπι κισσῷ·
οὐ τυπάνων πατάγοισι μέλος βρονταῖον ἐΐσκω,
οὐδὲ Διὸς σκηπτοῖσιν ὁμοῖα θύρσα καλέσσω,
οὐ χθονίῳ θώρηκι Διὸς νέφος ἶσον ἐνίψω·   60
νεβρίδι δαιδαλέῃ πότε ποικίλον ἄστρον ἐΐσκω;
ἀλλ' ἐρέεις, ὅτι βότρυν ἐδέξατο καὶ χύσιν οἴνου
δῶρα παρὰ Κρονίωνος ἀεξιφύτοιο τοκῆος·
Τρώιον αἷμα φέροντι καὶ ἀγρονόμῳ τινὶ βούτῃ
Ζεὺς πόρεν οἰνοχόῳ Γανυμήδεϊ νέκταρ Ὀλύμπου, 65
νέκταρι δ' οὐ πέλεν οἶνος ὁμοίιος· εἴξατε, θύρσοι.
Βάκχος ὁμοῦ Σατύροισιν ἐπὶ χθονὸς εἰλαπινάζει·
δαίνυται οὐρανίοισι σὺν ἀθανάτοις Γανυμήδης.
εἰ δὲ πέλε βροτὸς οὗτος ἐπουρανίοιο τοκῆος,
σὺν Διὶ καὶ μακάρεσσι μιῆς ἔψαυσε τραπέζης.   70
ἔκλυον, ὡς ποτε θῶκον ἑὸν καὶ σκῆπτρον Ὀλύμπου
δῶκε γέρας Ζαγρῆι παλαιοτέρῳ Διονύσῳ,
ἀστεροπὴν Ζαγρῆι καὶ ἄμπελον οἴνοπι Βάκχῳ.''

Εἶπε καὶ εἰς μόθον ὦρτο· συνερρώοντο δὲ λαοὶ
σὺν δορί, σὺν σακέεσσι, καὶ ὄψιμον ἐλπίδα νίκης 75
χερσαίου πολέμοιο μετεστήσαντο θαλάσσῃ.
καὶ προμάχοις Διόνυσος ἐκέκλετο θυιάδι φωνῇ·

  '' Ἄρεος ἄλκιμα τέκνα καὶ εὐθώρηκος Ἀθήνης,
οἷς βίος ἔργα μόθοιο καὶ ἐλπίδες εἰσὶν ἀγῶνες,

---

[a] In his anger because Phoroneus and the other princes of Argos adjudged their land to Hera; see [Apollodoros] ii. 13, Pausanias ii. 15. 5.

water dry, and a horse's hoof left his prints on the dust of river Inachos dried up.[a]

53 " No god, no god is that man ; he has lied about his birth. For what Olympian aegis of Cronion does he brandish ? What spark has he of Zeus-thrown thunderbolt ? What heavenly lightning of his father's does he lift ? No Cronides equips himself for war with vineleaf and ivy ! I cannot compare the music of thunder to rattling cymbals. I will not call the thyrsus anything like the thunderbolt of Zeus, I will not allow an earthly corselet to be equal to the clouds of Zeus. How can I liken a dappled fawnskin to the pattern of the stars ?—But you will say, he received the grapes and the liquid wine as gifts from Cronion his father, who blesses the crops with increase. Well, Zeus gave Olympian nectar to one of Trojan blood, a country clown, a cowman, Ganymede the cupbearer, and wine is not equal to nectar : thyrsus, you have the worst of it ! Bacchos feasts on earth with Satyrs ; Ganymede banquets with the heavenly immortals. If this mortal had a heavenly father, he would have touched one board with Zeus and the Blessed. I have heard how Zeus once gave his throne and the sceptre of Olympos as prerogative to Zagreus the ancient Dionysos—lightning to Zagreus, vine to wineface Bacchos ! "

74 He spoke, and away to battle. The people rushed together armed with spears, with shields, and now transferred their last hope of victory from land to sea. Then Dionysos called to his leaders with wild voice :

78 " Mighty sons of Ares and corseleted Athena, whose life is the works of war, whose hope is conflict !

σπεύσατε καὶ κατὰ πόντον ἀιστῶσαι γένος Ἰνδῶν, 80
εἰναλίην τελέσαντες ἐπιχθονίην μετὰ νίκην.
ἀλλὰ θαλασσαίοιο διάκτορα δηιοτῆτος,
ἔγχεα διπλώσαντες ὁμόπλοκα δίζυγι δεσμῷ
ναύμαχα κολλήεντα, περὶ στόμα εἱμένα χαλκῷ,
μίξατε δυσμενέεσσιν ἀλιπτοίητον Ἐννώ, 85
προφθάμενοι, μὴ χειρὶ πυραυγέα δαλὸν ἀείρων
Δηριάδης φλέξειεν Ἀρήια δούρατα νηῶν.
νόσφι φόβου μάρνασθε, Μιμαλλόνες· ὑγρομόθων γὰρ
ἐλπίδες ἀντιβίων κενεαυχέες· εἰ δὲ μογήσας
φύλοπιν οὐκ ἐτέλεσσεν ἐπὶ χθονὸς ὄρχαμος Ἰνδῶν, 90
ἠλιβάτων λοφιῇσιν ἐφεδρήσσων ἐλεφάντων,
ἀγχινεφής, ἀκίχητος, ἀνούτατος, ἠέρι γείτων,
οὐ μὲν ἐγὼ προμάχων ποτὲ δεύομαι, οὐδὲ καλέσσω
ἄλλον ἀοσσητῆρα μετὰ Κρονίωνα τοκῆα,
ἡνίοχον πόντοιο καὶ αἰθέρος· ἢν δ' ἐθελήσω, 95
γνωτὸν ἐμοῦ Κρονίδαο Ποσειδάωνα κορύσσω
Ἰνδῴην στίχα πᾶσαν ἀμαλδύνοντα τριαίνῃ·
καὶ πρόμον εὐρυγένειον, ἀπόσπορον ἐννοσιγαίου,
Γλαῦκον ἔχω συνάεθλον, ἐμῆς ἅτε γείτονα Θήβης,
πόντιον Ἀονίης Ἀνθηδόνος ἀστὸν ἀρούρης· 100
Γλαῦκον ἔχω καὶ Φόρκυν· ἱμασσομένην δὲ θαλάσσῃ
ὁλκάδα Δηριάδαο κατακρύψει Μελικέρτης,
κυδαίνων Διόνυσον ὁμόγνιον, ὅν ποτε μήτηρ
νήπιον ἔτρεφε Βάκχον, ἐπεὶ πόρε ποντιὰς Ἰνὼ
ἐν γλάγος ἀμφοτέροισι, Παλαίμονι καὶ Διονύσῳ· 105
μαντιπόλου δὲ γέροντος, ὃς ἡμετέρην ποτὲ νίκην
ἐσσομένην κατὰ πόντον ὑποβρυχίῃ φάτο φωνῇ,
εἰμὶ φίλος Πρωτῆος· ἐς ὑσμίνην δὲ κορύσσει
θυγατέρας Νηρῆος ἐμὴ Θέτις, ἐν δὲ κυδοιμοῖς
Βασσαρίδων συνάεθλος ἐμὴ θωρήσσεται Ἰνώ· 110
θωρήξω δ' ἐς Ἄρηα καὶ Αἴολον, ὄφρα νοήσω
130

Make haste now—destroy the Indian race on the sea
as well, and finish your land victory with another by
sea! Come, take in hand those messengers of sea-
warfare, spears coupled together with double rings,
welded seapikes with bronze fixed at the mouth,
and join sea-terrifying battle with your enemies—
get in before them, that Deriades may not lift his
fireblazing torch and burn up the warlike timbers
of our ships. Fight without fear, Mimallones!
For the hopes of our seafighting adversaries are
all empty boasts. If for all his efforts the Indian
chieftain could not finish off his war on land, seated
on the neck of mountainous elephants, near the
clouds, unapproachable, unwounded, a neighbour
to the sky, then I never lack champions, I will
call on no other helper after my father Cronion,
charioteer of sea and sky; or if it please me, I
will arm Poseidon the brother of my Cronides, to
wipe out all the Indian host with his trident, and
I have as my ally Earthshaker's offspring Glaucos,
the broadbearded champion, as neighbour of my own
Thebes and seaborn inhabitant of the land of Ao-
nian Anthedon[a]—yes, Glaucos I have and Phorcys.
And Melicertes will drown the vessel of Deriades
flogged by the sea; he shall glorify Dionysos his kins-
man, for his mother once nursed baby Bacchos, since
Ino of the sea gave one milk to both Palaimon and
Dionysos. I am also the friend of Proteus the Old
Man prophetic, who told with a voice out of the
deep waters my coming victory on the sea.[b] My
Thetis also prepares the daughters of Nereus for
war, and in the battle my Ino is arming to help the
Bassarids. Aiolos too I will arm for warfare, that I

[a] Cf. xiii. 73.   [b] Cf. xxi. 289.

Εὗρον ἀκοντίζοντα καὶ αἰχμάζοντα Βορῆα,
γαμβρὸν ἐμοῦ προμάχου,
            Μαραθωνίδος ἅρπαγα νύμφης,
καὶ Νότον Αἰθιοπῆα προασπιστῆρα Λυαίου·
καὶ Ζέφυρος πολὺ μᾶλλον ἀελλήεντι κυδοιμῷ   115
ὁλκάδας ἀντιβίων δηλήσεται· ἡμετέρου γὰρ
εὐνέτιν Ἶριν ἔχει Διὸς ἄγγελον. ἀλλὰ σιωπῇ
ἔκτοθεν εὐθύρσοιο καὶ Ἰνδῴοιο κυδοιμοῦ
μιμνέτω ἠρεμέων θρασὺς Αἴολος, ἠθάδι δεσμῷ
ἀσκὸν ἐπισφίγξας ἀνεμώδεα, μηδ' ἐνὶ πόντῳ   120
ἄσθμασιν Ἰνδοφόνοισιν ἀριστεύσωσιν ἀῆται·
ἀλλὰ μόθον τελέσω νηοφθόρα θύρσα τιταίνων.''
  Ὣς εἰπὼν ἐκόρυσσε πεποιθότας ἡγεμονῆας.
ἤδη δὲ πτολέμοιο προάγγελος ἵστατο σάλπιγξ,
καὶ μέλος ἐγρεκύδοιμον ἀνέκλαγον Ἄρεος αὐλοὶ   125
λαὸν ἀολλίζοντες, ἀρασσομένη δὲ βοείη
εἰναλίου κελάδησε μόθου χαλκόκροτον ἠχώ,
καὶ καναχὴν ὁμόδουπον ἀγέστρατος ἴαχε σύριγξ·
ἀντὶ δὲ πετραίης πολεμήια λείψανα φωνῆς
Πανιὰς ὑστερόφωνος ἀμείβετο ποντιὰς Ἠχώ.   130
  Τοῖσι δὲ μαρναμένοισιν ἔην κλόνος, ὦρτο δ' ἰωὴ
κεκλομένων· καὶ λαὸς ἐθήμονι μάρνατο τέχνῃ
κυκλώσας στεφανηδὸν ὅλον στρατόν, ἐν δ' ἄρα μέσσῳ
νηυσὶν ὁμοζυγέεσσιν ἐμιτρώθη στόλος Ἰνδῶν
εἰς λίνον ἐργομένων νεπόδων τύπον· Αἰακίδαις δὲ   135
Αἰακὸς ὑγρὸν Ἄρηα προθεσπίζων Σαλαμῖνος
ἀρχόμενος πολέμοιο θεουδέα ῥήξατο φωνήν·
  '' Εἰ πάρος ἡμετέρην ἀίων ἱκετήσιον ἠχὼ
ἄσπορον εὐρυάλως ἀπήλασας αὐχμὸν ἀρούρης,

132

may behold East Wind shooting arrows and North Wind hurling javelins—North Wind goodson of my champion[a] and the spoiler of the Marathonian bride, South Wind the Ethiopian defender of Lyaios. West Wind also much more shall destroy the ships of my adversaries with stormy tumult, for he has to wife Iris the messenger of my father Zeus. No, better let bold Aiolos keep away from the battle of Indian and thyrsus and remain in peace and quiet; let him tie up tight his windy bag by its usual cord, that the winds may not be heroes on the deep and slay the Indians with their blasts. I will finish the battle shaking a ship-destroying thyrsus."

123 With these words, he armed his confident captains. Already the trumpet was there as harbinger of war, and the pipes of war gave out their battle-rousing tune collecting the army. The stricken shield sounded with bronze-rattling noise for the seafight, and the host-assembling syrinx mingled its piercing tones, and Pan's answering Echo came from the sea with faint warlike whispers instead of her rocky voice.

131 Then there was din amongst the fighters, and the noise of clamour arose. The host fought with their accustomed skill, and surrounded all the enemy in ring; the Indian fleet was in the middle girt about with an unbroken circle of ships like a shoal of fish enclosed in a net. Then Aiacos beginning the battle cried aloud with inspired voice this prophecy of the watery strife at Salamis for the descendants of Aiacos:

138 " If ever, O Zeus of the rains, thou hast heard our voice of prayer, and driven away seedless drought

[a] Erechtheus.

133

διψαλέην ἐπὶ γαῖαν ἄγων βιοτήσιον ὕδωρ,　　　140
δὸς πάλιν ὀψιτέλεστον ἴσην χάριν, ὑέτιε Ζεῦ,
ὕδατι κυδαίνων με καὶ ἐνθάδε· καί τις ἐνίψη
νίκην ἡμετέρην δεδοκημένος· ' ὡς ἐνὶ γαίη
Ζεὺς ἑὸν υἷα γέραιρε, καὶ ἐν πελάγεσσι γεραίρει.'
ἄλλος ἀνὴρ λέξειεν Ἀχαιικός· ' εἰν ἑνὶ θεσμῷ　　145
Αἰακὸς Ἰνδοφόνος φυσίζοος· ἀμφότερον γάρ,
κείρων ἐχθρὰ κάρηνα καὶ αὔλακι καρπὸν ὀπάσσας
χάρμα πόρεν Δήμητρι καὶ εὐφροσύνην Διονύσῳ.'
ῥύεο δ' ἡμετέρης πλόον ὁλκάδος· αὐσταλέῳ δὲ
ὡς χθονίῳ κενεῶνι φερέσβιον ἤγαγον ὕδωρ,　　150
καὶ βυθίων λαγόνων θανατηφόρον οἶδμα κορύσσω
μαρνάμενον στρατιῇσι καὶ ὁλκάσι Δηριαδῆος.
ἀλλά, πάτερ, σκηπτοῦχε βίου, σκηπτοῦχε κυδοιμοῦ,
πέμπέ μοι αἰετὸν ὄρνιν ἐμῆς κήρυκα γενέθλης
δεξιτερὸν προμάχοισι καὶ ὑμετέρῳ Διονύσῳ·　　155
ἄλλος δ' ἀντιβίοισιν ἀριστερὸς ὄρνις ἱκέσθω·
σύμβολα δ' ἀμφοτέροις ἑτερότροπα ταῦτα γενέσθω·
τὸν μὲν ἐσαθρήσω πεφορημένον ἅρπαγι ταρσῷ
θηγαλέων ὀνύχων κεχαραγμένον ὀξέι κέντρῳ
νεκρὸν ὄφιν περίμετρον ἀερτάζοντα κεράστην,　　160
δυσμενέος κερόεντος ἀπαγγέλλοντα τελευτήν·
λαῷ δ' ἀντιβίων ἕτερος μελανόχροος ἔλθῃ
κυανέαις πτερύγεσσι προθεσπίζων φόνον Ἰνδῶν,
αὐτομάτου θανάτοιο μέλαν τύπον· ἢν δ' ἐθελήσῃς,
βρονταίοις πατάγοισιν ἐμὴν μαντεύεο νίκην,　　165
καὶ στεροπὴν Βρομίοιο λεχώια φέγγεα πέμπων
υἱέα σεῖο γέραιρε πάλιν πυρί, δυσμενέων δὲ
ὁλκάδας εὐπήληκας ὀιστεύσωσι κεραυνοί.

ᵃ Because of Aiacos's piety, Zeus readily granted his

from the broad threshingfloors of our country,[a] and brought lifegiving water upon the thirsty land, then give us again an equal boon now at last, and glorify me here also with water! Then men may say when they see our victory, ' As Zeus showed honour to his son on land, so he shows him honour on the sea.' Some other man of Achaia may say, ' Aiacos is both Indian-slayer and lifebringer at once ; he both cuts off his enemies' heads and brings fruit to the furrow, giving joy to Demeter and a merry heart to Dionysos.' Protect thou the sailing of our ship ! As I brought life-giving water to the hollow of the parched earth, so now I arm this flood from the hollows of the deep to bring death, battling against the armies and ships of Deriades.

[153] " Come, O Father, monarch of life, monarch of battle ! Send me an eagle, the auspicious herald of my birth, on the right hand of my captains and your own Dionysos ! Let another omen come on the left for my adversaries, and let these two be opposite tokens for both. Let me see the one sailing along with robber's wing and lifting a huge horned serpent, dead and torn by sharp points of his keen talons, proclaiming the end of my horned enemy : let the other come to my host of adversaries black-hued, with dark wings, foretelling the carnage of the Indians, the black image of self-inflicted death. If it be thy pleasure, foretell my victory with claps of thunder, and send the lightning which lighted the birth of Bromios to honour your son once again with fire, and let thunderbolts strike the helmeted ships

prayers ; therefore, when a great drought visited Greece, he was asked to intercede for the rest, and did so successfully ; see Isocrates, *Evagoras* 5 ; Pausanias ii. 29. 7-8. *Cf.* xxii. 277.

NONNOS

ναί, πάτερ, Αἰγίνης μιμνήσκεο, μὴ σέο νύμφης
νυμφίον αἰσχύνειας ὁμόπτερον ὄρνιν Ἐρώτων." 170
Ὣς εἰπὼν πολέμιζεν. ἐς ἠερίας δὲ κελεύθους
ὄμμα παλιννόστοιο βαλὼν ἀντώπιον Ἄρκτου
γαμβρὸν ἑὸν λιτάνευε καὶ ἴαχε μῦθον Ἐρεχθεύς·
" Γαμβρὸς ἐμὸς Βορέης, θωρήσσεο,
                              καὶ σέο νύμφης
μαρναμένω γενετῆρι βοηθόον ἄσθμα τιταίνων 175
ἕδνα τεοῦ θαλάμοιο θαλασσαίην πόρε νίκην·
ὁλκάσι μὲν Βρομίοιο φέρων νηοσσόον αὔρην
δὸς χάριν ἀμφοτέροισιν, Ἐρεχθέι καὶ Διονύσῳ·
νηυσὶ δὲ Δηριάδαο μεμηνότα πόντον ἱμάσσων
ἄσθματι κυματόεντι τεὰς θώρηξον ἀέλλας— 180
ἐσσὶ γὰρ ὑσμίνης ἐμπείραμος, ὅττι καὶ αὐτὸς
Θρήκην ναιετάεις, ἐμπείραμος, οἷά περ Ἄρης—,
ἀντιβίων δὲ φάλαγγι δυσήνεμον ἄσθμα κομίζων
ἔγχεϊ παχνήεντι κορύσσεο Δηριάδῃ·
στήσας δ' ἀντιβίοισι θυελλήεσσαν Ἐννὼ 185
δυσμενέας τόξευε χαλαζήεντι βελέμνῳ,
καὶ Διὶ πιστὰ φέρων καὶ Παλλάδι καὶ Διονύσῳ.
μνώεο Κεκροπίης εὐπαρθένου, ἧχι γυναῖκες
κερκίδι ποικίλλουσι τεῶν ὑμέναιον Ἐρώτων·
Ἰλισσὸν δὲ γέραιρε γαμοστόλον, ὁππόθι κούρην 190
Ἀτθίδα σὴν παράκοιτιν ἀνήρπασαν ἅρπαγες αὖραι
ἑζομένην ἀτίνακτον ἀκινήτῳ σέθεν ὤμῳ.
οἶδα μέν, ὡς συνάεθλος ἐλεύσεται ἄλλος ἀήτης
γείτων ἀντιβίοισιν Ἑῷος· ἀλλ' ἐνὶ χάρμῃ
οὐ τρομέω θρασὺν Εὖρον, ὅτι πτερόεντες ἀῆται 195
πάντες, ὅσοι πνείουσιν, ὀπάονές εἰσι Βορῆος·
καὶ πρόμος Αἰθιόπων Νοτίην ἐπὶ πέζαν ἀρούρης
μηκέτι νοστήσειε Κορύμβασος, ἀλλὰ δαμείη

136

of the foe. Yes, Father, remember Aigina, and do not shame the bridegroom [a] of thy bride, the love-bird of like feather with this ! "

171 After this prayer, he began the fight ; Erechtheus also cast up his eye to the heavenly path of the ever-returning Bear, and prayed to his goodson in these words :

174 " Goodson Boreas, put on your armour, and send a helping blast to your bride's father in battle ! Give victory by sea as the price of your bride ! Bring a ship-stirring wind for Bromios's fleet and grant a boon to Erechtheus and Dionysos alike. For the ships of Deriades, flog the maddened deep into waves with your blast and arm your tempests—for you are well practised in fighting, as one whose habitation is Thrace, well-practised as Ares himself—then drive a stormy wind upon the host of our enemies, arm yourself against Deriades with your icy spear. Raise a hurricane of war against our enemies, shoot the foe with your frozen shafts, and keep faith with Zeus and Pallas and Dionysos. Remember Cecropia [b] with its lovely girls, where the women weave with their shuttle the love-story of your wedding. Honour Ilissos who led the bridal train, when the robber breezes made robbery of your Attic bride, sitting unshaken upon your unmoving shoulder.

193 " I know that another wind will come to help our adversaries, the East Wind their neighbour : but I fear not bold Euros in battle, because all the winged breezes that blow are servants of Boreas. Let Corymbasos the chief of the Ethiopians never return to the arable land of the south ; let him be brought

---

[a] Alluding to the eagle-shape which Zeus took to carry off Aigina.　　　　　　　　[b] Attica.

θερμὸν ἔχων συνάεθλον ἐὸν Νότον Αἰθιοπῆα,
ψυχρὸν ὑπὲρ πόντοιο πιὼν θανατηφόρον ὕδωρ·   200
οὐκ ἀλέγω Ζεφύροιο, κορυσσομένοιο Βορῆος.
δεῖξον ὁμοφροσύνην ἑκυρῷ σέθεν· οὐρανόθεν δὲ
σὺν σοὶ Βακχιάδεσσιν ἐμαῖς στρατιῇσιν ἀρήξει
μαρνάμενος τριόδοντι Ποσειδάων καὶ Ἀθήνη,
ἡ μὲν ἑοῖς ναέτῃσιν, ὁ δὲ γνωτοῖο γενέθλῃ·   205
καὶ πυρόεις Ἥφαιστος Ἐρεχθέος αἷμα γεραίρων
ἵξεται εὐάντητος ἐς ὑδατόεσσαν Ἐννώ,
ὁλκάσι Δηριάδαο μαχήμονα πυρσὸν ἑλίσσων.
δὸς δέ με νικῆσαι καὶ ἐν ὕδασι, καὶ μετὰ νίκην
Κεκροπίῃ κομίσειεν ἀπήμονα λαὸν Ἐρεχθεύς,   210
καὶ Βορέην μελίψωσι καὶ Ὠρείθυιαν Ἀθῆναι."
    Τοῖον ἔπος βοόων ἁλιδίνεος ἥψατο χάρμης
ἔγχεϊ τεχνήεντι, καὶ ὡς ναέτης Μαραθῶνος
ναύμαχον εἶχεν ἔρωτα· φιλαρέτμῳ δὲ κυδοιμῷ
εὔστολος ἦεν Ἄρης τότε ναυτίλος, ἐν παλάμῃ δὲ   215
πηδάλιον Φόβος εἶχε, κυβερνήτης δὲ κυδοιμοῦ
Δεῖμος ἀκοντοφόρων ἀνελύσατο πείσματα νηῶν.
    Κυκλώπων δὲ φάλαγγες ἐναυτίλλοντο θαλάσσῃ
ὁλκάδας ἀγχιάλοισιν ὀιστεύοντες ἐρίπναις·
Εὐρύαλος δ' ἀλάλαζεν, ἁλιρροίζῳ δὲ κυδοιμῷ   220
ἀγχινεφὴς οἴστρησεν ἐς ὑσμίνην Ἁλιμήδης.
καὶ διδύμαις στρατιῇσιν ἐπέκτυπε πόντιος Ἄρης
χερσαίην μετὰ δῆριν, ἁλιρροίζῳ δ' ἀλαλητῷ
ὁλκάσι Βακχείῃσιν ἐπέρρεον ὁλκάδες Ἰνδῶν·
καὶ φόνος ἦν ἑκάτερθε, καὶ ἔζεε κύματα λύθρῳ,   225
καὶ πολὺς ἀμφοτέρων στρατὸς ἤριπεν· ἀρτιχύτῳ δὲ
αἵματι κυανέης ἐρυθαίνετο νῶτα θαλάσσης.

low, although he is helped by his own hot Ethiopian South, let him drink the cold water of death beyond the sea. I care nothing for Zephyros, when Boreas is under arms. Show that you are of one heart with your goodfather. From heaven by your side will come Poseidon fighting for my Bacchiad armies with his trident, and Athena, she helping her countrymen, he his brother's son; and fiery Hephaistos honouring the blood of Erechtheus will come full welcome to the watery war, swinging a warlike torch against the ships of Deriades. Grant me victory on the sea also, and after victory let Erechtheus take his people home to Cecropia unhurt, and let Athens chant of Boreas and Oreithyia."

212 Thus he cried loudly, and fell to the fight on the eddies of the brine with well-skilled spear—as a man of Marathon [a] he was in love with seafighting. In that tumult of many oars Ares was then an excellent mariner, Rout held rudder in hand, Terror [b] was pilot of the fray and threw off the hawsers of the javelin-bearing ships.

218 Troops of Cyclopians navigated the sea, showering rocks from the shore upon the ships; Euryalos shouted the warcry, and Halimedes high as the sky dashed raging into battle with brineblustering tumult. In both armies the sea-battle roared after the conflict on land, while Indian ships charged Bacchic ships with brineblustering yells. There was carnage on both sides, and the waves boiled with gore; a great company fell from both armies, the back of the blue sea grew red with newly-shed blood.

---

[a] An odd blunder; Nonnos seems to confuse Marathon with Salamis.
[b] Phobos and Deimos are Ares' attendants in Homer.

NONNOS

Πολλοὶ δ' ἔνθα καὶ ἔνθα χυτῷ πίπτοντες ὀλέθρῳ
οἰδαλέοι πλωτῆρες ἐναυτίλλοντο θαλάσσῃ·
καὶ ῥοθίοις ἑλικηδὸν ἔχων πορθμῆας ἀήτας   230
σύρετο νεκρὸς ὅμιλος ἀφειδέι σύνδρομος αὔρῃ·
πολλοὶ δ' αὐτοκύλιστον ὑπὸ στροφάλιγγα κυδοιμοῦ
εἰς ῥόον ὠλίσθησαν, ἀναγκαίῃ δὲ πιόντες
πικρὸν ὕδωρ ἐνόησαν ὑποβρυχίης λίνα Μοίρης,
βριθόμενοι θώρηκι· καὶ οἰδαλέων μέλαν ὕδωρ   235
κυανέων ἐκάλυπτεν ὁμόχροα σώματα νεκρῶν
βένθεϊ φυκιόεντι, σὺν ὑγροπόρῳ δὲ φορῆι
χάλκεος ἰλυόεντι χιτὼν ἐκαλύπτετο πηλῷ·
καὶ τάφος ἔπλετο πόντος. ἐτυμβεύοντο δὲ πολλοὶ
κητείοις γενύεσσιν, ἐν ἰχθυόεντι δὲ λαιμῷ   240
ἄπνοον αἰθύσσουσα νέκυν τυμβεύσατο φώκη,
ξανθὸν ἐρευγομένη ῥόον αἵματος. ὀλλυμένων δὲ
τεύχεα πόντος ἔδεκτο, νεοσφαγέος δὲ φορῆος
αὐτομάτη λοφόεσσα δι' ὕδατος ἔπλεε πήληξ
δεσμοῦ λυομένοιο, θυελλήεντι δὲ πολλῆς   245
χεύματι φοιταλέης ἐπενήχετο κύκλα βοείης
σὺν διερῷ τελαμῶνι. πολὺς δ' ὑπὸ κύμασιν ἄκροις
ἀφρὸς ἐρευθιόων πολιῆς ἀνεκήκιεν ἅλμης
αἱμαλέῳ πάλλευκον ὑποστίξας χύσιν ὁλκῷ.
    Καὶ φονίαις λιβάδεσσιν ἐφοινίχθη Μελικέρτης·   250
Λευκοθέη δ' ὀλόλυζε, τιθηνήτειρα Λυαίου,
αὐχένα γαῦρον ἔχουσα, καὶ Ἰνδοφόνου περὶ νίκης
ἄνθεϊ φυκιόεντι κόμην ἐστέψατο Νύμφη·
καὶ Θέτις ἀκρήδεμνος ὑπερκύψασα θαλάσσης
χεῖρας ἐρεισαμένη καὶ Δωρίδι καὶ Πανοπείῃ   255
ἄσμενον ὄμμα τίταινεν ἐπ' εὐθύρσῳ Διονύσῳ.
    Καὶ βυθίη Γαλάτεια θαλασσαίου διὰ κόλπου
ἡμιφανὴς πεφόρητο διαξύουσα γαλήνην,

140

228 Many on this side and that side fell into the mess of carnage, and navigated the sea swollen and floating. The merciless winds dragged with them the crowds of dead bodies, tossed about by the surge with breezes to ferry them. Many fell of themselves under the whirlwind of battle, and slipt into the flood, then drank of the bitter brine, for they could not help it, and weighed down with their corselets knew the threads of the Fate who drowned them in the waters. The black water covered the black livid bodies of the swollen dead with seaweed in the depths; slimy mud covered coat of mail and seafaring wearer together; the sea was their grave. Many again had sepulture in the maw of seamonsters, or the darting seal entombed the inanimate corpse in her fishy throat and belched out a stream of brownish blood. The sea took the armour of the dead; the plumed helmet worked loose from the strap and floated upon the water by itself, its owner newly slain; many a round shield swam at random on the flood with soaking sling driven by the gale, and under the surface of the waves masses of red foam bubbled up from the grey brine, marking the spread of white with streaks of blood.

250 Melicertes also was stained by the drops of gore; Leucothea cried out for joy, she the nurse of Lyaios, raising a proud neck, and the Nymph crowned her hair with flowers of seaweed for the Indian-slaying victory; and Thetis unveiled peeping up out of the sea, with her hands resting on Doris and Panopeia, turned a gladsome eye towards Dionysos with his thyrsus.

257 Galatea too came from the depths and moved half visible through the bosom of the deep sea,

καὶ φονίου Κύκλωπος ἀλιπτοίητον Ἐννὼ
δερκομένη δεδόνητο, φόβῳ δ᾽ ἤμειψε παρειάς·   260
ἔλπετο γὰρ Πολύφημον ἰδεῖν κατὰ φύλοπιν Ἰνδῶν
ἀντία Δηριάδαο συναιχμάζοντα Λυαίῳ·
ταρβαλέη δ᾽ ἱκέτευε θαλασσαίην Ἀφροδίτην
υἷα Ποσειδάωνος ἀριστεύοντα σαῶσαι,
καὶ γενέτην φιλότεκνον ἐφ᾽ υἱέι κυανοχαίτην   265
μαρναμένου λιτάνευε προασπίζειν Πολυφήμου.
καὶ βυθίου τριόδοντος ἐκυκλώσαντο φορῆα
θυγατέρες Νηρῆος· ἐρειδόμενος δὲ τριαίνῃ
πόντιος ἐννοσίγαιος ἐδέρκετο γείτονα χάρμην,
καὶ στρατὸν εὐθώρηκος ὀπιπεύων Διονύσου,   270
ζηλήμων ὁρόων ἑτέρου Κύκλωπος Ἐννώ,
ὑγρομόθῳ Βρομίῳ πολυμεμφέα ῥήξατο φωνήν·

  " Εἰς ἐνοπήν, φίλε Βάκχε,

               τόσους Κύκλωπας ἀγείρων,
καλλείψας δ᾽ ἕνα μοῦνον ἀπόπροθι δηιοτῆτος,
εἰς χρόνον ἑπταέτηρον ἔχεις πολύκυκλον ἀγῶνα,   275
βόσκων ἀλλοπρόσαλλον ἀτέρμονος ἐλπίδα χάρμης,
ὅττι τεοῦ μεγάλοιο προασπιστῆρες ἀγῶνος
πάντες ἑνὸς χατέουσιν ἀνικήτου Πολυφήμου·
εἰ δὲ τεὴν ἐπὶ δῆριν ἐμὸς πάις ἵκετο Κύκλωψ,   279
πατρῴην δ᾽ ἐλέλιζεν ἐμῆς γλωχῖνα τριαίνης,   281
καί κεν ὑπὲρ πεδίοιο συναιχμάζων Διονύσῳ   280
στήθεα βουκεράοιο διέθλασε Δηριαδῆος,   284
καὶ πολὺν αἰνὸν ὅμιλον ἐμῷ τριόδοντι δαΐζων   282
εἰς μίαν ἠριγένειαν ὅλον γένος ἔκτανεν Ἰνδῶν.   283
υἱὸς ἐμὸς πάλαι¹ ἄλλος ἔχων ἑκατοντάδα χειρῶν   285
Τιτήνων ὀλετῆρι τεῷ χραίσμησε τοκῆι,
Αἰγαίων πολύπηχυς, ὅτε Κρόνον εἰς φόβον ἕλκων

---

¹ So Marcellus: πάλιν mss. and edd.

wrinkling the calm surface, and looking upon the
sea-affrighting battle of murderous Cyclops she was
shaken, and her cheeks changed colour from fear, for
she thought she saw Polyphemos fighting for Lyaios
against Deriades in this Indian War; and in dismay
she besought Aphrodite of the sea to protect the
heroic son of Poseidon, and she prayed the loving
father Seabluehair to defend his son Polyphemos in
the battle.[a] The daughters of Nereus gathered
round the bearer of the deepsea trident; Earth-
shaker the seagod leaning upon his trident watched
the neighbouring conflict, and scanning the host of
corseleted Dionysos, he observed with jealousy the
valour of another Cyclops, and loudly reproached
Bacchos for disturbing the waters with battle :

273 " Bacchos my friend, how many Cyclopians you
have brought into your war, and left only one far
from the battle ! Your conflict has lasted through
many cycles, seven years, feeding the varying hopes
of endless strife, because all the foremost champions
of your great contest lack one, Polyphemos the
invincible. If my son the Cyclops had come to your
conflict, and brandished the prong of my trident,
his father's, then indeed as the ally of Dionysos he
would have pierced the chest of horned Deriades
on this field—he would have destroyed a great and
terrible host with my threetooth, and slain the whole
Indian nation in one day ! Before this another son
of mine with a hundred hands helped your Father
to destroy the Titans, Aigaion manyarm, when he

loved Polyphemos in return (contrast Theocritos xi.) and bore
him a son.

ἠλιβάτων ἐτίταινε πολυσπερὲς ἔθνος ἀγοστῶν,
ἠέλιον σκιόωσαν ἔχων ὑψαύχενα χαίτην,
καὶ βλοσυροὶ Τιτῆνες ἐνοσφίσθησαν Ὀλύμπου   290
εὐπαλάμου Βριαρῆος ὑποπτήσσοντες Ἐννώ."

Τοῖον ἔπος φθονέων νεμεσήμονι πέφραδε φωνῇ.
αἰδομένη δὲ Θόωσα κατηφέας εἶχε παρειάς,
Ἄρεϊ μὴ παρεόντος ἐρωμανέος Πολυφήμου.

Ὡς δὲ πόνου τέλος ἦεν ἐριφλοίσβοιο κυδοιμοῦ,   295
ἠθάδα πόντον ὄπωπε κατάρρυτον αἵματι Νηρεύς·
ξανθῆς δ᾽ ἐννοσίγαιος ἐθάμβεε νῶτα θαλάσσης,
ἰχθύας ἀνδροφάγους ὁρόων καὶ πληθύι νεκρῶν
γείτονος ἄβροχα νῶτα γεφυρωθέντα θαλάσσης . . .
Βακχιάδες τε φάλαγγες ἐπέρρεον αἴθοπι λαῷ.   300

Κεῖτο δὲ δυσμενέων στρατὸς ἄσπετος,
                   ὧν ἐνὶ χάρμῃ
βαλλομένων ξιφέεσσι καὶ ὀξυτόροισιν ὀιστοῖς.
τοῦ μὲν ὑπὲρ λαπάρην βέλος ἔμπεσε,
                        τοῦ δὲ τυπέντος
ἔγχεϊ χαλκείῳ μεσάτης ὑπὲρ ἄντυγα κόρσης
ὠτειλὴ βεβάθυστο χαρασσομένοιο καρήνου.   305
πολλοὶ δ᾽ ἔνθα καὶ ἔνθα πολυσπερέων ἐλατήρων
πόντον ἀμοιβαίοισιν ἀνασχίζοντες ἐρετμοῖς
κυανέην λεύκαινον ἐπασσυτέρην χύσιν ἀφρῷ,
καὶ πόνος ἦν ἀνόνητος ἐπειγομένων ἐλατήρων,
συμφερτοὺς δὲ κάλωας ἀοσσητῆρι σιδήρῳ   310
ἰθυντὴρ ἀπέκοψε καὶ ἔσχισεν ἄορι σειρήν.

put Cronos to flight and stretched the farspread legion of his high-climbing arms and shadowed the sun with hair flying high over his neck, so that the grim Titans were driven from Olympos cringing, before the attack of Briareos and all his arms ! "

292 So he spoke, in a tone of grudging jealousy ; and Thoösa [a] sank down her cheeks in shame that lovesick Polyphemos was not present in the battle.

295 But when the end came of this loudblustering conflict, Nereus saw his familiar sea flooded with blood ; Earthshaker was amazed at the brownish surface of the deep, as he saw fishes eating men, and the back of the neighbouring sea bridged over dry with the heaps of corpses . . . The troops of Bacchos poured upon the swarthy people.

(301 There lay an infinite multitude of the enemy, struck down in the fight by swords and sharp arrows. One had a shaft lodged over the flank ; one was struck by a bronze spear over the round of his temple, the wound running deep into the cloven head. Great numbers of the farscattered oarsmen on both sides cleft the dark flood with continuous strokes of alternating oars, and whitened it with foam ; but the labour of the hurrying oarsmen was in vain, for the commander cut the ropes with his sword and severed with aiding steel the tangled mass of lashings.[b])

[a] Daughter of Phorcys, mother by Poseidon of Polyphemos, *Od.* i. 71.

[b] This seems to be a description of a ship getting away from another which has grappled her. Something is lost to the effect that Dionysos's followers caught and killed those who were rowing away. But the whole paragraph may be out of place, for in the next lines the Indians are still fighting stoutly.

Ἀμφοτέρης δὲ φάλαγγος ἐν ἠέρι ῥοῖζον ἰάλλων
ἔρρεεν ἀπλανέων δολιχόσκιος ὄμβρος ὀιστῶν·
ὧν ὁ μὲν ἱστὸν ἔβαλλε μεσαίτατον, ὃς δὲ περήσας
ἱστίον εὐδίνητον ἐβόμβεε σύνδρομος αὔραις,   315
ἄλλος ἔην προτόνοισι πεπαρμένος, ὃς δὲ μεσόδμῃ
κεῖτο πεσών, ἕτερος δὲ δι᾽ ἠέρος ἰὸς ἀλήτης
ἀκροτάτης ἐτύχησεν ἀερσιλόφοιο κεραίης,
σέλμασι δ᾽ ἄλλος ἔην τετανυσμένος· ἀγχιφανῆ δὲ
ἄλλα κυβερνητῆρος ἀποπλαγχθέντα κελεύθου   320
ἄστατα πηδαλίοιο διέξεσεν ἄκρα κορύμβου·
καὶ Φλόγιος κλυτότοξος ὑπηνέμιον βέλος ἕλκων
ἴκρια νηὸς ἔβαλλε καὶ οὐκ ἐτύχησε Λυαίου.
ἦν δ᾽ ἐσιδεῖν κατὰ πόντον εὔπτερον ἰὸν ἀλήτην
πουλύποδος σκολιοῖο περιπλεχθέντα κορύμβοις·   325
ἄλλου δ᾽ ἤμβροτεν ἄλλος· Ἐρυθραίῳ δὲ σιδήρῳ
πομπίλον ἄλλος ἔτυψε καταιχμάζων Διονύσου·
ἔγχεϊ δ᾽ ἠκόντιζε Κορύμβασος, ὄφρα τυχήσῃ
ὁλκαίης Σατύροιο, παραΐξασα δὲ λόγχη
ἰχθύος ὑγροπόροιο κατέγραφε δίζυγον οὐρὴν   330
θηγαλέῃ γλωχῖνι· τιτυσκόμενος δὲ σιδήρῳ
εἰς σκοπὸν ἀχρήιστον ἀνουτήτου Διονύσου
Δηριάδης δόρυ πέμπεν, ἀποπλαγχθεῖσα δὲ Βάκχου
εἰς ῥαχίην δελφῖνος ἐποίπνυε λοίγιος αἰχμή,
κυρτὸς ὅπῃ λοφιῇσι συνάπτεται ἰχθύος αὐχήν,   335
δελφὶς δ᾽ αὐτοέλικτος ἐθήμονι κυκλάδι νύσσῃ
ἡμιθανὴς σκίρτησε χορίτιδος ἅλματι Μοίρης·
πολλοὶ δ᾽ ἔνθα καὶ ἔνθα κυβιστητῆρες ὀλέθρου
ἰχθύες ὠρχήσαντο χαρασσομένων ἀπὸ νώτων.
    Καὶ Στερόπης προμάχιζεν·
                              ἀερσιπόδης δ᾽ Ἁλιμήδης   340
χειρὶ λαβὼν πρηῶνα θαλασσοτόκοιο κολώνης
ῥῖψεν ἐπ᾽ ἀντιβίοισιν· ἔδυνε δὲ φοιταλέη νηῦς

³¹² From each army flew straight a shower of long-shafted arrows whizzing unerring through the air. One struck full upon a mast, one ran noisily through a flapping sail quick as the wind, another pierced the forestays, another fell and stuck in the mastbox ; an arrow again flying through the air hit the end of the yard which supported the sail, another stuck straight up on the foredeck. Others came near the helmsman, but missed the way in which they had been sent and scraped the top of the moving rudder. Phlogios the famous archer drew a shot through the air, and hit the ship's deck but missed Lyaios. You could see a winged arrow fly and skim over the sea, then embraced in the feelers of a curling squid. Many missed, but one with Erythraian steel aimed at Dionysos hit a pilot-fish.[a] Corymbasos cast a lance at a Satyr's tail, but the lance missed him and scored the forked tail of a waterfaring fish with its sharp point. Deriades aimed his steel at a target impossible to hit, as he cast at unwounded Dionysos ; the deadly point missed Bacchos and got to work on the backbone of a dolphin, where the curving neck of the fish joins the bristling back—the fish leapt of itself in its usual curving course, and already half-dead skipt with the leap of a dancing Fate. On all sides many a fish with pierced back tumbled about in his dance of death.

³⁴⁰ Steropes also fought in the forefront ; Halimedes high uplifted upon his feet grasped the crag of a seaborn cliff and threw it at the foe—a stray

---

[a] Naucrates ductor.

τρηχαλέου βληθεῖσα λίθου τροχοειδέι κύκλῳ.
καί τις ἀκοντισθεῖσα δι' ὁλκάδος ὁλκάδι γείτων
ἀμφοτέρας ἔζευξεν ἁλίδρομος ἔγχεος αἰχμή,   345
νῆας ἐπισφίγξασα δύω ξυνήονι δεσμῷ
στεινομένων νεφεληδόν· ἔην δ' ἑτερόκτυπος ἠχώ.
    Καὶ στόλος ἀμφοτέρων τετράζυγον εἶχεν Ἐννώ,
ὧν ὁ μὲν ἀντιπόροιο περὶ ῥάχιν αἴθοπος Εὔρου,
ὃς δὲ Λιβὸς δροσεροῖο παρὰ πτερόν, ὃς δὲ Βορῆος,   350
καὶ Νοτίην παρὰ πέζαν. ἀμοιβαίῃσι δὲ ῥιπαῖς
Μορρεὺς μὲν ταχύγουνος ἀφ' ὁλκάδος ὁλκάδα βαίνων
Βασσαρίδων ἐφόβησεν ἁλιπτοίητον Ἐννώ,
ἶσος ἀριστεύων καὶ ἐν ὕδασιν· ἀλλά ἑ θύρσῳ
Εὔιος οὐτήσας διερῆς ἀνεσείρασε χάρμης,   355
καὶ μογέων ὀδύνῃσιν ἐπὶ πτόλιν ᾤχετο Μορρεύς.
    Ὄφρα μὲν ἔνθεον ἕλκος, ὅ μιν λάχε, δαιμονίη χεὶρ
λυσιπόνου Βραχμῆνος ἀκέσσατο Φοιβάδι τέχνῃ,
θεσπεσίῃ λάλον ὕμνον ὑποτρύζοντος ἀοιδῇ,
τόφρα δὲ δυσμενέεσσιν ἐπέχραε Λύδιος Ἄρης.   360
    Τοῖσι μὲν ἐγρεκύδοιμος ἔην πλόος, εἶχε δ' Ἐννὼ
ναυτιλίης προκέλευθον, ἁλισμαράγου δὲ κυδοιμοῦ
ἦν κλόνος ἀμφοτέρων ἑτερότροπος· ἀντιβίων γὰρ
ὅσσοι μὲν κραναοῖσιν ὀιστεύοντο βελέμνοις
ἢ φονίοις πετάλοισιν ἢ ἔγχεσιν ἠὲ μαχαίραις,   365
χεῖρας ἐρετμώσαντες ἀήθεας εἰς μέλαν ὕδωρ
ἴθμασιν ἀσταθέεσσιν ἐτυμβεύοντο θαλάσσης·
εἰ δέ τις εἰς ἅλα πῖπτε τυπεὶς Βρομίοιο μαχητής,
αἰθύσσων παλάμας ἐπενήχετο κύματα τέμνων
χερσὶ θαλασσομόθοισιν, ἁλιρροίζῳ δὲ κυδοιμῷ   370
μαρνάμενος ῥοθίοισι μετ' ἀνέρας ἔσχισεν ὕδωρ.
    Εἰναλίης δὲ τάλαντα μάχης ἔκλινε Κρονίων,

148

ship sank, struck by the rounded mass of hard stone. Or again, a spear cast over the sea at close quarters joined ship to ship and coupled the pair together, holding two vessels fast in a common bond, while they were all crushed together in a cloud—great was the clamour on both sides.

³⁴⁸ The two fleets were engaged in four divisions: one facing the backbone of the scorching East Wind, one by the wing of the rainy Sou'west, one in the region of the North, one in the South. Morrheus with alternating rushes marched kneeswift from ship to ship and scattered the seascared array of Bassarids, a conquering hero equally on the sea; but Euios wounded him with his thyrsus and checked his valour on the deep—then Morrheus in agony was gone back to the city.

³⁵⁷ While the divine wound which had got him was being healed by the godly hand of a painquelling Brahman with Apollo's art, who cooed a verbose ditty of solemn incantation, so long the Lydian wargod prevailed against his enemies.

³⁶¹ Their assault awoke a new conflict: Enyo went before their sails, and the struggle of the two navies in the brineplashing battle was different. For those of the enemy who were struck by volleys of hard stones, or deadly leaves, or spears or swords, paddled the black water with unaccustomed hands and found a grave in the sea with staggering steps; but if any warrior of Bromios fell stricken into the brine, he darted out his arms and swam cutting the waves with seabattling hands, as he fought the surge with brineblustering noise and cleft water instead of men.

³⁷² Now Cronion inclined the balance of the sea-

νίκην ὑδατόεσσαν ἐπεντύνων Διονύσῳ·
καὶ βυθίῳ τριόδοντι κορύσσετο κυανοχαίτης
μαρνάμενος δηίοισι, καὶ ἄβροχον ἡνιοχεύων   375
ἅρμα Ποσειδάωνος ἐβακχεύθη Μελικέρτης.
καὶ πισύραις κατὰ πόντον ἐφιππεύοντες ἀέλλαις
κύματα πυργώσαντες ἐθωρήχθησαν ἀῆται,
δυσμενέων ἐθέλοντες ἀιστῶσαι στίχα νηῶν,   379
οἱ μὲν Δηριαδῆος ἀρηγόνες, οἱ δὲ Λυαίου·   381
καὶ Ζέφυρος κεκόρυστο,   380
                    Νότος δ' ἐπεσύρισεν Εὔρῳ,   382
καὶ Βορέης Θρήισσαν ἄγων ἀντίπνοον αὔρην
ἄγρια μαινομένης ἐπεμάστιε νῶτα θαλάσσης.
καὶ στόλον ἰθύνουσα μαχήμονα Δηριαδῆος
ὑσμίνης Ἔρις ἦρχε· Διωνύσοιο δὲ νηῶν   385
Ἰνδοφόνῳ παλάμῃ κολπώσατο λαίφεα Νίκη.
χείλεσι δ' ἰκμαλέοισι μαχήμονα κόχλον ἐρείσας
εἰναλίῃ σάλπιγγι μέλος μυκήσατο Νηρεύς·
καὶ Θέτις ἐσμαράγησεν ἐνναλίης μέλος Ἠχοῦς
κύμασι πατρῴοισι προασπίζουσα Λυαίου.   390

Εὐρυμέδων δὲ Κάβειρος ἐθήμονα δαλὸν ἀείρων
ὑσμίνης δόλον εὗρεν ἀρηγόνα· μηκεδανὴν γὰρ
νηῶν ἰδίην ἔφλεξεν ἑκούσιον ἁψάμενος πῦρ·
νηυσὶ δ' ἐπ' ἀντιβίοισιν ἐπέτρεχε φοιταλέη νηῦς
νεύμασι Βακχείοισι περισκαίρουσα θαλάσσῃ,   395
καὶ λοξαῖς ἑλίκεσσιν ἀφ' ὁλκάδος ὁλκάδα βαίνων
κύκλον ἐς αὐτοέλικτον ἐνήχετο πυρσὸς ἀλήτης,
καίων ἔνθα καὶ ἔνθα πολυσπερέων στίχα νηῶν.
καὶ σέλας ἀθρήσασα πυριβλήτοιο θαλάσσης
Νηρεῖς ἀκρήδεμνος ἐδύσατο βένθεα πόντου,   400
αἰθομένου φεύγουσα δι' ὕδατος ἰκμαλέον πῦρ.

Χάζετο δ' Ἰνδὸς ὅμιλος ἐπὶ χθόνα, πόντον ἐάσας·
καὶ Φαέθων ἐγέλασσεν, ὅτι προτέρους μετὰ δεσμοὺς

fight, preparing a watery victory for Dionysos ; Sea-bluehair armed him with his trident of the deep to fight the foe, and Melicertes madly drove the un-wetted car of Poseidon. The winds also rode on four tempests over the sea, armed for the fray and towering up the waves, with a will to destroy the lines of their enemies' ships, these to help Deriades, those Lyaios : Zephyros was ready, Notos whistled against Euros, Boreas brought up his Thracian breeze as a counterblast and flogged the back of the maddened sea. Discord guided the warlike navy of Deriades and led the battle ; but Victory filled out the sails of Dionysos with a hand which bore death for the Indians. Nereus pressed his conch of war with dripping lips and boomed a tune through the sea-trumpet, and Thetis shrilled a tune of war-like sound and defended Lyaios with her father's billows.

391 Eurymedon the Cabeiros lifting his familiar torch invented a useful stratagem of war. He set fire to his own long vessel on purpose ; then the vessel was sent adrift bounding over the sea against the enemy at the command of Bacchos. The errant bonfire floated round of itself by wayward turns from ship to ship, and setting alight here and there the long line of far-scattered vessels. The Nereïd unveiled seeing the glare of the fire-shotten sea dived into the depths, and fled from liquid fire through burning water.

402 Then the Indian host left the sea and retreated to the land ; and Phaëthon laughed, because Ares in the seafight had fled again before the fire of

ἐκ πυρὸς Ἡφαίστοιο πάλιν φύγε ναύμαχος Ἄρης.
Δηριάδης δ᾽ ἀκίχητος ἰδὼν φλόγα σύνδρομον αὔραις 405
εἰς πεδίον πεπότητο θοώτερα γούνατα πάλλων,
φεύγων ὑγρὸν Ἄρηα θαλασσομόθου Διονύσου.

---

[a] When Hephaistos caught him with Aphrodite in a net

Hephaistos, as once before he fled from his chains.[a]
And Deriades when he saw the flame, fast as the
wind fled to the land, wagging his knees too quick
to catch, as he tried to escape the watery assault of
seafighting Dionysos.

of fine chains, *Od.* viii. 296; Helios (Phaëthon) spied on
them, *ibid.* 302.

ΔΙΟΝΥΣΙΑΚΩΝ ΤΕΣΣΑΡΑΚΟΣΤΟΝ

Τεσσαρακοστὸν ἔχει δεδαϊγμένον ὄρχαμον Ἰνδῶν,
πῶς δὲ Τύρον Διόνυσος ἐδύσατο, πατρίδα Κάδμου.

Οὐ δὲ Δίκην ἀλέεινε πανόψιον, οὐδὲ καὶ αὐτῆς
ἀρραγέος κλωστῆρος ἀκαμπέα νήματα Μοίρης·
ἀλλά μιν ἀθρήσασα πεφυζότα Παλλὰς Ἀθήνη—
ἔζετο γὰρ κατὰ πόντον ἐπὶ προβλῆτος ἐρίπνης,
ναύμαχον εἰσορόωσα κορυσσομένων μόθον Ἰνδων— 5
ἐκ σκοπιῆς ἀνέπαλτο, καὶ ἄρσενα δύσατο μορφήν·
κλεψινόοις δ' ὀάροισι παρήπαφεν ὄρχαμον Ἰνδῶν,
Μορρέος εἶδος ἔχουσα, χαριζομένη δὲ Λυαίῳ
Δηριάδην ἀνέκοψε, καὶ ὡς ἀλέγουσα κυδοιμοῦ
φρικτὸν ἀπερροίβδησεν ἔπος πολυμεμφέϊ φωνῇ· 10
" Φεύγεις, Δηριάδη; τίνι κάλλιπες Ἄρεα νηῶν;
πῶς δύνασαι ναέτῃσι φανήμεναι; ἢ πόθεν ἄντην
ὄψεαι Ὀρσιβόην μενεδήιον, αἵ κεν ἀκούσῃ
Δηριάδην φεύγοντα καὶ οὐ μίμνοντα γυναῖκας;
αἴδεο Χειροβίην ῥηξήνορα, μή σε νοήσῃ 15
ὑσμίνην ἀσίδηρον ὑποπτήσσοντα Λυαίου,
ἣ δόρυ θοῦρον ἔχουσα καὶ ὀχλίζουσα βοείην
μάρνατο Βασσαρίδεσσι, συνεσπομένη παρακοίτῃ.
χάζεό μοι Μορρῆι λιπὼν μόθον· ἢν δ' ἐθελήσῃς,
αὐτὸς ἀριστεύσω καὶ ἀνάλκιδα Βάκχον ὀλέσσω. 20
154

BOOK XL

The fortieth has the Indian chief wounded, and how
Dionysos visited Tyre, the native place
of Cadmos.

YET he escaped not allseeing Justice, nor the inflex-
ible threads of Fate herself the inexorable Spinner.
No—Pallas Athena beheld him in flight, for she
sat on a headland high over the sea, and watched
the Indians contending in their battle on the sea.
Down from the height she leapt, and put on the
shape of a man, the form of Morrheus; and, all to
please Dionysos, she checked Deriades, cajoling the
Indian chieftain with mindstealing whispers. As if
anxious about the conflict, she poured out words
of affright in reproachful tones:

[11] " You flee, Deriades! Whom have you left in
charge of the seafight? How can you show yourself
to the people? Or how will you look in the face of
dauntless Orsiboë, if she hears that Deriades is in
flight and will not stand before women? Have
respect for manbreaking Cheirobië, let her not see
you shrinking from fight with Lyaios unarmed—why,
she held a furious spear, she heaved up an oxhide and
fought the Bassarids following her husband! Give
place, please, to Morrheus—you have left the field,
and if you please, I will be champion myself and

155

πενθερὸν οὐ καλέσω σε πεφυζότα, σεῖο δὲ κούρης
ἔστω Χειροβίης ἕτερος πόσις· αἰδόμενος γὰρ
καλλείψω τεὸν ἄστυ, καὶ ἴξομαι εἰς χθόνα Μήδων,
ἴξομαι εἰς Σκυθίην, ἵνα μὴ σέο γαμβρὸς ἀκούσω.
ἀλλ' ἐρέεις· ' εὔοπλος ἐμὴ δάμαρ οἶδεν Ἐννώ.'   25
εἰσὶν Ἀμαζονίδες περὶ Καύκασον, ὁππόθι πολλαὶ
Χειροβίης πολὺ μᾶλλον ἀριστεύουσι γυναῖκες·
κεῖθι δορικτήτην βριαρὴν ἀνάεδνον ἀκοίτην
εἰς γάμον, ἣν ἐθέλω, μίαν ἄξομαι· ἐν θαλάμοις γὰρ
οὐ δέχομαι σέο παῖδα φυγοπτολέμοιο τοκῆος."   30
  Ὣς φαμένη παρέπεισεν ἀγήνορα Δηριαδῆα,
καί οἱ θάρσος ἔδωκε τὸ δεύτερον, ὄφρα δαμείη
μαρναμένου Βρομίοιο τυπεὶς φθισήνορι θύρσῳ.
καὶ θρασὺς ἀγνώσσων δολίην παρεοῦσαν Ἀθήνην
ψευδομένου Μορρῆος ἐλεγχέα μῦθον ἀκούων   35
χείλεσιν αἰδομένοισι παρήγορον ἴαχε φωνήν·
  " Φείδεο σῶν ἐπέων·
                              τί με μέμφεαι, ἄτρομε Μορρεῦ;
οὐ πρόμος, οὐ πρόμος οὗτος,
                              ἑὸν δέμας αἰὲν ἀμείβων.
καὶ γὰρ ἀμηχανέω, τίνι μάρναμαι ἢ τίνα βάλλω·
σπεύδων μὲν πτερόεντι βαλεῖν Διόνυσον ὀιστῷ,   40
ἢ ξίφεϊ πλήξας μέσον αὐχένος, ἢ δόρυ πέμπων
οὐτῆσαι ποθέων διὰ γαστέρος, ἀντὶ Λυαίου
πόρδαλιν αἰολόνωτον ἐπαΐσσοντα κιχάνω . . .
μαρναμένου δὲ λέοντος ἐπείγομαι αὐχένα τέμνειν,
καὶ θρασὺν ἀντὶ λέοντος ὄφιν δασπλῆτα δοκεύω·   45
σπεύδων δ' ἀντὶ δράκοντος ὀπιπεύω ῥάχιν ἄρκτου·
εἰς λοφιὴν δ' ἐπίκυρτον ἐμὸν δόρυ θοῦρον ἰάλλω,
ἀλλὰ μάτην τανύω δολιχὸν βέλος· ἀντὶ γὰρ ἄρκτου

---

[a] The sense of the lost words may have been " I attack the
panther and it turns into a lion."

destroy that weakling Bacchos. I call you good-
father no more, you, a runaway—let your girl
Cheirobië find another husband : for I am ashamed
—I will leave your city and migrate to the Median
country, I will go to Scythia, that I may not be
called your goodson.

²⁵ " But you will say ' My wife is well armed, she
understands warfare !' There are Amazons about
Caucasos, and many women are there far better
champions than Cheirobië. There I will carry off a
strong one for my bed, captive of my spear, to wed
me without brideprice, if I like. For I will never
receive into my bridechamber your daughter, whose
father is a fugitive from the battle ! "

³¹ With this reproach she persuaded proud Deri-
ades, and gave him courage again, that he might be
struck down by the mandestroying thyrsus of warring
Bromios. He knew not that it was deceitful Athena
before him ; he heard the reproachful voice of the pre-
tended Morrheus, and bold again, spoke comforting
words with shamed lips :

³⁷ " Spare your words. Why do you reproach me,
fearless Morrheus ? No soldier is this, no soldier,
who is always changing shape. Indeed I am at a loss
who it is I am fighting and whom I strike. Eager to
shoot Dionysos with a feathered arrow, or to cut
through his neck with a sword, or desiring to cast a
spear and pierce his belly—instead of Lyaios I find a
speckled panther charging upon me. . . .^a A lion is
fighting and I hasten to shear his neck, and I see a
bold horrible serpent instead of a lion—I attack, and
instead of a serpent I behold a bear's back—I cast my
furious spear at the curving neck, but in vain I hurl

φαίνεται ἠερόφοιτος ἀνούτατος ἱπταμένη φλόξ.
κάπρον ἰδὼν ἐπιόντα βοὸς μυκηθμὸν ἀκούω,   50
ἀντὶ συός τινα ταῦρον ὑπὲρ λοξοῖο μετώπου
παπταίνω χαροπῇσιν ἀκοντίζοντα κεραίαις
ἡμετέρους ἐλέφαντας· ἐγὼ δ' ἐμὸν ἄορ ἐλίσσω
θηρσὶ πολυσπερέεσσι, καὶ οὐχ ἕνα θῆρα δαμάζω.
καὶ φυτὸν ἀθρήσας τανύω βέλος, ἀλλὰ φυγόντος   55
νύσσαν ἐς ἠερίην ὁρόω κυρτούμενον ὕδωρ.
ἔνθεν ἐγὼ τρομέων πολυφάρμακα θαύματα τέχνης
φύλοπιν ἀλλοπρόσαλλον ἀλυσκάζω Διονύσου·
ἀλλὰ πάλιν Βρομίῳ θωρήξομαι, ἄχρις ἐλέγξω
μάγγανα τεχνήεντα δολορραφέος Διονύσου.''   60
    Ὣς εἰπὼν κεκόρυστο τὸ δεύτερον ἠθάδι λύσσῃ,
καὶ πάλιν ἐν πεδίῳ μόθος ἔβρεμε, μαρναμένῳ δὲ
εἰναλίην μετὰ δῆριν ἐθωρήχθη Διονύσῳ·
καὶ προτέρης Βρομίοιο λελασμένος ἔπλετο νίκης,
ὁππότε δενδρήεντι περίπλοκος αὐχένα δεσμῷ   65
ἱκεσίην πολύευκτον ἀνέσχεθε μάρτυρι Βάκχῳ·
ἀλλὰ πάλιν πρόμος ἔσκε θεημάχος· εἶχε δὲ βουλὴν
διχθαδίην, ἢ Βάκχον ἑλεῖν ἢ δμῶα τελέσσαι.
τρὶς μὲν ἑὸν δόρυ πέμπε,
                καὶ ἤμβροτεν ἠέρα βάλλων·
ἀλλ' ὅτε δὴ τὸ τέταρτον ἐπέδραμεν οἴνοπι Βάκχῳ   70
εἰς σκοπὸν ἀχρήιστον ἐπήορον ἔγχος ἰάλλων
Δηριάδης ὑπέροπλος, ἑοῦ συνάεθλον ἀγῶνος
γαμβρὸν ἑὸν καλέεσκε, καὶ οὐκέτι φαίνετο Μορρεύς·
ἀλλὰ μεταστρέψασα δολοπλόκον εἶδος Ἀθήνη
δαίμονι βοτρυόεντι παρίστατο· δερκομένου δὲ   75
δείματι θεσπεσίῳ λύτο γούνατα Δηριάδηος·
ἔγνω δ' ἀνδρομέης ἀπατήλιον εἰκόνα μορφῆς
Μορρέος ἀντιτύποιο φέρειν μίμημα προσώπου·
καὶ δόλον ἠπεροπῆα σοφῆς ἐνόησεν Ἀθήνης.
158

the long shaft, for instead of a bear appears a flame flickering up into the air uninjured ! I see a boar rushing and I hear a bull's bellow, instead of the boar I see a bull lowering his head sideways and stabbing our elephants with flashing horns. I swing my sword against all sorts of beasts, and cannot overcome that one beast. I behold a tree and take aim, but it is off and I see a spout of water curving into the path of the sky. Therefore I tremble at the bewitched miracles of his art, and shrink from the changeable warfare of Dionysos. But I will confront Bromios again, until I lay bare the cunning enchantments of Dionysos the botcher of guile ! "

⁶¹ He spoke, and a second time armed himself, wild as before ; again the uproar of battle rose on the plain—there after the seafight he met Dionysos in arms. He had forgotten the former victory of Bromios, when his neck was entangled in leafy bonds and he offered his prayers of many supplications to Bacchos, who saw it all. Again he was a soldier fighting against the gods ; doubtful only whether to kill or make Bromios a slave. Thrice he cast a spear, and missed, striking nothing but air ; but when the fourth time in his arrogance Deriades rushed upon wineface Bacchos, and cast his spear through the air at a mark which could not be hit, he called his goodson to help him—and Morrheus was no longer to be seen, but Athena had changed her deceptive shape and stood beside the vinegod. Deriades saw her, and his knees trembled with overwhelming fear : he understood that the human shape which bore the likeness of Morrheus was all a deception, and recognized the

τὴν μὲν ἰδὼν Διόνυσος ἐγήθεεν, ἐν κραδίῃ δὲ   80
ψευδομένην γίνωσκε συναιχμάζουσαν Ἀθήνην.
Καὶ τότε βοτρυόεις κοτέων βακχεύετο δαίμων
ὑψιτενὴς περίμετρος, ἴσος Παρνησσίδι πέτρῃ·
Δηριάδην δ' ἐδίωκε ταχύδρομον· αὐτὰρ ὁ φεύγων
κοῦφος ἐπειγομέναις ἐτιταίνετο σύνδρομος αὔραις· 85
ἀλλ' ὅτε χῶρον ἵκανον, ὅπῃ πολεμητόκον ὕδωρ
κύματι λυσσώοντι γέρων κελάρυζεν Ὑδάσπης,
ἤτοι ὁ μὲν ποταμοῖο παρ' ἠόνας ἄπλετος ἔστη,
ὡς γενέτην συνάεθλον ἔχων κελάδοντα μαχητὴν
ὑγρὸν ἀκοντιστῆρα κορυσσομένου Διονύσου,   90
δαίμων δ' ἀμπελόεις ταμεσίχροα θύρσον ἰάλλων
ἀκρότατον χρόα μοῦνον ἐπέγραφε Δηριαδῆος.
αὐτὰρ ὁ κισσήεντι τυπεὶς φθισήνορι θαλλῷ
πατρῴῳ προκάρηνος ἐπωλίσθησε ῥεέθρῳ,
μηκεδανοῖς μελέεσσι γεφυρώσας ὅλον ὕδωρ   95
αὐτόματος. χρονίην δὲ θεοὶ μετὰ φύλοπιν Ἰνδῶν
σὺν Διὶ παμμεδέοντι πάλιν νόστησαν Ὀλύμπῳ.
Βάκχοι δ' ἀμφαλάλαζον ἀδηρίτου Διονύσου
δῆριν ἀνευάζοντες, ἀολλίζοντο δὲ πολλοὶ
ἔγχεσιν οὐτάζοντες ὅλον χρόα Δηριαδῆος.   100
Ὀρσιβόη δ' ᾤμωξε πολυθρήνων ἐπὶ πύργων,
κείμενον ἀρτιδάικτον ὀδυρομένη παρακοίτην·
πενθαλέοις δ' ὀνύχεσσι κατέγραφε κύκλα προσώπου,
καὶ σκολιῆς ὤλοιψεν ἀκηδέα βότρυν ἐθείρης,
καὶ κόνιν αἰθαλόεσσαν ἑοῦ κατέχευε καρήνου·   105
Χειροβίη δ' ὀλόλυξε καταφθιμένοιο τοκῆος,   103
κυανέους δ' ἤρασσε βραχίονας, ἀργυφέου δὲ   103
στέρνον ὅλον γύμνωσε διχαζομένοιο χιτῶνος·   107
Πρωτονόη δ' ἀπέδιλος ἑὰς ξύουσα παρειάς,   109
160

deluding trick of wise Athena. But Dionysos was glad when he saw Athena, and knew in his heart that she had been helping him in disguise.

⁸² Then the grapy deity was maddened with anger. He rose lofty and huge, like the rock of Parnassos, and pursued swiftrunning Deriades; he raced off light and quick as the hurrying winds, but when they reached the place where ancient Hydaspes rolled his warbreeding water in wild bubbling waves, he stood immense on the river bank as having now an ally, his father, roaring loud, to shoot with his waters against Dionysos in battle: there the vine-deity cast his fleshcutting thyrsus and just grazed the skin of Deriades. Struck with the mandestroying ivy bunch he slipt headfirst into his father's flood, and bridged all that water himself with his long frame.

⁹⁶ Now the long Indian War was ended, the gods returned again to Olympos with Zeus the Lord of all; the Bacchants cheered in triumph around Dionysos the invincible, crying Euoi for the conflict, and many thronged round Deriades piercing him everywhere with their spears.ᵃ

¹⁰¹ Orsiboë wailed on the battlements with a loud lamentable dirge, sorrowing for her husband who lay so newly slain; she scratched her cheeks with her fingernails in sorrow, and heedlessly tore out bunches of her curling hair, and poured smoking ashes on her head. Cheirobië lamented for her dead father, and scored her black arms, rent her white robe and bared all her breast; Protonoë ᵇ unshod tore her

ᵃ From the appearance of Athena in the shape of Morrheus to this line, the death of Hector in *Iliad* xxii. is closely imitated.

ᵇ Daughter of Deriades, wife of Orontes (xxvi. 17).

κύκλα κονισαλέοιο καταισχύνουσα προσώπου,   110
κλαῖεν ἐπ' ἀμφοτέροισι καὶ ἀνέρι καὶ γενετῆρι,
διπλόον ἄλγος ἔχουσα, καὶ ἴαχε πενθάδι φωνῇ·
   "Ἄνερ, ἀπ' αἰῶνος νέος ὤλεο· κὰδ δ' ἐμὲ χήρην
ἔλλιπες ἐν μεγάροισιν ἀπειρήτην τοκετοῖο·
νήπιον οὐ τέκον υἷα παραίφασιν· οὐ μετὰ νίκην   115
νόστιμον ἄνδρα νόησα τὸ δεύτερον, ἀλλὰ σιδήρῳ
αὐτὸς ἑῷ δέδμητο, καὶ οὔνομα δῶκε ῥεέθροις,
καὶ θάνεν ἐν ξείνοισιν, ὅπως ἐμὸν ἄνδρα καλέσσω
ἄσπορον αὐτοδάικτον ἀνόστιμον ὑγρὸν Ὀρόντην.
μύρομαι ἀμφοτέρους καὶ Δηριάδην καὶ Ὀρόντην,   120
ἶσον ἀποφθιμένους διερὸν μόρον· ἀνδροφόνον γὰρ
Δηριάδην κρύφε κῦμα, ῥόος δ' ἐκάλυψεν Ὀρόντην.
μητέρι δ' οὐ γενόμην πανομοίιος· Ὀρσιβόη γὰρ
θυγατέρων ἤεισε καταφθαμένους ὑμεναίους·
Πρωτονόης γάμον εἶδεν,
                        ἐδέξατο γαμβρὸν Ὀρόντην,   125
Χειροβίην δ' ἔζευξεν ἀνικήτῳ παρακοίτῃ,
ὃν τρομέει καὶ Βάκχος ὁ τηλίκος· ἀμφιέπει μὲν
Χειροβίη ζώοντα φίλον πόσιν, οὐ δέ ἑ θύρσος,
οὐ ῥόος ἐπρήνιξεν· ἐγὼ δ' ἄρα διπλόα πάσχω,
ἀνέρος οἰχομένοιο καὶ ὀλλυμένου γενετῆρος.   130
λῆγε, μάτην σέο παῖδα παρηγορέουσα, τιθήνη,
δός μοι ἔχειν ἐμὸν ἄνδρα, καὶ οὐ γενετῆρα γοήσω·
δεῖξον ἐμοί τινα παῖδα, παρήγορον ἀνδρὸς ἀνίης.   133
τίς με λαβὼν κομίσειεν ἐς εὐρυρέεθρον Ὑδάσπην,   135
ὄφρα κύσω φίλον οἶδμα μελισταγέος ποταμοῖο;   136
τίς με λαβὼν κομίσειεν ἐς ἱερὰ τέμπεα Δάφνης,   134
ὄφρα περιπτύξαιμι καὶ ἐν προχοῇσιν Ὀρόντην;   137
εἴην ἱμερόεις καὶ ἐγὼ ῥόος· αἴθε καὶ αὐτὴ
δάκρυσιν ὀμβρηθεῖσα φανήσομαι αὐτόθι πηγῇ,
ᾗχι θανὼν εὔυδρος ἐμὸς πόσις οἶδμα κυλίνδει,   140

cheeks and smeared her face all over with dirty dust, weeping for both husband and father, with twofold agony, and cried in tones of sorrow—

113 " Husband, how young you have lost your life ! You have left me a widow in the house ere I have borne a child, no baby son I have to console me ! I never saw my husband come home a second time after victory, but he slew himself with his own steel, and gave his name to the stream, and died among strangers, that I should have to call the watery Orontes my husband, childless, self-slain, never returned ! I wail for both Deriades and Orontes, both perished by one watery fate : Deriades the death of many men was buried in the wave, the flood swallowed Orontes. But I am not like my mother ; for Orsiboë sang her hymn over her daughters' weddings accomplished, she saw the marriage of Protonoë, she received Orontes as goodson, she joined Cheirobië to an unconquered husband, whom Bacchos trembled at great as he is ; Cheirobië has her dear husband alive, no thyrsus, no flood has brought him down—but I it seems doubly suffer, my husband gone and my father perished.

131 " Cease to comfort your child, my nurse, all in vain. Let me have my husband, and I will not bewail my father ; show me a child to console me for my husband's loss ! Who will take me and bring me to the broad stream of Hydaspes, that I may kiss the wave of that honeydropping river ? Who will take me and bring me to the sacred vale of Daphne, that I may embrace Orontes even in the waters ? O that I too could be a lovely stream ! O that I might also become a fountain there, watered by my own tears, a watery bride where my husband dead rolls his

εὐνέτις ὑδατόεσσα· καὶ ἔσσομαι οἷα Κομαιθώ,
ἣ πάρος ἱμερόεντος ἐρασσαμένη ποταμοῖο
τέρπεται ἀγκὰς ἔχουσα καὶ εἰσέτι Κύδνον ἀκοίτην,
δαέρος ἡμετέρου παρὰ Μορρέος οἷον ἐκείνοις
ἀνδράσι πὰρ Κιλίκεσσι μεμηλότα μῦθον ἀκούω·   145
οὐ μὲν ἐγὼ ποθέουσα παρέρχομαι ἡδὺν Ὀρόντην,
οἷα φυγὰς Περίβοια, καὶ οὔ ποτε καμπύλον ὕδωρ
ἂψ ἀνασειράζουσα φυλάξομαι ὑγρὸν ἀκοίτην.
εἰ δέ μοι οὐ πέπρωτο θανεῖν παρὰ γείτονι Δάφνῃ,
κύμασι πατροπάτωρ με κατακρύψειεν Ὑδάσπης,   150
μὴ Σατύρου κερόεντος ἐν ἀγκοίνῃσιν ἰαύσω,   154
μὴ Φρύγα κῶμον ἴδω, μὴ κύμβαλα χερσὶ τινάξω,   151
μὴ τελετὴν τελέσω φιλοπαίγμονα, μηδὲ νοήσω   152
Μαιονίην, μὴ Τμῶλον ἴδω, μὴ δῶμα Λυαίου   153
ἢ ζυγὰ δουλοσύνης βαρυαχθέα, μή τις ἐνίψῃ·   155
‘ κούρη Δηριάδαο δοριθρασέος βασιλῆος
ληιδίη μετὰ δῆριν ὑποδρήσσει Διονύσῳ.’ ”
   Ὣς φαμένης ἐλεεινὰ συνεστενάχοντο γυναῖκες,
ὧν πάις, ὧν τέθνηκεν ἀδελφεός, ὧν γενετῆρες
ἢ πόσις ἀρτιγένειος ἀώριος. ἐκ δὲ καρήνου   160
Χειροβίη τίλλουσα κόμην ἤμυξε παρειάς·
διχθαδίαις δ’ ὀδύνῃσιν ἱμάσσετο, καὶ γενετῆρα
οὐ τόσον ἐστενάχιζεν, ὅσον νεμέσιζεν ἀκοίτῃ·
ἔκλυε γὰρ Μορρῆος ἐρωμανέουσαν ἀνάγκην
καὶ δόλον ἠπεροπῆα σαόφρονα Χαλκομεδείης.   165
καί τινα μῦθον ἔειπεν ἑὸν ῥήξασα χιτῶνα·

---

[a] Not mentioned elsewhere. There was a Comaitho,
daughter of Pterelaos, who loved Amphitryon, and cut off
Pterelaos's golden hair which made him immortal. She was
killed by Amphitryon.

beautiful waters ! Then I shall be like Comaitho,[a]
who in olden days was enamoured of a lovely river
and still has the joy of holding Cydnos her husband
in her arms, as I hear is a favourite story among those
Cilician men. So says Morrheus my goodbrother.
But I am not like runaway Periboia [b] ; I will not pass
charming Orontes whom I love, I will not draw back
my winding water and avoid a watery spouse. If it
was not ordained that I should die near his neighbour
Daphne, may Hydaspes my father's father drown me
in his waves, and save me from sleeping in the arms
of a horned Satyr, and seeing Phrygian revels,
rattling their cymbals in my hands, joining their
sportive rites ; that I may not see Maionia and
Tmolos, the house of Lyaios or the all-burdensome
yoke of slavery ; that men may not say—' The
daughter of Deriades the spearbold king, taken cap-
tive after the war, is now a servant to Dionysos.' "

158 When she had finished the women groaned
piteously with her,[c] those who had lost a son or a
brother, whose fathers were dead or husband un-
timely taken, with the down on his chin. And
Cheirobië tore the hair from her head and scored her
cheeks ; she was tormented by double sorrow, and
she groaned not so much for her father as she was
indignant against her husband, for she had heard the
enamoured passion of her husband and the delusive
guile of chaste Chalcomedeia.[d] She rent her dress
and spoke :

[b] Unknown ; unless she is that Periboia who was wife of
Oineus of Calydon. See the play of Pacuvius, entitled
Periboia (*Remains of Old Latin*, L.C.L. ii., pp. 274 ff.).

[c] An echo of *Iliad* xxii. 515. This whole passage is a
feeble imitation of the wailing for Hector.

[d] *Cf.* bks. xxxiii.-xxxv.

" Φειδόμενος μελίης
                γενέτην ἐμὸν ἔκτανε Μορρεύς·
οὐδὲ πέλε φθιμένου τιμήορος· ἐχθομένην δὲ
Χαλκομέδην ποθέων οὐκ ἤλασε θῆλυν Ἐννώ,
ἀλλ' ἔτι Βασσαρίδεσσι χαρίζεται. εἴπατε, Μοῖραι· 170
τίς φθόνος Ἰνδώην πόλιν ἔπραθε;
                            τίς φθόνος ἄφνω
ἔχραεν ἀμφοτέρῃσι θυγατράσι Δηριαδῆος;
θνήσκων μὲν κατὰ δῆριν ἐὴν παράκοιτιν Ὀρόντης
Πρωτονόην ἀκόμιστον ἐθήκατο πενθάδα χήρην,
Χειροβίην δ' ἀπέειπεν ἔτι ζώουσαν ἀκοίτης.   175
γνωτῆς δ' ἡμετέρης ὀλοώτερα πήματα πάσχω·
Πρωτονόη πόσιν ἔσχεν ἀοσσητῆρα τιθήνης,
Χειροβίη πόσιν ἔσχεν ἑῆς δηλήμονα πάτρης,
αἰχμητὴν ἀνόνητον, ὀπάονα Κυπρογενείης
ἄλκιμον, ἀλλοπρόσαλλον, ὁμοφρονέοντα Λυαίῳ.   180
εἰς ἐμὲ θωρήχθη καὶ ἐμὸς γάμος· ἡμετέρου γὰρ
Μορρέος ἱμείροντος ἐσυλήθη πόλις Ἰνδῶν·
πατρὸς ἐνοσφίσθην χάριν ἀνέρος· ἡ πρὶν ἀγήνωρ
καὶ θυγάτηρ βασιλῆος, ἐγώ ποτε δεσπότις Ἰνδῶν,
ἔσσομαι ἀμφιπόλων καὶ ἐγὼ μία· καὶ τάχα δειλὴ 185
δμωΐδα Χαλκομέδειαν ἐμὴν δέσποιναν ἐνίψω.
σήμερον Ἰνδὸν ἔδεθλον ἔχεις, ἀπατήλιε Μορρεῦ·
αὔριον αὐτοκέλευστος ἐλεύσεαι εἰς χθόνα Λυδῶν,
Χαλκομέδης διὰ κάλλος ὑποδρήσσων Διονύσῳ.
ἀμφαδὰ Χαλκομέδης ἔχε δέμνια, νυμφίε Μορρεῦ· 190
οὐκέτι γὰρ τρομέεις βλοσυρὸν στόμα Δηριαδῆος.
χάζεο, κικλήσκει σε δράκων πάλιν, ὅς σε διώκει
φρουρὸν ἀσυλήτοιο γάμου συριγμὸν ἰάλλων."
     Τοῖα μὲν ἀχνυμένη βαρυδάκρυος ἔννεπε νύμφη·
Πρωτονόη δ' ὀλόλυξε τὸ δεύτερον. ἀμφοτέραις δὲ 195
χεῖρας ἐπικλίνασα κατηφέας ἴαχε μήτηρ·

167 " By sparing his spear Morrheus killed my father, and no one avenged his death. For desire of that hateful Chalcomede he did not rout the women on the field—nay, he still shows favour to the Bassarids. Tell me, Fates; what jealousy[a] destroyed the Indian city? What jealousy came down suddenly upon both daughters of Deriades? Dying on the battlefield, Orontes made his wife Protonoë a widow to mourn uncared-for; Cheirobië still living was repudiated by her husband. And I have more cruel things to suffer than my sister. Protonoë had a husband who defended her that nursed him[b]; Cheirobië had a husband who destroyed his country, a useless warrior, the lackey of Cyprogeneia, a strong man unstable, a partisan of Lyaios. Even my marriage was my enemy, for the Indian city was sacked because my Morrheus fell in love. I was robbed of my father for my husband's sake; I so proud once, and daughter of a king, I once the mistress of the Indians, I too shall be one of the servants; perhaps I shall be so unhappy as to give the title of mistress to Chalcomedeia the serf! Traitor Morrheus, to-day India is your home; to-morrow unbidden you will go to the Lydian land, a menial of Dionysos because of Chalcomede's beauty. Husband Morrheus, make no secret of your union with Chalcomede; for you fear no longer the threatening tongue of Deriades. Begone! the serpent calls you back, the one that chased you away with hisses from the wedding which you failed to force!"

194 Thus lamented the wife with heavy tears, and Protonoë wailed a second time. Their mother rested an arm on each and dolorously cried—

---

[a] Jealousy of the gods.   [b] His country.

" Πατρίδος ἡμετέρης πέσον ἐλπίδες·
                              οὐκέτι λεύσσω
ἀνέρα Δηριαδῆα καὶ οὐκέτι γαμβρὸν Ὀρόντην.
Δηριάδης τέθνηκεν· ἐσυλήθη πόλις Ἰνδῶν,
ἀρραγὲς ἤριπε τεῖχος ἐμῆς χθονός· αἴθε καὶ αὐτὴν   200
Βάκχος ἑλὼν ὀλέσῃ με σὺν ὀλλυμένῳ παρακοίτῃ,
καί με λαβὼν ῥίψειεν ἐς ὠκυρέεθρον Ὑδάσπην,
γαῖαν ἀναινομένην· ἐχέτω δέ με πενθερὸν ὕδωρ,
Δηριάδην δ᾽ ἐσίδω καὶ ἐν ὕδασι· μηδὲ νοήσω
Πρωτονόην ἀέκουσαν ἐφεσπομένην Διονύσῳ,   205
μή ποτε Χειροβίης ἕτερον γόον οἰκτρὸν ἀκούσω
ἑλκομένης ἐς ἔρωτα δορικτήτων ὑμεναίων·
μὴ πόσιν ἄλλον ἴδοιμι μετ᾽ ἀνέρα Δηριαδῆα.
εἴην Νηιάδεσσιν ὁμέστιος, ὅττι καὶ αὐτὴν
Λευκοθέην ζώουσαν ἐδέξατο κυανοχαίτης,   210
καὶ μία Νηρείδων κικλήσκεται, ἀντὶ δὲ λευκῆς
ἄλλη κυανόπεζα φανήσομαι ὑδριὰς Ἰνώ."
    Τοῖα μὲν ἑλκεχίτωνες ἐπωδύροντο γυναῖκες
ἱστάμεναι στοιχηδὸν ἐρισμαράγων ἐπὶ πύργων.
    Βάκχοι δ᾽ ἐκροτάλιζον ἀπορρίψαντες Ἐννώ,   215
τοῖον ἔπος βοόωντες ὁμογλώσσων ἀπὸ λαιμῶν·
" Ἠράμεθα μέγα κῦδος·
                        ἐπέφνομεν ὄρχαμον Ἰνδῶν."
    Καὶ γελόων Διόνυσος ἐπάλλετο χάρματι νίκης,
ἀμπνεύσας δὲ πόνοιο καὶ αἱματόεντος ἀγῶνος
πρῶτα μὲν ἐκτερέιξεν ἀτυμβεύτων στίχα νεκρῶν,   220
δωμήσας ἕνα τύμβον ἀπείριτον εὐρέι κόλπῳ
ἄκριτον ἀμφὶ πυρὴν ἑκατόμπεδον· ἀμφὶ δὲ νεκροῖς
Μυγδονὶς αἰολόμολπος ἐπέκτυπεν αἴλινα σύριγξ,
καὶ Φρύγες αὐλητῆρες ἀνέπλεκον ἄρσενα μολπὴν

---

[a] Ino is also called Leucothea, " white goddess," and
" silver-footed " is a stock epithet of Thetis.

197 " The hopes of our country have perished! No longer I see Deriades my husband, no longer Orontes my son. Deriades is dead; the city of the Indians is plundered. The unbreakable citadel of my country has fallen: would that I myself may be taken by Bacchos and slain with my dead husband! May he seize and cast me into the swift-flowing Hydaspes, for I refuse the earth. Let my goodfather's water receive me, may I see Deriades even in the waters; may I not see Protonoë following Dionysos perforce, may I never hear another piteous groan from Cheirobië while she is dragged to a captive wedlock; may I not see another husband after Deriades, my man. May I dwell with the Naiads, since Seablue-hair received Leucothea also living and she is called one of the Nereïds; and may I appear another watery Ino, no longer white, but blackfooted." *a*

213 Such were the lamentations of the longrobed women, standing in a row upon the loud-echoing battlements.

215 But the Bacchoi rattled their cymbals, having now made an end of warring, and they cried with one voice: " We have won great glory! we have slain the Indian chieftain! " *b*

218 And Dionysos laughed aloud, trembling with the joy of victory. Now resting from his labours and the bloody contest, he first gave their due to the crowd of unburied dead. He built round the pyre one vast tomb for all alike with a wide bosom, a hundred feet long. Round about the bodies the melodious Mygdonian syrinx sounded their dirge, and the Phrygian pipers wove their manly tune with

b Quoted from *Iliad* xxii. 393, with ὄρχαμον Ἰνδῶν for Ἕκτορα δῖον.

πενθαλέοις στομάτεσσιν, ἐπωρχήσαντο δὲ Βάκχαι   225
ἁβρὰ μελιζομένοιο Γανύκτορος Εὐάδι φωνῇ·
καὶ Κλεόχου Βερέκυντες ὑπὸ στόμα δίζυγες αὐλοὶ
φρικτὸν ἐμυκήσαντο Λίβυν γόον, ὃν πάρος ἄμφω
Σθεννώ τ' Εὐρυάλη τε μιῇ πολυδειράδι φωνῇ
ἀρτιτόμῳ ῥοιζηδὸν ἐπεκλαύσαντο Μεδούσῃ   230
φθεγγομένων κεφαλῇσι διηκοσίῃσι δρακόντων,
ὧν ἄπο μυρομένων σκολιὸν σύριγμα κομάων
θρῆνον πουλυκάρηνον ἐφημίξαντο Μεδούσης.

Παυσάμενος δὲ πόνοιο, καὶ ὕδατι γυῖα καθήρας,
ὤπασε λυσιμόθοισι θεουδέα κοίρανον Ἰνδοῖς,   235
κρινάμενος Μωδαῖον· ἐπὶ ξυνῷ δὲ κυπέλλῳ
Βάκχοις δαινυμένοισι μιῆς ἥψαντο τραπέζης
ξανθὸν ὕδωρ πίνοντες ἀπ' οἰνοπόρου ποταμοῖο.
καὶ χορὸς ἄσπετος ἔσκεν· ἐπεσκίρτησε δὲ πολλὴ
Βασσαρὶς οἰστρήεντι πέδον κρούουσα πεδίλῳ,   240
καὶ Σάτυρος βαρύδουπον ἐπιρρήσσων χθόνα ταρσῷ
λοξὰ κυβιστητῆρι ποδῶν βακχεύετο παλμῷ,
πῆχυν ἐπικλίνων μανιώδεος αὐχένι Βάκχης·
καὶ πρυλέες Βρομίοιο συνωρχήσαντο βοείαις,
καὶ τροχαλῆς κλονέοντες ἐνόπλια κύκλα χορείης   245
ῥυθμὸν ἐμιμήσαντο φερεσσακέων Κορυβάντων,
καὶ στρατὸς ἱππήων κορυθαίολον εἰς χορὸν ἔστη
νίκην πανδαμάτειραν ἀνευάζων Διονύσου·
οὐδέ τις ἄψοφος ἦεν· ὁμογλώσσῳ δ' ἀλαλητῷ
εἰς πόλον ἑπτάζωνον ἀνέδραμεν εὔιος ἠχώ.   250
Ἀλλ' ὅτε λυσιπόνοιο παρήλυθε κῶμος ἑορτῆς,
νίκης ληίδα πᾶσαν ἑλὼν μετὰ φύλοπιν Ἰνδῶν

---

[a] Pindar, *Pyth.* xii. 23 gives this origin of the tune called
πολυκέφαλος—πολλᾶν κεφαλᾶν νόμον, the tune of many heads.

[b] A particularly bad imitation of Homer. Achilles in his
grief for Patroclos refuses to wash till he has buried him,

170

mournful lips, while the Bacchant women danced and
Ganyctor trolled his dainty song with Euian voice.
The double Berecyntian pipes in the mouth of
Cleochos drooned a gruesome Libyan lament, one
which long ago both Sthenno and Euryale with one
manythroated voice sounded hissing and weeping
over Medusa newly gashed, while their snakes gave
out voice from two hundred heads, and from the
lamentations of their curling and hissing hairs they
uttered the " manyheaded dirge of Medusa." [a]

234 Now resting from his labours, he cleansed his
body with water,[b] and assigned a governor for the
Indians, choosing the godfearing Modaios [c]; they
now pacified touched one table with banqueting
Bacchoi over a common bowl, and drank the yellow
water from the winebreeding river. There was
dancing without end. Many a Bassarid skipt about,
tapping the floor with wild slipper ; many a Satyr
stormed the resounding ground with heavy foot, and
revelled with side-trippings of his tumbling feet as
he rested an arm on the neck of some maddened
Bacchant. The foot-soldiers of Bromios danced round
with their oxhides and mimicked the pattern of the
shieldbearing Corybants, wildly circling in the quick
dance under arms. The horsemen in their glancing
helmets also stood up for the dance, acclaiming the
allvanquishing victory of Dionysos. Not a soul was
silent—the Euian tones went up to the sevenzone sky
with shouts of triumph from every tongue.

251 But when the revels of the carefree feast were
over, and Dionysos had gathered all the spoil after his

Il. xxiii. 39 ff. Dionysos apparently does the same for no
particular reason.
  [c] Mentioned in xxxii. 165.

ἀρχαίης Διόνυσος ἑῆς ἐμνήσατο πάτρης,
λύσας ἑπταέτηρα θεμείλια δηιοτῆτος.
καὶ δηίων ὅλον ὄλβον ἐληίζοντο μαχηταί, 255
ὧν ὁ μὲν Ἰνδὸν ἴασπιν, ὁ δὲ γραπτῆς ὑακίνθου
Φοιβάδος εἶχε μέταλλα καὶ ἔγχλοα νῶτα μαράγδου·
ἄλλος εὐκρήπιδος ὑπὸ σκοπιῆσιν Ἰμαίου
ὄρθιον ἴχνος ἔπειγε δορικτήτων ἐλεφάντων,
ὃς δὲ παρ' Ἠμωδοῖο βαθυσπήλυγγι κολώνη 260
ἤλασεν Ἰνδῶν μετανάστιον ἅρμα λεόντων
κυδιόων, ἕτερος δὲ κατ' αὐχένος ἅμμα πεδήσας
Μυγδονίην ἔσπευδεν ἐς ἠόνα πόρδαλιν ἕλκειν·
καὶ Σάτυρος πεφόρητο, φιλακρήτῳ δὲ πετήλῳ
στικτὸν ἔχων προκέλευθον ἐκώμασε τίγριν ἱμάσσων· 265
ἄλλος ἄγων νόστησεν ἑῇ Κυβεληίδι νύμφῃ
φυταλιὴν εὔοδμον ἀλιτρεφέων δονακήων,
καὶ λίθον ἀστράπτουσαν Ἐρυθραίης γέρας ἅλμης·
πολλὴ δ' ἐκ θαλάμοιο σὺν ἀρτιγάμῳ παρακοίτῃ
ληιδίη πλοκάμων μελανόχροος ἕλκετο νύμφη, 270
δέσμιον αὐχένα δοῦλον ὑποζεύξασα λεπάδνῳ.
χειρὶ δὲ κουφίζουσα ῥυηφενέος χύσιν ὄλβου
εἰς σκοπιὰς Τμώλοιο θεόσσυτος ἦιε Βάκχη,
κῶμον ἀνευάζουσα παλιννόστῳ Διονύσῳ.

Καὶ στρατιῇ Διόνυσος ἐδάσσατο ληίδα χάρμης 275
λαὸν ὅλον συνάεθλον ὑπότροπον οἴκαδε πέμπων
Ἰνδῴην μετὰ δῆριν· ἀπεσσεύοντο δὲ λαοὶ
μάρμαρα κουφίζοντες Ἐῷα δῶρα θαλάσσης,
ὄρνεά τ' αἰολόμορφα· παλιννόστῳ δὲ πορείῃ
κῶμον ἀνευάζοντες ἀνικήτῳ Διονύσῳ 280

---

[a] Hyacinthos again! The stone has no connexion with
the god, but the fact that it has the same name as the flower
is enough to awaken Nonnos's obsession.

Indian War, he remembered the land of his ancient home, now he had swept away the foundations of that seven years' conflict. The whole wealth of the enemy was given to the army as their plunder. One got an Indian jasper, one the jewel of Phoibos's patterned sapphire [a] and the smooth green emerald; another hurried under the lofty peaks of broad-based Imaios [b] the straight-legged elephants which he had captured by his spear. Here was one by the deepcaverned mountain of Hemodos [c] driving to exile a team of Indian lions, in triumph; there was another pulling a panther to the Mygdonian shore with a chain fast about its neck. A Satyr rushed along with a striped tiger before him, which he flogged in his wild way with a handful of tippling-leaves. Another returned with a gift for his Cybeleïd [d] bride, the fragrant plants of seagrown reeds and the shining stone [e] which is the glory of the Erythraian brine. Many a blackskin bride was dragged out of her chamber by the hair, her neck bound fast under the yoke of slavery, spoil of war along with her newly wedded husband. The Bacchant woman god-possessed returned to the hills of Tmolos with hands full of streaming riches, chanting Euoi for the return of Dionysos.

275 So Dionysos distributed the spoils of battle among his followers, after the Indian War, and sent returning home the whole host who had shared his labours. The people made haste to go, laden with shining treasures of the Eastern sea and birds of many strange forms. Their return was a triumphal march with universal acclaim to Dionysos the invincible;

---

[b] Himalaya.
[c] Himalaya, Imaios in 258.
[d] Phrygian.   [e] Pearl.

πάντες ἐβακχεύοντο, πολυκμήτοιο λιπόντες
μνῆστιν ὅλου πολέμοιο, Βορειάδι σύνδρομον αὔρῃ
σκιδναμένην· καὶ ἕκαστος ἔχων ἀναθήματα νίκης
ὄψιμον εἰς δόμον ἦλθε παλίνδρομος. ἀντὶ δὲ πάτρης
Ἀστέριος τότε μοῦνος ἀνιπτοπόδων σχεδὸν Ἄρκτων 285
Φάσιδος ἀμφὶ ῥέεθρον ἀθαλπέι νάσσατο γαίῃ
Μασσαγέτην παρὰ κόλπον, ἑοῦ γενέταο τοκῆος
ναίων ἀστερόεντος ὑπὸ σφυρὰ δύσνιφα Ταύρου,
φεύγων Κνώσσιον ἄστυ καὶ ἀρσενόπαιδα γενέθλην,
Πασιφάην στυγέων καὶ ἑὸν Μίνωα τοκῆα, 290
καὶ Σκυθίην προβέβουλεν ἑῆς χθονός·

                              αὐτὰρ ὁ μούνοις
Βάκχος ἑοῖς Σατύροισι καὶ Ἰνδοφόνοις ἅμα Βάκχαις
Καυκασίην μετὰ δῆριν Ἀμαζονίου ποταμοῖο
Ἀρραβίης ἐπέβαινε τὸ δεύτερον, ἧχι θαμίζων
λαὸν ἀβακχεύτων Ἀράβων ἐδίδαξεν ἀείρειν 295
μυστιπόλους νάρθηκας· ἀεξιφύτοιο δὲ λόχμης
Νύσια βοτρυόεντι κατέστεφεν οὔρεα θαλλῷ.
   Ἀρραβίης δὲ τένοντα βαθύσκιον ἄλσος ἐάσας
ἀτραπὸν Ἀσσυρίην διεμέτρεε πεζὸς ὁδίτης,
καὶ Τυρίων μενέαινεν ἰδεῖν χθόνα πατρίδα Κάδμου· 300
κεῖθι γὰρ ἴχνος ἔκαμψε, καὶ ἄσπετα πέπλα δοκεύων
θάμβεεν Ἀσσυρίης ἑτερόχροα δαίδαλα τέχνης,
ἄργυφον εἰσορόων Βαβυλωνίδος ἔργον Ἀράχνης·
καὶ Τυρίῃ σκοπίαζε δεδευμένα φάρεα κόχλῳ,
πορφυρέους σπινθῆρας ἀκοντίζοντα θαλάσσης, 305
ἧχι κύων ἁλιεργὸς ἐπ' αἰγιαλοῖσιν ἐρέπτων
ἐνδόμυχον χαροπῇσι γενειάσι θέσκελον ἰχθὺν
χιονέας πόρφυρε παρηίδας αἵματι κόχλου,

───────────────

  [a] Because the great Bear never dips into the ocean.
  [b] Now the Rion.

all revelled, for they left behind them all memory of
that toilsome war, to blow away with the north wind,
and each came returning home at last with his thank-
offerings for victory. Asterios alone did not now return
to his own country; instead, he settled near the foot-
unwashen Bears,[a] about the river Phasis[b] in a cold land
by the Massagetic Gulf,[c] where he dwelt under the
snowburdened feet of his father's father, Tauros the
Bull,[d] translated to the stars. He avoided the Cnossian
city and the sons of his family, hating Pasiphaë and
his own father Minos, and preferring Scythia to his
own country. But Bacchos, followed only by his
Satyrs and the Indianslaying Bacchant women, after
a war in the Caucasos beside the Amazonian River,
visited Arabia the second time, where he stayed and
taught the Arabian people who knew not Bacchos to
uplift the mystic fennel, and crowned the Nysian
hills with the vineclusters of his fruitful plant.

298 Leaving the long stretch of Arabia with its deep-
shadowy forests he measured the Assyrian road on
foot, and had a mind to see the Tyrian land, Cadmos's
country; for thither he turned his tracks, and with
stuffs in thousands before his eyes he admired the
manycoloured patterns of Assyrian art, as he stared
at the woven work of the Babylonian Arachne[e]; he
examined cloth dyed with the Tyrian shell, shooting
out sea-sparklings of purple: on that shore once a dog
busy by the sea, gobbling the wonderful lurking fish
with joyous jaws, stained his white jowl with the blood

[c] The Caspian Sea, called a gulf because it was supposed
to open out into the so-called Northern Ocean.
[d] The pedigree is Zeus and Europe—Minos—Asterios.
[e] Arachne, daughter of Idmon of Colophon, a great dyer
and weaver; she challenged Athena, and was changed into a
spider. See Ovid, *Met*. vi. 1. ff.

χείλεα φοινίξας διερῷ πυρί, τῷ ποτε μούνῳ
φαιδρὸν ἁλιχλαίνων ἐρυθαίνετο φᾶρος ἀνάκτων.   31

Καὶ πόλιν ἀθρήσας ἐπεγήθεεν, ἣν ἐνοσίχθων
οὐ διερῷ μίτρωσεν ὅλῳ ζωστῆρι θαλάσσης,
ἀλλὰ τύπον λάχε τοῖον Ὀλύμπιον, οἷον ὑφαίνει
ἀγχιτελὴς λείπουσα μιῇ γλωχῖνι σελήνη.
καὶ οἱ ὀπιπεύοντι μέσην χθόνα σύζυγον ἅλμῃ   31
διπλόον ἔλλαχε θάμβος, ἐπεὶ Τύρος εἰν ἁλὶ κεῖται
εἰς χθόνα μοιρηθεῖσα, συναπτομένη δὲ θαλάσσῃ
τριχθαδίαις λαγόνεσσι μίαν ξυνώσατο μίτρην·
νηχομένη δ' ἀτίνακτος ὁμοίιος ἔπλετο κούρῃ,
καὶ κεφαλὴν καὶ στέρνα καὶ αὐχένα δῶκε θαλάσσῃ, 32
χεῖρας ἐφαπλώσασα μέση διδυμάονι πόντῳ,
γείτονι λευκαίνουσα θαλασσαίῳ δέμας ἀφρῷ,
καὶ πόδας ἀμφοτέρους ἐπερείσατο μητέρι γαίῃ.
καὶ πόλιν ἐννοσίγαιος ἔχων ἀστεμφέι δεσμῷ
νυμφίος ὑδατόεις περινήχεται, οἷα συνάπτων   32
πήχεϊ παφλάζοντι περίπλοκον αὐχένα νύμφης.

Καὶ Τύρον εἰσέτι Βάκχος ἐθάμβεε, τῇ ἔνι μούνῃ
βουκόλος ἀγχικέλευθος ὁμίλεε γείτονι ναύτῃ
συρίζων παρὰ θῖνα, καὶ αἰπόλος ἰχθυβολῆι
δίκτυον αὖ ἐρύοντι, καὶ ἀντιτύποισιν ἐρετμοῖς   30
σχιζομένων ὑδάτων ἐχαράσσετο βῶλος ἀρότρῳ·
εἰναλίης δ' ὄαριζον ὁμήλυδες ἐγγύθι λόχμης
ποιμένες . . . ὑλοτόμοισι, καὶ ἔβρεμεν εἰν ἑνὶ χώρῳ
φλοῖσβος ἁλός, μύκημα βοῶν, ψιθύρισμα πετήλων,
πεῖσμα, φυτόν, πλόος, ἄλσος,
            ὕδωρ, νέες, ὁλκάς, ἐχέτλη,   33

---

[a] This story, which seems to have passed from one list of

176

of the shell, and reddened his lips with running fire,
which once alone made scarlet the sea-dyed robes of
kings.[a]

311 He was delighted to see that city, which Earth-
shaker surrounded with a liquid girdle of sea, not
wholly, but it got the shape which the moon weaves in
the sky when she is almost full, falling short of full-
ness by one point. And when he saw the mainland
joined to the brine, he felt a double wonder, since
Tyre lies in the brine, having her own share in the
land but joined with the sea which has joined one
girdle with the three sides together. Unshakable, it
is like a swimming girl, who gives to the sea head
and breast and neck, stretching her arms between
under the two waters, and her body whitened with
foam from the sea beside her, while she rests both
feet on mother earth. And Earthshaker holding the
city in a firm bond floats all about like a watery
bridegroom, as if embracing the neck of his bride in
a splashing arm.

327 Still more Bacchos admired the city of Tyre;
where alone the herdsman's way was near the fisher-
man, and he kept company with his piping along the
shore, and goatherd with fisher again when he drew
his net, and the glebe was cleft by the plow while
opposite the oars were cutting the waters. Shepherds
near the seaside woods gossiped in company [with
boatmen, fisher with] woodmen, and in one place was
the loud noise of the sea, the lowing of cattle, the
whispering of leaves, rigging and trees, naviga-
tion and forest, water, ships, and lugger, plowtail,

" discoverers," εὑρέται, to another (see M. Kremmer, *De
catalogis heurematum*, Leipzig 1890, pp. 45, 94), is told by St.
Gregory Nazianzen, *Orat.* iv. 108, Cassiodorus, *Variae* i. 2.

μῆλα, δόναξ, δρεπάνη, σκαφίδες,
                                    λίνα, λαίφεα, θώρηξ.
καὶ τάδε παπταίνων πολυθαμβέα ῥήξατο φωνήν·
   '' Νῆσον ἐν ἠπείρῳ πόθεν ἔδρακον; εἰ θέμις εἰπεῖν,
τηλίκον οὔ ποτε κάλλος ἐσέδρακον· ὑψιτενῆ γὰρ
δένδρεα συρίζει παρὰ κύματα, Νηρεΐδος δὲ   3
φθεγγομένης κατὰ πόντον Ἀμαδρυὰς ἐγγὺς ἀκούει,
καὶ Τυρίοις πελάγεσσι καὶ ἀγχιάλοισιν ἀρούραις
πνείων ἐκ Λιβάνοιο μεσημβρινὸς ἁβρὸς ἀήτης
ἄσθματι καρποτόκῳ προχέει νηοσσόον αὔρην,
ψύχων ἀγρονόμον καὶ ναυτίλον εἰς πλόον ἕλκων,   3
καὶ χθονίην δρεπάνην βυθίῃ πελάσασα τριαίνῃ
φθέγγεται ὑγρομέδοντι θαλυσιὰς ἐνθάδε Δηώ,
κωφῆς ἄβροχον ἅρμα καθιππεύοντι γαλήνης,
ἰθύνειν δρόμον ἶσον ὁμοζήλων ἐπὶ δίφρων,
ὄμπνια μαστίζουσα μετάρσια νῶτα δρακόντων.   3
ὦ πόλι πασιμέλουσα, τύπος χθονός, αἰθέρος εἰκών,
συμφυέος τρίπλευρον ἔχεις τελαμῶνα θαλάσσης.''
   Ὣς εἰπὼν παράμειβε δι' ἄστεος ὄμμα τιταίνων·
καί οἱ ὀπιπεύοντι λιθογλώχινες ἀγυιαὶ
μαρμαρυγὴν ἀνέφαινον ἀμοιβαίοιο μετάλλου·   3
καὶ προγόνου δόμον εἶδεν Ἀγήνορος, ἔδρακεν αὐλὰς
καὶ θάλαμον Κάδμοιο, καὶ ἁρπαμένης ποτὲ νύμφης
Εὐρώπης ἀφύλακτον ἐδύσατο παρθενεῶνα,
μνῆστιν ἔχων κερόεντος ἑοῦ Διός· ἀρχεγόνους δὲ
πηγὰς θάμβεε μᾶλλον, ὅπῃ χθονίου διὰ κόλπου   3
νάματος ἐκχυμένου παλινάγρετον εἰς μίαν ὥρην
χεύμασιν αὐτογόνοισι πολυτρεφὲς ἔβλυεν ὕδωρ·
εἶδεν Ἀβαρβαρέης γόνιμον ῥόον, ἔδρακε πηγὴν
178

sheep, reeds, and sickle, boats, lines, sails, and corselet. As he surveyed all this, he thus expressed his wonder :

338 " How's this—how do I see an island on the mainland ? If I may say so, never have I beheld such beauty. Lofty trees rustle beside the waves, the Nereïd speaks on the deep and the Hamadryad hears hard by. A delicate breeze of the south breathes from Lebanon upon Tyrian seas and seaside plowland, pouring a breath of wind which fosters the corn and speeds the ships at once, cools the husbandman and draws the seaman to his voyage. Here harvesthome Deo brings the sickle of the land close to the trident of the deep, and speaks to the monarch of the wet, who drives his car unwetted upon the soundless calm, while she asks him to guide her rival car on the same course, and herself whips the bounteous backs of her aerial dragons. O world-famous city, image of the earth, picture of the sky ! You have a belt of sea grown into one with your three sides ! "

353 So he spoke, and wandered through the city casting his eyes about. He gazed at the streets paved with mosaic of stones and shining metals; he saw the house of Agenor his ancestor, he saw the courtyards and the women's apartments of Cadmos; he entered the ill-guarded maiden chamber of Europe, the bride stolen long ago, and thought of his own horned Zeus. Still more he wondered at those primeval fountains, where a stream comes pouring out through the bosom of the earth, and after one hour plenty of water bubbles up again with flood self-produced. He saw the creative stream of Abarbareë,[a] he saw the

---

[a] Not the same as in xv. 378. For the stories of these otherwise unknown fountains, see below, 538 ff.

Καλλιρόην ἐρόεσσαν ἐπώνυμον, εἶδε καὶ αὐτῆς
ἁβρὸν ἐρευγομένης Δροσερῆς νυμφήιον ὕδωρ.   365
    Ἀλλ' ὅτε πάντα νόησεν ἑῷ φιλοτερπέι θυμῷ,
εἰς δόμον Ἀστροχίτωνος ἐκώμασε,
                        καὶ πρόμον ἄστρων
τοῖον ἔπος βοόων ἐκαλέσσατο μύστιδι φωνῇ·
    " Ἀστροχίτων Ἡρακλες,
                    ἄναξ πυρός, ὄρχαμε κόσμου,
Ἤλιε, βροτέοιο βίου δολιχόσκιε ποιμήν,   370
ἱππεύων ἑλικηδὸν ὅλον πόλον αἴθοπι δίσκῳ,
υἷα χρόνου λυκάβαντα δυωδεκάμηνον ἑλίσσων,
κύκλον ἄγεις μετὰ κύκλον· ἀφ' ὑμετέροιο δὲ δίφρου
γήραϊ καὶ νεότητι ῥέει μορφούμενος αἰών·
μαῖα σοφῆς ὠδῖνος ἀμήτορος εἰκόνα Μήνης   375
ὠδίνεις τριέλικτον, ὅτε δροσόεσσα Σελήνη
σῆς λοχίης ἀκτῖνος ἀμέλγεται ἀντίτυπον πῦρ,
ταυρείην ἐπίκυρτον ἀολλίζουσα κεραίην·
παμφαὲς αἰθέρος ὄμμα, φέρεις τετράζυγι δίφρῳ
χεῖμα μετὰ φθινόπωρον, ἄγεις θέρος εἶαρ ἀμείβων. 380
νὺξ μὲν ἀκοντιστῆρι διωκομένη σέο πυρσῷ
χάζεται ἀστήρικτος, ὅτε ζυγὸν ἄργυφον ἕλκων
ἀκροφανὴς ἵππειος ἱμάσσεται ὄρθιος αὐχήν,
σεῖο δὲ λαμπομένοιο φαάντερον οὐκέτι λάμπων
ποικίλος εὐφαέεσσι χαράσσεται ἄστρασι λειμών,   385
χεύμασι δ' ἀντολικοῖο λελουμένος Ὠκεανοῖο
σεισάμενος γονόεσσαν ἀθαλπέος ἰκμάδα χαίτης
ὄμβρον ἄγεις φερέκαρπον, ἐπ' εὐώδινι δὲ Γαίῃ
ἠερίης ἠῷον ἐρεύγεαι ἀρδμὸν ἐέρσης,
καὶ σταχύων ὠδῖνας ἀναλδαίνεις σέο δίσκῳ   390

lovely fountain named after Callirhoë, he saw the bridal water of Drosera herself spouting daintily out.

366 But when he had noted all this and gratified his curiosity, he went revelling to the temple of the Starclad [a] and there called loudly upon the leader of the stars in mystic words :

369 " Starclad Heracles, lord of fire, prince of the universe ! O Helios, longshadowed shepherd of human life, coursing round the whole sky with shining disk and wheeling the twelvemonth lichtgang the son of Time ! Circle after circle thou drivest, and from thy car is shaped the running lifespace for youth and age ! Nurse of wise birth, thou bringest forth the threefold image of the motherless Moon,[b] while dewy Selene milks her imitative light from thy fruitful beam, while she fills in her curving bull's-horn. All-shining Eye of the heavens, thou bringest in thy four-horse chariot winter following autumn, and changest spring to summer. Night pursued by thy shooting torch moves and gives place, when the first morning glimpse comes of thy straightnecked steeds drawing the silver yoke under thy lashes ; when thy light shines, the varied heavenly meadow no longer shines brighter dotted with patterns of bright stars. From thy bath in the waters of the eastern Ocean thou shakest off the creative moisture from thy cool hair, bringing the fruitful rain, and discharging the early wet of the heavenly dew upon the prolific earth. With thy disk thou givest increase to the growth of

[a] Melkart. He had long been identified with Heracles and, later, with the Sun.
[b] Helios is the father, according to Nonnos there is no mother.

ῥαίνων ζωοτόκοιο δι' αὔλακος ὄμπνιον ἀκτήν.
Βῆλος ἐπ' Εὐφρήταο, Λίβυς κεκλημένος Ἄμμων,
Ἆπις ἔφυς Νειλῷος,
       Ἀραψ Κρόνος, Ἀσσύριος Ζεύς·
καὶ ξύλα κηώεντα φέρων γαμψώνυχι ταρσῷ
χιλιέτης σοφὸς ὄρνις ἐπ' εὐόδμῳ σέο βωμῷ   395
φοίνιξ, τέρμα βίοιο φέρων αὐτόσπορον ἀρχήν,
τίκτεται ἰσοτύποιο χρόνου παλινάγρετος εἰκών,
λύσας δ' ἐν πυρὶ γῆρας ἀμείβεται ἐκ πυρὸς ἥβην·
εἴτε Σάραπις ἔφυς, Αἰγύπτιος ἀννέφελος Ζεύς,
εἰ Κρόνος, εἰ Φαέθων πολυώνυμος, εἴτε σὺ Μίθρης, 400
Ἥλιος Βαβυλῶνος, ἐν Ἑλλάδι Δελφὸς Ἀπόλλων
εἰ Γάμος, ὃν σκιεροῖσιν Ἔρως ἔσπειρεν ὀνείροις
μιμηλῆς τελέων ἀπατήλιον ἵμερον εὐνῆς,
ἐκ Διὸς ὑπνώοντος ὅτε γλωχῖνι μαχαίρης
αὐτογάμῳ σπόρον ὑγρὸν ἐπιξύσαντος ἀρούρης   405
οὐρανίαις λιβάδεσσιν ἐμαιώθησαν ἐρίπναι,
εἴτε σὺ Παιήων ὀδυνήφατος, εἰ πέλες Αἰθὴρ
ποικίλος, Ἀστροχίτων δὲ φατίζεαι—ἐννύχιοι γὰρ
οὐρανὸν ἀστερόεντες ἐπαυγάζουσι χιτῶνες—
οὔασιν εὐμενέεσσιν ἐμὴν ἀσπάζεο φωνήν."   410
  Τοῖον ἔπος Διόνυσος ἀνήρυγεν. ἐξαπίνης δὲ
ἔνθεον εἶδος ἔχων θεοδέγμονος ἔνδοθι νηοῦ
Ἀστροχίτων ἤστραψε· πυριγλήνου δὲ προσώπου
μαρμαρυγὴν ῥοδόεσσαν ἀπηκόντιζον ὀπωπαί·
καὶ θεὸς αἰγλήεις παλάμην ὤρεξε Λυαίῳ,   415
ποικίλον εἷμα φέρων, τύπον αἰθέρος,
                εἰκόνα κόσμου,
στίλβων ξανθὰ γένεια καὶ ἀστερόεσσαν ὑπήνην·
καί μιν εὐφραίνων φιλίῃ μείλιξε τραπέζῃ.
αὐτὰρ ὁ θυμὸν ἔτερπεν ἀδαιτρεύτῳ παρὰ δείπνῳ
ψαύων ἀμβροσίης καὶ νέκταρος· οὐ νέμεσις δέ,   420
182

harvest, irrigating the bounteous corn in the life-nourishing furrows.

392 " Belos on the Euphrates, called Ammon in Libya, thou art Apis by the Nile, Arabian Cronos, Assyrian Zeus ! On thy fragrant altar, that thousand-year-old wise bird the phoenix lays sweetsmelling woods with his curved claw, bringing the end of one life and the beginning of another ; for there he is born again, self-begotten, the image of equal time renewed—he sheds old age in the fire, and from the fire takes in exchange youthful bloom. Be thou called Sarapis, the cloudless Zeus of Egypt ; be thou Cronos, or Phaëthon of many names, or Mithras the Sun of Babylon, in Hellas Delphic Apollo ; be thou Gamos,ᵃ whom Love begat in shadowy dreams, fulfilling the deceptive desire of a mock union, when from sleeping Zeus, after he had sprinkled the damp seed over the earth with the self-wedding point of the sword, the heights brought forth by reason of the heavenly drops ; be thou painquelling Paieon, or patterned Heaven ; be thou called the Starclad, since by night starry mantles illuminate the sky— O hear my voice graciously with friendly ears ! "

411 Such was the hymn of Dionysos. Suddenly in form divine the Starclad flashed upon him in that dedicated temple. The fiery eyes of his countenance shot forth a rosy light, and the shining god, clad in a patterned robe like the sky, and image of the universe, with yellow cheek sparkling and a starry beard, held out a hand to Lyaios, and entertained him with good cheer at a friendly table. He enjoyed a feast without meatcarving, and touched nectar and ambrosia : why not indeed, if he did drink sweet nectar,

---

ᵃ Marriage.

εἰ γλυκὺ νέκταρ ἔπινε μετὰ γλάγος ἄμβροτον Ἥρης·
εἴρετο δ' Ἀστροχίτωνα χέων φιλοπευθέα φωνήν·
"'Ἀστροχίτων με δίδασκε,
                     τύπῳ χθονός, εἰκόνι νήσου,
τίς θεὸς ἄστυ πόλισσε, τίς ἔγραφεν οὐρανίη χείρ;
τίς σκοπέλους ἀνάειρε καὶ ἐρρίζωσε θαλάσσῃ;   425
τίς κάμε δαίδαλα ταῦτα; πόθεν λάχον οὔνομα πηγαί;
τίς χθονὶ νῆσον ἔμιξεν ὁμόζυγα μητρὶ θαλάσσῃ;"
   Εἶπε· καὶ Ἡρακλέης φιλίῳ μειλίξατο μύθῳ·
"Βάκχε, σὺ μὲν κλύε μῦθον·
                       ἐγὼ δέ σε πάντα διδάξω.
ἐνθάδε φῶτες ἔναιον, ὁμόσπορος οὕς ποτε μούνους   430
ἀενάου κόσμοιο συνήλικας ἔδρακεν Αἰών,
ἁγνὸν ἀνυμφεύτοιο γένος χθονός, ὧν τότε μορφὴν
αὐτομάτην ὤδινεν ἀνήροτος ἄσπορος ἰλύς·
οἳ πόλιν ἰσοτύπων δαπέδων αὐτόχθονι τέχνῃ
πετραίοις ἀτίνακτον ἐπυργώσαντο θεμέθλοις.   435
καί ποτε πηγαίῃσι παρ' εὐύδροισι χαμευναῖς
ἠελίου πυρόεντος ἱμασσομένης χθονὸς ἀτμῷ
τερψινόου Ληθαῖον ἀμεργόμενοι πτερὸν Ὕπνου
εὗδον ὁμοῦ, κραδίῃ δὲ φιλόπτολιν οἶστρον ἀέξων
Γηγενέων στατὸν ἴχνος ἐπηώρησα καρήνῳ,   440
καὶ βροτέου σκιοειδὲς ἔχων ἴνδαλμα προσώπου
θέσφατον ὀμφήεντος ἀνήρυγον ἀνθερεῶνος·
'ὕπνον ἀποσκεδάσαντες ἀεργέα, παῖδες ἀρούρης,
τεύξατέ μοι ξένον ἅρμα βατῆς ἁλός· ὀξυτόμοις δὲ
κόψατέ μοι πελέκεσσι ῥάχιν πιτυώδεος ὕλης·   445
τεύξατέ μοι σοφὸν ἔργον· ὑπὸ σταμίνεσσι δὲ πυκνοῖς
ἴκρια γομφώσαντες ἐπασσυτέρῳ τινὶ κόσμῳ

---

[a] Heracles, here identified with Helios, sucked Hera's

184

after the immortal milk of Hera ?[a] Then he spoke to the Starclad in words full of curiosity :

423 " Inform me, Astrochiton, what god built this city in the form of a continent and the image of an island ? What heavenly hand designed it ? Who lifted these rocks and rooted them in the sea ? Who made all these works of art ? Whence came the name of the fountains ? Who mingled island with mainland and bound them together with mother sea ? "

428 He spoke, and Heracles satisfied him with friendly words :

429 " Hear the story, Bacchos, I will tell you all. People dwelt here once whom Time, bred along with them, saw the only agemates of the eternal universe, holy offspring of the virgin earth, whose bodies came forth of themselves from the unplowed unsown mud. These by indigenous art built upon foundations of rock a city unshakable on ground also of rock. Once on their watery beds among the fountains, while the fiery sun was beating the earth with steam, they were resting together and plucking at the Lethean wing of mind-rejoicing sleep. Now I cherished a passion of love for that city ; so I took the shadowed form of a human face, and stayed my step overhanging the head of these earthborn folk, and spoke to them my oracle in words of inspiration :

443 " ' Shake off idle sleep, sons of the soil ! Make me a new kind of vehicle to travel on the brine. Clear me this ridge of pinewoods with your sharp axes and make me a clever work. Set a long row of thickset standing ribs and rivet planks to them, then

breast (without her knowledge, for the story varies) and so became her fosterson.

συμφερτὴν ἀτίνακτον ἀρηρότι δήσατε δεσμῷ,
δίφρον ἁλός, σχεδίην πρωτόπλοον, ἢ διὰ πόντου
ὑμέας ὀχλίζειε· καὶ ἀγκύλον ἄκρον ἀπ' ἄκρου   450
πρωτοπαγὲς δόρυ μακρὸν ὅλον στήριγμα δεχέσθω·
ἰκρία δὲ σταμίνεσσιν ἀρηρότα δήσατε κύκλῳ,
τοίχου δουρατέου πυκινὸν τύπον· ὑψιτενὲς δὲ
σφιγγόμενον δεσμοῖσι μέσον ξύλον ὄρθιον ἔστω·
καὶ λίνεον πλατὺ φᾶρος ἐφάψατε δούρατι μέσσῳ, 455
συμπλεκέας δὲ κάλωας ἀμοιβαδίς, ὧν ἀπὸ δεσμῶν
ἐκταδὸν ἠερίῳ κολπώσατε φᾶρος ἀήτῃ
ἔγκυον ἐξ ἀνέμου νηοσσόον· ἀρτιπαγῆ δὲ
φράξατε λεπταλέοισι σεσηρότα δούρατα γόμφοις,
πυκνὰ περιστρώσαντες ὁμοζυγέων ἐπὶ τοίχων   460
ῥίπεσιν οἰσυΐνοις, μὴ φώριον οἶδμα χυθείη
ἐνδόμυχον γλαφυροῖο κεχηνότι δούρατος ὁλκῷ.
καὶ σχεδίης οἴηκα κυβερνητῆρα πορείης
ὑγρῆς ἀτραπιτοῖο πολύστροφον ἡνιοχῆα
πάντοθι δινεύοντες, ὅπῃ νόος ὑμέας ἕλκει,   465
δουρατέῳ κενεῶνι χαράξατε νῶτα θαλάσσης,
εἰσόκε χῶρον ἵκοισθε μεμορμένον, ὁππόθι δισσαὶ
ἀσταθέες πλώουσιν ἀλήμονες εἰν ἁλὶ πέτραι,
ἃς Φύσις Ἀμβροσίας ἐπεφήμισεν, αἷς ἔνι θάλλει
ἥλικος αὐτόρριζον ὁμόζυγον ἔρνος ἐλαίης,   470
πέτρης ὑγροπόροιο μεσόμφαλον· ἀκροτάτοις δὲ
αἰετὸν ἀθρήσητε παρεδρήσσοντα κορύμβοις
καὶ φιάλην εὔτυκτον· ἀπὸ φλογεροῖο δὲ δένδρου
θαμβαλέους σπινθῆρας ἐρεύγεται αὐτόματον πῦρ,
καὶ σέλας ἀφλεγέος περιβόσκεται ἔρνος ἐλαίης·   475
καὶ φυτὸν ὑψιπέτηλον ἕλιξ ὄφις ἀμφιχορεύει,
ἀμφότερον βλεφάροισι καὶ οὔασι θάμβος ἀέξων·
186

join them firmly together with a wellfitting bond—
the chariot of the sea, the first craft that ever sailed,
which can heave you over the deep! But first let it
have a long curved beam running from end to end
to support the whole, and fasten the planks to the
ribs fitted about it like a close wall of wood. Let
there be a tall spar upright in the middle held fast
with stays. Fasten a wide linen cloth to the middle
of the pole with twisted ropes on each side. Keep
the sail extended by these ropes, and let it belly
out to the wind of heaven, pregnant by the breeze
which carries the ship along. Where the newfitted
timbers gape, plug them with thin pegs. Cover the
sides with hurdles of wickerwork to keep them
together, lest the water leak through unnoticed by
a hole in the hollow vessel. Have a tiller as guide
for your craft, to steer a course and drive you on
the watery path with many a turn—twist it about
everywhere as your mind draws you, and cleave the
back of the sea in your wooden hull, until you come
to the fated place, where driven wandering over
the brine are two floating rocks, which Nature has
named the Ambrosial Rocks.[a]

469 " ' On one of them grows a spire of olive, their
agemate, selfrooted and joined to the rock, in the very
midst of the waterfaring stone. On the top of the
foliage you will see an eagle perched, and a well-made
bowl. From the flaming tree fire selfmade spits out
wonderful sparks, and the glow devours the olive tree
all round but consumes it not. A snake writhes round
the tree with its highlifted leaves, increasing the
wonder both for eyes and for ears. For the serpent

---

[a] Where, if anywhere, Nonnos found this extraordinary
tale of the founding of Tyre is unknown.

οὐ γὰρ ἀερσιπότητον ἐς αἰετὸν ἄψοφος ἔρπων
λοξὸς ἀπειλητῆρι δράκων περιβάλλεται ὁλκῷ,
οὐδὲ διαπτύων θανατηφόρον ἰὸν ὀδόντων   480
ὄρνιν ἑαῖς γενύεσσι κατεσθίει, οὐδὲ καὶ αὐτὸς
αἰετὸς ἑρπηστῆρα πολυσπείρητον ἀκάνθαις
ἁρπάξας ὀνύχεσσι μετάρσιος ἠέρα τέμνει,
οὐδέ μιν ὀξυόδοντι καταγράψειε γενείῳ·
οὐδέ τανυπρέμνοιο φυτοῦ πεφορημένος ὄζοις   485
πυρσὸς ἀδηλήτου περιβόσκεται ἔρνος ἐλαίης,
οὐδὲ δρακοντείων φολίδων σπείρημα μαραίνει
σύννομον ἀγχικέλευθον, ὁμοπλεκέων δὲ καὶ αὐτῶν
οὐ πτερύγων ὄρνιθος ἐφάπτεται ἁλλόμενον πῦρ,   489
ἀλλὰ φυτοῦ κατὰ μέσσα φίλον σέλας ἀτμὸν ἰάλλει· 492
οὐδὲ κύλιξ ἀτίνακτος ἐπήορος ὑψόθι πίπτει   490
σειομένων ἀνέμοισιν ὀλισθήσασα κορύμβων.   491
καὶ σοφὸν ἀγρεύσαντες ὁμόχρονον ὄρνιν ἐλαίης   493
αἰετὸν ὑψιπέτην ἱερεύσατε κυανοχαίτῃ,
λύθρον ἐπισπένδοντες ἁλιπλανέεσσι κολώναις   495
καὶ Διὶ καὶ μακάρεσσι· καὶ ἄστατος οὐκέτι πέτρη
πλάζεται ὑγροφόρητος, ἀκινήτοις δὲ θεμέθλοις
αὐτομάτη ζωσθεῖσα συνάπτεται ἄζυγι πέτρῃ.
πήξατε δ' ἀμφοτέραις ἐπικείμενον ἄστυ κολώναις
ἀμφοτέρης ἑκάτερθεν ἐπὶ κρηπῖδι θαλάσσης.'   500
τοῖον ἔπος μαντῷον ἀνήρυγον· ἐγρόμενοι δὲ
Γηγενέες δεδόνηντο, καὶ οὔασιν αἰὲν ἑκάστου
θέσκελος ἀπλανέων ἐπεβόμβεε μῦθος ὀνείρων.
τοῖσι δ' ἐγὼ τέρας ἄλλο μετὰ πτερόεντας ὀνείρους
ἀχνυμένοις ἀνέφηνα, φιλόκτιτον ἦθος ἀέξων   505
ἐσσόμενος πολιοῦχος· ὑπερκύψας δὲ θαλάσσης
ἀντίτυπον μίμημα φέρων ἰσόζυγι μορφῇ
εἰς πλόον αὐτοδίδακτον ἐνήχετο ναυτίλος ἰχθύς·
τὸν τότε παπταίνοντες ἐοικότα νηὶ θαλάσσης

does not creep silently to the eagle flying on high, and throw itself at him from one side with a threatening sweep to envelop him, nor spits deadly poison from his teeth and swallows the bird in his jaws ; the eagle himself does not seize in his talons that crawler with many curling coils and carry him off high through the air, nor will he wound him with sharptoothed beak ; the flame does not spread over the branches of the tall trunk and devour the olive tree, which cannot be destroyed, nor withers the scales of the twining snake, so close a neighbour, nor does the leaping flame catch even the bird's interlaced feathers. No— the fire keeps to the middle of the tree and sends out a friendly glow : the bowl remains aloft, immovable though the clusters are shaken in the wind, and does not slip and fall.

493 " ' You must catch this wise bird, the high-flying eagle agemate of the olive, and sacrifice him to Seabluehair. Pour out his blood on the seawandering cliffs to Zeus and the Blessed. Then the rock wanders no longer driven over the waters ; but it is fixed upon immovable foundations and unites itself bound to the free rock. Found upon both rocks a builded city, with quays on two seas, on both sides.'

501 " Such was my prophetic message. The Earthborn awaking were stirred, and the divine message of the unerring dreams still rang in the ears of each. I showed yet another marvel after the winged dreams to these troubled ones, indulging my mood of founding cities, myself destined to be City-holder : out of the sea popped a nautilus fish, perfect image of what I meant and shaped like a ship, sailing on its voyage selftaught. Thus observing this crea-

καὶ πλόον εὐποίητον ἄτερ καμάτοιο μαθόντες,   510
καὶ σχεδίην πήξαντες ὁμοίιον ἰχθύι πόντου
ναυτιλίης τύπον ἶσον ἐμιμήσαντο θαλάσσης.
καὶ πλόος ἦν· πισύρων δὲ λίθων ἰσοελκέι φόρτῳ
ναυτιλίην ἰσόμετρον ἐπιστώσαντο θαλάσσῃ,
καὶ γεράνων ἀτίνακτον ἐμιμήσαντο πορείην,   515
αἳ στομάτων ἔντοσθεν ἀοσσητῆρα κελεύθου
λᾶαν ἐλαφρίζουσι καταχθέα, μή ποτε κείνων
ἱπταμένων πτερὰ κοῦφα παραπλάγξειεν ἀήτης,
εἰσόκε χῶρον ἐκεῖνον ἐσέδρακον, ἧχι θυέλλαις
εἰς πλόον αὐτοκέλευθον ἐναυτίλλοντο κολῶναι.   520
καὶ σχεδίην ἔστησαν ἁλιστεφάνῳ παρὰ νήσῳ,
καὶ σπιλάδων ἐπέβαινον, ὅπῃ φυτὸν ἦεν Ἀθήνης.
τοῖσι δὲ μαιομένοισιν ἐφέστιον ὄρνιν ἐλαίης
αἰετὸς ἠερόφοιτος ἑκούσιον εἰς μόρον ἔστη·
Γηγενέες δὲ λαβόντες ἐύπτερον ἔνθεον ἄγρην,   525
ἂψ ἀνασειράζοντες ὀπισθοτόνοιο καρήνου
γυμνὸν ἐφαπλώσαντες ἐλεύθερον ἀνθερεῶνα,
αἰετὸν αὐτοκέλευθον ἐδαιτρεύσαντο μαχαίρῃ
Ζηνὶ καὶ ὑγρομέδοντι· δαϊζομένου δὲ σιδήρῳ
ἔμφρονος οἰωνοῖο νεοσφαγέων ἀπὸ λαιμῶν   530
θέσκελον ἔρρεεν αἷμα, θαλασσοπόρους δὲ κολώνας
δαιμονίαις λιβάδεσσιν ἐπερρίζωσε θαλάσσῃ
ἄγχι Τύρου παρὰ πόντον· ἐπ' ἀρραγέεσσι δὲ πέτραις
Γηγενέες βαθύκολπον ἐδωμήσαντο τιθήνην.
σοὶ μέν, ἄναξ Διόνυσε, πεδοτρεφὲς αἷμα Γιγάντων   535
ἔννεπον αὐτολόχευτον Ὀλύμπιον, ὄφρα δαείης
ὑμετέρων προγόνων Τυρίην αὐτόχθονα φύτλην·
ἀμφὶ δὲ πηγάων μυθήσομαι· ἀρχέγονοι γὰρ
παρθενικαὶ πάρος ἦσαν ἐχέφρονες, ὧν ἐπὶ μίτρῃ
190

ture so like a ship of the sea, they learnt without trouble how to make a voyage, they built a craft like to a fish of the deep and imitated its navigation of the sea. Then came a voyage : with four stones of an equal weight they trusted their balanced navigation to the sea, imitating the steady flight of the crane ; for she carries a ballast-stone in her mouth to help her course, lest the wind should beat her light wings aside as she flies.[a] They went on until they saw that place, where the rocks were driven by the gales to navigate by themselves.

521 " There they stayed their craft beside the sea-girt isle, and climbed the cliffs where the tree of Athena stood. When they tried to catch the eagle which was at home on the olive tree, he flew down willingly and awaited his fate. The Earthborn took their winged prey inspired, and drawing the head backwards they stretched out the neck free and bare, they sacrificed with the knife that selfsurrendered eagle to Zeus and the Lord of the waters. As the sage bird was sacrificed, the blood of prophecy gushed from the throat newly cut, and with those divine drops rooted the seafaring rocks at the bottom near to Tyre [b] on the sea ; and upon those unassailable rocks the Earthborn built up their deepbreasted nurse.

535 " There, Lord Dionysos, I have told you of the soilbred race of the Earthborn, selfborn, Olympian, that you might know how the Tyrian breed of your ancestors sprang out of the earth. Now I will speak of the fountains. In the olden days they were chaste maidens primeval, but hot Eros was angered against

[a] For some references to this story about cranes, see Sir D'A. W. Thompson, *Glossary of Greek Birds*[2], p. 72.
[b] *i.e.* Old Tyre, the mainland part of the city.

θερμὸς Ἔρως κεχόλωτο, καὶ ἱμερόεν βέλος ἕλκων 54
τοῖον ἀλεξιγάμοισιν ἔπος ξυνώσατο Νύμφαις·
' Νηὶς Ἀβαρβαρέη φιλοπάρθενε, δέξο καὶ αὐτὴ
τοῦτο βέλος, τό περ ἔσχεν ὅλη φύσις· ἐνθάδε πήξω
παστάδα Καλλιρόης, Δροσερῆς δ' ὑμέναιον ἀείσω.
ἀλλ' ἐρέεις· '' μεθέπω διερὸν γένος, ἐκ δὲ ῥοάων 54
αὐτοτελὴς γενόμην, καὶ ἐμὴ τροφὸς ἔπλετο πηγή.''
Νηιὰς ἦν Κλυμένη καὶ ἀπόσπορος Ὠκεανοῖο·
ἀλλὰ γάμοις ὑπόειξεν, ἐνυμφεύθη δὲ καὶ αὐτή,
ὡς ἴδε λάτριν Ἔρωτος ἀρείονα κυανοχαίτην
οἴστρῳ Κυπριδίῳ δεδονημένον· ἀρχέγονος δὲ 55
Ὠκεανὸς ποταμοῖσι καὶ ὕδασι πᾶσι κελεύων
Τηθύος οἶδεν ἔρωτα καὶ εὐύδρους ὑμεναίους.
τέτλαθι καὶ σὺ φέρειν ἴσα Τηθύι. τοσσατίης δὲ
ἐξ ἁλὸς αἷμα φέρουσα καὶ οὐκ ὀλίγης ἀπὸ πηγῆς
ἱμείρει Γαλάτεια μελιζομένου Πολυφήμου, 55
καὶ βυθίη χερσαῖον ἔχει πόσιν, ἐκ δὲ θαλάσσης
πηκτίδι θελγομένη μετανάστιος εἰς χθόνα βαίνει.
καὶ πηγαὶ δεδάασιν ἐμὸν βέλος· οὕ σε διδάξω
ἵμερον ὑδατόεντα· ποθοβλήτοιο δὲ πηγῆς
ἔκλυες ὑγρὸν ἔρωτα Συρηκοσίης Ἀρεθούσης· 56
Ἀλφειὸν δεδάηκας, ὃς ἰκμαλέῳ παρὰ παστῷ
ὑδρηλαῖς παλάμαις περιβάλλεται ἠθάδα Νύμφην.
πηγῆς αἷμα φέρουσα τί τέρπεαι ἰοχεαίρῃ;
Ἄρτεμις οὐ βλάστησεν ἀφ' ὕδατος, ὡς Ἀφροδίτη. 56
ἔννεπε Καλλιρόῃ· Δροσερῇ μὴ κρύπτε καὶ αὐτῇ. 56
Κύπριδι μᾶλλον ὄφελλες ἄγειν χάριν, ὅττι καὶ αὐτὴ 56
αὐχένα κάμψεν Ἔρωτι, 56
                        καὶ εἰ τροφός ἐστιν Ἐρώτων.
δέχνυσο κέντρα πόθοιο, καὶ ὑγρονόμον σε καλέσσω
εἰς γενεήν, ἐς ἔρωτα κασιγνήτην Ἀφροδίτης.'
τοῖον ἔπος κατέλεξεν· ὀπισθοτόνοιο δὲ τόξου 57
192

their maiden girdles, and drawing a shaft of love he spoke thus to the marriage-hating nymphs : ' Naiad Abarbarië, so fond of your maidenhood, you too receive this shaft, which all nature has felt. Here I will build Callirhoë's bridechamber, here I will sing Drosera's wedding hymn—But you will say, Mine is a watery race, I came selfborn from the streams, and my nurse was a fountain.—Yes, Clymene was a Naiad, and the offspring of Oceanos ; but she yielded to wedlock, she also was a bride, when she saw Seabluehair the mighty a lackey of Eros, and shaken with the passion of Cypris. Primeval Oceanos, who commands all rivers and waters, knows love for Tethys and a watery wedding. Make the best of it, and endure as Tethys did. Another sprung from the sea so great and not from a little fountain, Galateia, has desire for melodious Polyphemos [a] ; the deepsea maiden has a husband from the land, she migrates from sea to land, enchanted by the lute. Fountains also have known my shafts. I need not teach you of love in the waters ; you have heard of the watery passion of Syracusan Arethusa, that lovestricken fountain ; you have heard of Alpheios, who in a watery bower embraces the indwelling nymph with watery hands.[b] You—the offspring of a fountain—why are you pleased with the Archeress ? Artemis did not come from the water like Aphrodite. Tell that to Callirhoë, do not hide it from Drosera herself. You ought rather to please Cypris, because she herself bent her neck to Eros even though she is nurse of the loves. Accept the stings of desire, and I will call you by birth one waterwalking, by love sister of Aphrodite.' So he spoke ; and from his backbent bow let fly three

[a] Cf. on xxxix. 257.   [b] Cf. on xxxvii. 173.

τριπλόα πέμπε βέλεμνα, καὶ εὐύδρῳ παρὰ παστῷ
Νηιάδων φιλότητι συνήρμοσεν υἷας ἀρούρης,
καὶ Τυρίης ἔσπειρε θεηγενὲς αἷμα γενέθλης.''

Τοῖα μὲν Ἡρακλέης πρόμος αἰθέρος ἔννεπε Βάκχῳ
τερψινόοις ὀάροισιν· ὁ δὲ φρένα τέρπετο μύθῳ,   57
καὶ πόρεν Ἡρακλῆι, τὸν οὐρανίη κάμε τέχνη,
χρυσοφαῆ κρητῆρα σελασφόρον· Ἡρακλέης δὲ
ἀστραίῳ Διόνυσον ἀνεχλαίνωσε χιτῶνι.

Καὶ θεὸν ἀστροχίτωνα Τύρου πολιοῦχον ἐάσας
Ἀσσυρίης ἑτέρης ἐπεβήσατο Βάκχος ἀρούρης.   58

ADDITIONAL NOTE TO BOOK XL

369 ff. This curious prayer, or hymn, might almost be
called a compendium of solar syncretism. *Omnis paene deos
ad solem referunt*, says Macrobius, *Sat.* i. 17. 2, and some
examples of the ingenious theorizing by which this result was
reached may be found there or in Julian's *Hymn to King
Sun* 143 D ff. (vol. i. p. 390 in L.C.L.). Down to 391,
Dionysos simply celebrates the physical powers of the sun;
then begin the identifications. He is " Belos on the
Euphrates " ; the Greeks were as firmly convinced as many
modern Bible-readers that the Semites, or the Orientals
generally, worshipped a god called Baal or Bel, the truth of
course being that *ba'al* is a Semitic word for lord or master,
and so is applied to a multitude of gods. This " Bel," then,
being an important deity, must be the sun, the more so as
some of the gods bearing that title may have been really
solar. He is " Libyan Ammon " and " the Assyrian Zeus "
because Zeus is the same as Helios and Ammon is Zeus.
Apis is *solis instar*, Macrob. *ibid.* xxi. 20, Cronos, long since

shots. Then in that watery bower he joined in love sons of the soil to the Naiads, and sowed the divine race of your family."

574 So much Heracles leader of heaven said to Bacchos in pleasant gossip. He was delighted at heart by the tale, and offered to Heracles a mixing-bowl of gold bright and shining, which the art of heaven had made; Heracles clad Dionysos in a starry robe.

579 Then Bacchos left the Starclad god, cityholder of Tyre, and went on to another district of Assyria.

misinterpreted as Time, was very easy to identify with the best-known measure of time, and therefore the gods of other nations identified with him (we do not know what Arab god Nonnos means; it would be interesting if it were Allah) are sun-gods too. Sarapis (399) had declared himself to be the Sun, Macrob. *ibid.* xx. 17, and so he must be Zeus also; Phaëthon means Helios scores of times in Nonnos, to say nothing of other writers; Mithra really was a sun-god; the " Helios of Babylon " might be simply El; Apollo had been identified with Helios since the fifth century B.C. Paian is Apollo (407) and consequently Helios also; to call the sun the ether or sky (*ibid.*) is but a small stretch of identification for a syncretist of those days; remains Gamos (402), and here we seem to have neither cult nor philosophy, but a literary pedantry of Nonnos's own. Philoxenos the dithyrambic poet, in a passage cited by Athenaios, 6 a, had called Gamos the most brilliant (λαμπρότατε) of the gods; now the sun is the most brilliant object in the universe, and undoubtedly a god; therefore Gamos also is Helios, Q.E.D. !

ΔΙΟΝΥΣΙΑΚΩΝ ΤΕΣΣΑΡΑΚΟΣΤΟΝ ΠΡΩΤΟΝ

Πρῶτον τεσσαρακοστὸν ἔχει, πόθεν υἱέι Μύρρης
ἄλλην Κύπριν ἔτικτεν Ἀμυμώνην Ἀφροδίτη.

Ἄρτι μὲν ὀφρυόεντος ὑπὲρ Λιβάνοιο καρήνων
πήξας ἀγλαόκαρπον ἐπὶ χθονὶ βότρυν ὀπώρης
οἰνοτόκους ἐμέθυσσεν ὅλης κενεῶνας ἀρούρης·
καὶ Παφίης δόμον εἶδε γαμήλιον· ἡμερίδων δὲ
ἔρνεσιν ἀρτιφύτοισι βαθύσκιον ἄλσος ἐρέψας   5
ἀμπελόεν πόρε δῶρον Ἀδώνιδι καὶ Κυθερείῃ.
καὶ Χαρίτων χορὸς ἦεν· ἀεξιφύτοιο δὲ λόχμης
ἡμερίδων ζωστῆρι θορὼν ἐπιβήτορι παλμῷ
κισσὸς ἀερσιπότητος ἐμιτρώθη κυπαρίσσῳ.
Ἀλλὰ θεμιστοπόλου Βερόης παρὰ γείτονι πέζῃ   10
ὕμνον Ἀμυμώνης, Λιβανηίδες εἴπατε Μοῦσαι,
καὶ βυθίου Κρονίδαο καὶ εὐύμνοιο Λυαίου
Ἄρεα κυματόεντα καὶ ἀμπελόεσσαν Ἐννώ.
Ἔστι πόλις Βερόη, βιότου τρόπις,
                          ὅρμος Ἐρώτων,
ποντοπαγής, εὔνησος, εὔχλοος, οὗ ῥάχις ἰσθμοῦ   15
στεινὴ μῆκος ἔχοντος, ὅπη διδύμης μέσος ἅλμης
κύμασιν ἀμφοτέροισιν ἱμάσσεται ὄρθιος αὐχήν·
ἀλλὰ τὰ μὲν βαθύδενδρον ὑπὸ ῥάχιν αἴθοπος Εὔρου
196

BOOK XLI

The forty-first tells how Aphrodite bore Amymone
a second Cypris to the son of Myrrha.

ALREADY he had planted in the earth the clustering
vintage of his glorious fruit under the beetling crags
of Lebanon, and intoxicated all the winebearing
bottoms of the land. He saw the wedding-chamber
of Paphia ; there with newgrown shoots of the
gardenvine he roofed a deep-shaded grove, then
presented the viny gift to Adonis and Cythereia.
There was also a troop of Graces ; and from the
luxuriant coppice high leapt the ivy in his girdle of
cultivated vine, and climbed aloft embracing the
cypress.

¹⁰ Come now, ye Muses of Lebanon on the neigh-
bouring land of Beroë, that handmaiden of law !
recite the lay of Amymone, the war between Cronides
of the deep ᵃ and well-besung Lyaios, the war of
waters and the strife of the vine.

¹³ There is a city Beroë,ᵇ the keel of human life,
harbour of the Loves, firmbased on the sea, with fine
islands and fine verdure, with a ridge of isthmus
narrow and long, where the rising neck between two
seas is beaten by the waves of both. On one side
it spreads under the deepwooded ridge of Assyrian

ᵃ Poseidon.　　　　　　ᵇ Berytos, Beyrout.

Ἀσσυρίῳ Λιβάνῳ παραπέπταται, ἧχι πολίταις
ὄρθια συρίζουσα βιοσσόος ἔρχεται αὔρη,   20
εὐόδμοις ἀνέμοισι τινασσομένων κυπαρίσσων . . . 21
σύννομος ἰχθυβολῆι γέρων ἐμελίζετο ποιμήν,   50
καὶ δόμος ἀγρονόμων, ὅθι πολλάκις ἐγγύθι λόχμης 22
Πανὶ μελιζομένῳ δρεπανηφόρος ἤντετο Δηώ,
καί τις ἐφ᾽ ἱστοβοῆι γεωμόρος αὐχένα κάμψας,
ῥαίνων ἀρτιχάρακτον ὀπισθοβόλῳ χθόνα καρπῷ,   25
γείτονι μηλοβοτῆρι παρὰ σφυρὰ φορβάδος ὕλης,
σφίγξας σύζυγα ταῦρον, ὁμίλεε κυρτὸς ἀροτρεύς.
ἄλλα δὲ πὰρ πελάγεσσιν ἔχει πόλις, ἧχι τιταίνει
στέρνα Ποσειδάωνι, καὶ ἔμβρυον αὐχένα κούρης
πήχεϊ μυδαλέῳ περιβάλλεται ὑγρὸς ἀκοίτης,   30
πέμπων ὑδατόεντα φιλήματα χείλεσι νύμφης·
καὶ βυθίης ἀπὸ χειρὸς ὁμευνέτις ἠθάδι κόλπῳ
ἔδνα Ποσειδάωνος ἀλίτροφα πώεα λίμνης
δέχνυται, ἰχθυόεντα πολύχροα δεῖπνα τραπέζης,
εἰναλίη Νηρῆος ἐπισκαίροντα τραπέζῃ,   35
ἀρκτῴην παρὰ πέζαν, ὅπῃ βαθυκύμονος ἀκτῆς
μηκεδανῷ κενεῶνι Βορήιος ἕλκεται αὐλών.
ἀμφὶ δὲ τερψινόοιο μεσημβρινὸν αὐχένα γαίης
εἰς ῥαχίην Νοτίην ψαμαθώδεές εἰσιν ἀταρποὶ
εἰς χθόνα Σιδονίην, ὅθι ποικίλα δένδρεα κήπων   40
καὶ σταφυλαὶ κομόωσι, τανυπτόρθοις δὲ πετήλοις
δάσκιος ἀπλανέεσσι τιταίνεται οἶμος ὁδίταις.
δοχμώσας δὲ ῥέεθρον ἐπ᾽ ἠόνι πόντος ἀράσσει
ἀμφὶ δύσιν κυανωπόν, ὅπῃ λιγυηχέι ταρσῷ
Ἑσπερίων Ζεφύροιο καθιππεύοντος ἐναύλων   45
συριγμῷ δροσόεντι Λίβυς ῥιπίζεται ἀγκών,
ἀνθεμόεις ὅθι χῶρος, ὅπῃ παρὰ γείτονι πόντῳ
198

Lebanon in the blazing East, and there comes for its people a lifesaving breeze, whistling loud and shaking the cypress trees with fragrant winds. There the ancient shepherd shared his domain and made his music along with the fisherman ; there was the dwelling of the farmers, where often near the woodland, Deo sickle in hand met Pan playing on his pipes ; and the husbandman bending his neck over the plowpole, and showering the corn behind him into the newcut furrows with backturned wrist, the bowed plowman gripping his yoke of bulls, had converse with his neighbour the shepherd along the foothills of the woodland pasture. The other part by the seas the city possesses, where she offers her breast to Poseidon, and her watery husband embraces the girl's pregnant neck with wet arm, putting moist kisses on the bride's lips; his bedfellow in her well-accustomed bosom accepts Poseidon's familiar bride-gifts from his hand out of the deep, the scabred flocks of the waters, the fishes of many colours for her banqueting-table, which dance on the table of Nereus in the brine, in the region of the Bear, where the northerly coast receives the deep waves into its long channel. About the southern neck of this delightful country sandy roads lead to the southern hills and the Sidonian land, where are all manner of trees and vines thick with foliage in the gardens, and a highway stretches that no traveller can miss, overshadowed with long leafy branches. The sea bending its course beats on the shore about the darkfaced west, while the bight of Libya is fanned by the dewy whistle of Zephyros as he rides with shrill-sounding heel over the western channels, where is a flowery land, where nurseries

φυταλιαὶ θαλέουσι, καὶ εὐπετάλων ἀπὸ δένδρων
ἄσθματι βομβήεντι μελίζεται ἔμπνοος ὕλη.   49

Ἐνθάδε φῶτες ἔναιον ὁμήλικες ἠριγενείης,   51
οὓς Φύσις αὐτογένεθλος ἀνυμφεύτῳ τινὶ θεσμῷ
ἤροσε νόσφι γάμων, ἀπάτωρ, ἀλόχευτος, ἀμήτωρ,
ὁππότε συμμιγέων ἀτόμων τετράζυγι δεσμῷ
ὕδατι καὶ πυρόεντι πεφυρμένον ἠέρος ἀτμῷ   55
σύζυγα μορφώσασα σοφὸν τόκον ἄσπορος ἰλὺς
ἔμπνοον ἐψύχωσε γονὴν ἐγκύμονι πηλῷ,
οἷς Φύσις εἶδος ὅπασσε τελεσφόρον· ἀρχεγόνου γὰρ
Κέκροπος οὐ τύπον εἶχον, ὃς ἰοβόλῳ ποδὸς ὁλκῷ
γαῖαν ἐπιχύων ὀφιώδεϊ σύρετο ταρσῷ,   60
νέρθε δράκων, καὶ ὕπερθεν ἀπ' ἰξύος ἄχρι καρήνου
ἀλλοφυὴς ἀτέλεστος ἐφαίνετο δίχροος ἀνήρ·
οὐ τύπον ἄγριον εἶχον Ἐρεχθέος, ὃν τέκε Γαίης
αὔλακι νυμφεύσας γαμίῃ Ἥφαιστος ἐέρσην·
ἀλλὰ θεῶν ἴνδαλμα γονῆς αὐτόχθονι ῥίζῃ   65
πρωτοφανὴς χρύσειος ἐμαιώθη στάχυς ἀνδρῶν.
καὶ Βερόης νάσσαντο πόλιν πρωτόσπορον ἕδρην,
ἣν Κρόνος αὐτὸς ἔδειμε, σοφῆς ὅτε νεύματι Ῥείης
ὀκρυόεν θέτο δόρπον ἑῷ πολυχανδέι λαιμῷ,
καὶ λίθον Εἰλείθυιαν ἔχων βεβριθότι φόρτῳ,   70
θλιβομένης πολύπαιδος ἀκοντιστῆρα γενέθλης,
χανδὸν ὅλου ποταμοῖο ῥόον νεφεληδὸν ἀφύσσων
στήθεϊ παφλάζοντι μογοστόκον ἔσπασεν ὕδωρ,
λύσας γαστέρος ὄγκον· ἐπασσυτέρους δὲ διώκων
δισσοτόκους υἷας ἀνήρυγεν ἔγκυος αὐχήν,   75
πορθμὸν ἔχων τοκετοῖο λεχώιον ἀνθερεῶνα·

---

[a] The four elements.
[b] First king of Athens, a kind of Attic Adam; he had
snakes for legs.
[c] He means Erichthonios, cf. xiii. 171 ff.

bloom hard by the sea, and the fragrant forest pervaded by humming winds sings from its leafy trees.

[51] Here dwelt a people agemates with the Dawn, whom Nature by her own breeding, in some unwedded way, begat without bridal, without wedding, fatherless, motherless, unborn: when the atoms were mingled in fourfold combination, and the seedless ooze shaped a clever offspring by commingling water with fiery heat and air,[a] and quickened the teeming mud with the breath of life. To these Nature gave perfect shape: for they had not the form of primeval Cecrops,[b] who crawled and scratched the earth with snaky feet that spat poison as he moved, dragon below, but above from loins to head he seemed a man half made, strange in shape and of twyform flesh ; they had not the savage form of Erechtheus,[c] whom Hephaistos begat on a furrow of Earth with fertilizing dew ; but now first appeared the golden crop of men brought forth in the image of the gods,[d] with the roots of their stock in the earth. And these dwelt in the city of Beroë, that primordial seat which Cronos himself builded, at the time when invited by clever Rheia he set that jagged supper before his voracious throat, and having the heavy weight of that stone within him to play the deliverer's part, he shot out the whole generation of his tormented children. Gaping wide, he sucked up the storming flood of a whole river, and swallowed it in his bubbling chest to ease his pangs, then threw off the burden of his belly ; so one after another his pregnant throat pushed up and disgorged his twiceborn sons through the delivering channel of his gullet.

[d] The Golden Age.

Ζεὺς τότε κοῦρος ἔην, ἔτι που βρέφος· οὔ ποτε πυκνῷ
θερμὸν ἀνασχίζουσα νέφος βητάρμονι παλμῷ
ἀστεροπὴ σελάγιζε, καὶ οὐ Τιτηνίδι χάρμῃ
Ζηνὸς ἀοσσητῆρες ὀιστεύοντο κεραυνοί·   80
οὐδὲ συνερχομένων νεφέων μυκήτορι ῥόμβῳ
βρονταίη βαρύδουπος ἐβόμβεεν ὄμβριος ἠχώ.
ἀλλὰ πόλις Βερόη προτέρη πέλεν, ἣν ἅμα γαίῃ
πρωτοφανὴς ἐνόησεν ὁμήλικα σύμφυτος Αἰών·
οὐ τότε Ταρσὸς ἔην τερψίμβροτος, οὐ τότε Θήβη, 85
οὐ τότε Σάρδιες ἦσαν, ὅπῃ Πακτωλίδος ὄχθης
χρυσὸν ἐρευγομένης ἀμαρύσσεται ὄλβιος ἰλύς,
Σάρδιες, Ἡελίοιο συνήλικες· οὐ γένος ἀνδρῶν,
οὐ τότε τις πόλις ἦεν Ἀχαιιάς, οὐδὲ καὶ αὐτὴ
Ἀρκαδίη προσέληνος· ἀνεβλάστησε δὲ μούνη   90
πρεσβυτέρη Φαέθοντος, ὅθεν φάος ἔσχε Σελήνη,
καὶ φθαμένη χθόνα πᾶσαν, ἑῷ παμμήτορι κόλπῳ
Ἡελίου νεοφεγγὲς ἀμελγομένη σέλας αἴγλης
καὶ φάος ὀψιτέλεστον ἀκοιμήτοιο Σελήνης,
πρώτη κυανέης ἀπεσείσατο κῶνον ὀμίχλης,   95
καὶ χάεος ζοφόεσσαν ἀπεστυφέλιξε καλύπτρην·
καὶ φθαμένη Κύπροιο καὶ Ἴσθμιον ἄστυ Κορίνθου
πρώτη Κύπριν ἔδεκτο φιλοξείνῳ πυλεῶνι
ἐξ ἁλὸς ἀρτιλόχευτον, ὅτε βρυχίην Ἀφροδίτην
Οὐρανίης ὤδινεν ἀπ᾽ αὔλακος ἔγκυον ὕδωρ,   100
ὁππόθι νόσφι γάμων ἀρόσας ῥόον ἄρσενι λύθρῳ
αὐτοτελὴς μορφοῦτο θυγατρογόνῳ γόνος ἀφρῷ,
καὶ Φύσις ἔπλετο μαῖα· συναντέλλων δὲ θεαίνῃ
στικτὸς ἱμάς, στεφανηδὸν ἐπ᾽ ἰξύι κύκλον ἑλίξας,
αὐτομάτῳ ζωστῆρι δέμας μίτρωσεν ἀνάσσης.   105
καὶ θεὸς ἰχνεύουσα δι᾽ ὕδατος ἄψοφον ἀκτὴν
οὐ Πάφον, οὐκ ἐπὶ Βύβλον ἀνέδραμεν,

οὐ πόδα χέρσῳ

77 Zeus was then a child, still a baby methinks;
not yet the lightning flashed and cleft the hot clouds
with many a dancing leap, not yet bolts of Zeus
were shot to help in the Titans' war, not yet the
rainy sound of thunderclaps roared heavily with
bang and boom through colliding clouds : but be-
fore that, the city of Beroë was there, which Time
with her first appearing saw when born together
with her agemate Earth. Tarsos the delight of
mankind was not then, Thebes was not then, nor
then was Sardis where the bank of Pactolos sparkles
with opulent ooze disgorged, Sardis agemate of
Helios. The race of men was not then, nor any
Achaian city, nor yet Arcadia itself which came
before the moon. Beroë alone grew up, older than
Phaëthon, from whom Selene got her light, even
before all the earth, milking out from Helios the
shine of his newmade brightness upon her all-
mothering breast and the later perfected light
of unresting Selene Beroë first shook away the
cone of darkling mist, and threw off the gloomy
veil of chaos. Before Cyprus and the Isthmian
city of Corinth, she first received Cypris within
her welcoming portal, newly born from the brine;
when the water impregnated from the furrow of
Uranos was delivered of deepsea Aphrodite; when
without marriage, the seed plowed the flood with
male fertility, and of itself shaped the foam into
a daughter, and Nature was the midwife—coming
up with the goddess there was that embroidered
strap which ran round her loins like a belt, set about
the queen's body in a girdle of itself. Then the
goddess, moving through the water along the quiet
shore, ran out, not to Paphos, not to Byblos, set no

Κωλιάδος ῥηγμῖνος ἐφήρμοσεν, ἀλλὰ καὶ αὐτῶν
ὠκυτέρη στροφάλιγγι παρέτρεχεν ἄστυ Κυθήρων·
καὶ χρόα φυκιόεντι περιτρίψασα κορύμβῳ   110
πορφυρέη πέλε μᾶλλον· ἀκυμάντοιο δὲ πόντου
χεῖρας ἐρετμώσασα θεητόκον ἔσχισεν ὕδωρ
νηχομένη, καὶ στέρνον ἐπιστορέσασα θαλάσσῃ
σιγαλέην ἀνέκοπτε χαρασσομένην ἅλα ταρσῷ,
καὶ δέμας ᾐώρησε, διχαζομένης δὲ γαλήνης   115
ποσσὶν ἀμοιβαίοισιν ὀπίστερον ὤθεεν ὕδωρ·
καὶ Βερόης ἐπέβαινε· ποδῶν δ' ἐπίβαθρα θεαίνης
ἐξ ἁλὸς ἐρχομένης ναέτης ἐψεύσατο Κύπρου.
πρώτη Κύπριν ἔδεκτο· καὶ ὑψόθι γείτονος ὅρμου
αὐτοφυεῖς λειμῶνες ἐρευγόμενοι βρύα ποίης   120
ἤνθεον ἔνθα καὶ ἔνθα, πολυψαμάθῳ δ' ἐνὶ κόλπῳ
ἠιόνες ῥοδέοισιν ἐφοινίσσοντο κορύμβοις,
πέτρη δ' ἀφριόωσα θυώδεος ἔγκυος οἴνου
πορφυρέην ὠδῖνα χαραδραίῳ τέκε μαζῷ,
ληναίαις λιβάδεσσι κατάσκιον ὄμβρον ἐέρσης . . . 125
ἀργεννῇ κελάρυζε γαλαξαίῳ χύσις ὁλκῷ·
αὐτοχύτου δὲ μύροιο μετάρσιον ἀτμὸν ἑλίσσων
ἠερίους ἐμέθυσσε πόρους εὔοδμος ἀήτης.
καὶ τότε θοῦρον Ἔρωτα, γονῆς πρωτόσπορον ἀρχήν,
ἁρμονίης κόσμοιο φερέσβιον ἡνιοχῆα,   130
ἀρτιφανὴς ὤδινεν ἐπ' ὀφρύσι γείτονος ὅρμου·
καὶ πάις ὠκυπόδης, κόπον ἄρσενα ποσσὶ τινάξας,
γαστρὸς ἀμαιεύτοιο μογοστόκον ἔφθασεν ὥρην,
μητρὸς ἀνυμφεύτοιο μεμυκότα κόλπον ἀράξας,
θερμὸς ἔτι πρὸ τόκοιο· κυβιστητῆρι δὲ παλμῷ   135

---

[a] In Attica. All these places are famous centres of the
worship of Aphrodite.

204

foot on land by the dry beach of Colias,[a] even passed by Cythera's city itself with quicker circuit : aye, she rubbed her skin with bunches of seaweed and made it purpler still ; paddling with her hands she cleft the birthwaters of the waveless deep, and swam ; resting her bosom upon the sea she struck up the silent brine, marking it with her feet, and kept her body afloat, and as she cut through the calm, pushed the water behind her with successive thrusts of her feet, and emerged at Beroë. Those footsteps of the goddess coming out from the sea are all lies of the people of Cyprus.[b]

[119] Beroë first received Cypris ; and above the neighbouring roads, the meadows of themselves put out plants of grass and flowers on all sides ; in the sandy bay the beach became ruddy with clumps of roses, the foamy stone teemed with sweetsmelling wine and brought forth purple fruit on its rocky bosom, a shadowing shower of dew with the liquor of the winepress,[c] . . . a white rill bubbled with milky juice : the fragrant breeze wafted upwards the curling vapours of scent, selfspread, and intoxicated the paths of the air. There, as soon as she was seen on the brows of the neighbouring harbourage, she brought forth wild Eros, first seed and beginning of generation, quickening guide of the system of the universe ; and the quickleg boy, kicking manfully with his lively legs, hastened the hard labour of that body without a nurse, and beat on the closed womb of his unwedded mother ; then a hot one even before birth, he shook his light

---

[b] Possibly this means that some marks on the rocks in Cyprus were shown as the prints of Aphrodite's feet.
[c] The loss of one or more lines makes this obscure.

δινεύων πτερὰ κοῦφα πύλας ὤιξε λοχείης.
καὶ ταχὺς αἰγλήεντι θορὼν ἐπὶ μητρὸς ἀγοστῷ
ἄστατος ἀκλινέεσσιν Ἔρως ἀνεπάλλετο μαζοῖς,
στήθεϊ παιδοκόμῳ τετανυσμένος· εἶχε δὲ φορβῆς
ἵμερον αὐτοδίδακτον· ἀνημέλκτοιο δὲ θηλῆς   14
ἄκρα δακὼν γονίμων λιβάδων τεθλιμμένον ὄγκῳ
οἰδαλέων ἀκόρητος ὅλον γλάγος ἔσπασε μαζῶν.

Ῥίζα βίου, Βερόη, πολίων τροφός, εὖχος ἀνάκτων,
πρωτοφανής, Αἰῶνος ὁμόσπορε, σύγχρονε κόσμου,
ἕδρανον Ἑρμείαο, Δίκης πέδον, ἄστυ θεμίστων,   14
ἔνδιον Εὐφροσύνης, Παφίης δόμος, οἶκος Ἐρώτων,
Βάκχου τερπνὸν ἔδεθλον, ἐναύλιον ἰοχεαίρης,
Νηρεΐδων ἀνάθημα, Διὸς δόμος, Ἄρεος αὐλή,
Ὀρχομενὸς Χαρίτων, Λιβανηίδος ἄστρον ἀρούρης,
Τηθύος ἰσοέτηρος, ὁμόδρομος Ὠκεανοῖο,   15
ὃς Βερόην ἐφύτευσεν ἑῷ πολυπίδακι παστῷ
Τηθύος ἰκμαλέοισιν ὁμιλήσας ὑμεναίοις,
ἥν περ Ἀμυμώνην ἐπεφήμισαν, εὖτέ ἑ μήτηρ
ὑδρηλῆς φιλότητος ὑποβρυχίῃ τέκεν εὐνῇ.

Ἀλλά τις ὁπλοτέρη πέλεται φάτις, ὅττι μιν αὐτὴ   15
ἀνδρομέης Κυθέρεια κυβερνήτειρα γενέθλης
Ἀσσυρίῳ πάνλευκον Ἀδώνιδι γείνατο μήτηρ·
καὶ δρόμον ἐννεάκυκλον ἀναπλήσασα Σελήνης
φόρτον ἐλαφρίζει· φθάμενος δέ μιν ὠκέι ταρσῷ,
ἐσσομένων κήρυκα, Λατινίδα δέλτον, ἀείρων,   16
εἰς Βερόης ὠδῖνα μογοστόκος ἤλυθεν Ἑρμῆς,
καὶ Θέμις Εἰλείθυια, καὶ οἰδαλέου διὰ κόλπου

---

[a] *i.e.* as much beloved by them as Orchomenos, the
ancient seat of their cult, *cf.* xvi. 131.
[b] Whether either legend is older than Nonnos or his own

wings and with a tumbling push opened the gates of
birth. Thus quickly Eros leapt into his mother's
gleaming arms, and pounced at once upon her firm
breasts spreading himself over that nursing bosom.
Untaught he yearned for his food; he bit with his
gums the end of the teat never milked before, and
greedily drank all the milk of those breasts swollen
with the pressure of the lifegiving drops.

143 O Beroë, root of life, nurse of cities, the boast
of princes, the first city seen, twin sister of Time,
coeval with the universe, seat of Hermes, land of
justice, city of laws, bower of Merryheart, house
of Paphia, hall of the Loves, delectable ground of
Bacchos, home of the Archeress, jewel of the Nereïds,
house of Zeus, court of Ares, Orchomenos of the
Graces,[a] star of the Lebanon country, yearsmate of
Tethys, running side by side with Oceanos, who begat
thee in his bed of many fountains when joined in
watery union with Tethys—Beroë the same they
named Amymone when her mother brought her
forth on her bed in the deep waters !

155 But there is a younger legend,[b] that her mother
was Cythereia herself, the pilot of human life, who
bore her all white to Assyrian Adonis. Now she had
completed the nine circles of Selene's course carrying
her burden : but Hermes was there in time on speedy
foot, holding a Latin [c] tablet which was herald of
the future. He came to help the labour of Beroë, and
Themis [d] was her Eileithyia—she made a way through

invention may be doubted. All this mixture of pedantry
and prettiness has for its inspiration the great law school of
Berytus (Beirut).

[c] It was of course Roman law that was taught at Berytus,
although not at the time of Solon (see line 165).

[d] Goddess of Justice.

στεινομένης ὠδῖνος ἀναπτύξασα καλύπτρην
ὀξὺ βέλος κούφιζε πεπαινομένου τοκετοῖο,
θεσμὰ Σόλωνος ἔχουσα· πιεζομένη δὲ λοχείη   16.
λυσιτόκῳ βαρὺ νῶτον ἐπικλίνασα θεαίνη
Κύπρις ἀνωδίνεσκε, καὶ Ἀτθίδος ὑψόθι βίβλου
παῖδα σοφὴν ἐλόχευσε, Λακωνίδες οἷα γυναῖκες
υἱέας ὠδίνουσιν ἐπ᾽ εὐκύκλοιο βοείης·
καὶ τόκον ἀρτιλόχευτον ἀπέπτυε θήλεϊ κόλπῳ,   17.
ἄρσενα μαῖαν ἔχουσα δικασπόλον υἱέα Μαίης·
καὶ βρέφος εἰς φάος ἦγεν. ἐχυτλώσαντο δὲ κούρην
τέσσαρες ἄστεα πάντα διιππεύοντες ἀῆται,
ἐκ Βερόης ἵνα γαῖαν ὅλην πλήσωσι θεμίστων·
τῇ δὲ λοχευομένῃ πρωτάγγελος εἰσέτι θεσμῶν   17.
Ὠκεανὸς πόρε χεῦμα λεχώιον ἰξύι κόσμου
ἀενάῳ τελαμῶνι χέων μιτρούμενον ὕδωρ·
χερσὶ δὲ γηραλέῃσιν ἐς ἀρτιτόκου χρόα κούρης
σπάργανα πέπλα Δίκης ἀνεκούφισε σύντροφος Αἰών,
μάντις ἐπεσσομένων, ὅτι γήραος ἄχθος ἀμείβων,   18.
ὡς ὄφις ἀδρανέων φολίδων σπείρημα τινάξας,
ἔμπαλιν ἡβήσειε λελουμένος οἴδμασι θεσμῶν·
θεσπεσίην δὲ θύγατρα λοχευομένης Ἀφροδίτης
σύνθροον ἐκρούσαντο μέλος τετράζυγες Ὧραι.
    Καὶ Παφίης ὠδῖνα τελεσσιγόνοιο μαθόντες   18.
θῆρες ἐβακχεύοντο· λέων δέ τις ἁβρὸν ἀθύρων
χείλεϊ μειλιχίῳ ῥαχίην ἠσπάζετο ταύρου,
ἀκροτέροις στομάτεσσι φίλον μυκηθμὸν ἰάλλων,
καὶ τροχαλῇ βαρύδουπον ἐπιρρήσσων πέδον ὁπλῇ
ἵππος ἀνεκροτάλιζε γενέθλιον ἦχον ἀράσσων,   19.
καὶ ποδὸς ὑψιπόροιο θορὼν ἐπιβήτορι παλμῷ
πόρδαλις αἰολόνωτος ἐπεσκίρτησε λαγωῷ,
ὠρυγῆς δ᾽ ὀλόλυγμα χέων φιλοπαίγμονι λαιμῷ

208

the narrow opening of the swollen womb for the child, and unfolded the wrapping, and lightened the sharp pang of the ripening birth, with Solon's laws in hand. Cypris under the oppression of her travail leaned back heavily against the ministering goddess, and in her throes brought forth the wise child upon the Attic book, as the Laconian women bring forth their sons upon the round leather shield. She brought forth her newborn child from her motherly womb with Hermes the Judge to help as man-midwife. So she brought the baby into the light. The girl was bathed by the four Winds, which ride through all cities to fill the whole earth with the precepts of Beroë. Oceanos, first messenger of the laws for the newborn child, sent his flood for the childbed round the loins of the world, pouring his girdle of water in an everflowing belt. Time, his coeval, with his aged hands swaddled about the newborn girl's body the robes of Justice, prophet of things to come; because he would put off the burden of age, like a snake throwing off the rope-like slough of his feeble old scales, and grow young again bathed in the waves of Law. The four Seasons struck up a tune together, when Aphrodite brought forth her wonderful daughter.

[185] The beasts were wild with joy when they learnt of the Paphian's child safely born. The lion in playful sport pressed his mouth gently on the bull's neck, and uttered a friendly growl with pouting lips. The horse rattled off, scraping the ground with thuds of galloping feet, as he beat out a birthday tune. The spotted panther leaping on high with bounding feet capered towards the hare. The wolf let out a triumphal howl from a merry throat and kissed the

ἀδρύπτοις γενύεσσι λύκος προσπτύξατο ποίμνην,
καί τις ἐνὶ ξυλόχοισι λιπὼν κεμαδοσσόον ἄγρην,   19
ἄλλον ἔχων γλυκὺν οἶστρον, ἀμιλλητῆρι χορείῃ
ὀρχηστὴρ ἐρίδαινε κύων βητάρμονι κάπρῳ,
καὶ πόδας ὀρθώσασα, περιπλεχθεῖσα δὲ δειρῇ,
ἄρκτος ἀδηλήτῳ δαμάλην ἠγκάσσατο δεσμῷ,
πυκνὰ δὲ κυρτώσασα φιλέψιον ἄντυγα κόρσης   20
πόρτις ἀνεσκίρτησε, δέμας λιχμῶσα λεαίνης,
ἡμιτελὲς μύκημα νέων πέμπουσα γενείων,
καὶ φιλίων ἐλέφαντι δράκων ἔψαυεν ὀδόντων·
καὶ δρύες ἐφθέγξαντο· γαληναίῳ δὲ προσώπῳ
ἠθάδα πέμπε γέλωτα φιλομμειδὴς Ἀφροδίτη,   20
τερπομένων ὀρόωσα λεχώια παίγνια θηρῶν.
πᾶσι μὲν ἀμφελέλιζε γεγηθότα κύκλον ὀπωπῆς,
πᾶσιν ὁμοῦ· μούνην δὲ συῶν οὐκ ἤθελε λεύσσειν
τερπωλήν, ἅτε μάντις, ἐπεὶ συὸς εἰκόνι μορφῆς
Ἄρης καρχαρόδων θανατηφόρον ἰὸν ἰάλλων   21
ζηλομανὴς ἤμελλεν Ἀδώνιδι πότμον ὑφαίνειν.

Καὶ Βερόην γελόωσαν ἔτι βρέφος ἅμματι χειρῶν
δεξαμένη παρὰ μητρὸς ὅλου κόσμοιο τιθήνη
παρθένος Ἀστραίη, χρυσέης θρέπτειρα γενέθλης,
ἔννομα παππάζουσαν ἀνέτρεφεν ἔμφρονι μαζῷ·   21
παρθενίῳ δὲ γάλακτι ῥοὰς βλύζουσα θεμίστων
χείλεα παιδὸς ἔδευσε,

          καὶ ἔβλυεν εἰς στόμα κούρης
Ἀτθίδος ἡδυτόκοιο περιθλίψασα μελίσσης
δαιδαλέην ὠδῖνα πολυτρήτοιο λοχείης,
κηρία φωνήεντα σοφῷ κεράσασα κυπέλλῳ·   22

ᵃ καὶ δρύες. As this makes no sense, perhaps we should
read οὔρυγες, supposing the loss of a line between 203 and
204 or between ἐφθέγξαντο and γαληναίῳ, to this effect
" And the gazelles uttered [a friendly call in answer to the

sheep with jaws that tore not. The hound left his chase of the deer in the thickets, now that he felt a passion strange and sweet, and danced in tripping rivalry with the sportive boar. The bear lifted her forefeet and threw them round the heifer's neck, embracing her with a bond that did no hurt. The calf bending again and again in sport her rounded head, skipt up and licked the lioness's body, while her young lips made a half-completed moo. The serpent touched the friendly tusks of the elephant, and the trees [a] uttered a voice.

[204] With calm face ever-smiling Aphrodite rang out her unfailing laugh, when she saw the birthday games of the happy beasts. She turned her round eyes delighted in all directions ; only the boars she would not watch in their pleasures, for being a prophet she knew, that in the shape of a wild boar, Ares with jagged tusk and spitting deadly poison was destined to weave fate for Adonis in jealous madness.[b]

[212] Virgin Astraia, nurse of the whole universe, cherisher of the Golden Age, received Beroë from her mother into the embrace of her arms, laughing, still a babe,[c] and fed her with wise breast as she babbled words of law. With her virgin milk, she let streams of statutes gush into the baby's lips, and dropt into the girl's mouth the sweet produce of the Attic bee ; she pressed the bee's riddled travail of many cells, and mixed the voiceful comb in a sapient cup. If the girl

tiger's (or some other carnivore's) purr]." For a possible imitation of this passage by Milton, see *Paradise Lost*, iv. 340 ff.

[b] All stories agree that Adonis was killed by a boar, but differ as to what, if anything, Ares had to do with it.

[c] A sign of a wonder-child, see Ed. Norden, *Die Geburt des Kindes* (Teubner 1924), p. 65.

εἴ ποτε διψαλέη ποτὸν ᾔτεεν, ὤρεγε κούρῃ
Πύθιον Ἀπόλλωνι λάλον πεφυλαγμένον ὕδωρ
ἢ ῥόον Ἰλισσοῖο, τὸν ἔμπνοον Ἀτθίδι Μούσῃ
Πιερικαὶ δονέουσιν ἐπ᾽ ἠόνι Φοιβάδες αὖραι·　224
καὶ στάχυν ἀστερόεντα περιγνάμψασα κορύμβῳ　228
χρύσεον, οἷά περ ὅρμον, ἐπ᾽ αὐχένι θήκατο κούρης.　229
κοῦραι δ᾽ ἁβρὰ λοετρὰ χορίτιδες Ὀρχομενοῖο　22[
ἀμφίπολοι Παφίης μεμελημένον ἐννέα Μούσαις　226
ἐκ κρήνης ἄρυοντο νοήμονος ἵππιον ὕδωρ.　22[

Καὶ Βερόη βλάστησεν ὁμόδρομος ἰοχεαίρῃ,　23[
δίκτυα θηρητῆρος ἀερτάζουσα τοκῆος·
καὶ Παφίης ὅλον εἶδος ὁμόγνιον εἶχε τεκούσης
καὶ πόδας αἰγλήεντας· ὑπερκύψασα δὲ πόντου
χιονέῳ σκαίρουσα Θέτις βητάρμονι ταρσῷ
ἄλλην ἀργυρόπεζαν ἴδεν Θέτιν· αἰδομένη δὲ　23[
κρύπτετο δειμαίνουσα πάλιν στόμα Κασσιεπείης.
Ἀσσυρίην δ᾽ ἑτέρην δεδοκημένος ἄζυγα κούρην
Ζεὺς πάλιν ἐπτοίητο, καὶ ἤθελεν εἶδος ἀμεῖψαι·
καί νύ κε φόρτον Ἔρωτος ἔχων ταυρώπιδι μορφῇ
ἀκροβαφὴς πεφόρητο δι᾽ ὕδατος ἴχνος ἐρέσσων,　24[
κουφίζων ἀδίαντον ὑπὲρ νώτοιο γυναῖκα,
εἰ μὴ μνῆστις ἔρυκε βοοκραίρων ὑμεναίων
Σιδονίς, ἀστερόεν δὲ μέλος ζηλήμονι λαιμῷ
νυμφίος Εὐρώπης μυκήσατο, Ταῦρος Ὀλύμπου,
μὴ βοὸς ἰσοτύποιο δι᾽ αἰθέρος εἰκόνα τεύχων　24[
ποντοπόρων στήσειε νεώτερον ἄστρον Ἐρώτων·
καὶ Βερόην διεροῖσιν ὀφειλομένην ὑμεναίοις

---

[a] The star Spica, which Virgo-Astraea holds in her hand.
[b] Peirene in Corinth, or Hippocrene in Helicon.
[c] Mother of Andromeda, cf. xxv. 135; Thetis fears that she

212

thirsting asked for a drink, she gave the speaking
Pythian water kept for Apollo, or the stream of
Ilissos, which is inspired by the Attic Muse when the
Pierian breezes of Phoibos beat on the bank. She
took the golden Cornstalk [a] from the stars, and en-
twined it in a cluster to put round the girl's neck
like a necklace. The dancing maidens of Orchomenos,
handmaids of the Paphian, drew from the horsehoof [b]
fountain of imagination, dear to the nine Muses,
delicate water to wash her.

[230] Beroë grew up, and coursed with the Archeress,
carrying the nets of her hunter sire. She had the
very likeness of her Paphian mother, and her shining
feet. When Thetis came up out of the sea to skip
with snowy dancing foot, she saw another silverfoot
Thetis, and hid in shame, fearing the raillery of
Cassiepeia [c] once again. Zeus perceiving another un-
wedded maiden of Assyria, was fluttered again and
wished to change his form : certainly he would have
carried the burden of love in bull's form again, skim-
ming away with his legs in the water, paddling along,
bearing the woman unwetted on his back, had he not
been held back by the memory of that Sidonian [d] bull-
horned wedding, and had not the Bull of Olympos,
Europa's bridegroom, bellowed from out the stars
with jealous throat, to think that he might set up
there a new star of seafaring amours and make the
image of a rival bull in the sky. So he left Beroë,
who was destined for a watery bridal, as his brother's

will once more be told, this time with truth, that someone else,
viz. Beroë, is more beautiful than the Nereïds. "Silverfoot"
is Thetis's stock epithet.

[d] To Nonnos's free and easy geography Assyria and Sidon
are much the same, and Berytus is more or less equivalent to
both.

γνωτῷ λεῖπεν ἄκοιτιν, ἐπιχθονίης περὶ νύμφης
ὑσμίνην γαμίης πεφυλαγμένος ἐννοσιγαίου.

Τοίη ἔην Βερόη, Χαρίτων θάλος· εἴ ποτε κούρη   250
λαροτέρην σίμβλοιο μελίρρυτον ἤπυε φωνήν,
ἡδυεπὴς ἀκόρητος ἐφίστατο χείλεσι Πειθὼ
καὶ πινυτὰς οἴστρησεν ἀκηλήτων φρένας ἀνδρῶν·
Ἀσσυρίης δ' ἔκρυπτον ὁμήγυριν ἥλικος ἥβης
ὀφθαλμοὶ γελόωντες, ἀκοντιστῆρες Ἐρώτων,   255
φαιδροτέραις χαρίτεσσιν, ὅσον πλέον ἄστρα καλύπτει
ἀννεφέλους ἀκτῖνας οἰστεύουσα Σελήνη
πλησιφαής· λευκοὶ δὲ παρὰ σφυρὰ νείατα κούρης
πορφυρέοις μελέεσσιν ἐφοινίσσοντο χιτῶνες.
οὐ νέμεσίς ποτε τοῦτο, καὶ εἰ πλέον ἥλικος ἥβης   260
τηλίκον ἔλλαχεν εἶδος, ἐπεί νύ οἱ ἀμφὶ προσώπῳ
κάλλεα διχθαδίων ἀμαρύσσετο φαιδρὰ τοκήων.

Τὴν τότε Κύπρις ἰδοῦσα, νοήμονος ἔγκυος ὀμφῆς,
ὠκυτέρην ἐλέλιζε περιστρωφῶσα μενοινήν,
καὶ νόον ἱππεύσασα περὶ χθόνα πᾶσαν ἀλήτην   265
φαιδρὰ παλαιγενέων διεμέτρεε βάθρα πολήων,
ὅττι φερώνυμίην ἑλικώπιδος εἶχε Μυκήνης
στέμματι τειχιόεντι περιζωσθεῖσα Μυκήνη
Κυκλώπων κανόνεσσι, καὶ ὡς νοτίῳ παρὰ Νείλῳ
Θήβης ἀρχεγόνοιο φερώνυμος ἔπλετο Θήβη·   270
καὶ Βερόης μενέαινεν ἐπώνυμον ἄστυ χαράξαι,
ἀντιτύπων μεθέπουσα φιλόπτολιν οἶστρον Ἐρώτων.
φραζομένη δὲ Σόλωνος ἀλεξικάκων στίχα θεσμῶν
δόχμιον ὄμμα τίταινεν ἐς εὐρυάγυιαν Ἀθήνην,
γνωτῆς ζῆλον ἔχουσα δικασπόλον· ἐσσυμένῳ δὲ   275
ἠερίην ἁψῖδα διερροίζησε πεδίλῳ
εἰς δόμον Ἁρμονίης παμμήτορος, ὁππόθι νύμφη

bedfellow, for he wished not to quarrel with Earth-shaker about a mortal wife.

²⁵⁰ Such was Beroë, flower of the Graces. If ever the girl uttered her voice trickling sweeter than honey and the honeycomb, winning Persuasion sat ever upon her lips and enchanted the clever wits of men whom nothing else could charm. Her laughing eyes outshone all the company of her young Assyrian agemates as they shot their shafts of love, with brighter graces, like the moon at the full, when showering her cloudless rays and hiding the stars. Her white robes falling down to the girl's feet showed the blush of her rosy limbs. There is no wonder in that, even if she had such fairness beyond her young yearsmates, since bright over her countenance sparkled the beauties of both her parents.

²⁶³ Then Cypris saw her : pregnant with prophetic intelligence she sent her imagination wandering swiftly round, and driving her mind to wander about the whole earth surveyed the foundations of the brilliant cities of ancient days. She saw how Mycene girt about with a garland of walls by the Cyclopian masons took the name of twinkle-eye Mycene ; how Thebes beside the southern Nile took the name of primeval Thebe ; and she decided to design a city named after Beroë, being possessed with a passion to make her city as good as theirs. She observed there the long column of Solon's Laws, that safeguard against wrong, and turned aside her eye to the broad streets of Athens, and envied her sister the just Judge. With hurrying shoe, she whizzed along the vault of heaven to the hall of Allmother Harmonia, where that nymph dwelt

εἴκελον οἶκον ἔναιε τύπῳ τετράζυγι κόσμου
αὐτοπαγῆ· πίσυρες δὲ θύραι στιβαροῖο μελάθρου
ἀρραγέες πισύρεσσιν ἐμιτρώθησαν ἀῆταις·   280
καὶ δόμον ἐρρύοντο περίτροχον εἰκόνα κόσμου
δμωίδες ἔνθα καὶ ἔνθα· μεριζομένων δὲ θυρέτρων
Ἀντολίη θεράπαινα πύλην περιδέδρομεν Εὔρου,
καὶ Ζεφύρου πυλεῶνα Δύσις, θρέπτειρα Σελήνης,
καὶ Νότιον πυρόεντα Μεσημβριὰς εἶχεν ὀχῆα,   285
καὶ πυκινὴν νεφέεσσι, παλυνομένην δὲ χαλάζῃ
Ἄρκτος ὑποδρήστειρα πύλην ἐπέτασσε Βορῆος.
  Κεῖθι Χάρις προθοροῦσα, συνέμπορος ἀφρογενείῃ,
Εὔρου κόψε θύρετρον Ἐῷον· ἐνδόμυχος δὲ
Ἀντολίης κροκόεντος ἀρασσομένου πυλεῶνος   290
ἄνδραμεν Ἀστυνόμεια διάκτορος, ἱσταμένην δὲ
Κύπριν ἐσαθρήσασα παρὰ προπύλαια μελάθρου
ποσσὶ παλιννόστοισι προάγγελος ἦλθεν ἀνάσσῃ.
ἡ μὲν ἐποιχομένη πολυδαίδαλον ἱστὸν Ἀθήνης
κερκίδι πέπλον ὕφαινεν· ὑφαινομένου δὲ χιτῶνος   295
πρώτην γαῖαν ἔπασσε μεσόμφαλον, ἀμφὶ δὲ γαίῃ
οὐρανὸν ἐσφαίρωσε τύπῳ κεχαραγμένον ἄστρων,
συμφερτὴν δὲ θάλασσαν ἐφήρμοσε σύζυγι γαίῃ
καὶ ποταμοὺς ποίκιλλεν, ἐπ' ἀνδρομέῳ δὲ μετώπῳ
ταυροφυὴς μορφοῦτο κερασφόρος ἔγχλοος εἰκών·   300
καὶ πυμάτην παρὰ πέζαν ἐϋκλώστοιο χιτῶνος
ὠκεανὸν κύκλωσε περίδρομον ἄντυγι κόσμου.
ἀμφίπολος δέ οἱ ἦλθε καὶ ἐγγύθι θήλεος ἱστοῦ
ἱσταμένην ἤγγειλε παρὰ προθύροις Ἀφροδίτην.
καὶ θεός, ὡς ἤκουσε, μίτους ῥίψασα χιτῶνος   305
θέσκελον ἱστοπόνων ἀπεσείσατο κερκίδα χειρῶν·
καὶ ταχινὴ πυκάσασα δέμας χιονώδεϊ πέπλῳ
216

in a house, self-built, shaped like the great universe
with its four quarters joined in one. Four portals
were about that stronghold standing proof against
the four winds. Handmaids protected this dwelling
on all sides, a round image of the universe: the
doors were allotted—Antolia[a] was the maid who
attended the East Wind's gate; at the West Wind's
was Dysis the nurse of Selene; Mesembrias held the
bolt of the fiery South; Arctos the Bear was the
servant who opened the gate of the North, thick with
clouds and sprinkled with hail.

[288] To that place went Charis, fellow-voyager with
the Foamborn, and running ahead she knocked at
the eastern gate of Euros. As the rap came on the
saffron portal of sunrise, Astynomeia an attendant
ran up from within; and when she saw Cypris
standing in front of the gatehouse of the dwelling,
she went with returning feet to inform her
mistress beforehand. She was then busy at
Athena's loom, weaving a patterned cloth with her
shuttle. In the robe she was weaving, she worked
first Earth as the navel in the midst; round it she
balled the sky dotted with the shape of stars,
and fitted the sea closely to the embracing earth;
she embroidered also the rivers in a green picture,
shaped each with a human face and bull's horns; and
at the outer fringe of the wellspun robe she made
Ocean run all round the world in a loop. The maid
came up to the woman's loom, and announced that
Aphrodite stood before the gatehouse. When the
goddess heard, she dropt the threads of the robe and
threw down the divine shuttle from her hands busy
at the loom. Quickly she wrapped a snow-white

[a] The names mean Rising, Setting, She of Midday.

φαιδροτέρη χρυσέης ὑπερίζανεν ἠθάδος ἕδρης,
δεχνυμένη Κυθέρειαν, ἀναΐξασα δὲ θώκου
τηλεφανῆ κύδηνεν ἐπερχομένην Ἀφροδίτην. 310
καὶ Παφίην ἵδρυσεν ἐπὶ θρόνον ἐγγὺς ἀνάσσης
Εὐρυνόμη τανύπεπλος· ἀτυζομένου δὲ προσώπου
Κύπριν ὀπιπεύουσα κατηφέι μάρτυρι μορφῇ
παντρόφος Ἁρμονίη φιλίῳ μειλίξατο μύθῳ·
" Ῥίζα βίου, Κυθέρεια φυτοσπόρε, μαῖα γενέθλης, 315
ἐλπὶς ὅλου κόσμοιο, τεῆς ὑπὸ νεύματι βουλῆς
ἀπλανέες κλώθουσι πολύτροπα νήματα Μοῖραι ..."
" . . . εἰρομένη θέσπιζε, καὶ ὡς βιότοιο τιθήνη,
ὡς τροφὸς ἀθανάτων, ὡς σύγχρονος ἥλικι κόσμῳ,
εἰπέ· τίνι πτολίων βασιληίδος ὄργανα φωνῆς 320
λυσιπόνων ἀτίνακτα φυλάσσεται ἡνία θεσμῶν;
ὅττι πολυχρονίοιο πόθου δεδονημένον οἴστρῳ
Ἥρης κέντρον ἔχοντα κασιγνήτων ὑμεναίων
εἰς χρόνον ἱμείροντα τριηκοσίων ἐνιαυτῶν
Ζῆνα γάμοις ἔζευξα· χάριν δέ μοι ἄξιον ἔργων 325
μισθὸν ἑοῦ θαλάμοιο νοήμονι νεῦσε καρήνῳ,
ὅττι μιῇ πολίων, ὧν ἔλλαχον, ἐγγυαλίξει
θεσμὰ Δίκης. ποθέω δὲ δαήμεναι, εἰ χθονὶ Κύπρου
ἠὲ Πάφῳ τάδε δῶρα φυλάσσεται ἠὲ Κορίνθῳ
ἢ Σπάρτῃ, Λυκόοργος ὅθεν πέλεν, ἠὲ καὶ αὐτῆς 330
κούρης ἡμετέρης Βερόης εὐήνορι πάτρη.
ἀλλὰ δίκης ἀλέγιζε καὶ ἁρμονίην πόρε κόσμῳ
Ἁρμονίη γεγαυῖα βιοσσόος· εἰς σὲ γὰρ αὐτὴ
πέμψεν ἐπειγομένην με
                        θεμιστοπόλων τροφὸς ἀνδρῶν,

---

[a] While weaving she no doubt had nothing on but a smock.

218

robe about her body,[a] and brighter than the gold took her place on her usual seat to await Cythereia. As soon as Aphrodite appeared in the distance, she leapt from her throne to show due respect. Eurynome in her long robe led the Paphian to a seat near her mistress ; Harmonia the Nurse of the world saw the looks and dejected bearing of Cypris that showed her distress, and comforted her in friendly tones :

315 " Cythereia, root of life, seedsower of being, midwife of nature, hope of the whole universe, at the bidding of your will the unbending Fates do spin their complicated threads ! [Tell me your trouble."]

318 [She replied] : " . . . Reveal to your questioner, and tell me, as nourisher of life, nurse of immortals, as coeval with the universe your agemate ; which of the cities has the organ of sovereign voice ? which has reserved for it the unshaken reins of troublesolving Law ? I joined Zeus in wedlock with Hera his sister, after he had felt the pangs of longlasting desire and desired her for three hundred years : in gratitude he bowed his wise head, and promised as a worthy reward for the marriage that he would commit the precepts of Justice to one of the cities allotted to me. I wish to learn whether the gift is reserved for land of Cyprus or Paphos or Corinth, or Sparta whence Lycurgos came, or the noblemen's country of my own daughter Beroë. Have a care then for Justice, and grant harmony to the world, you who are Harmonia the saviour of life ! For I was sent here in haste by the Virgin of the Stars herself, the nurse of law-abiding men ;

χιτώνιον. like the housewife in Theocritos xv. 31 ; she dresses more formally to receive her visitor.

Παρθένος ἀστερόεσσα· τὸ δὲ πλέον ἔννομος Ἑρμῆς 335
τοῦτο γέρας μεθέηκε, βιαζομένους ἵνα μούνη
ἀνέρας, οὓς ἔσπειρα, γάμου θεσμοῖσι σαώσω."
    Ὣς φαμένην θάρσυνε θεὰ καὶ ἀμείβετο μύθῳ·
" Γίνεο θαρσαλέη, μὴ δείδιθι, μῆτερ Ἐρώτων·
ἑπτὰ γὰρ ἐν πινάκεσσιν ἔχω μαντήια κόσμου,   340
καὶ πίνακες γεγάασιν ἐπώνυμοι ἑπτὰ πλανήτων.
πρῶτος ἐυτροχάλοιο φερώνυμός ἐστι Σελήνης·
δεύτερος Ἑρμείαο πίναξ χρύσειος ἀκούει
στίλβων, ᾧ ἔνι πάντα τετεύχαται ὄργια θεσμῶν·
οὔνομα σὸν μεθέπει ῥοδόεις τρίτος· ὑμετέρου γὰρ 345
ἀστέρος Ἠῴοιο φέρει τύπον· ἑπταπόρων δὲ
τέτρατος Ἠελίοιο μεσόμφαλός ἐστι πλανήτων·
πέμπτος ἐρευθιόων πυρόεις κικλήσκεται Ἄρης·
καὶ Φαέθων Κρονίδαο φατίζεται ἕκτος ἀλήτης·
ἕβδομος ὑψιπόροιο Κρόνου πέλεν οὔνομα φαίνων. 350
τοῖς ἔνι ποικίλα πάντα μεμορμένα θέσφατα κόσμου
γράμματι φοινικόεντι γέρων ἐχάραξεν Ὀφίων.
ἀλλ᾽, ἐπεὶ ἰθυνόων με διείρεαι εἵνεκα θεσμῶν,
πρεσβυτέρη πολίων πρεσβήια ταῦτα φυλάσσω·
εἴτ᾽ οὖν Ἀρκαδίη προτέρη πέλεν ἢ πόλις Ἥρης, 355
Σάρδιες εἰ γεγάασι παλαίτεραι, εἰ δὲ καὶ αὐτὴ
Ταρσὸς ἀειδομένη πρωτόπτολις, εἰ δέ τις ἄλλη,
οὐκ ἐδάην· Κρόνιος δὲ πίναξ τάδε πάντα διδάσκει,
τίς προτέρη βλάστησε,
                    τίς ἔπλετο σύγχρονος Ἠοῦς."
    Εἶπε· καὶ ἡγεμόνευεν ἐς ἀγλαὰ θέσφατα τοίχου, 360
εἰσόκεν ἔδρακε χῶρον, ὅπη Βερόης περὶ πάτρης
θέσφατον ὀψιτέλεστον Ὀφιονίη γράφε τέχνη
ἐν πίνακι Κρονίῳ κεχαραγμένον οἴνοπι μίλτῳ·
" πρωτοφανὴς Βερόη πέλε σύγχρονος ἥλικι κόσμῳ,

and what is more, law-loving Hermes has passed on this honour to me, that I alone by enforcing the laws of marriage may preserve the men whom I have sown."

338 To these words of hers the goddess replied with an encouraging speech:

339 " Be of good cheer, fear not, mother of the Loves! For I have oracles of history on seven tablets, and the tablets bear the names of the seven planets. The first has the name of revolving Selene; the second is called of Hermes, a shining *a* tablet of gold, upon which are wrought all the secrets of law; the third has your name, a rosy tablet, for it has the shape of your star in the East; the fourth is of Helios, central navel of the seven travelling planets; the fifth is called Ares, red and fiery; the sixth is called Phaëthon,*b* the planet of Cronides; the seventh shows the name of highmoving Cronos. Upon these, ancient Ophion *c* has engraved in red letters all the divers oracles of fate for the universe. But since you ask me about the directing laws, this prerogative I keep for the eldest of cities. Whether then Arcadia is first or Hera's city,*d* whether Sardis be the oldest, or even Tarsos celebrated in song be the first city, or some other, I have not been told. The tablet of Cronos will teach you all this, which first arose, which was coeval with Dawn."

360 She spoke; and led the way to the glorious oracles of the wall, until she saw the place where Ophion's art had engraved in ruddy vermilion on the tablet of Cronos the oracle to be fulfilled in time about Beroë's country. " Beroë came the first, coeval with

---

a στίλβων, an older name for the planet Mercury.
b The planet Jupiter.
c Cf. ii. 573.   *d* Argos.

NONNOS

νύμφης ὀψιγόνοιο φερώνυμος, ἣν μετανάσται   365
υἱέες Αὐσονίων, ὑπατήια φέγγεα 'Ρώμης,
Βηρυτὸν καλέσουσιν, ἐπεὶ Λιβάνῳ πέσε γείτων. . . ."
τοῖον ἔπος δεδάηκε θεοπρόπον. ἀλλ' ὅτε δαίμων
θέσκελον ἑβδομάτου πίνακος παρεμέτρεεν ἀρχήν,
δεύτερον ἐσκοπίαζεν, ὅπῃ παρὰ γείτονι τοίχῳ   370
ποικίλα παντοίης ἐχαράσσετο δαίδαλα τέχνης
μαντιπόλοις ἐπέεσσιν, ὅτι πρώτιστα νοήσει
Πὰν νόμιος σύριγγα, λύρην 'Ελικώνιος 'Ερμῆς,
δίθροον ἁβρὸς Ὑαγνις ἐυτρήτου μέλος αὐλοῦ,
'Ορφεὺς μυστιπόλοιο θεηγόρα χεύματα μολπῆς,   375
καὶ Λίνος εὐεπίην Φοιβήιος, 'Αρκὰς ἀλήτης
μέτρα δυωδεκάμηνα καὶ 'Ηελίοιο πορείην,
μητέρα τικτομένων ἐτέων τετράζυγι δίφρῳ,
καὶ σοφὸς 'Ενδυμίων ἑτερότροπα δάκτυλα κάμψας
γνώσεται ἄστατα κύκλα παλιννόστοιο Σελήνης   380
τριπλόα, καὶ στοιχεῖον ὁμόζυγον ἄζυγι μίξας
Κάδμος ἐυγλώσσοιο διδάξεται ὄργια φωνῆς,

---

[a] Something has fallen out explaining the name by some local legend.

[b] Another list of " inventors," see note on xl. 310.

[c] Alluding to the (late) theory that the twelve rounds of the chariot race refer to the twelve months. Here Arcas, not Erichthonios, invents chariots.

[d] This does not mean that Endymion (rationalized here into an astronomer who calculated the times of the moon's phases) was so bad an arithmetician that he had to count on his fingers, as our children do. The ancients of course knew of this primitive method of reckoning, cf. ps.-Arist. Prob. xv. 3, p. 910 b 23 ff., and the verb πεμπάζειν, but, owing to

the universe her agemate, bearing the name of the nymph later born, which the colonizing sons of the Ausonians, the consular lights of Rome, shall call Berytos, since here fell a neighbour to Lebanon. . . ." [a]

368 Such was the word of prophecy that she learnt. But when the deity had scanned the prophetic beginning of the seventh tablet, she looked at the second, where on the neighbouring wall many strange signs were engraved with varied art in oracular speech : how first [b] shepherd Pan will invent the syrinx, Heliconian Hermes the harp, tender Hyagnis the music of the double pipes with their clever holes, Orpheus the streams of mystic song with divine voice, Apollo's Linos eloquent speech ; how Arcas the traveller will find out the measures of the twelve months, and the sun's circuit which is the mother of the years brought forth by his fourhorse team [c] ; how wise Endymion with changing bends of his fingers [d] will calculate the three varying phases of Selene ; how Cadmos will combine consonant with vowel and teach the secrets

the clumsiness of their written figures, they found it convenient to have a number of conventional gestures with the fingers to signify numerals for purposes of calculation. A rough method, of which no details are known, is mentioned by Ar. *Wasps* 656, but long before Nonnos's day (see Juvenal x. 249 and Mayor *ad loc.*) a kind of arithmetical deaf-and-dumb alphabet had been invented, details of which are preserved by the Venerable Bede, in the section *De ratione computandi* at the beginning of his work *De temporum ratione* (printed, beside the editions of Bede, in Graevius, *Thesaurus* xi. 1699 ff. and C. Sittl, *Gebärde der Griechen und Römer*, pp. 256 ff.). By this, the fingers of the left hand alone can express numbers from 1 to 99, those of the right, 100-10,000, while by holding the hands against various parts of the body, higher numbers up to 1,000,000 can be indicated. See also G. Loria, *Le Scienze esatte nell' antica Grecia*, 743-747, and Sir T. L. Heath, *Hist. of Greek Maths.* i. 26-27 ; ii. 550-552.

θεσμὰ Σόλων ἄχραντα, καὶ ἔννομον Ἀτθίδι πεύκῃ
συζυγίης ἀλύτοιο συνωρίδα δίζυγα Κέκροψ.
καὶ Παφίη μετὰ πάντα πολύτροπα δαίδαλα Μούσης 385
πυκνὰ πολυσπερέων παρεμέτρεεν ἔργα πολήων·
καὶ πίνακος γραπτοῖο μέσην ὑπὲρ ἄντυγα κόσμου
τοῖον ἔπος σοφὸν εὗρε πολύστιχον Ἑλλάδι Μούσῃ·
  " Σκῆπτρον ὅλης Αὐγουστος ὅτε
                        χθονὸς ἡνιοχεύσει,
Ῥώμῃ μὲν ζαθέῃ δωρήσεται Αὐσόνιος Ζεὺς 390
κοιρανίην, Βερόῃ δὲ χαρίζεται ἡνία θεσμῶν,
ὁππότε θωρηχθεῖσα φερεσσακέων ἐπὶ νηῶν
φύλοπιν ὑγρομόθοιο κατευνήσει Κλεοπάτρης·
πρὶν γὰρ ἀτασθαλίη πολιπόρθιος οὔ ποτε λήξει
εἰρήνην κλονέουσα σαόπτολιν, ἄχρι δικάζει 395
Βηρυτὸς βιότοιο γαληναίοιο τιθήνη
γαῖαν ὁμοῦ καὶ πόντον, ἀκαμπέι τείχεϊ θεσμῶν
ἄστεα πυργώσασα, μία πτόλις ἄστεα κόσμου."
  Καὶ θεός, ὁππότε πᾶσαν Ὀφιονίην μάθεν ὀμφήν,
εἰς ἑὸν οἶκον ἔβαινε παλίνδρομος· ἑζομένου δὲ 400
υἱέος ἐγγὺς ἔθηκεν ἑὴν χρυσήλατον ἕδρην,
καὶ μέσον ἀγκὰς ἑλοῦσα γαληνιόωντι προσώπῳ
πεπταμένῳ πήχυνε γεγηθότι κοῦρον ἀγοστῷ,
γούνασι κουφίζουσα φίλον βάρος· ἀμφότερον δὲ
καὶ στόμα παιδὸς ἔκυσσε καὶ ὄμματα· θελξινόου δὲ 405

---

^a The Phoenician alphabet, which the Greeks borrowed
(traditionally through Cadmos), had signs for consonants
only ; the brilliant Greek innovation was to use some of
these signs, which represented consonants which did not
exist in Greek, for vowels. They thus invented the first
complete alphabet of human history.
  ^b The list rationalizes: Endymion, beloved of the Moon,
becomes a skilful astronomer, and the twy-formed Cecrops

of correct speech [a]; how Solon will invent inviolable laws, and Cecrops the union of two yoked together under the sacred yoke of marriage made lawful with the Attic torch.[b]

385 Now the Paphian, after all these manifold wonders of the Muse, scanned the various deeds of the scattered cities; and on the written tablet which lay in the midst on the circuit of the universe, she found these words of wisdom inscribed in many lines of Grecian verse:

389 " When Augustus shall hold the sceptre of the world, Ausonian Zeus will give to divine Rome the lordship, and to Beroë he will grant the reins of law, when armed in her fleet of shielded ships she shall pacify the strife of battlestirring Cleopatra. For before that, citysacking violence will never cease to shake citysaving peace, until Berytos the nurse of quiet life does justice on land and sea, fortifying the cities with the unshakable wall of law, one city for all cities of the world." [c]

399 Then the goddess, having learnt all the oracles of Ophion, returned to her own house. She placed her own goldwrought throne beside the place where her son sat, and throwing an arm round his waist, with quiet countenance opened her glad arms to receive the boy and held the dear burden on her knees; she kissed both his lips and eyes, touched his mind-

(cf. 59) is the person who first united the two contrasting natures of man and woman in a durable union. To do Nonnos justice, he did not originate these sillinesses.

[c] Berytos was destroyed by Tryphon in 140 B.C. in his rivalry with Antiochos VII. It recovered, became a town of the Roman Empire, and was renowned for its schools, especially of law. Octavian (afterwards Augustus) defeated Cleopatra at Actium in 31 B.C.

ἁπτομένη τόξοιο καὶ ἀμφαφόωσα φαρέτρην,
οἷά περ ἀσχαλόωσα, δολόφρονα ῥήξατο φωνήν·
" Ἐλπὶς ὅλου βιότοιο, παραίφασις ἀφρογενείης,
νηλειὴς ἐμὰ τέκνα βιήσατο μοῦνα Κρονίων·
ἐννέα γὰρ πλήσασα μογοστόκα κύκλα Σελήνης   410
δριμὺ βέλος μεθέπουσα δυηπαθέος τοκετοῖο
Ἁρμονίην ἐλόχευσα, καὶ ἄλγεα ποικίλα πάσχει
ἀχνυμένη· κούρην δὲ μογοστόκον ἔλλαχε Λητώ,
Ἄρτεμιν Εἰλείθυιαν, ἀρηγόνα θηλυτεράων.
τέκνον Ἀμυμώνης ὁμογάστριον, οὔ σε διδάξω,   415
ὡς λάχον ἐξ ἁλὸς αἷμα καὶ αἰθέρος· ἀλλὰ τελέσσαι
ἤθελον ἄξιον ἔργον, ὅπως παρὰ μητρὶ θαλάσσῃ
οὐρανόθεν γεγαυῖα καὶ οὐρανὸν ἐν χθονὶ πήξω·
ἀλλὰ κασιγνήτης ἐπὶ κάλλεϊ σεῖο . . . τιταίνων
θέλγε θεούς, καὶ μᾶλλον ἴσον βέλος εἰν ἑνὶ θεσμῷ   120
πέμπε Ποσειδάωνι καὶ ἀμπελόεντι Λυαίῳ,
ἀμφοτέροις μακάρεσσιν· ἐγὼ δέ σοι ἄξια μόχθων
δῶρον ἐκηβολίης ἐπεοικότα μισθὸν ὀπάσσω·
δώσω σοι χρυσέην γαμίην χέλυν, ἣν παρὰ παστῷ
Ἁρμονίῃ πόρε Φοῖβος, ἐγὼ δέ σοι ἐγγυαλίξω   425
ἄστεος ἐσσομένου μνημήιον, ὄφρά κεν εἴης
καὶ μετὰ τοξευτῆρα λυροκτύπος,
                              ὥς περ Ἀπόλλων."

bewitching bow and fingered the quiver, and spoke in feigned anger these cunning words :

408 " You hope of all life ! You cajoler of the Foamborn ! Cronion is a cruel tyrant to my children alone ! After nine full months of hard travail I brought forth Harmonia, suffering the bitter pangs of painful childbirth ; and now she suffers all sorts of grief and tribulation. But Leto has borne Artemis Eileithyia, the Lady of Travail, the ally of womankind. You Amymone's[a] brother, son of the same mother, need not to be told how I got my blood from brine and ether ; but I would perform a worthy deed, and being born of heaven, I will plant heaven on earth beside the sea my mother. Come then—for your sister's beauty draw your bow[b] and bewitch the gods, or say, shoot one shaft and hit with the same shot Poseidon and vinegod Lyaios, Blessed Ones both. I will give you a gift for your long shot which will be a proper wage worthy of your feat —I will give you the marriage harp of gold, which Phoibos gave to Harmonia at the door of the bridal chamber ; I will place it in your hands in memory of a city to be, that you may be not only an archer, but a harpist, just like Apollo."

[a] Otherwise unknown, not daughter of Danaos.
[b] A line has fallen out paraphrasing the word " bow."

ΔΙΟΝΥΣΙΑΚΩΝ ΤΕΣΣΑΡΑΚΟΣΤΟΝ
ΔΕΥΤΕΡΟΝ

Τεσσαρακοστὸν ὕφηνα τὸ δεύτερον, ἧχι λιγαίνω
Βάκχου τερπνὸν ἔρωτα καὶ ἵμερον ἐννοσιγαίου.

  Ὡς φαμένη παρέπεισε· μεταχρονίῳ δὲ πεδίλῳ
θερμὸς Ἔρως ἀκίχητος ὑπηνέμιον πόδα πάλλων
ὑψινεφὴς πτερόεντι κατέγραφεν ἠέρα ταρσῷ,
τόξα φέρων φλογόεντα. κατωμαδίη δὲ καὶ αὐτὴ
μειλιχίου πλήθουσα πυρὸς κεχάλαστο φαρέτρη.   5
ὡς δ᾽ ὁπότ᾽ ἀννεφέλοιο δι᾽ αἰθέρος ὀξὺς ὁδίτης
ἐκταδίῳ σπινθῆρι τιταίνεται ὄρθιος ἀστήρ,
ἢ στρατιῇ πολέμοιο φέρων τέρας ἤ τινι ναύτῃ,
αἰθέρος ἔγραφε νῶτον ὀπισθιδίῳ πυρὸς ὁλκῷ·
ὣς τότε θοῦρος Ἔρως πεφορημένος ὀξέι ῥοίζῳ,   10
παλλομένων πτερύγων ἀνεμώδεα βόμβον ἰάλλων,
ἠερόθεν ῥοίζησε· καὶ Ἀσσυρίη παρὰ πέτρῃ
ἔμπυρα δισσὰ βέλεμνα μιῇ ξυνώσατο νευρῇ,
παρθενικῆς ὑπ᾽ ἔρωτος ὁμοίου εἰς πόθον ἕλκων
διχθαδίους μνηστῆρας ὁμοζήλων ὑμεναίων,   15
δαίμονα βοτρυόεντα καὶ ἡνιοχῆα θαλάσσης.
  Τῆμος ὁ μὲν βαθὺ κῦμα λιπὼν ἁλιγείτονος ὅρμου,
ὃς δὲ Τύρου μετὰ πέζαν, ἔσω Λιβάνοιο καρήνων
ἤντεον εἰς ἕνα χῶρον. ἀπὸ βλοσυροῖο δὲ δίφρου
πόρδαλιν ἱδρώοντα Μάρων ἀνέλυσε λεπάδνων,   20

228

BOOK XLII

The forty-second web I have woven, where I cele-
brate a delightful love of Bacchos and the
desire of Earthshaker.

HE obeyed her request ; treading on Time's heels
hot Love swiftly sped, plying his feet into the wind,
high in the clouds scoring the air with winged step,
and carried his flaming bow ; the quiver too, filled
with gentle fire, hung down over his shoulder. As
when a star stretches straight with a long trail of
sparks, a swift traveller through the unclouded sky,
bringing a portent for a warhost or some sailor man,
and streaks the back of the upper air with a wake of
fire—so went furious Eros in a swift rush, and his wings
beat the air with a sharp whirring sound that whistled
down from the sky. Then near the Assyrian rock he
united two fiery arrows on one string, to bring two
wooers into like desire for the love of a maid, rivals
for one bride, the vinegod and the ruler of the sea.

[17] Meanwhile one came from the deep waters of the
sea-neighbouring roadstead, and one left the land of
Tyre, and among the mountains of Lebanon the two
met in one place. Maron loosed the panther sweating
from the yoke of his awful car, and brushed off the dust

229

καὶ κόνιν ἐξετίναξε καὶ ἔκλυσεν ὕδατι πηγῆς
θερμὸν ἀναψύχων κεχαραγμένον αὐχένα θηρῶν.
ἔνθα μολὼν ἀκίχητος Ἔρως ἐπὶ γείτονι κούρῃ
δαίμονας ἀμφοτέρους διδυμάονι βάλλεν ὀιστῷ,
βακχεύσας Διόνυσον ἄγειν κειμήλια νύμφῃ,   25
εὐφροσύνην βιότοιο καὶ οἴνοπα βότρυν ὀπώρης,
οἰστρήσας δ' ἐς ἔρωτα κυβερνητῆρα τριαίνης
διπλόον ἕδνον ἔρωτος ἄγειν ἀλιγείτονι κούρῃ,
ναύμαχον ὑγρὸν Ἄρηα καὶ αἰόλα δεῖπνα τραπέζης.
καὶ πλέον ἔφλεγε Βάκχον, ἐπεὶ νόον οἶνος ἐγείρει   30
εἰς πόθον, ὁπλοτέρων δὲ πολὺ πλέον ἄφρονι κέντρῳ
θελγομένην ἀχάλινον ἔχων πειθήνιον ἥβην·
Βάκχον Ἔρως τόξευεν, ὅλον βέλος εἰς φρένα πήξας·
ἔφλεγε δ', ὅσσον ἔθελγεν ἐπιστάξας μέλι πειθοῦς.
ἀμφοτέρους δ' οἴστρησε· δι' αἰθερίης δὲ κελεύθου   35
κυκλώσας βαλίοισιν ὁμόδρομον ἴχνος ἀήταις
νηχομένῳ νόθος ὄρνις ἀνηώρητο πεδίλῳ,
τοῖον ἔπος βοόων φιλοκέρτομον· '' ἀνέρας οἴνῳ
εἰ κλονέει Διόνυσος, ἐγὼ πυρὶ Βάκχον ὀρίνω.''

Καὶ θεὸς ἀμπελόεις ἀντώπιον ὄμμα τιταίνων   40
ἁβρὸν εὐπλοκάμοιο δέμας διεμέτρεε νύμφης,
θάμβος ἔχων ὀχετηγὸν ἐς ἵμερον· ἀρχομένων δὲ
ὀφθαλμὸς προκέλευθος ἐγίνετο πορθμὸς Ἐρώτων.
πλάζετο μὲν Διόνυσος ἔσω τερψίφρονος ὕλης,
λάθριος εἰς Βερόην πεφυλαγμένον ὄμμα τιταίνων,   45
καὶ κατὰ βαιὸν ὄπισθεν ἐς ἀτραπὸν ἦιε κούρης·
οὐδέ οἱ εἰσορόωντι κόρος πέλεν· ἱσταμένην γὰρ
παρθένον ὅσσον ὄπωπε, τόσον πλέον ἤθελε λεύσσειν.
καὶ Κλυμένης φιλότητος ἀναμνήσας πρόμον ἄστρων
Ἥλιον λιτάνευεν, ὀπισθοτόνων ἐπὶ δίφρων   50
αἰθερίῳ στατὸν ἵππον ἀνασφίγγοντα χαλινῷ
μηκύνειν γλυκὺ φέγγος, ἵνα βραδὺς εἰς δύσιν ἔλθῃ

and swilled the beasts with water of the fountain, cooling their hot scarred necks. Then Eros came quickly up to the maiden hard by, and struck both divinities with two arrows. He maddened Dionysos to offer his treasures to the bride, life's merry heart and the ruddy vintage of the grape; he goaded to love the lord of the trident, that he might bring the sea-neighbouring maid a double lovegift, seafaring battle on the water and varied dishes for the table. He set Bacchos more in a flame, since wine excites the mind for desire, and wine finds unbridled youth much more obedient to the rein when it is charmed with the prick of unreason; so he shot Bacchos and drove the whole shaft into his heart, and Bacchos burnt, as much as he was charmed by the trickling honey of persuasion. Thus he maddened them both; and in the counterfeit shape of a bird circling his tracks in the airy road as swift as the rapid winds, he rose with paddling feet, and cried these taunting words: "If Dionysos confounds men with wine, I excite Bacchos with fire!"

⁴⁰ The vinegod turned his eye to look, and scanned the tender body of the longhaired maiden, full of admiration the conduit of desire; his eye led the way and ferried the newborn love. Dionysos wandered in that heartrejoicing wood, secretly fixing his careful gaze on Beroë, and followed the girl's path a little behind. He could not have enough of his gazing; for the more he beheld the maid standing there, the more he wanted to watch. He called to Helios, reminding the chief of stars of his love for Clymene, and prayed him to hold back his car and check the stalled horses with the heavenly bit, that he might prolong the sweet light, that he might go

φειδομένη μάστιγι παλιμφυὲς ἦμαρ ἀέξων.
καὶ Βερόης μετρηδὸν ἐπ' ἴχνεσιν ἴχνος ἐρείδων,
οἷά περ ἀγνώσσων, περιδέδρομεν· ἐκ Λιβάνου δὲ   55
ὀκναλέου ποδὸς ἴχνος ὑποκλέπτων ἐνοσίχθων
ἐντροπαλιζομένῳ βραδυπειθέι χάζετο ταρσῷ,
καὶ νόον ἀστήρικτον ὁμοίιον εἶχε θαλάσσῃ,
κύμασι παφλάζοντα πολυφλοίσβοιο μερίμνης.

Καὶ γλυκερῆς ἀκόρητος ἔσω Λιβανηίδος ὕλης   60
οἰώθη Διόνυσος ἐρημαίῃ παρὰ νύμφῃ,
οἰώθη Διόνυσος. Ὀρειάδες εἴπατε Νύμφαι,
τί πλέον ἤθελεν ἄλλο φιλαίτερον, ἢ χρόα κούρης
μοῦνος ἰδεῖν δυσέρωτος ἐλεύθερος ἐννοσιγαίου;   64
[1]καὶ κύσε νηρίθμοισι φιλήμασι λάθριος ἕρπων   71
χῶρον, ὅπῃ πόδα θῆκε, καὶ ἣν ἐπάτησε κονίην
παρθενικὴ ῥοδόεντι καταυγάζουσα πεδίλῳ·
καὶ γλυκὺν αὐχένα Βάκχος ἐδέρκετο,
                              καὶ σφυρὰ κούρης   75
νισσομένης καὶ κάλλος, ὅ περ φύσις ὤπασε νύμφῃ,
κάλλος, ὅ περ φύσις εὗρε· καὶ οὐ ξανθόχροϊ κόσμῳ
χρισαμένη Βερόη ῥοδοειδέα κύκλα προσώπου
ψευδομένας ἐρύθηνε νόθῳ σπινθῆρι παρειάς,
οὐ χροὸς ἀντιτύποιο διαυγέι μάρτυρι χαλκῷ
μιμηλῆς ἐγέλασσεν ἐς ἄπνοον εἶδος ὀπωπῆς   80
κάλλος ἑὸν κρίνουσα, καὶ οὐ τεχνήμονι θεσμῷ
πολλάκις ἰσάζουσα παρ' ὀφρύσιν ἄκρα κομάων
πλαζομένης ἔστησε μετήλυδα βότρυν ἐθείρης.
ἀλλὰ γυναιμανέοντα πολὺ πλέον ὀξέι κέντρῳ
ἀγλαΐαι κλονέουσιν ἀκηδέστοιο προσώπου,   85
καὶ πλόκαμοι ῥυπόωντες ἀκοσμήτοιο καρήνου
ἁβρότεροι γεγάασιν, ὅτ' ἀπλεκέες καὶ ἀλῆται
χιονέῳ στιχόωσι παρήοροι ἀμφὶ προσώπῳ.

Καί ποτε διψήσασα μετέστιχε γείτονα πηγήν,

slow to his setting and with sparing whip increase the
day to shine again. Pressing measured step by step in
Beroë's tracks the god passed round her as if noticing
nothing ; while Earthshaker stole from Lebanon with
lingering feet, and departed with steps slow to obey,
turning again and again, his mind shifting like the
sea and rippling with billows of ever-murmuring care.

⁶⁰ Unsated, in the delicious forests of Lebanon,
Dionysos was left alone beside the lonely girl.
Dionysos was left alone ! Tell me, Oreiad Nymphs,
what could he wish for more lovely than to see the
maiden's flesh, alone, and free from lovesick Earth-
shaker ? He kissed with a million kisses the place
where she set her foot, creeping up secretly, and
kissed the dust where the maiden had trod making
it bright with her shoes of roses. Bacchos watched
the girl's sweet neck, her ankles as she walked,
beauty which nature had given her, the beauty
which nature had made : for no ruddy ornament for
the skin had Beroë smeared on her round rosy face,
no meretricious rouge put a false blush on her cheeks.
She consulted no shining mirror of bronze with its
reflection a witness of her looks, she laughed at no
lifeless form of a mimic face to estimate her beauty,
she was not for ever arranging the curls over her
brows, and setting in place some stray wandering lock
of hair by her eyebrows with cunning touch. But the
natural beauties of a face confound the desperate
lover with far sharper sting, and the untidy tresses
of an unbedizened head are all the more dainty, when
they stray unbraided down the sides of a snow-white
face.

⁸⁹ Sometimes athirst when beaten by the heat of

---

¹ See below, p. 246, for lines 65-70.

οὐρανίου πυρόεντος ἱμασσομένη Κυνὸς ἀτμῷ,   90
χείλεσι καρχαλέοισι· καθελκομένῳ δὲ καρήνῳ
κάμπτετο κυρτωθεῖσα, καὶ εἰς στόμα πολλάκι κούρη
χερσὶ βαθυνομένῃσιν ἀρύετο πάτριον ὕδωρ,
ἄχρι κορεσσαμένη λίπε νάματα· χαζομένης δὲ
ἱμερτῇ Διόνυσος ὑποκλίνας γόνυ πηγῇ   95
κοιλαίνων παλάμας ἐρατὴν μιμήσατο κούρην,
νέκταρος αὐτοχύτοιο πιὼν γλυκερώτερον ὕδωρ.
καί μιν ἐσαθρήσασα πόθου δεδονημένον οἴστρῳ
πηγαίη βαθύκολπος ἀσάμβαλος ἴαχε Νύμφη·
    " Ψυχρὸν ὕδωρ, Διόνυσε, μάτην πίες·
                                        οὐ δύναται γὰρ   100
σβέσσαι δίψαν ἔρωτος ὅλος ῥόος Ὠκεανοῖο.
εἴρεο σὸν γενέτην, ὅτι τηλίκον οἶδμα περήσας
νυμφίος Εὐρώπης οὐκ ἔσβεσεν ἱμερόεν πῦρ,
ἀλλ' ἔτι μᾶλλον ἔκαμεν ἐν ὕδασιν· ὑγροπόρου δὲ
μάρτυρα λάτριν Ἔρωτος ἔχεις Ἀλφειὸν ἀλήτην,   105
ὅττι τόσοις ῥοθίοισι δι' ὕδατος ὕδατα σύρων
οὐ φύγε θερμὸν ἔρωτα, καὶ εἰ πέλεν ὑγρὸς ὁδίτης."
    Ὣς φαμένη πηγαῖον ἐδύσατο σύγχροον ὕδωρ
Νηιὰς ἀκρήδεμνος ἐπεγγελόωσα Λυαίῳ.
καὶ θεὸς ὑγρομέδοντι Ποσειδάωνι μεγαίρων   110
εἶχε φόβον καὶ ζῆλον, ἐπεὶ πίε παρθένος ὕδωρ
ἀντὶ μέθης, καὶ κωφὸν ἐς ἠέρα ῥήξατο φωνήν,
οἷά περ εἰσαΐουσαν ἔχων πειθήμονα κούρην·
    " Παρθένε, δέχνυσο νέκταρ·
                                        ἔα φιλοπάρθενον ὕδωρ·
φεῦγε ποτὸν κρηναῖον, ὅπως μὴ σεῖο κορείην   115
ὑδατόεις κλέψειεν ἐν ὕδασι κυανοχαίτης,
ὅττι γυναιμανέων δολόεις πέλε· Θεσσαλίδος δὲ
234

the fiery Dog of heaven, the girl sought out a neighbouring spring with parched lips ; the girl bent down her curving neck and stooped her head, dipping a hand again and again and scooping the water of her own country to her mouth, until she had enough and left the rills. When she was gone, Dionysos would bend his knee to the lovely spring, and hollow his palms in mimicry of the beloved girl : then he drank water sweeter than selfpoured nectar. And the unshod deep-bosomed nymph of the spring, seeing him struck by the sting of desire, would say :

100 " Cold water to drink, Dionysos, is of no use to you ; for all the stream of Oceanos cannot quench the thirst of love. Ask your own father ! Europa's bridegroom traversed that wide gulf and yet did not quench the fire of longing, but he suffered still more on the waters. Witness wandering Alpheios,[a] whom you see the servant of waterfaring love, in that trailing water through water in all those floods he escaped not hot love, though he was a watery traveller ! "

108 So said the unveiled Naiad, and laughed at Lyaios, diving into her spring, which had one colour with her body.[b] And the god grudging at Poseidon ruler of the waves felt fear and jealousy, since the maiden drank water and not wine. He uttered his voice to the unhearing air, as if the girl were there to hear and obey :

114 " Maiden, accept the nectar—leave this water that maidens love ! Avoid the water of the spring, lest Seabluehair steal your maidenhood in the water —for a mad lover and a crafty one he is ! You know

---

[a] See on xxxvii. 173.
[b] This, if anything, is what the curious Greek phrase seems to mean.

Τυροῦς οἶδας ἔρωτα καὶ ὑγροπόρους ὑμεναίους·
καὶ σὺ ῥόον δολόεντα φυλάσσεο, μὴ σέο μίτρην
ψευδαλέος λύσειε, γαμοκλόπος ὥς περ Ἐνιπεύς.   12(
ἤθελον εἰ γενόμην καὶ ἐγὼ ῥόος, ὡς ἐνοσίχθων,
καὶ κελάδων πήχυνα ποθοβλήτῳ παρὰ πηγῇ
διψαλέην ἀφύλακτον ἐμὴν Λιβανηίδα Τυρώ."

Εἶπε θεός· μελέων δὲ μετάτροπον εἶδος ἀμείψας,
ὁππόθι παρθένος ἦεν, ἐδύσατο δάσκιον ὕλην   12(
Εὔιος ἀγρευτῆρι πανείκελος· ἁβροκόμῳ δὲ
ἀλλοφυὴς ἄγνωστος ὁμίλεεν ἄζυγι κούρῃ
εἴκελος ἡβητῆρι, καὶ ἀκλινὲς ἀμφὶ προσώπῳ
ψευδαλέον μίμημα σαόφρονος ἔπλασεν αἰδοῦς·
καὶ πῇ μὲν σκοπίαζεν ἐρημάδος ἄκρον ἐρίπνης,   13(
πῇ δὲ τανυπτόρθοιο βαθύσκιον εἰς ῥάχιν ὕλης,
εἰς πίτυν ὄμμα φέρων λελιημένον, ἄλλοτε πεύκην
ἢ πτελέην ἐδόκευε· φυλασσομένου δὲ προσώπου
ὄμμασι λαθριδίοισιν ἐδέρκετο γείτονα κούρην,
μή μιν ἀλυσκάζειε μετάτροπος· ἠιθέῳ γὰρ   13(
κάλλος ὀπιπεύοντι καὶ ἥλικος ὄμματα κούρης
Κυπριδίων ἐλάχεια παραίφασίς ἐστιν Ἐρώτων.

Καὶ Βερόης σχεδὸν ἦλθε καὶ ἤθελε μῦθον ἐνίψαι,
ἀλλὰ φόβῳ πεπέδητο· φιλεύιε, πῇ σέο θύρσοι
ἀνδροφόνοι; πῇ φρικτὰ κεράατα; πῇ σέο χαίτη   14(
γλαυκὰ πεδοτρεφέων ὀφιώδεα δεσμὰ δρακόντων;
πῇ στομάτων μύκημα βαρύβρομον; ἆ μέγα θαῦμα,
παρθένον ἔτρεμε Βάκχος, ὃν ἔτρεμε φῦλα Γιγάντων·
Γηγενέων ὀλετῆρα φόβος νίκησεν Ἐρώτων·
τοσσατίων δ' ἤμησεν ἀρειμανέων γένος Ἰνδῶν,   14(
καὶ μίαν ἱμερόεσσαν ἀνάλκιδα δείδιε κούρην,
δείδιε θηλυτέρην ἁπαλόχροον· ἐν δὲ κολώναις
236

the love of Thessalian Tyro[a] and her wedding in the
waters ; then you too take care of the crafty flood,
lest the deceiver loose your girdle just as the wedding-
thief Enipeus did. O that I also might become a
flood, like Earthshaker, and murmuring might em-
brace my own Tyro of Lebanon, thirsty and careless
beside the lovestricken spring ! "

[124] So the god spoke ; and changing his form for
another he plunged into the shady thicket where the
maiden was, Euios wholly like a hunter ; in a new
and unknown aspect he joined the softhaired unyoked
maid, like a youth, moulding a false image of modesty
with steady looks on his face. Now he surveyed the
peak of a lonely rock, now he spied into the long-
branching trees on the uplands, turning an eager eye
on a pine or again inspecting a firtree, or an elm—
but with cautious countenance and stolen glances he
watched the girl so close to him, lest she should turn
and run away ; for beauty and the eyes of a girl of his
own age have little consolation to a lad who gazes at
her for the loves which the Cyprian sends.

[138] He came near to Beroë and would have spoken
a word, but fear held him fast. God of jubilation,
where is your manslaying thyrsus ? Where your
frightful horns ? Where the green snaky ropes of
earthfed serpents in your hair? Where is your heavy-
booming bellow? See a great miracle—Bacchos
trembling before a maid, Bacchos before whom the
tribes of the giants trembled ! Love's fear has con-
quered the destroyer of giants. He mowed down all
that warmad nation of the Indians, and he fears
one weak lovely girl, fears a tender woman. On the

---

[a] She loved the river Enipeus ; Poseidon enjoyed her by
taking the river god's shape. See *Od*. xi. 235 ff.

θηρονόμῳ νάρθηκι κατεπρήυνε λεόντων
φρικαλέον μύκημα, καὶ ἔτρεμε θῆλυν ἀπειλήν·
καί οἱ ἐριπτοίητον ὑπὸ στόμα μῦθος ἀλήτης   150
γλῶσσαν ἐς ἀκροτάτην ἐτιταίνετο χείλεϊ γείτων,
ἐκ φρενὸς ἀΐσσων καὶ ἐπὶ φρένα νόστιμος ἕρπων·
ἀλλὰ φόβον γλυκύπικρον ἔχων αἰδήμονι σιγῇ
εἰς φάος ἐσσυμένην παλινάγρετον ἔσπασε φωνήν.
καὶ μόγις ὑστερόμυθον ὑπὸ στόμα δεσμὸν ἀράξας   155
αἰδοῦς ἀμβολιεργὸν ἀπεσφήκωσε σιωπήν,
καὶ Βερόην ἐρέεινε χέων ψευδήμονα φωνήν·
  " "Αρτεμι, πῇ σέο τόξα;
                          τίς ἥρπασε σεῖο φαρέτρην;
πῇ λίπες, ὃν φορέεις ἐπιγουνίδος ἄχρι χιτῶνα;
πῇ σέο κεῖνα πέδιλα, θοώτερα κυκλάδος αὔρης;   160
πῇ χορὸς ἀμφιπόλων; πῇ δίκτυα; πῇ κύνες ἀργαί;
οὐ δρόμον ἐντύνεις κεμαδοσσόον· οὐκ ἐθέλεις γὰρ
ἀγρώσσειν, ὅτι Κύπρις Ἀδώνιδος ἐγγὺς ἰαύει."
  Ἔννεπε θάμβος ἔχων ἀπατήλιον· ἐν κραδίῃ δὲ
παρθενικὴ μείδησεν· ἀπειροκάκῳ δὲ μενοινῇ   165
αὐχένα γαῦρον ἄειρεν ἀγαλλομένη χάριν ἥβης,
ὅττι, γυνή περ ἐοῦσα, φυὴν ἤϊκτο θεαίνῃ·
οὐδὲ δόλον γίνωσκε νοοπλανέος Διονύσου.
καὶ πλέον ἄχνυτο Βάκχος, ἐπεὶ πόθον οὐ μάθε κούρη   169
νήπιον ἦθος ἔχουσα, καὶ ἤθελεν, ὄφρα δαείη   171
οἶστρον ἑὸν βαρύμοχθον, ἐπισταμένης ὅτι κούρης   170
ὄψιμος ἠιθέῳ περιλείπεται ἐλπὶς Ἐρώτων   172
ἐσσομένης φιλότητος, ἐπ' ἀπρήκτῳ δὲ μενοινῇ
ἀνέρες ἱμείρουσιν, ὅτ' ἀγνώσσουσι γυναῖκες.
  Καὶ θεὸς ἦμαρ ἐπ' ἦμαρ ἔσω πιτυώδεος ὕλης   175
δείελος, εἰς μέσον ἦμαρ, Ἐῶιος, Ἕσπερος ἕρπων,
παρθενικῇ παρέμιμνε, καὶ ἤθελεν εἰσέτι μίμνειν·

mountains he quieted the terrifying roar of lions
with his beast-ruling fennel, and he trembled before a
woman's threat. A word strayed into his trembling
mouth to the tip of his tongue close behind the lips—
it came from his heart and crept back to his heart
again, but the bittersweet fear held it in shamefast
silence, and drew back the voice, as it tried to issue
into the light. Too late he spoke, and hardly then,
when he burst the chain of shame from his lips and
undid the procrastinating silence, and asked Beroë
in a voice of pretence,

148 " Artemis, where are your arrows ? Who has
stolen your quiver ? Where did you leave the tunic
you wear, just covering the knees ? Where are
those boots quicker than the whirling wind ? Where
is your company in attendance ? Where are your
nets ? Where your fleet hounds ? You are not
making ready for chase of the pricket, for you do not
wish to hunt where Cypris is sleeping beside Adonis."

164 So he spoke, feigning astonishment, and the
maiden smiled in her heart ; she lifted a proud neck
in unsuspicious pleasure, rejoicing in her youthful
freshness, because she, a mortal woman, was likened
to a goddess in beauty, and did not see the trick of
mindconfusing Dionysos. But Bacchos was yet more
affected, because the girl in her childish simplicity
knew not desire ; he wished she might learn his own
overpowering passion, since when the girl knows,
there is always hope for the lad that love will come at
last, but when women do not notice, man's desire is
only a fruitless anxiety.

175 Thus day after day, midday and afternoon,
morning and evening, the god lingered in the pine-
wood, waiting for the girl and ever willing to wait ;

πάντων γὰρ κόρος ἐστὶ παρ' ἀνδράσιν, ἡδέος ὕπνου
μολπῆς τ' εὐκελάδοιο καὶ ὁππότε κάμπτεται ἀνὴρ
εἰς δρόμον ὀρχηστῆρα· γυναιμανέοντι δὲ μούνῳ   18
οὐ κόρος ἐστὶ πόθων· ἐψεύσατο βίβλος Ὁμήρου.

Καὶ μογέων Διόνυσος ὑπεβρυχᾶτο σιωπῇ,
δαιμονίῃ μάστιγι τετυμμένος, ἔνδοθι πέσσων
κρυπτὸν ἀκοιμήτων ὑποκάρδιον ἕλκος Ἐρώτων.
ὡς δ' ὅτε βοῦς ἀκίχητος ἔσω πλαταμῶνος ὁδεύων   18
ἑσμὸν ὀρεσσινόμων παρεμέτρεεν ἠθάδα ταύρων   18
οἰστρηθεὶς ἀγέληθεν, ὃν εὐπετάλῳ παρὰ λόχμῃ   18
βουτύπος ὀξυόεντι μύωψ ἐχαράσσετο κέντρῳ   18
ἀπροϊδής, ὀλίγῳ δὲ δέμας βεβολημένος οἴστρῳ   18
τηλίκος ἐστυφέλικτο, καὶ ὄρθιον ὑψόθι νώτου   19
ἂψ ἀνασειράζων παλινάγρετον ἔσπασεν οὐρὴν
κυρτὸς ἐπιτρίβων σκοπέλων ῥάχιν, ἀντίτυπον δὲ
ὀξὺ κέρας δόχμωσεν ἀνούτατον ἠέρα τύπτων·
οὕτω καὶ Διόνυσον, ὃν ἔστεφε πολλάκι νίκη,
βαιὸς Ἔρως οἴστρησε βαλὼν πανθελγέι κέντρῳ.   19

Ὀψὲ δὲ μαστεύων γλυκὺ φάρμακον εἰς Ἀφροδίτην
Πανὶ δασυστέρνῳ Παφίης ἐγκύμονι μύθῳ
Κυπριδίην ἄγρυπνον ἑὴν ἀνέφαινεν ἀνάγκην,
καὶ βουλὴν ἐρέεινεν, ἀλεξήτειραν Ἐρώτων.
καὶ καμάτους Βάκχοιο πυριπνείοντας ἀκούων   20
Πὰν κερόεις ἐγέλασσε, κατεκλάσθη δὲ μενοινῇ
οἰκτείρων δυσέρωτα δυσίμερος· εἶπε δὲ βουλὴν
Κυπριδίην· ὀλίγην δὲ παραίφασιν εἶχεν Ἐρώτων
ἄλλον ἰδὼν φλεχθέντα μιῆς σπινθῆρι φαρέτρης·

" Ξυνὰ παθών, φίλε Βάκχε,
                  τεὰς ᾤκτειρα μερίμνας·   20
καὶ σὲ πόθεν νίκησεν Ἔρως θρασύς; εἰ θέμις εἰπεῖν,

---

[a] Hom. *Il.* xiii. 636 : " Sleep and love are very sweet,

240

for men can have enough of all things, of sweet
sleep and melodious song, and when one turns in
the moving dance—but only the man mad for love
never has enough of his longing; Homer's book did
not tell the truth! [a]

[182] Dionysos suffered and moaned in silence, struck
with the divine whip, stewing the hidden wound of
love in his restless heart. As an ox goes scampering
over the flats past the well-known swarm of hillranging
bulls, driven from the herd when a gadfly has pierced
his hide with sharp sting under the leafy trees un-
noticed: how small the sting that strikes, how vast
the bulk of the routed beast! he lifts the tail straight
over his back and lashes back, bends and scratches
his chine on the rocks, and darts a sharp horn at his
side striking only the unwounded elastic air—so
Dionysos, crowned so often with victory, was pricked
by little Love and his allbewitching sting.

[196] At length, seeking a sweet medicine for love,
he disclosed to bushybreasted Pan in words full of
passion the unsleeping constraint of his desire, and
craved advice to defend him against love. Horned
Pan laughed aloud, when he heard the firebreathing
torments of Bacchos, but, a luckless lover himself,
heartbroken he pitied one unhappy in love, and
gave him love-advice; it was a small alleviation of
his own love to see another burnt with a spark from
the same quiver:

[205] "We are companions in suffering, friend
Bacchos, and I pity your feelings. How comes it that
bold Love has conquered you too? If I dare to say

___

song and dance with trippling feet, yet a time comes when
they pall, you can have enough of all—but these Trojans
never can have enough of war!"

εἰς ἐμὲ καὶ Διόνυσον Ἔρως ἐκένωσε φαρέτρην.
ἀλλὰ πόθου δολίοιο πολύτροπον ἦθος ἐνίψω.
πᾶσα γυνὴ ποθέει πλέον ἀνέρος, αἰδομένη δὲ
κεύθει κέντρον Ἔρωτος ἐρωμανέουσα καὶ αὐτή,   2?
καὶ μογέει πολὺ μᾶλλον, ἐπεὶ σπινθῆρες Ἐρώτων
θερμότεροι γεγάασιν, ὅτε κρύπτουσι γυναῖκες
ἐνδόμυχον πραπίδεσσι πεπαρμένον ἰὸν Ἐρώτων.
καὶ γὰρ ὅτ᾿ ἀλλήλῃσι πόθων ἐνέπουσιν ἀνάγκην,
λυσιπόνοις ὀάροισιν ὑποκλέπτουσι μερίμνας   2
Κυπριδίας. σὺ δέ, Βάκχε, τεῶν ὀχετηγὸν Ἐρώτων
μιμηλῆς ἐρύθημα φέρων ἀπατήλιον αἰδοῦς,
οἷα σαοφρονέουσαν ἔχων ἀγέλαστον ὀπωπήν,
ὡς ἀέκων Βερόης σχεδὸν ἵστασο· καὶ λίνα πάλλων
θαύματι μὲν δολίῳ ῥοδοειδέα δέρκεο κούρην,   2?
κάλλος ἐπαινήσας, ὅτι τηλίκον οὐ λάχεν Ἥρη,   2?
καὶ Χάριτας κίκλησκε χερείονας, ἀμφοτέρων δὲ   2?
μορφῇ μῶμον ἄναπτε, καὶ Ἀρτέμιδος καὶ Ἀθήνης,   2?
καὶ Βερόην ἀγόρευε φαεινοτέρην Ἀφροδίτης·
κούρη δ᾿ εἰσαΐουσα τεὴν ψευδήμονα μομφὴν
αἴνῳ τερπομένη πλέον ἵσταται· οὐκ ἐθέλει γὰρ
ὄλβον ὅλον χρύσειον, ὅσον ῥοδέης περὶ μορφῆς
εἰσαΐειν, ὅτι κάλλος ὑπέρβαλεν ἥλικος ἥβης.   2
παρθενικὴν δ᾿ ἐς ἔρωτα νοήμονι θέλγε σιωπῇ,   2
κινυμένων βλεφάρων ἀντώπια νεύματα πέμπων·   2
πεπταμένη δὲ μέτωπον ἀφειδέι χειρὶ πατάξας   2
ψευδαλέον σέο θάμβος ἐχέφρονι δείκνυε σιγῇ.   2
ἀλλὰ φόβος μεθέπει σε σαόφρονος ἐγγύθι κούρης·   2
εἰπέ, τί σοὶ ῥέξει μία παρθένος; οὐ δόρυ πάλλει,   2
οὐ ῥοδέῃ παλάμῃ τανύει βέλος· ἔγχεα κούρης   2
ὀφθαλμοὶ γεγάασιν ἀκοντιστῆρες Ἐρώτων,
παρθενικῆς δὲ βέλεμνα ῥοδώπιδές εἰσι παρειαί.

so, Eros has emptied his quiver on me and Dionysos !
But I will tell you the multifarious ways of deception
in love.

209 " Every woman has greater desire than the man,
but shamefast she hides the sting of love, though mad
for love herself ; and she suffers much more, since the
sparks of love become hotter when women conceal in
their bosoms the piercing arrow of love. Indeed,
when they tell each other of the force of desire, their
gossip is meant to soothe the pain and deceive their
voluptuous longings. And you, Bacchos, must wear a
deceptive blush of pretended shame to carry your love
along. You must keep an unsmiling countenance
as if through modesty, and stand beside Beroë as if
by mere chance. Hold your nets in hand, and look
at the rosy girl with pretended amazement, praising
her beauty ; say that not Hera has the like, call the
Graces less fair, find fault with the good looks of both
Artemis and Athena, tell Beroë she is more brilliant
than Aphrodite. Then the girl when she hears your
feigned faultfinding, stands there more delighted
with your praise ; more than mountains of gold
she would hear about her rosy comeliness, how
her beauty surpasses all the friends of her youth.
Charm the maiden to love with a meaning silence.
Let your eyelids move, send wink and beck towards
her. Open your hand and slap your brow without
mercy, and show your feigned amazement by
prudent silence. You will say, fear restrains you in
the presence of a modest maid ; tell me, what will a
lonely girl do to you ? She shakes no spear, she draws
no shaft with that rosy hand [a] ; the girl's weapons
are those eyes which shoot love, her batteries are

---

[a] Nonnos, or Pan, has forgotten that Beroë was a huntress.

ἕδνα δὲ σοῖο πόθοιο, τεῆς κειμήλια νύμφης,
μὴ λίθον Ἰνδώην, μὴ μάργαρα χειρὶ τινάξῃς,
οἷα γυναιμανέοντι πέλει θέμις· εἰς Παφίην γὰρ   24
ἀμφιέπεις τεὸν εἶδος ἐπάρκιον, εὐαφέος δὲ
κάλλεος ἱμείρουσι καὶ οὐ χρυσοῖο γυναῖκες.
μαρτυρίης ἑτέρης οὐ δεύομαι· ἁβροκόμου γὰρ
ποῖα παρ' Ἐνδυμίωνος ἐδέξατο δῶρα Σελήνη;
Κύπριδι ποῖον Ἄδωνις ἐδείκνυεν ἕδνον Ἐρώτων;   24
ἄργυρον Ὠρίων οὐκ ὤπασεν ἠριγενείῃ·
οὐ Κέφαλος πόρεν ὄλβον ἐπήρατον·
                                        ἀλλ' ἄρα μοῦνος
χωλὸς ἐὼν Ἥφαιστος ἀθελγέος εἵνεκα μορφῆς
ὤπασε ποικίλα δῶρα, καὶ οὐ παρέπεισεν Ἀθήνην·
οὐ πέλεκυς χραίσμησε λεχώιος· ἀλλὰ θεαίνης   25
ἱμείρων ἀφάμαρτε. σὲ δὲ ζυγίων ὑμεναίων
φέρτερον, ἢν ἐθέλῃς, θελκτήριον ἄλλο διδάξω·
βάρβιτα χειρὶ λίγαινε, τεῆς ἀναθήματα Ῥείης,
Κύπριδος ἁβρὸν ἄγαλμα παροίνιον· ἀμφοτέροις δὲ
πλήκτροις καὶ στομάτεσσι χέων ἑτερόθροον ἠχώ,   25
Δάφνην πρῶτον ἄειδε καὶ ἀσταθέος δρόμον Ἠχοῦς
καὶ κτύπον ὑστερόφωνον ἀσιγήτοιο θεαίνης,
ὅττι θεοὺς ποθέοντας ἀπέστυγον· ἀλλὰ καὶ αὐτὴν
μέλπε Πίτυν φυγόδεμνον,
                              ὀρειάσι σύνδρομον αὔραις,
Πανὸς ἀλυσκάζουσαν ἀνυμφεύτους ὑμεναίους·   2
μέλπε μόρον φθιμένης αὐτόχθονα· μέμφεο γαίῃ.
καὶ τάχα δακρύσειε γοήμονος ἄλγεα νύμφης
καὶ μόρον οἰκτείρουσα· σὺ δὲ φρένα τέρπεο σιγῇ

those rose-red girlish cheeks. For lovegifts to be treasures for your bride, do not display the Indian jewel, or pearls, as is the way of mad lovers ; for to get love, your own handsome shape is enough— to touch your beautiful body is what women want, not gold !

²⁴³ " I need no other testimony—what gifts did Selene take from softhaired Endymion ? What love- gift did Adonis produce for Cypris ? Orion ᵃ gave no silver to Dawn ; Cephalos ᵇ provided no delect- able wealth ; but the only one it seems who did offer handsome gifts was Hephaistos, being lame, to make up for his unattractive looks, and then he failed to persuade Athena—his birthdelivering axe did not help him, but he missed the goddess he wanted.

²⁵¹ " But there is a stronger charm for wedded union, which I will teach you if you like. Twang the lyre which was dedicated to your Rheia, the delicate treasure of Cypris beside the winecup. Pour out the varied sounds together, voice and striker ! Sing first Daphne,ᶜ sing the erratic course of Echo,ᵈ and the answering note of the goddess who never fails to speak, for these two despised the desire of gods. Yes, and sing also of Pitys ᵉ who hated marriage, who fled fast as the wind over the mountains to escape the unlawful wooing of Pan, and her fate—how she dis- appeared into the soil herself ; put the blame on the Earth ! Then she may perhaps lament the sorrows and the fate of the wailing nymph ; but you must let your heart rejoice in silence, as you see the honey-

---

ᵃ One of the numerous lovers of Eos ; same as Orion the hunter.
  ᵇ An Attic hero, husband of Procris, loved by Eos.
  ᶜ Cf. ii. 108.   ᵈ Cf. ii. 119.   ᵉ Cf. ii. 108.

μυρομένης ὁρόων μελιηδέα δάκρυα κούρης·
οὐδὲ γέλως πέλε τοῖος, ἐπεὶ πλέον οἴνοπι μορφῇ   265
ἱμερταὶ γεγάασιν, ὅτε στενάχουσι γυναῖκες.
μέλψον ἐρωμανέουσαν ἐπ' Ἐνδυμίωνι Σελήνην,
μέλπε γάμον χαρίεντος Ἀδώνιδος, εἰπὲ καὶ αὐτὴν
αὐχμηρὴν ἀπέδιλον ἀλωομένην Ἀφροδίτην,
νυμφίον ἰχνεύουσαν ὀριδρομον· οὐδέ σε φεύγει   270
πατρῴων ἀίουσα μελίφρονα θεσμὸν Ἐρώτων.
σοὶ μὲν ἐγὼ τάδε πάντα,
                    δυσίμερε Βάκχε, πιφαύσκω·
ἀλλά με καὶ σὺ δίδαξον ἐμῆς θελκτήριον Ἠχοῦς."
    Ὣς εἰπὼν ἀπέπεμπε γεγηθότα παῖδα Θυώνης.   274
καὶ δολίην Διόνυσος ἔχων ἀγέλαστον ὀπωπὴν   65
παρθενικὴν ἐρέεινεν Ἀδώνιδος ἀμφὶ τοκῆος,
ὡς φίλος, ὡς ὁμόθηρος ὀριδρομος· ἱσταμένης δὲ
στήθεϊ χεῖρα πέλασσε δυσίμερον, ἄκρα δὲ μίτρης
ὡς ἀέκων ἔθλιψεν· ἐπιψαύουσα δὲ μαζῶν
δεξιτερῇ νάρκησε γυναιμανέος Διονύσου.   70
καί ποτε νηπιάχοισιν ἐν ἤθεσιν εἴρετο κούρη   275
υἷα Διὸς παρεόντα, τίς ἔπλετο καὶ τίνος εἴη·
καὶ πρόφασιν μόγις εὗρε παρὰ προθύροις Ἀφροδίτης
ὄρχατον ἀμπελόεντα καὶ ὄμπνια λήια γαίης
καὶ δροσερὸν λειμῶνα καὶ αἰόλα δένδρα δοκεύων
ἤθεσι κερδαλέοισι· καί, οἷά τε γηπόνος ἀνήρ,   280
ἀμφὶ γάμου τινὰ μῦθον ἀσημάντῳ φάτο φωνῇ·
    " Εἰμὶ τεοῦ Λιβάνοιο γεωμόρος· ἢν ἐθελήσῃς,
ἀρδεύω σέο γαῖαν, ἐγὼ σέο καρπὸν ἀέξω.
Ὡράων πισύρων νοέω δρόμον· ἱσταμένην δὲ
νύσσαν ὀπιπεύων φθινοπωρίδα τοῦτο βοήσω·   285
' Σκορπίος ἀντέλλει βιοτήσιος, ἔστι δὲ κῆρυξ
αὔλακος εὐκάρποιο· βόας ζεύξωμεν ἀρότρῳ.

sweet tears of the sorrowing maid. No laugh was
ever like that, since women become more desirable
with that ruddy flush when they mourn. Sing Selene
madly in love with Endymion, sing the wedding of
graceful Adonis, sing Aphrodite herself wandering
dusty and unshod, and tracking her bridegroom
over the hills. Beroë will not run away from you
when she hears the honeyhearted lovestories of her
home. There you have all I can tell you, Bacchos, for
your unhappy love ! Now you tell me something to
charm my Echo."

²⁷⁴ Having said his say, he dismissed the son of
Thyone comforted. Then Dionysos put on a serious
look, the trickster ! and questioned the maiden about
her father Adonis, as a friend of his, as a fellow-hunter
among the hills. She stood still, he brought a longing
hand near her breast, and stroked her belt as if not
thinking what he did : but touching her breast, the
lovesick god's right hand grew numb. Once in
her childlike way, the girl asked the son of Zeus
beside her who he was and who was his father.
With much ado he found an excuse, when he
saw before the portals of Aphrodite the vineyard
and the bounteous harvest of the land, the dewy
meadow and all the trees ; and in the cunning of
his mind, he made as if he were a farm-labourer and
spoke of wedding in words that meant more than
they said :

²⁸² " I am a countryman of your Lebanon. If it is
your pleasure, I will water your land, I will grow your
corn. I understand the course of the four Seasons.
When I see the limit of autumn is here, I will call
aloud—' Scorpion is rising with his bounteous plenty,
he is the herald of a fruitful furrow, let us yoke oxen

Πληιάδες δύνουσι· πότε¹ σπείρωμεν ἀρούρας;
αὔλακες ὠδίνουσιν, ὅτε δρόσος εἰς χθόνα πίπτει
αὐομένην Φαέθοντι.' καὶ Ἀρκάδος ἐγγὺς Ἁμάξης 290
χείματος ὀμβρήσαντος ἰδὼν Ἀρκτοῦρον ἐνίψω·
' διψαλέη ποτὲ γαῖα Διὸς νυμφεύεται ὄμβρῳ.'
εἴαρος ἀντέλλοντος ἑώιος εἰς σὲ βοήσω·
' ἄνθεα σεῖο τέθηλε· πότε κρίνα καὶ ῥόδα τίλλω;   294
ἠνίδε, πῶς ὑάκινθος ἐπέτρεχε γείτονι μύρτῳ,   301
πῶς γελάᾳ νάρκισσος ἐπιθρῴσκων ἀνεμώνῃ.'   302
καὶ σταφυλὴν ὁρόων θέρεος παρεόντος ἐνίψω·   295
' ἄμπελος ἡβώουσα πεπαίνεται ἄμμορος ἅρπης·
παρθένε, σύγγονος ἦλθε·
                    πότε τρυγόωμεν ὀπώρην;
σὸς στάχυς ἠέξητο καὶ ἀμητοῖο χατίζει·
λήιον ἀμήσω σταχυηφόρον, ἀντὶ δὲ Δηοῦς
μητρὶ τεῇ ῥέξαιμι θαλύσια Κυπρογενείῃ.'   300
δέξο δὲ γειοπόνον με τεῆς ὑποεργὸν ἀλωῆς·   303
ὑμετέρης με κόμισσε φυτηκόμον ἀφρογενείης,   304
ὄφρα φυτὸν πήξαιμι φερέσβιον, ἡμερίδων δὲ   305
ὄμφακα γινώσκω νεοθηλέα χερσὶν ἀφάσσων.
οἶδα, πόθεν ποτὲ μῆλα πεπαίνεται· οἶδα φυτεῦσαι
καὶ πτελέην τανύφυλλον ἐρειδομένην κυπαρίσσῳ·
ἄρσενα καὶ φοίνικα γεγηθότα θήλεϊ μίσγω,
καὶ κρόκον, ἢν ἐθέλῃς, παρὰ μίλακι καλὸν ἀέξω.   310
μή μοι χρυσὸν ἄγοις κομιδῆς χάριν·
                            οὐ χρέος ὄλβου·

¹ δύνουσί ποτε Rose, δύνουσι· πότε edd.

to the plow. The Pleiads are setting : when shall we
sow the fields ? The furrows are teeming, when the
dew falls on land parched by Phaëthon.' [a] And in
the showers of winter when I see Arcturos [b] close to
the Arcadian wain, I will exclaim—' At last thirsty
Earth is wedded with the showers of Zeus.' As the
spring rises up, I will cry out in the morning—' Your
flowers are blooming, when shall I pluck lilies and
roses ? Just look how the iris has run over the
neighbouring myrtle, how narcissus laughs as he
leaps on anemone ! ' And when I see the grapes of
summer before me I will cry—' The vine is in her
prime, ripening without the sickle : Maiden, your
sister [c] has come—when shall we gather the grapes ?
Your wheatear is grown big and wants the harvest ;
I will reap the crop of corn-ears, and I will celebrate
harvest home for your mother the Cyprus - born
instead of Deo.'

303 " Accept me as your labourer to help on your
fertile lands. Take me as planter for your Foam-
born, that I may plant that lifebringing tree, that I
may detect the half-ripe berry of the tame vine and
feel the newgrowing bud. I know how apples ripen ;
I know how to plant the widespreading elm too, lean-
ing against the cypress. I can join the male palm
happily with the female, and make pretty saffron,
if you like, grow beside bindweed. Don't offer me
gold for my keep ; I have no need of wealth—my

[a] The Sun is in Scorpius in late October, the Pleiads set
about the beginning of November, the plowing and sowing
are for winter wheat.

[b] Arcturos (and Boötes) sets in the evening early in
November, and rises in the evening about the beginning of
March ; the latter is meant here, apparently : a sign of rain.

[c] Perhaps this means " Virgo has risen " (Aug. 31).

μισθὸν ἔχω δύο μῆλα, μιῆς ἕνα βότρυν ὀπώρης.''

Τοῖα μάτην ἀγόρευε, καὶ οὐκ ἠμείβετο κούρη
Βάκχου μὴ νοέουσα γυναιμανέος στίχα μύθων.

Ἀλλὰ δόλῳ δόλον ἄλλον ἐπέφραδεν[1] Εἰραφιώτης· 315
καὶ Βερόης ἀπὸ χειρὸς ἐδέχνυτο δίκτυα θήρης
οἷά τε θαμβήσας τεχνήμονα, πυκνὰ δὲ σείων
εἰς χρόνον ἀμφελέλιζε, καὶ εἴρετο πολλάκι κούρην·

" Τίς θεὸς ἔντεα ταῦτα, τίς οὐρανίη κάμε τέχνη;
τίς κάμε; καὶ γὰρ ἄπιστον ἔχω νόον, ὅττι τελέσσει 320
ζηλομανὴς Ἥφαιστος Ἀδώνιδι τεύχεα θήρης.''

Εἶπεν ἀκηλήτοιο παραπλάζων φρένα κούρης.
καί ποτε πεπταμένων ἀνεμωνίδος ὑψόθι φύλλων
νήδυμον ὕπνον ἴαυεν· ὄναρ δέ οἱ ἔπλετο κούρη
εἵματι νυμφιδίῳ πεπυκασμένη. ἀντίτυπον γὰρ 325
ἔργον, ὅ περ τελέει τις ἐν ἤματι, νυκτὶ δοκεύει·
βουκόλος ὑπνώων κεραοὺς βόας εἰς νομὸν ἕλκει·
δίκτυα θηρητῆρι φαείνεται ὄψις ὀνείρου·
γειοπόνοι δ' εὕδοντες ἀροτρεύουσιν ἀρούρας,
αὔλακα δὲ σπείρουσι φερέσταχυν· ἀζαλέη δὲ 330
ἄνδρα μεσημβρίζοντα κατάσχετον αἴθοπι δίψῃ
εἰς ῥόον, εἰς ἀμάρην ἀπατήλιος ὕπνος ἐλαύνει.
οὕτω καὶ Διόνυσος, ἔχων ἰνδάλματα μόχθων,
μιμηλῷ πτερόεντα νόον πόμπευεν ὀνείρῳ,

[1] So mss.: Ludwich ἐπέρραφεν.

---

[a] Dionysos is using the well-worn parallel of woman
and field, man and plowman, or plow, but Beroë is too
innocent to understand (314). Half the things he says are
charged with a double meaning ; Aphrodite's harvest-home
(300) would be marriage, or perhaps the birth of a child, the

250

wages will be two apples and one bunch of grapes of one vintage." [a]

313 All this he said in vain ; the girl answered nothing, for she understood nothing of the mad lover's long speech.

315 But Eiraphiotes [b] thought of trick after trick. He took the hunting-net from Beroë's hands and pretended to admire the clever work, shaking it round and round for some time and asking the girl many questions—"What god made this gear, what heavenly art ? Who made it ? Indeed I cannot believe that Hephaistos mad with jealousy made hunting-gear for Adonis ! "

322 So he tried to bewilder the wits of the girl who would not be so charmed. Once it happened that he lay sound asleep on a bed of anemone leaves ; and he saw the girl in a dream decked out in bridal array. For what a man does in the day, the image of that he sees in the night ; the herdsman sleeping takes his horned cattle to pasture ; the huntsman sees nets in the vision of a dream; men who work on the land plow the fields in sleep and sow the furrow with corn; a man parched at midday and possessed with fiery thirst is driven by deceiving sleep to a river, to a channel of water. So Dionysos also beheld the likeness of his troubles, and let his mind go flying in mimic dreams

" planter of the Foamborn " a successful lover (304), and the trees and grapes have an obvious sexual allusion. Finally, the proposed wages (311-312) contain another pun ; μῆλα is properly apples, but can mean a woman's breasts, and a bunch of grapes is what one gathers at vintage, but to "gather the vintage" of a woman is to enjoy her favours, cf. Ar. *Peace* 1338-1339.

[b] The meaning of the epithet is unknown : but Nonnos connects it with ῥάπτειν " to stitch " in ix. 23, which suggested the conjecture ἐπέρραφεν here for ἐπέφραδεν from vii. 152.

καὶ σκιεροῖσι γάμοισιν ὁμίλεεν. ἐγρόμενος δὲ   335
παρθένον οὐκ ἐκίχησε, καὶ ἤθελεν αὖτις ἰαύειν·
καὶ κενεὴν ἐκόμισσε μινυνθαδίης χάριν εὐνῆς,
εὕδων ἐν πετάλοισι ταχυφθιμένης ἀνεμώνης.
μέμφετο δ' ἀφθόγγων πετάλων χύσιν·

                    ἀχνύμενος δὲ
Ὕπνον ὁμοῦ καὶ Ἔρωτα καὶ ἑσπερίην Ἀφροδίτην 340
τὴν αὐτὴν ἱκέτευεν ἰδεῖν πάλιν ὄψιν ὀνείρου,
φάσμα γάμου ποθέων ἀπατήλιον. ἄγχι δὲ μύρτου
πολλάκι Βάκχος ἴαυε, καὶ οὐ γαμίου τύχεν ὕπνου.
ἀλλὰ πόνον γλυκὺν εἶχε, ποθοβλήτῳ δὲ καὶ αὐτὸς
λυσιμελὴς Διόνυσος ἐλύετο γυῖα μερίμνῃ.   345

  Καὶ Βερόης γενετῆρι συνέμπορος, υἱέι Μύρρης,
θηροσύνην ἀνέφηνεν· ἀκοντιστῆρι δὲ θύρσῳ
στικτὰ νεοσφαγέων ὑπεδύσατο δέρματα νεβρῶν,
λάθριος εἰς Βερόην δεδοκημένος· ἱσταμένου δὲ
παρθένος ἄστατον ὄμμα φυλασσομένη Διονύσου 350
φάρεϊ μαρμαίρουσαν ἑὴν ἔκρυψε παρειήν.
καὶ πλέον ἔφλεγε Βάκχον, ὅτι δρηστῆρες Ἐρώτων
αἰδομένας ἔτι μᾶλλον ὀπιπεύουσι γυναῖκας,
καὶ πλέον ἱμείρουσι καλυπτομένοιο προσώπου.

  Καί ποτε μουνωθεῖσαν Ἀδώνιδος ἄζυγα κούρην 355
ἀθρήσας σχεδὸν ἦλθε, καὶ ἀνδρομέης ἀπὸ μορφῆς
εἶδος ἑὸν μετάμειψε, καὶ ὡς θεὸς ἵστατο κούρῃ·
καί οἱ ἑὸν γένος εἶπε καὶ οὔνομα,

                  καὶ φόνον Ἰνδῶν,
καὶ χορὸν ἀμπελόεντα, καὶ ἡδυπότου χύσιν οἴνου,
ὅττί μιν ἀνδράσιν εὗρε· φιλοστόργῳ δὲ μενοινῇ 360
θάρσος ἀναιδείῃ κεράσας ἀλλότριον αἰδοῦς
τοίην ποικιλόμυθον ὑποσσαίνων φάτο φωνήν·

  " Παρθένε, σὸν δι' ἔρωτα καὶ οὐρανὸν οὐκέτι ναίω·
σῶν πατέρων σπήλυγγες ἀρείονές εἰσιν Ὀλύμπου.

until he was joined to her in a wedding of shadow.
He awoke—and found no maiden, and wished once
again to slumber : he carried away the empty largess
of that short embrace, as he slept on the leaves of the
anemone which perishes so soon.   He reproached the
dumb leaves there spread ; and sorrowfully prayed
to Sleep and Love and Aphrodite of the evening,[a] all
at once, to let him see the same vision of a dream once
more, longing for the deceptive phantom of an em-
brace.   Bacchos often slept near the myrtle[b] and
never dreamt of marriage.   But sweet pain he did
feel ; and limb-relaxing Dionysos found his own limbs
relaxed by lovestricken cares.

346 In company with Beroë's father, the son of
Myrrha, he showed his hunting-skill.   He cast his
thyrsus, and wrapt himself in the dappled skins of the
newslain fawns, ever with his eye secretly on Beroë ;
as he stood, the maiden covered her bright cheeks with
her robe, to escape the wandering eye of Dionysos.
She made him burn all the more, since the servants of
love watch shamefast women more closely, and desire
more strongly the covered countenance.

355 Once he caught sight of the unyoked girl of
Adonis alone, and came near, and changed his human
form and stood as a god before her.   He told her his
name and family, the slaughter of the Indians, how he
found out for man the vine-dance and the sweet juice
of wine to drink ; then in loving passion he mingled
audacity with a boldness far from modesty, and his
flattering voice uttered this ingratiating speech :

363 " Maiden, for your love I have even renounced
my home in heaven.   The caves of your fathers are

[a] Venus, the evening star.
[b] As being Aphrodite's plant.

πατρίδα σὴν φιλέω πλέον αἰθέρος· οὐ μενεαίνω   365
σκῆπτρα Διὸς γενετῆρος, ὅσον Βερόης ὑμεναίους·
ἀμβροσίης σέο κάλλος ὑπέρτερον· αἰθερίου δὲ
νέκταρος εὐόδμοιο τεοὶ πνείουσι χιτῶνες.
παρθένε, θάμβος ἔχω σέο μητέρα Κύπριν ἀκούων,
ὅττί σε κεστὸς ἔλειπεν ἀθελγέα· πῶς δὲ σὺ μούνη 370
σύγγονον εἶχες Ἔρωτα
         καὶ οὐ μάθες οἶστρον Ἐρώτων;   371
ἀλλ' ἐρέεις γλαυκῶπιν ἀπειρήτην ὑμεναίων·   374
νόσφι γάμου βλάστησε καὶ οὐ γάμον οἶδεν Ἀθήνη· 375
οὔ σε τέκε γλαυκῶπις ἢ Ἄρτεμις. ἀλλὰ σύ, κούρη, 372
Κύπριδος αἷμα φέρουσα τί Κύπριδος ὄργια φεύγεις; 373
μὴ γένος αἰσχύνῃς μητρώιον· Ἀσσυρίου δὲ   376
εἰ ἐτεὸν χαρίεντος Ἀδώνιδος αἷμα κομίζεις,
ἁβρὰ τελεσσιγάμοιο διδάσκεο θεσμὰ τοκῆος,
καὶ Παφίης ζωστῆρι συνήλικι πείθεο κεστῷ,
καὶ γαμίων πεφύλαξο δυσάντεα μῆνιν Ἐρώτων·   380
νηλέες εἰσὶν Ἔρωτες, ὅτε χρέος, ὁππότε ποινὴν
ἀπρήκτου φιλότητος ἀπαιτίζουσι γυναῖκας·
οἶσθα γάρ, ὡς πυρόεσσαν ἀτιμήσασα Κυθήρην
μισθὸν ἀγηνορίης φιλοπάρθενος ὦπασε[1] Σύριγξ,
ὅττι φυτὸν γεγαυῖα νόθη δονακώδεϊ μορφῇ   385
ἔκφυγε Πανὸς ἔρωτα, πόθους δ' ἔτι Πανὸς ἀείδει·
καὶ θυγάτηρ Λάδωνος, ἀειδομένου ποταμοῖο,
ἔργα γάμων στυγέουσα δέμας δενδρώσατο Νύμφη,
ἔμπνοα συρίζουσα, καὶ ὀμφήεντι κορύμβῳ
Φοίβου λέκτρα φυγοῦσα κόμην ἐστέψατο Φοίβου. 390
καὶ σὺ χόλον δασπλῆτα φυλάσσεο, μή σε χαλέψῃ
θερμὸς Ἔρως βαρύμηνις· ἀφειδήσασα δὲ μίτρης

[1] So mss.: Ludwich ὤχμασε.

better than Olympos. I love your country more than the sky; I desire not the sceptre of my Father Zeus as much as Beroë for my wife. Your beauty is above ambrosia; indeed, heavenly nectar breathes fragrant from your dress! Maiden, when I hear that your mother is Cypris, my only wonder is that her cestus has left you uncharmed. How is it you alone have Love for a brother, and yet know not the sting of love? But you will say Brighteyes had nothing to do with marriage; Athena was born without wedlock and knows nothing of wedlock. Yes, but your mother was neither Brighteyes nor Artemis. Well, girl, you have the blood of Cypris—then why do you flee from the secrets of Cypris? Do not shame your mother's race. If you really have in you the blood of Assyrian Adonis the charming, learn the tender rules of your sire whose blessing is upon marriage, obey the cestus girdle born with the Paphian, save yourself from the dangerous wrath of the bridal Loves! Harsh are the Loves when there's need, when they exact from women the penalty for love unfulfilled.

383 " For you know how Syrinx [a] disregarded fiery Cythera, and what price she paid for her too-great pride and love for virginity; how she turned into a plant with reedy growth substituted for her own, when she had fled from Pan's love, and how she still sings Pan's desire! And how the daughter of Ladon,[b] that celebrated river, hated the works of marriage and the nymph became a tree with inspired whispers, she escaped the bed of Phoibos but she crowned his hair with prophetic clusters. You too should beware of a god's horrid anger, lest hot Love should afflict you in heavy wrath. Spare not your

[a] Cf. ii. 118.　　　　[b] Daphne, cf. ii. 108.

NONNOS

διπλόον ἄμφεπε Βάκχον ὀπάονα καὶ παρακοίτην·
καὶ λίνα σοῖο τοκῆος Ἀδώνιδος αὐτὸς ἀείρων
λέκτρον ἐγὼ στορέσοιμι κασιγνήτης Ἀφροδίτης.   395
ποῖά σοι ἐννοσίγαιος ἐπάξια δῶρα κομίσσει;
ἢ ῥά σοι ἔδνα γάμοιο λελέξεται ἁλμυρὸν ὕδωρ,
καὶ στορέσει πνείοντα δυσώδεα πόντιον ὀδμὴν
δέρματα φωκάων, Ποσιδήια πέπλα θαλάσσης;
δέρματα φωκάων μὴ δέχνυσο· σεῖο δὲ παστῷ   400
Βάκχας ἀμφιπόλους, Σατύρους θεράποντας ὀπάσσω·
δέξό μοι ἔδνα γάμοιο καὶ ἀμπελόεσσαν ὀπώρην·
εἰ δ' ἐθέλεις δόρυ θοῦρον Ἀδώνιδος οἷά τε κούρη,
θύρσον ἔχεις ἐμὸν ἔγχος· ἔα γλωχῖνα τριαίνης.
φεῦγε, φίλη, κακὸν ἦχον ἀσιγήτοιο θαλάσσης,   405
φεῦγε δυσαντήτων Ποσιδήιον οἶστρον Ἐρώτων.
ἄλλη Ἀμυμώνη παρελέξατο κυανοχαίτης,
ἀλλὰ γυνὴ μετὰ λέκτρον ὁμώνυμος ἔπλετο πηγή·
καὶ Σκύλλῃ παρίαυε καὶ εἰναλίην θέτο πέτρην·
Ἀστερίην δ' ἐδίωκε, καὶ ἔπλετο νῆσος ἐρήμη·   410
παρθενικὴν δ' Εὔβοιαν ἐνερρίζωσε θαλάσσῃ.
οὗτος Ἀμυμώνην μνηστεύεται, ὄφρα καὶ αὐτὴν
λαϊνέην τελέσῃ μετὰ δέμνιον· οὗτος ὀπάσσει
ἔδνον ἑῶν θαλάμων ὀλίγον ῥόον ἢ βρύον ἅλμης
ἢ βυθίην τινὰ κόχλον. ἐγὼ δέ σοι εἴνεκα μορφῆς   415
ἵσταμαι ἀσχαλόων, τίνα σοι, τίνα δῶρα κομίσσω·
οὐ χατέει χρυσοῖο τέκος χρυσῆς Ἀφροδίτης.
ἀλλά σοι ἐξ Ἀλύβης κειμήλια πολλὰ κομίσσω·
ἄργυρον ἀργυρόπηχυς ἀναίνεται. εἰς σὲ κομίσσω
δῶρα διαστίλβοντα φεραυγέος Ἠριδανοῖο·   420
Ἡλιάδων δ' ὅλον ὄλβον ἐπαισχύνει σέο μορφῇ

---

[a] See xli. 11.
[b] A rationalization ; usually she is a devouring monster,
but this was often explained away as a dangerous rock.

girdle, but attend Bacchos both as comrade and bed-fellow. I myself will carry the nets of your father Adonis, I will lay the bed of my sister Aphrodite.

396 "What worthy gifts will Earthshaker bring? Will he choose his salt water for a bridegift, and lay sealskins breathing the filthy stink of the deep, as Poseidon's coverlets from the sea? Do not accept his sealskins. I will provide you with Bacchants to wait upon your bridechamber, and Satyrs for your chamberlains. Accept from me as bridegift my grape-vintage too. If you want a wild spear also as daughter of Adonis, you have my thyrsus for a lance —away with the trident's tooth! Flee, my dear, from the ugly noise of the neversilent sea, flee the madness of Poseidon's dangerous love! Seabluehair lay beside another Amymone,[a] but after the bed the wife became a spring of that name. He slept with Scylla, and made her a cliff in the water.[b] He pursued Asterië,[c] and she became a desert island; Euboia[d] the maiden he rooted in the sea. This creature woos Amymone just to turn her too into stone after the bed; this creature offers as gift for his wedding a drop of water, or seaweed from the brine, or a deepsea conch. And I, distressed for your beauty as I stand here, what have I for you, what gifts shall I offer? The daughter of golden Aphrodite needs no gold. Shall I bring you heaps of treasure from Alybe? Silverarm cares not for silver! Shall I bring you gleaming gifts from brilliant Eridanos? Your beauty, your blushing whiteness,

[c] See ii. 125.
[d] The nymph after whom the island was mythically named, being named originally Macris (Long Island). Only Nonnos mentions her as Poseidon's love, and the identification of her with the actual rock of the island is apparently his own.

λευκὸν ἐρευθιόωσα, βολαῖς δ' ἀντίρροπος Ἠοῦς
εἴκελος ἠλέκτρῳ Βερόης ἀμαρύσσεται αὐχήν . . .
καὶ λίθον ἀστράπτοντα· τεοῦ χροὸς εἶδος ἐλέγχει
μάρμαρα τιμήεντα· μὴ εἴκελον αἴθοπι λύχνῳ   425
λυχνίδα σοι κομίσοιμι, σέλας πέμπουσιν ὀπωπαί·
μὴ καλύκων ῥοδόεντος ἀναΐσσοντα κορύμβου
σοὶ ῥόδα δῶρα φέροιμι, ῥοδώπιδές εἰσι παρειαί."
    Τοῖον ἔπος κατέλεξε· καὶ οὔατος ἔνδοθι κούρη
χεῖρας ἐρεισαμένη διδύμας ἔφραξεν ἀκουάς,   430
μὴ πάλιν ἄλλον Ἔρωτι μεμηλότα μῦθον ἀκούσῃ,
ἔργα γάμου στυγέουσα· ποθοβλήτῳ δὲ Λυαίῳ
μόχθῳ μόχθον ἔμιξε. τί κύντερόν ἐστιν Ἐρώτων,
ἢ ὅτε θυμοβόροιο πόθου λυσσώδεϊ κέντρῳ
ἀνέρας ἱμείροντας ἀλυσκάζουσι γυναῖκες   435
καὶ πλέον οἶστρον ἄγουσι σαόφρονες;
                               ἐνδόμυχος δὲ
διπλόος ἐστὶν ἔρως, ὅτε παρθένος ἀνέρα φεύγει.
    Ὣς ὁ μὲν οἰστρήεντι πόθου μαστίζετο κεστῷ·
παρθενικῆς δ' ἀπέμιμνεν· ἀμιτροχίτωνι δὲ κούρῃ
σύνδρομον ἀγρώσσοντα νόον πόμπευεν ἀλήτην,   440
κέντρον ἔχων γλυκύπικρον.
                          ἀνεσσύμενος δὲ θαλάσσης,
ἴκμια διψαλέοιο δι' οὔρεος ἴχνια πάλλων,
παρθενικὴν μάστευε Ποσειδάων μετανάστης,
ἄβροχον ὑδατόεντι περιρραίνων χθόνα ταρσῷ·
καί οἱ ἔτι σπεύδοντι παρὰ κλέτας εὔβοτον ὕλης   445
οὔρεος ἄκρα κάρηνα ποδῶν ἐλελίζετο παλμῷ . . .
εἰς Βερόην σκοπίαζε, καὶ ἐκ ποδὸς ἄχρι καρήνου
κούρης ἱσταμένης διεμέτρεεν ἔνθεον ἥβην·
ὀξὺ δὲ λεπταλέοιο δι' εἵματος οἷα κατόπτρῳ
ὄμμασιν ἀπλανέεσσι τύπον τεκμαίρετο κούρης,   450
οἷά τε γυμνωθέντα παρακλιδὸν ἄκρα δοκεύων
258

puts to shame all the wealth of the Heliades ; the neck of Beroë is like the gleams of Dawn, it shines like amber, [outshines] a sparkling jewel; your fair shape makes precious marble cheap. I would not bring you the lampstone blazing like a lamp, for light comes from your eyes. I would not give you roses, shooting up from the flowercups of a rosy cluster, for roses are in your cheeks."

⁴²⁹ Such was his address ; and the girl pressed the fingers of her two hands into her ears to keep the words away from her hearing, lest she might hear again another speech concerned with love, and she hated the works of marriage. So she made trouble upon trouble for lovestricken Lyaios. What is more shameless than love, or when women avoid men who yearn with the heart-eating maddening urge of desire, and only make them more passionate by their modesty ? The love within them is doubled when a maiden flees from a man.

⁴³⁸ So he was flogged by the maddening cestus of desire ; and he kept away from the girl, but full of bittersweet pangs, he sent his mind to wander a-hunting with the girl with ungirt tunic. Then out from the sea came Poseidon, moving his wet footsteps in search of the girl over the thirsty hills, a foreign land to him, and sprinkling the unwatered earth with watery foot ; and as he hasted along the fertile slope of the woodland, the topmost peaks of the mountains shook under the movement. . . . He espied Beroë, and from head to foot he scanned her divine young freshness while she stood. Clear through the filmy robe he noted the shape of the girl with steady eyes, as if in a mirror ; glancing from side to side he saw the shining skin of her breasts as if naked, and cursed

στήθεα μαρμαίροντα, πολυπλεκέεσσι δὲ δεσμοῖς
μαζῶν κρυπτομένων φθονερὴν ἐπεμέμφετο μίτρην,
δινεύων ἑλικηδὸν ἐρωμανὲς ὄμμα προσώπου,
παπταίνων ἀκόρητος ὅλον δέμας· οἰστρομανὴς δὲ   455
εἰναλίην Κυθέρειαν ἁλὸς μεδέων ἐνοσίχθων
μοχθίζων ἱκέτευε, καὶ ἀγραύλῳ παρὰ ποίμνῃ
παρθένον ἱσταμένην φιλίῳ μειλίξατο μύθῳ·
" Ἑλλάδα καλλιγύναικα γυνὴ μία πᾶσαν ἐλέγχει·
οὐ Πάφος, οὐκέτι Λέσβος ἀείδεται, οὐκέτι Κύπρου   460
οὔνομα καλλιτόκοιο φατίζεται· οὐκέτι μέλψω
Νάξον ἀειδομένην εὐπάρθενον· ἀλλὰ καὶ αὐτὴ
εἰς τόκον, εἰς ὠδῖνας ἐνικήθη Λακεδαίμων·
οὐ Πάφος, οὐκέτι Λέσβος, Ἀμυμώνης δὲ τιθήνη
ἀντολίη σύλησεν ὅλον κλέος Ὀρχομενοῖο,   465
μούνην ἀμφιέπουσα μίαν Χάριν· ὁπλοτέρη γὰρ
τρισσάων Χαρίτων Βερόη βλάστησε τετάρτη.
παρθένε, κάλλιπε γαῖαν, ὅ περ θέμις· οὐ σέο μήτηρ
ἐκ χθονὸς ἐβλάστησεν, ἁλὸς θυγάτηρ Ἀφροδίτη·
πόντον ἔχεις ἐμὸν ἕδνον ἀτέρμονα, μείζονα γαίης·   470
σπεῦσον ἐριδμαίνειν ἀλόχῳ Διός, ὄφρά τις εἴπῃ,
ὅττι δάμαρ Κρονίδαο καὶ εὐνέτις ἐννοσιγαίου
πάντοθι κοιρανέουσιν, ἐπεὶ νιφόεντος Ὀλύμπου
Ἥρη σκῆπτρον ἔχει, Βερόη κράτος ἔσχε θαλάσσης.
οὔ σοι Βασσαρίδας μανιώπεας ἐγγυαλίξω,   475
οὐ Σάτυρον σκαίροντα καὶ οὐ Σειληνὸν ὀπάσσω·
ἀλλὰ τελεσσιγάμοιο τεῆς θαλαμηπόλον εὐνῆς
Πρωτέα σοι καὶ Γλαῦκον ὑποδρηστῆρα τελέσσω·
δέχνυσο καὶ Νηρῆα καί, ἢν ἐθέλῃς, Μελικέρτην·
καὶ πλατὺν ἀενάου μιτρούμενον ἄντυγι κόσμου   480
Ὠκεανὸν κελάδοντα τεὸν θεράποντα καλέσσω·

the jealous bodice wrapt about in many folds which hid the bosom, he ran his lovemaddened eye round and round over her face, he gazed never satisfied on her whole body. Then mad with passion Earth-shaker lord of the brine appealed in his trouble to Cythereia of the brine, and tried with flattering words to make friends with the maiden standing beside the country flock :

⁴⁵⁹ " One woman outshines all the lovely women of Hellas ! Paphos is celebrated no longer, nor Lesbos, Cyprus no longer has a name as mother of beauty ; no longer will I sing Naxos which the singers call isle of fair maids ; yes, even Lacedaimon is worsted for children and childbirth ! No more Paphos, no more Lesbos—the land of the rising sun, Amymone's nurse, has plundered all the glory of Orchomenos, for one single Grace of her own ! For Beroë has appeared a fourth grace, younger than the three !

⁴⁶⁸ " Maiden, leave the land. That is just, for your mother grew not from the land, she is Aphrodite daughter of the brine. Here is my infinite sea for your bridegift, larger than earth. Hasten to challenge the consort of Zeus, that men may say that the lady of Cronides and the wife of Earthshaker hold universal rule, since Hera has the sceptre of snowy Olympos, Beroë has gotten the empire of the sea. I will not provide you with mad-eyed Bassarids, I will give you no dancing Satyr and no Seilenos, but I will make Proteus chamberlain of your marriage-consummating bed, and Glaucos shall be your under-ling—take Nereus too, and Melicertes if you like ; and I will call murmuring Oceanos your servant, broad Oceanos girdling the rim of the eternal

261

σοὶ ποταμοὺς ξύμπαντας ὀπάονας ἕδνον ὀπάσσω.
εἰ δὲ καὶ ἀμφιπόλοις ἐπιτέρπεαι, εἰς σὲ κομίσσω
θυγατέρας Νηρῆος· ἀναινομένη δὲ γενέσθω
μαῖα Διωνύσοιο τεὴ θαλαμηπόλος Ἰνώ."   485
  "Ἔννεπε· χωομένην δὲ λιπὼν δυσπειθέα κούρην
ἠέρι μῦθον ἔειπε χέων ἀνεμώδεα φωνήν·
  " Μύρρης ὄλβιε κοῦρε, λαχὼν εὔπαιδα γενέθλην
τιμὴν μοῦνος ἔχεις διδυμάονα· μοῦνος ἀκούεις
καὶ γενέτης Βερόης καὶ νυμφίος ἀφρογενείης."   490
  Τοῖα μὲν ἐννοσίγαιος ἱμάσσετο κέντορι κεστῷ·
πολλὰ δὲ δῶρα τίταινεν Ἀδώνιδι καὶ Κυθερείῃ,
κούρης ἕδνον ἔρωτος. ὁμοφλέκτῳ δὲ βελέμνῳ
ὄλβον ἄγων Διόνυσος, ὅσον παρὰ γείτονι Γάγγῃ
χρυσοφαεῖς ὠδῖνες ἐμαιώσαντο μετάλλων,   495
πολλὰ μάτην ἱκέτευε θαλασσαίην Ἀφροδίτην.
  Καὶ Παφίη δεδόνητο, πολυμνήστοιο δὲ κούρης
ἀμφοτέρους μνηστῆρας ἐδείδιεν· ἀμφοτέρων δὲ
ἰσοτύπων ὁρόωσα πόθον καὶ ζῆλον Ἐρώτων
Ἄρεϊ νυμφιδίῳ Βερόης κήρυξεν ἀγῶνα   500
καὶ γάμον αἰχμητῆρα καὶ ἱμερόεσσαν Ἐννώ.
καί μιν ὅλην πυκάσασα γυναικείῳ τινὶ κόσμῳ
Κύπρις ἐπ' ἀκροπόληος ἑῆς ἱδρύσατο πάτρης
παρθένον ἀμφήριστον ἀέθλιον ἁβρὸν Ἐρώτων·
ἀμφοτέροις δὲ θεοῖσι μίαν ξυνώσατο φωνήν·   505
  '"Ἤθελον, εἰ δύο παῖδας ἐγὼ λάχον, ὄφρα συνάψω
τὴν μὲν ὀφειλομένην ἐνοσίχθονι, τὴν δὲ Λυαίῳ·
ἀλλ' ἐπεὶ οὐ γενόμην διδυμητόκος, οὐδὲ κελεύει
θεσμὰ γάμων ἄχραντα μίαν ξυνήονα κούρην
262

world. I give you as a bridal gift all the rivers together for your attendants. If you are pleased to have waitingmaids also, I will bring you the daughters of Nereus; and let Ino the nurse of Dionysos be your chambermaid, whether she likes it or not!"

486 Thus he pleaded, but the maiden was angry and would not listen; so he left her, pouring out his last words into the air—

488 "Happy son of Myrrha, you have got a fine daughter, and now a double honour is yours alone; you alone are named father of Beroë and bridegroom of the Foamborn."

491 Thus Earthshaker was flogged by the blows of the cestus; but he offered many gifts to Adonis and Cythereia, bridegifts for the love of their daughter. Dionysos burning with the same shaft brought his treasures, all the shining gold that the mines near the Ganges had brought forth in their throes of labour; earnestly but in vain he made his petition to Aphrodite of the sea.

497 Now Paphia was anxious, for she feared both wooers of her muchwooed girl. When she saw equal desire and ardour of love in both, she announced that the rivals must fight for the bride, a war for a wedding, a battle for love. Cypris arrayed her daughter in all a woman's finery, and placed her upon the fortress of her country, a maiden to be fought for as the dainty prize of contest. Then she addressed both gods in the same words:

506 "I could wish had I two daughters, to wed one as is justly due to Earthshaker, and one to Lyaios; but since my child was not twins, and the undefiled laws of marriage do not allow us to join one girl to a

ζεῦξαι διχθαδίοισιν ἀμοιβαίοις παρακοίταις,   51
ἀμφὶ μιῆς ἀλόχοιο μόθος νυμφοστόλος ἔστω·
οὐ γὰρ ἄτερ καμάτου Βερόης λέχος· ἀμφὶ δὲ νύμφης
ἄμφω ἀεθλεύσοιτε γάμου προκέλευθον ἀγῶνα·
ὃς δέ κε νικήσει, Βερόην ἀνάεδνον ἀγέσθω . . .
ἀμφοτέροις φίλος ὅρκος· ἐπεὶ περιδείδια κούρης   51
γείτονος ἀμφὶ πόληος, ὅπη πολιοῦχος ἀκούω,
πατρίδα μὴ Βερόης Βερόης διὰ κάλλος ὀλέσσω·
συνθεσίας πρὸ γάμοιο τελέσσατε, μὴ μετὰ χάρμην
πόντιος ἐννοσίγαιος ἀτεμβόμενος περὶ νίκης
γαῖαν ἀιστώσειεν ἑῆς γλωχῖνι τριαίνης,   52
μὴ κοτέων Διόνυσος Ἀμυμώνης περὶ λέκτρων
ἄστεος ἀμπελόεσσαν ἀμαλδύνειεν ἀλωήν.
εὐμενέες δὲ γένεσθε μετὰ κλόνον· ἀμφότεροι δὲ
φίλτρου ζῆλον ἔχοντες ὁμοφροσύνης ἐνὶ θεσμῷ
κάλλεϊ φαιδροτέρῳ κοσμήσατε πατρίδα νύμφης.''   52

   Ὣς φαμένης μνηστῆρες ἐπήνεον· ἀμφοτέροις δὲ
ἔμπεδος ὅρκος ἔην Κρονίδης καὶ Γαῖα καὶ Αἰθὴρ
καὶ Στύγιαι ῥαθάμιγγες· ἐπιστώσαντο δὲ Μοῖραι
συνθεσίας· καὶ Δῆρις ἀέξετο πομπὸς Ἐρώτων
καὶ Κλόνος·
      ἀμφοτέρους δὲ γαμοστόλος ὥπλισε Πειθώ.   53
οὐρανόθεν δὲ μολόντες ὀπιπευτῆρες ἀγῶνος
σὺν Διὶ πάντες ἔμιμνον, ὅσοι ναετῆρες Ὀλύμπου,
μάρτυρες ὑσμίνης Λιβανηίδος ὑψόθι πέτρης.

   Ἔνθα φάνη μέγα σῆμα ποθοβλήτῳ Διονύσῳ·
κίρκος ἀελλήεις χαλάσας πτερὸν ἔγκυον αὔρης   53
βοσκομένην ἐδίωκε πελειάδα· τὴν δέ τις ἄφνω
ἐκ χθονὸς ἁρπάξας ἁλιαίετος εἰς βυθὸν ἔπτη,
φειδομένοις ὀνύχεσσι μετάρσιον ὄρνιν ἀείρων.

pair of husbands together change and change about,
let battle be chamberlain for one single bride, for
without hard labour there is no marriage with Beroë.
Then if you would wed the maid, first fight it out
together ; let the winner lead away Beroë without
brideprice. Both must agree to an oath, since I fear
for the girl's neighbouring city where I am known as
Cityholder, that because of Beroë's beauty I may lose
Beroë's home. Make treaty before the marriage, that
seagod Earthshaker if he lose the victory shall not
in his grief lay waste the land with his trident's
tooth ; and that Dionysos shall not be angry about
Amymone's wedding and destroy the vineyards [a] of
the city. And you must be friends after the battle :
both be rivals in singlehearted affection, and in one
contract of goodwill adorn the city of the bride with
still more brilliant beauty."

526 The wooers agreed to this proposal. Both took
a binding oath, by Cronides and Earth, by Sky and the
floods of Styx ; and the Fates formally witnessed
the bargain. Then Strife grew greater to escort the
Loves, and Turmoil also ; Persuasion the handmaid
of marriage, armed them both. From heaven came
all the dwellers on Olympos, with Zeus, and stayed
to watch the combat upon the rocks of Lebanon.

534 Then appeared a great portent for lovestricken
Dionysos. A stormswift falcon was in chase of a
feeding pigeon ; he drooped his breeze-impregnated
wings,[b] when suddenly an osprey caught up the
pigeon from the ground and flew to the deep, holding

[a] How there came to be any so early as that Nonnos does
not explain.
[b] *i.e.* he was just dropping on the pigeon, when the eagle
came under with a swoop sideways and caught it.

καί μιν ἰδὼν Διόνυσος ἀπέπτυεν ἐλπίδα νίκης·
ἔμπης δ' εἰς μόθον ἦλθεν.

            ἐπ' ἀμφοτέρων δὲ κυδοιμῷ   54
ὄμματι μειδιόωντι πατὴρ κεχάρητο Κρονίων,
δῆριν ἀδελφειοῖο καὶ υἱέος ὕψι δοκεύων.

the bird high in gentle talons. When Dionysos beheld this, he cast away hope of victory; nevertheless he entered the fray. Father Cronion was pleased with the contest of these two, as he watched from on high the match between his brother and his son with smiling eye.

ΔΙΟΝΥΣΙΑΚΩΝ ΤΕΣΣΑΡΑΚΟΣΤΟΝ ΤΡΙΤΟΝ

Δίζεο τεσσαρακοστὸν ἔτι τρίτον, ὁππόθι μέλπω
Ἄρεα κυματόεντα καὶ ἀμπελόεσσαν Ἐνυώ.

Ὡς ὁ μὲν ἐγρεκύδοιμος Ἄρης, ὀχετηγὸς Ἐρώτων,
νυμφιδίης ἀλάλαζε μάχης θαλαμηπόλον ἠχώ,
καὶ γαμίου πολέμοιο θεμείλια πῆξεν Ἐννώ·
καὶ κλόνον αἰθύσσων ἐνοσίχθονι καὶ Διονύσῳ
θοῦρος ἔην Ὑμέναιος, ἐς ὑσμίνην δὲ χορεύων   5
χάλκεον ἔγχος ἄειρεν Ἀμυκλαίης Ἀφροδίτης,
Ἄρεος ἁρμονίην Φρυγίῳ μυκώμενος αὐλῷ.
καὶ Σατύρων βασιλῆι καὶ ἡνιοχῆι θαλάσσης
παρθένος ἦεν ἄεθλον· ἀναινομένη δὲ σιωπῇ
εἰναλίου μνηστῆρος ἔχειν μετανάστιον εὐνὴν   10
ὑγρὸν ὑποβρυχίων ἐπεδείδιε παστὸν Ἐρώτων,
καὶ πλέον ἤθελε Βάκχον· ἕκτο δὲ Δηιανείρῃ,
ἥ ποτε νυμφιδίοιο περιβρομέοντος ἀγῶνος
ἤθελεν Ἡρακλῆα, καὶ ἀσταθέος ποταμοῖο
ἵστατο δειμαίνουσα βοοκραίρους ὑμεναίους.   15
Καὶ δρόμον αὐτοκέλευστον ἔχων ἑλικώδεϊ ῥόμβῳ
ἀννέφελος σάλπιζε μέλος πολεμήιον αἰθήρ·
καὶ βλοσυρὸν μύκημα χέων λυσσώδεϊ λαιμῷ
Ἀσσυρίῳ τριόδοντι κορύσσετο κυανοχαίτης,
σείων πόντιον ἔγχος. ἀπειλήσας δὲ θαλάσσῃ   20

BOOK XLIII

Look again at the forty-third, in which I sing a war
of the waters and a battle of the vine.

So battlestirring Ares, who leads the channel for
Love, shouted the warcry to prepare for the bridal
combat. Enyo laid the foundations of the war for a
wedding : and lusty Hymenaios was he that kindled
the quarrel for Earthshaker and Dionysos—he danced
into the battle, holding the bronze pike of Amyclaian
Aphrodite,[a] while he drooned a tune of war on a
Phrygian hoboy. For King of Satyrs and Ruler of the
Sea, a maiden was the prize. She stood silent, but re-
luctant to have a foreign wedding with a wooer from
the sea ; she feared the watery bower of love in the
deep waves, and preferred Bacchos : she was like
Deïaneira, who once in that noisy strife for a bride
preferred Heracles, and stood there fearing the
wedding with a fickle bullhorn River.[b]

16 Heaven unclouded by its own spinning whirl
trumpeted a call to war ; and Seabluehair armed
himself with his Assyrian trident, shaking his mari-
time pike and pouring a hideous din from a mad
throat. Dionysos threatening the sea danced into

---

[a] The Armed Aphrodite ; " Amyclaian " loosely for
Spartan.
[b] An allusion to Sophocles, *Trach.* 9-27, *cf. ibid.* 503-530.

εἰς ἐνοπὴν Διόνυσος ἐκώμασεν οἴνοπι θύρσῳ,
μητρὸς ὀρεσσινόμοιο καθήμενος ἅρματι Ῥείης·
καί τις ἀεξομένη παρὰ Μυγδόνος ἄντυγα δίφρου
ἄμπελος αὐτοτέλεστος ὅλον δέμας ἔσκεπε Βάκχου,
βόστρυχα μιτρώσασα κατάσκια σύζυγι κισσῷ·   25
καί τις ὑπὸ ζυγόδεσμα περίπλοκον αὐχένα σείων   26
θηγαλέῳ χθονὸς ἄκρα λέων ἐχαράξατο ταρσῷ,   28
τρηχαλέον μύκημα σεσηρότι χείλεϊ πέμπων·   27
καὶ βραδὺς ἑρπύζων ἐλέφας παρὰ γείτονι πηγῇ,   29
ὄρθιον ἀγνάμπτοιο ποδὸς στήριγμα κολάψας,   30
ὄμβριον ἀζαλέοισιν ἀνήφυσε χείλεσιν ὕδωρ,
καὶ προχοὰς ξήραινε· κονιομένων δὲ ῥοάων
πηγαίην ἀχίτωνα μετήγαγε διψάδα Νύμφην.
  Καὶ θεὸς ὑγρομέδων ἐκορύσσετο· Νηρεΐδων δὲ
ἦν κλόνος· ἰκμαλέοι δὲ θαλασσαίων ἀπὸ νώτων   35
δαίμονες ἐστρατόωντο· τανυπτόρθοις δὲ κορύμβοις
δῶμα Ποσειδάωνος ἱμάσσετο, πόντιον ὕδωρ·
καὶ χθονίου λοφόεντος ἀρασσομένου κενεῶνος
ἡμερίδες Λιβάνοιο μετοχλίζοντο τριαίνῃ.
καί τινα βοσκομένην μελανόχροον ἐγγύθι πόντου   40
εἰς βοέην ἀγέλην Ποσιδήιον ἅλματι λάβρῳ
θυιάδες ἐρρώοντο· τανυγλήνοιο δὲ ταύρου
ἡ μὲν ἐφαπτομένη ῥάχιν ἔσχισεν, ἡ δὲ μετώπου
διχθαδίης ἀτίνακτα διέθλασεν ἄκρα κεραίης·
καί τις ἀλοιητῆρι διέτμαγε γαστέρα θύρσῳ·   45
ἄλλη πλευρὸν ἔτεμνεν ὅλον βοός· ἡμιθανὴς δὲ
ὕπτιος αὐτοκύλιστος ὑπώκλασε ταῦρος ἀρούρῃ·
καὶ βοὸς ἀρτιτόμοιο κυλινδομένοιο κονίῃ
ἡ μὲν ὀπισθιδίους πόδας ἔσπασεν, ἡ δὲ λαβοῦσα
προσθιδίους ἐρύεσκε, πολυστροφάλιγγι δὲ ῥιπῇ   50
ὄρθιον ἐσφαίρωσεν ἐς ἠέρα δίζυγα χηλήν.
  Καὶ στρατιῆς Διόνυσος ἐκόσμεεν ἡγεμονῆας,

the fray with vineleaves and thyrsus, seated in the chariot of his mother mountainranging Rheia ; and round the rim of the Mygdonian car was a vine self-grown, which covered the whole body of Bacchos, and girdled its overshadowing clusters under entwined ivy. A lion shaking his neck entwined under the yokestrap scratched the earth's surface with sharp claw, as he let out a harsh roar from snarling lips. An elephant slowly advanced to a spring hard by, striking straight into the ground his firm unbending leg, lapped the rainwater with parched lips and dried up the stream ; and as the waters became bare earth, he drove elsewhere the Nymph of the spring thirsty and uncovered.

³⁴ Meanwhile, the lord of the waters prepared for conflict. There was confusion among the Nereïds ; the deities of the waters came from the stretches of the sea to form array. Poseidon's house, the water of the sea, was flogged with long bunches of leaves ; the caverns of the mountains were shaken by the trident, and the vines of Lebanon were rooted up. With wild leaps the Thyiades threw themselves upon a herd of black cattle of Poseidon's, feeding near the sea. One with a touch cut through the back of a glaring bull, another sheared off from its forehead the two stiff projecting horns, one pierced the belly with destroying thyrsus, another slit the whole side of the creature : halfdead the bull sank down and rolled helpless on his back on the ground—as he rolled in the dust with these fresh wounds, one pulled off his hind legs, one tugged at the forefeet, and threw up the two hooves tumbling over and over straight up in the air.

⁵² Then Dionysos mustered his captains, and made

271

στήσας πέντε φάλαγγας ἐς ὑδατόεσσαν Ἐνυώ.
τῆς πρώτης στίχος ἦρχε Κίλιξ εὐάμπελος Οἰνεὺς
υἱὸς Ἐρευθαλίωνος, ὃν ἤροσεν ἐγγύθι Ταύρου   5
Φυλλίδος ἀγραύλοισιν ὁμιλήσας ὑμεναίοις·
τῆς δ' ἑτέρης ἡγεῖτο μελαγχαίτης Ἑλικάων
ξανθοφυὴς ῥοδέῃσι παρηίσιν, ἀμφὶ δὲ δειρῇ
πλοχμὸς ἐυστροφάλιγγος ἕλιξ ὑπεσύρετο χαίτης·
Οἰνοπίων τριτάτης, Στάφυλος προμάχιζε τετάρτης, 6
Οἰνομάου δύο τέκνα, φιλακρήτοιο τοκῆος·
πέμπτης δ' ἡγεμόνευε Μελάνθιος, ὄρχαμος Ἰνδῶν,
ὃν τέκεν Οἰνώνῃ Κισσηιάς, ἀμφὶ δὲ κούρῳ
φυταλιῆς πλέξασα θυώδεος ἄκρα πετήλων
σπάργανα βοτρυόεντα πέριξ εἱλίξατο μήτηρ,   6
υἱέα χυτλώσασα μέθης ἐγκύμονι ληνῷ.
τοίῃ κισσοφόροισιν ὀιστεύουσα βελέμνοις
σύνδρομος ἀμπελόεντι φάλαγξ ἐκορύσσετο Βάκχῳ.
καὶ στρατιὴν θώρηξε χέων λαοσσόον ἠχώ·
"Βασσαρίδες, μάρνασθε· κορυσσομένου δὲ Λυαίου 7
αὐλὸς ἐμὸς κερόεις πολεμήιον ἦχον ἀράσσων
ἀντίτυπον φθέγξαιτο μέλος μυκήτορι κόχλῳ,
καὶ διδύμοις πατάγοισι μόθου χαλκόθροον ἠχὼ
τύμπανα δουπήσειεν· Ἐνναλίῳ δὲ χορεύων
Γλαῦκον ὀιστεύσειε Μάρων ῥηξήνορι θύρσῳ·   7
καὶ πλοκάμους Πρωτῆος ἀήθεϊ δήσατε κισσῷ,
καὶ Φαρίου πόντοιο λιπὼν Αἰγύπτιον ὕδωρ,
νεβρίδα ποικιλόνωτον ἔχων μετὰ δέρματα φώκης,
αὐχένα κυρτώσειεν ἐμοὶ θρασύν· εἰ δύναται δέ,
Σειληνῷ μεθύοντι κορυσσέσθω Μελικέρτης·   8
καὶ ναέτην Τμώλοιο μετὰ βρυόεντας ἐναύλους   8
γηραλέον Φόρκυνα διδάξατε θύρσον ἀείρειν,   8
ἀμπελόεις δὲ γένοιτο γέρων χερσαῖος ἀλωεύς·   8
καὶ Σάτυρος μενέχαρμος ἑὸν νάρθηκα τινάσσων   8
272

five divisions for the watery conflict. The first line was led by him of the vine, Cilician Oineus, son of Ereuthalion, whom he begat near the Tauros of Phyllis, in the open air. The second was led by blackhair Helicaon, a blond man with rosy cheeks, and long curls of hair hanging down over his neck. Oinopion led the third, Staphylos stood before the fourth, two sons of a tippling sire, Oinomaos; Melantheus was captain of the fifth, an Indian chief and the son of Oinone the Ivy-nymph : his mother had wrapt her boy in leafy tips of the sweet-smelling vine for swaddlings, and bathed her son in the wine-press teeming with strong drink. Such was the host armed with missiles of ivy which followed Bacchos the vinegod ; and when he had armed them, Bacchos called to the host in stirring tones :

⁷⁰ " Fight, Bassarids ! When Lyaios is under arms, let my pipes of horn strike up a warlike tune, answering the booming sound of the conch, let the cymbals of bronze beat a loud noise with double clashings. Let Maron dancing in battle shoot Glaucos with manbreaking thyrsus. Go, tie up the hair of Proteus with ivy, something new for him ! Let him leave the Egyptian water of the Pharian Sea, and change his sealskins for a speckled fawnskin, and bow his bold neck to me. Let Meli-certes fight against drunken Seilenos, if he can. Teach old Phorcys to leave the seaweedy deeps and dwell in Tmolos holding a thyrsus, and let the old man become a vinegrower on land. Let the Satyr stand fast and brandish his fennel, and with

διψαλέον Νηρῆα μεταστήσειε θαλάσσης
ἀγραύλοις παλάμησι· καὶ ἀρτιφύτων ἀπὸ κήπων
βόστρυχα μιτρώσασθε Παλαίμονος οἴνοπι δεσμῷ,
καί μιν ὑποδρήσσοντα μετ' Ἰσθμιάδος βυθὸν ἅλμης
πόντιον ἡνιοχῆα κομίσσατε μητέρι Ῥείῃ,
εἰναλίῃ μάστιγι κυβερνητῆρα λεόντων·
οὐ γὰρ ἐμὸν κατὰ πόντον ἀνεψιὸν εἰσέτ' ἐάσσω.[1]
ἀθρήσω δὲ φάλαγγα δορικτήτοιο θαλάσσης
νεβρίδι κοσμηθεῖσαν· ἀπειρήτῃσι δὲ Νύμφαις
κύμβαλα Νηρεΐδεσσιν ὀπάσσατε· μίξατε Βάκχαις
Ὑδριάδας· Θέτιδος δέ, καὶ εἰ γένος ἐστὶ θαλάσσης,
μούνης ξεινοδόκοιο φυλάξατε δῶμα θεαίνης·
Λευκοθέης δ' ἀπέδιλα συνάψατε ταρσὰ κοθόρνοις·
χερσαίη δὲ φανεῖσα συνέμπορος Εὐάδι Βάκχῃ
Δωρὶς ἀερτάζειεν ἐμὴν θιασώδεα πεύκην·
καὶ βυθίη Πανόπεια τιναξαμένη βρύον ἅλμης
βόστρυχα μιτρώσειεν ἐχιδνήεντι κορύμβῳ·
Εἰδοθέῃ δ' ἀέκουσα περίκροτα ῥόπτρα δεχέσθω·
καὶ πόθον ἶσον ἔχουσαν ἐρωμανέοντι καὶ αὐτῷ
τίς νέμεσις Γαλάτειαν ὑποδρήσσειν Διονύσῳ,
ἕδνον Ἀμυμώνης θαλαμηπόλον ὄφρα τελέσσῃ
ἱστοπόνῳ παλάμῃ Λιβανηΐδι πέπλον ἀνάσσῃ;
ἀλλὰ γένος Νηρῆος ἐάσατε· ποντοπόρους γὰρ
δμωίδας οὐκ ἐθέλω, Βερόη μὴ ζῆλον ἐγείρω.
καὶ κομόων γλωχῖνι τανυπτόρθοιο μετώπου
Πὰν ἐμὸς οὐρεσίφοιτος ἀτευχέϊ χειρὶ πιέζων
θηγαλέῃ πλήξειε Ποσειδάωνα κεραίῃ,
στέρνου μεσσατίοιο τυχὼν εὐκαμπέσιν αἰχμαῖς
ἢ σκοπέλῳ λοφόεντι, διαρρήξειε δὲ χηλαῖς
δισσοφυῆ Τρίτωνος ὁμόζυγα κύκλον ἀκάνθης.
Γλαῦκος ἁλιβρέκτοιο διάκτορος ἐννοσιγαίου
Βάκχῳ ὑποδρήσσειε, περίκροτα χερσὶν ἀείρων
274

his countryman's hands transport thirsty Nereus out
of the sea ; enwreath Palaimon's hair with bonds
of vine from newly planted gardens, and bring that
charioteer of the sea from the depths of the Isthmian
brine to be a servant for Mother Rheia and to guide
her lions with his whip, for I will no longer leave my
cousin in the deep : I will behold the host of the
spearconquered sea decked out in the fawnskin.
Give cymbals to the inexperienced Nereïd Nymphs,
mingle Hydriads with Bacchants—spare only the
hospitable house of goddess Thetis, although she is
one of the seabrood. Fit the unshod feet of Leuco-
thea in buskins ; let Doris appear on dry land and
lift my mystic torch along with the revelling Bac-
chants ; let Panopeia shake off the seaweed of the
deep and wreathe her locks in clustering vipers ; let
Eidothea unwilling receive the rattling tambourine.
What harm is there that Galateia should be servant
to Dionysos, when she has a passion like his own mad
love, that her hands may make a woven robe as a
gift for the wedding pomp of Amymone the queen
of Lebanon ?—No, leave alone the family of Nereus ;
for I want no handmaids from the sea, or Beroë
might be jealous.

[109] " Let Pan my old mountainranger, proud with
the longbranching points on his forehead, press
Poseidon with unarmed hand and butt him with
sharp horn, strike him full in the chest with those
curving prongs, or with a rocky stone, let him break
with his hooves the ring of Triton's backbone where
his two natures join. Let Glaucos the attendant
of brinesoaken Earthshaker be servant to Bacchos,
and lift in his hands the rattling cymbals of Rheia

---

[1] So MSS. : Ludwich εἰσέτι νάσσω.

αὐχενίῳ τελαμῶνι παρήορα τύμπανα Ῥείης.
οὐ μούνης Βερόης περιμάρναμαι, ἀλλὰ καὶ αὐτῆς
νύμφης ἡμετέρης περὶ πατρίδος· οὔ μιν ἀράξας
ἱσταμένην ἀτίνακτον ἁλὸς μεδέων ἐνοσίχθων,   12
εἰναλίην περ ἐοῦσαν, ἀμαλδύνειε τριαίνῃ,
ὅττι κορυσσομένῳ θωρήξομαι· ἀμφότερον γάρ,
εἰ λάχε γείτονα πόντον, ἔχει φυτὰ μυρία Βάκχου,
νίκης ἡμετέρης σημήιον· ἀγχιάλου γὰρ . . .
ἀλλὰ παλαιοτέρην μετὰ Παλλάδα μάρτυρι Βάκχῳ 12
Κέκροψ ἄλλος ἵκοιτο δικασπόλος, ὄφρα καὶ αὐτὴ
ἄμπελος ἀείδοιτο φερέπτολις, ὥς περ ἐλαίη.
καὶ πόλιος τελέσας ἕτερον τύπον οὔ μιν ἐάσω
ἐγγὺς ἁλός, κραναὰς δὲ ταμὼν νάρθηκι κολώνας
γείτονα Βηρυτοῖο γεφυρώσω βυθὸν ἅλμης,   13
χερσώσας σκοπέλοισιν ἁλὸς πετρούμενον ὕδωρ·
τρηχαλέη δὲ κέλευθος ἰσάζεται ὀξέι θύρσῳ.
ἀλλὰ πάλιν μάρνασθε, Μιμαλλόνες, ἠθάδι νίκῃ
θαρσαλέαι· κταμένων δὲ νεόρρυτον αἷμα Γιγάντων
νεβρὶς ἐμὴ μεθέπουσα μελαίνεται· εἰσέτι δ᾽ αὐτὴ 13
ἀντολίη τρομέει με, καὶ εἰς πέδον αὐχένα κάμπτει
Ἰνδὸς Ἄρης, Βρομίῳ δὲ λιτήσια δάκρυα λείβων
δάκρυα κυματόεντα γέρων ἔφριξεν Ὑδάσπης.
καὶ διερὴν μετὰ δῆριν ἔχων Λιβανηίδα νύμφην
ἓν γέρας ἱμείροντι χαρίζομαι ἐννοσιγαίῳ·   1
ἢν ἐθέλῃ, μελίψειεν ἐμῶν ὑμέναιον Ἐρώτων,
μοῦνον ἐμῇ Βερόῃ μὴ δόχμιον ὄμμα τανύσσῃ."
     Τοῖον ἔπος κατέλεξεν· ἀπειλητῆρι δὲ μύθῳ
κερτομέων Διόνυσον ἀμείβετο κυανοχαίτης·
     " Αἰδόμενος, Διόνυσε, κορύσσομαι, ὅττι τριαίνης 1

---

a *i.e.* as King Cecrops decided in favour of Athena when

276

which hang by a strap beside his neck. Not for Beroë
alone I fight, but for the native city of my bride.
Earthshaker must not strike it, but it must stand
unshaken, although it lies in the sea and he is lord
of the sea—he must not destroy it with his trident
because I will face him in arms : it is as much one
as the other—if the sea is its neighbour, it has ten
thousand plants of mine, a sign of my victory ; for
close to the shore [are my vineyards]. But as for
Pallas of old, so for the appeal of Bacchos, may a new
Cecrops come as umpire, that the vine may be cele-
brated as citysustainer, like the olive.[a] Then I will
make the city of another shape : I will not leave it
near the sea, but I will cut off rugged hills with my
fennel and dam up the deep brine beside Berytos,
making the water dry land and stony with rocks, and
the rough road is smoothed by the sharp thyrsus.

¹³³ " Come, fight again, Mimallones, confident in
your constant victory—my fawnskin is red with the
newly-shed blood of slain Giants,[b] the very east still
trembles before me, Indian Ares bows his neck to
the ground, old Hydaspes shivers, and sheds tears
of supplication, tears like his own flood ! When I
have won my bride of Lebanon after the battle in
the sea, I grant one boon to Earthshaker the lover.
If he will, he may sing a song at my wedding, only
let him not look askance at my Beroë."

¹⁴³ So spoke Dionysos ; and Seabluehair replied in
threatening tones and mocked at him :

¹⁴⁵ " I am ashamed to confront you, Dionysos,

---

she and Poseidon strove for Attica, so let someone in authority
decide that Berytos belongs to Dionysos and not Poseidon.
  [b] Some confusion on Nonnos's part ; the victory over the
Giants is not till book xlviii.

ἤρισας αἰχμητῆρι φυγὼν βουπλῆγα Λυκούργου· 14θ
δεῦρο, Θέτις, σκοπίαζε· τεὸς Διόνυσος ἀλύξας 16θ
καλὰ φιλοξείνῳ ζωάγρια δῶκε θαλάσσῃ· 16∤
οὐκ ἄγαμαί ποτε τοῦτο, σελασφόρε·
                 μητροφόνου γὰρ 14⁊
ἐκ πυρὸς ἐβλάστησας, ὅθεν πυρὸς ἄξια ῥέζεις.
ἀλλά, φίλοι Τρίτωνες, ἀρήξατε, δήσατε Βάκχας
ποντοπόρους τελέσαντες· ὀρεσσαύλου δὲ φορῆος 15θ
τύμπανα Σειληνοῖο κατακλύζοιτο θαλάσσῃ,
κύματι συρομένοιο, καὶ οἰδαίνοντι ῥεέθρῳ
νηχομένου Σατύροιο φιλεύιος αὐλὸς ἀλάσθω
εἰς πλόον αὐτοέλικτον· ἐν εὐύδρῳ δὲ μελάθρῳ
Βασσαρίδες στορέσειαν ἐμὸν λέχος ἀντὶ Λυαίου. 15∤
οὐ χατέω Σατύρων, οὐ Μαινάδας εἰς βυθὸν ἕλκω·
Νηρεΐδες γεγάασιν ἀρείονες· ἀλλὰ θαλάσσῃ
διψαλέαι κρύπτοιντο Μιμαλλόνες, οἰνοχύτου δὲ
ἀντὶ μέθης πιέτωσαν ἐμῆς ἁλὸς ἁλμυρὸν ὕδωρ·
καί τις ἐλαυνομένη διερῇ Πρωτῆος ἀκωκῇ 16∤
Βασσαρὶς αὐτοκύλιστος ὀλισθήσειε θαλάσσῃ,
ὀρχηθμὸν θανάτοιο κυβιστήσασα Λυαίῳ. 16∤
Αἰθιόπων δὲ φάλαγγας ἐρύσσατε καὶ στίχας Ἰνδῶν, 16θ
ληΐδα Νηρεΐδεσσι, κακογλώσσοιο δὲ νύμφης
Δωρίδι δούλια τέκνα κομίσσατε Κασσιεπείης,
ποινὴν ὀψιτέλεστον· ἀμαιμακέτῳ δὲ ῥεέθρῳ
Ὠκεανὸς πυρόεντα λελουμένον ἀστέρα Μαίρης,
ληναίης προκέλευθον ἀκοιμήτοιο χορείης, 17θ
Σείριον ἀμπελόεντα μεταστήσειεν Ὀλύμπου.
ἀλλὰ σύ, Λύδιε Βάκχε, χερείονα θύρσον ἐάσας
δίζεό σοι βέλος ἄλλο, καὶ αἰόλα δέρματα νεβρῶν
κάτθεο, σῶν μελέων ὀλίγον σκέπας· οὐρανίου δὲ
εἴ σε Διὸς γαμίη μαιώσατο νυμφιδίη φλόξ, 17∤
ἄρτι πυρὶ πτολέμιζε, πυριτρεφές, ἄρτι κεραυνῷ
278

because you want to fight the swinger of the trident,
when you fled from Lycurgos's poleaxe ! Look here,
Thetis ! Here is a fine return for life and safety
that your fugitive Dionysos gives to the hospitable
sea ! I am not surprised, Torchbearer : fire killed
your mother when you were born, so you act like
the fire.

¹⁴⁹ " Up, my dear Tritons, help—tie up the Bac-
chants and make them seafarers ! May the cymbals
that mountainharboured Seilenos holds be swallowed
up in the sea, may the wave drag him along, may the
Satyr float on the swelling flood and his Euian pipe
toss on the rolling water ; may Bassarids lay the
bed for me instead of Lyaios in my watery hall.—
Nay, I want no Satyrs, I drag no Mainads to the
deep : Nereïds are better. But let the Mimallones
quench their thirst in the sea and drown there ;
instead of flowing draughts of wine let them drink
my salt water. Let many a Bassarid driven by the
wet pike of Proteus drift and toss aimlessly on the
sea, tripping the dance of death for Lyaios. Drag
down companies of Ethiopians and ranks of Indians as
spoil for the Nereïds ; bring the daughters of nymph
Cassiepeia,ᵃ that tongue of evil, as slaves for Doris
in tardy expiation. Let Oceanos banish viny Seirios
from Olympos, the leader of that unresting dance
in the winepress, and bathe in his resistless flood
the fiery star of Maira.

¹⁷² " And you, Lydian Bacchos, leave your miser-
able thyrsus and seek you another weapon ; put off
your speckled fawnskins, the scanty covering of your
limbs. If in that marriage the wooing flame of Zeus
was your midwife, now fight with fire, O fireborn ! now

ᵃ See xxv. 135.

πατρῴῳ προμάχιζε κυβερνητῆρι τριαίνης,
καὶ στεροπὴν κούφιζε καὶ αἰγίδα πάλλε τοκῆος·
οὐ γὰρ Δηριάδης σε μένει πρόμος, οὐ Λυκοόργου
οὗτος ἀγών, Ἀράβων ὀλίγος μόθος, ἀλλὰ θαλάσσης 180
τοσσατίης. τρομέων δὲ καὶ εἰσέτι πόντιον αἰχμὴν
οὐρανὸς ἡμετέρην βυθίην δεδάηκεν Ἐννώ·
καὶ πρόμος ὑψικέλευθος ἐμῆς τριόδοντος ἀκωκῆς
πειρήθη Φαέθων, ὅτε δύσμαχος ἀμφὶ Κορίνθου
εἰς μόθον ἀστερόεντα κορύσσετο πόντιος Ἄρης· 18
ὑψώθη δὲ θάλασσα κατ’ αἰθέρος, Ὠκεανῷ δὲ
λούετο διψὰς Ἅμαξα, καὶ ὕδασι γείτονος ἅλμης
βάψας θερμὰ γένεια Κύων ἐψύχετο Μαίρης,
καὶ βυθίων κενεῶνες ἀνυψώθησαν ἐναύλων
κύματα πυργώσαντες, ἱμασσομένοιο δὲ πόντου 19
οὐρανίῳ Δελφῖνι θαλάσσιος ἤντετο δελφίς.”

  “Ὣς εἰπὼν τριόδοντι μυχοὺς ἐτίναξε θαλάσσης,
καὶ ῥοθίῳ κελάδοντι καὶ οἰδαίνοντι ῥεέθρῳ
ἠέρα μαστίζοντες ἐβόμβεον ὕδατος ὁλκοί.
καὶ διεροῖς σακέεσσιν ἐθωρήχθη στρατὸς ἅλμης· 19
καὶ βυθίου Κρονίωνος ἁλιβρέκτῳ παρὰ φάτνῃ
ἐγχείην ἐλέλιζεν ὑποβρυχίην Μελικέρτης,
ζεύξας Ἴσθμιον ἅρμα, καὶ ὑγροπόρου βασιλῆος
ἔγχος ἁλικνήμιδι παρηώρησεν ἀπήνῃ,
τριχθαδίῃ γλωχῖνι θαλάσσια νῶτα χαράσσων, 20
ζεύξας Ἴσθμιον ἅρμα· καὶ ἱππείῳ χρεμετισμῷ
Ἰνδῶν κελάδημα συνεπλατάγησε λεόντων.
καὶ δρόμον ὑγρὸν ἔλαυνε· τιταινομένοιο δὲ δίφρου
ἄκρον ὕδωρ ἀδίαντος ἐπέγραφεν ἄβροχος ὁπλή.
Τρίτων δ’ εὐρυγένειος ἐπέκτυπε θυιάδι χάρμῃ, 20

---

  [a] The constellation Canis, which contains Seirios (the
Dogstar). For its story, see xlvii. 246 ff.

battle with the thunderbolt of your father against
the helmsman of the trident, hurl the lightning and
wield your father's aegis. No champion Deriades
faces you now : this is no contest with Lycurgos, no
little Arabian fight, but your adversary is the sea so
mighty. Heaven still trembles at my spear of the
deep, Heaven knows what a battle with the sea is
like. Champion Phaëthon too in his celestial course
felt the point of my trident, when the deep waged
formidable war in that starry battle for Corinth.
The sea rose to the sky, the thirsty wain bathed
in the Ocean, Maira's dog[a] found salt water at
hand to bathe in and cooled his hot chin ; the deep
bottom of the waters was uplifted in towering
waves, the dolphin of the sea met the dolphin of
the sky[b] amid the lashing surges ! "

192 As he spoke, he shook with his trident the
secret places of the sea, roaring surf and swelling
flood flogged the sky with booming torrents of
water. The army of the brine took up their wet
shields. Under the water beside the brinesoaked
manger of Cronion, Melicertes shook the spear of
the deep, and yoked the Isthmian team ; he slung
to the side of the seaborne car the spear of the
seafaring king, and scored the back of the water
with its triple prong—he yoked the Isthmian team,
and the roar of Indian lions resounded along with
the neighing of the horses.

203 He drove his watery course ; as the car sped,
the hoof unwetted, unmoistened, scored only the sur-
face. The broadbearded Triton sounded his note for

[b] The constellation of that name. Poseidon, besides his
contest with Athena for Athens, had a more successful one
against Helios for the Isthmus of Corinth.

ὃς διδύμοις μελέεσσιν ἔχει βροτοειδέα μορφὴν
ἀλλοφυῆ, χλοάουσαν, ἀπ' ἰξύος ἄχρι καρήνου
ἡμιτελής· διερῆς δὲ παρήορος ἰξύος ὁλκῷ
δίπτυχος ἰχθυόεντι τύπῳ περικάμπτεται οὐρή.
καὶ διερῇ μάστιγι, θαλασσαίῃ παρὰ φάτνῃ   21●
ζεύξας ὠκυπόρῳ πεφορημένον ἅρμα θυέλλῃ,
Γλαῦκος ἀνιπποπόδων λοφιὴν ἐπεμάστιεν ἵππων
καὶ Σατύρους ἐδίωκεν. ἁλιρροίζῳ δὲ κυδοιμῷ
Πὰν κερόεις, ἀβάτοισιν ἐν ὕδασι κοῦφος ὁδίτης,
ἄβροχος αἰγείῃσιν ἀνακρούων ἅλα χηλαῖς,   21●
ἄστατος ἐσκίρτησε, καλαύροπι πόντον ἀράσσων,
πηκτίδι συρίζων πολέμου μέλος· ἐν ῥοθίοις δὲ
μιμηλὴν ἀίων ἀνεμώλιον εἰκόνα φωνῆς
ποσσὶν ὀρεσσινόμοισι διέτρεχε πόντιον ὕδωρ,
μαστεύων κτύπον ἄλλον· ὑπηνέμιος δὲ καὶ αὐτὴ   22●
τικτομένη σύριγγι διώκετο ποντιὰς ἠχώ.
ἄλλος ἐυκρήπιδα λόφον νησαῖον ἑλίξας
ῥῖψεν ἐφ' Ὑδριάδεσσιν, ἀποπλαγχθεῖσα δὲ πέτρῃ
Νηρεΐδων ἐτίναξε Παλαίμονος ἔμβρυον αὐλήν.
    Πρωτεὺς δ' Ἴσθμιον οἶδμα λιπὼν
                                    Παλληνίδος ἅλμης   22●
εἰναλίῳ θώρηκι κορύσσετο, δέρματι φώκης·
ἀμφὶ δέ μιν στεφανηδὸν ἐπέρρεον αἴθοπες Ἰνδοὶ
Βάκχου κεκλομένοιο, καὶ οὐλοκόμων στίχες ἀνδρῶν
φωκάων πολύμορφον ἐπηχύναντο νομῆα.
σφιγγομένου δὲ γέροντος ἔην ἑτερόχροος εἰκών·   23●
Πρωτεὺς γὰρ μελέεσσι τύπον μιμηλὸν ὑφαίνων
πόρδαλις αἰολόνωτος ἑὴν ἐστίξατο μορφήν·
καὶ φυτὸν αὐτοτέλεστον ἐπὶ χθονὸς ὄρθιον ἔστη
δενδρώσας ἑὰ γυῖα, τινασσομένων δὲ πετήλων
ψευδαλέον ψιθύρισμα Βορειάδι σύρισεν αὔρῃ·   23●
καὶ γραπταῖς φολίδεσσι κεκασμένα νῶτα χαράξας

the mad battle—he has limbs of two kinds, a human shape and a different body, green, from loins to head, half of him, but hanging from his trailing wet loins a curving fishtail, forked. So Glaucos yoked beside their manger in the sea the team that travels in the swift gale, and as they galloped along dryfoot he touched up the necks of the horses with dripping whip, and chased the Satyrs. In the loud sea-tumult horned Pan, lightly treading upon the untrodden waters and splashing up the brine with his goats-hooves himself unwetted, skipt about quickly beating the sea with his crook and whistling the tune of war on his pipes; then hearing on the waves the shadow of a counterfeit sound carried by the wind, he ran all over the sea with his hillranging feet seeking the other sounds— and so the sea-echo produced by his pipes in the wind was hunted itself. Some one else tore up a firmbased island cliff and threw it at the Hydriads —the rock missed the Nereïds and shook the hall of Palaimon among the seaweed.

²²⁵ Proteus left the flood of the Isthmian sea of Pallene, and armed him in a cuirass of the brine, the sealskin. Round him in a ring rushed the swarthy Indians at the summons of Bacchos, and crowds of the woollyheaded men embraced the shepherd of the seals in his various forms. For in their grasp the Old Man Proteus took on changing shapes, weaving his limbs into many mimic images. He spotted his body into a dappleback panther. He made his limbs a tree, and stood straight up on the earth a selfgrown spire, shaking his leaves and whistling a counterfeit whisper to the North Wind. He scored his back well with painted scales and crawled as a serpent;

283

εἷρπε δράκων, μεσάτου δὲ πιεζομένου κενεῶνος
σπεῖραν ἀνηώρησεν, ὑπ' ὀρχηστῆρι δὲ παλμῷ
ἄκρα τιταινομένης ἐλελίζετο κυκλάδος οὐρῆς,
καὶ κεφαλὴν ὤρθωσεν, ἀποπτύων δὲ γενείων
ἰὸν ἀκοντιστῆρα κεχηνότι σύρισε λαιμῷ·   240
καὶ δέμας ἀλλοπρόσαλλον ἔχων σκιοειδέι μορφῇ
φρῖξε λέων, σύτο κάπρος, ὕδωρ ῥέε·
                                    καὶ χορὸς Ἰνδῶν
ὑγρὸν ἀπειλητῆρι ῥόον σφηκώσατο δεσμῷ
χερσὶν ὀλισθηρῇσιν ἔχων ἀπατήλιον ὕδωρ·   245
κερδαλέος δὲ γέρων πολυδαίδαλον εἶδος ἀμείβων
εἶχε Περικλυμένοιο πολύτροπα δαίδαλα μορφῆς,
ὃν κτάμεν Ἡρακλέης, ὅτε δάκτυλα δισσὰ συνάψας
ψευδαλέον μίμημα νόθης ἔθραυσε μελίσσης.
χερσαίην δὲ γέροντος ἐκυκλώσαντο πορείην   250
πώεα κητώεντα, φιλοψαμάθοιο δὲ φώκης
οἰγομένῳ βαρύδουπον ὕδωρ ἐπεπάφλασε λαιμῷ.

    Θυγατέρων δὲ φάλαγγα φιλεύιον εἰς μόθον ἕλκων
ἔγχεϊ κυματόεντι γέρων ὡπλίζετο Νηρεύς,
ποντοπόρῳ τριόδοντι καταθρώσκων ἐλεφάντων,   255
δεινὸς ἰδεῖν· πολλαὶ δὲ παρ' ἠόνα γείτονες ὄχθαι
εἰναλίῃ Νηρῆος ἐδοχμώθησαν ἀκωκῇ.
Νηρεΐδων δὲ γένεθλα συνεκρούσαντο τοκῆι
ὑσμίνης ἀλάλαγμα· καὶ εἰς μόθον ὑψόθι πόντου
ἡμιφανὴς ἀπέδιλος ἐβακχεύθη χορὸς ἅλμης.   260
καὶ Σατύρων ἀσίδηρος ἐπαΐσσουσα κυδοιμῷ
ἀρχαίην ἐπὶ λύσσαν ἀνέδραμεν ἄστατος Ἰνώ,
λευκὸν ἐρευγομένη μανιώδεος ἀφρὸν ὑπήνης.
καὶ βλοσυρὴ Πανόπεια διαΐσσουσα γαλήνης
γλαυκὰ θαλασσαίης ἐπεμάστιε νῶτα λεαίνης·   265
καὶ ῥόπαλον δυσέρωτος ἀειρομένη Πολυφήμου
εἰναλίη Γαλάτεια κορύσσετο λυσσάδι Βάκχῃ·

he rose in coils squeezing his belly, and with a dancing
throb of his curling tail's tip he twirled about, lifted
his head and spat hissing from gaping throat and
grinning jaws a shooting shower of *b* poison. So from
one shadowy shape to another in changeling form he
bristled as a lion, charged as a boar, flowed as water
—the Indian company clutched the wet flood in
threatening grasp, but found the pretended water
slipping through their hands. So the crafty Old Man
changed into many and varied shapes, as many as
the varied shapes of Periclymenos,*a* whom Heracles
slew when between two fingers he crushed the
counterfeit shape of a bastard bee. Flocks of sea-
monsters ringed round the Old Man on his expedition
to dry land, water splashed with a heavy roar from
the open mouths of the sand-loving seals.

²⁵³ Ancient Nereus armed himself with a watery
spear, and led his regiment of daughters into the
Euian struggle. With sea-traversing trident he
leapt at the elephants, terrible to behold : many a
neighbouring cliff along the shore toppled sideways
under the seapike of Nereus. The tribes of Nereïds
sounded for their sire the cry of battle-triumph : un-
shod, half hidden in the brine, the company rushed
raging to combat over the sea. Restless Ino speed-
ing unarmed into strife with the Satyrs, fell again
into her old madness spitting white foam from
her maddened lips. Terrible Panopeia also shot
through the quiet water flogging the greeny back of
a sealioness. Galateia too the sea-nymph lifting the
club of her lovesick Polyphemos *b* attacked a wild

---

a A son of Neleus and brother of Nestor, to whom Poseidon
gave power to take all manner of shapes. For Heracles' war
with Neleus's sons, see *Il.* xi. 690.   *b* *Cf.* xl. 555.

κουφίζων δ' ἀτίνακτον ἀλιτρεφέων ἐπὶ νώτων
πομπίλος ἤερταζε δι' ὕδατος ἄβροχον Εἰδώ.
ὡς δέ τις ἱππεύων ἐλατὴρ ὑπὸ κυκλάδι τέχνῃ,   270
δοχμώσας ὅλον ἵππον ἀριστερὸν ἐγγύθι νύσσης,
δεξιτερὸν κάμψειε, παριεμένοιο χαλινοῦ
κέντρῳ ἐπισπέρχων, προχέων πλήξιππον ἀπειλήν,
ὀκλάζων ἐπίκυρτος, ἐπ' ἄντυγι γούνατα πήξας
ἰξύι καμπτομένη, καὶ ἑκούσιον ἵππον ἐλαύνων   275
φειδομένῃ παλάμῃ τεχνήμονι βαιὸν ἱμάσσει,
ὄμμα βαλὼν κατόπισθε, παρελκομένου δὲ προσώπου
δίφρον ὀπισθοπόροιο φυλάσσεται ἡνιοχῆος·
ὡς τότε Νηρεΐδες διερὴν περὶ νύσσαν ἀγῶνος
ἰχθύας ὠκυπόροισιν ἐοικότας ἤλασαν ἵπποις.   280
ἄλλη δ' ἀντικέλευθον ἀλίδρομον εἶχε πορείην   281
ἡνίοχος δελφῖνος ὑπερκύψασα θαλάσσης,   283
νώτῳ δ' ἰχθυόεντι καθιππεύουσα γαλήνης   282
ὑγρομανὴ δρόμον εἶχε· μανεὶς δέ τις ὑγρὸς ὁδίτης 284
μεσσοφανὴς δελφῖνας ὁμόζυγας ἔσχισε δελφίς.   285

   Καὶ ποταμοὶ κελάδησαν ἐς ὑσμίνην Διονύσου
θαρσύνοντες ἄνακτα, καὶ ἀενάων ἀπὸ λαιμῶν
ὑδατόεν μύκημα κεχηνότος Ὠκεανοῖο
ἄγγελος ὑσμίνης Ποσιδήιος ἔβρεμε σάλπιγξ·
καὶ πελάγη κυρτοῦτο συναιχμάζοντα τριαίνῃ·   290
Ἰκαρίῳ Μυρτῷος ἐπέτρεχεν, ἀγχιφανὴς δὲ
Ἑσπερίῳ Σαρδῷος, Ἴβηρ ἐπεσύρετο Κελτῷ
οἰδαίνων πελάγεσσι, καὶ ἠθάδι δίζυγι πόντῳ
Βόσπορος ἀστήρικτος ἐμίγνυε καμπύλον ὕδωρ,
Αἰγαίου δὲ ῥέεθρα συναιθύσσοντες ἀέλλῃ
Ἰονίης κενεῶνες ἐμαστίζοντο θαλάσσης
συζυγέες, Σικελῆς δὲ παρὰ σφυρὰ θυιάδος ἅλμης
κύμασι πυργωθεῖσα συνέκτυπεν Ἀδριὰς ἅλμη
ἀγχινεφής· καὶ κόχλον ἑλὼν ὑπὸ Σύρτιος ὕδωρ
286

Bacchant. Eido rode unshaken, unwetted, over the
water mounted on the back of a seabred pilot fish.

²⁷⁰ As a driver in the circus rounding the post
with skill, turns about the near horse to hug the
post and lets the off horse follow along on a
slackened rein, goading him on and yelling horse-
lashing threats—he stoops and crouches, resting
his knees on the rail, and leans to the side : as he
drives a willing horse with the sparing hand of a
master, and a little touch of the whip, as he turns
his face casting an eye behind while he watches
the car of the driver behind—so then the Nereïds
drove their fishes like swift-moving horses about the
watery goal of their contest. Another opposite
handling her reins on a dolphin's back peeped out
over the water, and moved on her seaborne course
as she rode down the quiet sea on the fish in a
wild race over the waters ; then the mad dolphin
travelling in the sea half-visible cut through his
fellow-dolphins.

²⁸⁶ The Rivers came roaring into the battle with
Dionysos, encouraging their lord, and Oceanos gaped
a watery bellow from his everflowing throat while
Poseidon's trumpet sounded to tell of the coming
strife ; the deeps rounded into a swell rallying to the
Trident. Myrtoan hurried up to Icarian, Sardinian
came near Hesperian, Iberian with swelling waves
rolled along to Celtic ; Bosporos never still mingled
his curving stream with both his familiar seas ; the
deeps of the Ionian Sea rolling with the stormwind
beat together upon the streams of Aegean, and the wild
Adriatic brine rose high as the clouds and in towering
waves beat on the feet of the raging Sicilian. Libyan
Nereus caught up his conch under the water by Syrtis,

εἰναλίῃ σάλπιγγι Λίβυς μυκήσατο Νηρεύς·   300
καί τις ἀναΐξας ῥοθίων χερσαῖος ὁδίτης
εἰς σκοπιὴν πόδα λαιὸν ἐρείσατο, δεξιτερῷ δὲ
οὔρεος ἄκρα κάρηνα ταμὼν ἐνοσίχθονι ταρσῷ
Μαινάδος ἀψαύστοιο κατηκόντιζε καρήνου·
καὶ βυθίῳ τριόδοντι καταιχμάζων Διονύσου   305
ἅλμασι μητρῴοισιν ἐβακχεύθη Μελικέρτης.
    Βασσαρίδων δὲ φάλαγγες
              ἐπεστρατόωντο κυδοιμῷ,
ὧν ἡ μὲν δονέουσα μετήλυδα βότρυν ἐθείρης
εἰς μόθον ὑδατόεντα κορύσσετο φοιτάδι λύσσῃ,
ἄστατος οἰστρηθεῖσα ποδῶν βητάρμονι παλμῷ·   310
ἡ δὲ Σάμου Θρήισσαν ὑπὸ σπήλυγγα Καβείρων
νασσαμένη Λιβάνοιο παρεσκίρτησεν ἐρίπνῃ,
βάρβαρον αἰθύσσουσα μέλος Κορυβαντίδος ἠχοῦς·
ἄλλη ἀπὸ Τμώλοιο λεχωίδος ὕψι λεαίνης
ἄρσενα μιτρώσασα κόμην ὀφιώδεϊ δεσμῷ,   315
Μαιονὶς ἀκρήδεμνος ὑπερβρυχᾶτο Μιμαλλών,
καὶ ποδὸς ἴχνος ἔπηξε μετήορον ὑψόθεν ὄχθης,
μιμηλαῖς γενύεσσιν ὑπαφριόωσα θαλάσσῃ.
Σειληνοὶ δὲ Κίλισσαν ἀναβλύζοντες ἐέρσην
Μυγδονίων ἐλατῆρες ἐθωρήσσοντο λεόντων,   320
καὶ βυθίῳ καναχηδὸν ἐπισκιρτῶντες ὁμίλῳ
ἀμπελόεν παλάμῃσιν ἀνέσχεθον ἔρνος Ἐννοῦς,
καὶ παλάμας τανύσαντο λεοντείην ἐπὶ δειρὴν
δραξάμενοι πλοκαμῖδος, ἀμαιμακέτους δὲ φορῆας
θαρσαλέοι λασίοισιν ἀνεκρούσαντο χαλινοῖς.   325
ἁρπάξας δὲ τένοντα χαραδρήεντος ἐναύλου
Σειληνὸς πολέμιζε Παλαίμονι, φοιταλέην δὲ
ἔγχεϊ κισσήεντι δι᾽ ὕδατος ἤλασεν Ἰνώ.
ἄλλῳ δ᾽ ἄλλος ἔριζε· καὶ οὐκ ᾐδέσσατο Βάκχη
θύρσῳ ἀκοντιστῆρι καταΐσσουσα τριαίνης,   330
288

and boomed on his sea-trumpet. Then one rising from
the surge and stepping on land rested his left foot
on a rock, and with right broke off the top of the cliff
with earthshaking tread and hurled it at a Mainad's
inviolate head; and Melicertes lunging at Dionysos
with his trident of the sea went along in leaps
like his mother's.

[307] Companies of Bassarids marched to battle. One
shaking the untidy clusters of her tresses to and fro,
armed herself with raging madness for battle with the
waters, driven wildly along with restless dancing feet.
One whose home was in the Samothracian cavern
of the Cabeiroi, skipt about the peaks of Lebanon
crooning the barbarous notes of Corybantian tune.
Another from Tmolos on a lioness newly whelped,
having wreathed snakes in her own manly hair, a
Maionian Mimallon unveiled, bellowed and set her
foot on the lofty slope, with foam on her lips like the
seafoam. Seilenoi spluttering drops of Cilician wine-
dew equipt themselves as riders of Mygdonian lions,
and danced with a din against the crowd from the sea,
brandishing in their hands their viny warpole, as
they stretched their hands over the lions' necks and
plucked at the mane and boldly checked their furious
mounts by this bristly bridle. A Seilenos tore off a
roof from a rocky hole and attacked Palaimon, and
drove Ino wandering through the water with his ivy
spear. One fought with another: a Bacchant did not
shrink but cast a thyrsus hurtling against the trident,

Βάκχῃ θῆλυς ἐοῦσα· προασπίζων δὲ θαλάσσης
Πανὶ φιλοσκοπέλῳ μετανάστιος ἦρισε Νηρεὺς
πήχεϊ παφλάζοντι· δαφοινήεντι δὲ κισσῷ
δαίμονα Παλληναῖον ὀρεστιὰς ἤλασε Βάκχῃ,
οὐ δέ μιν ἐστυφέλιξεν· ἐπερχόμενον δὲ Λυαίῳ   335
Γλαῦκον ἀκοντιστῆρι Μάρων ἀπεσείσατο θύρσῳ.
ὑψινεφὴς δ' ἐλέφας μελέων ἐνοσίχθονι παλμῷ
δινεύων στατὸν ἴχνος ἀκαμπέι γούνατος ὄγκῳ
χείλεσι μηκεδανοῖσι χαμευνάδι μάρνατο φώκῃ·
καὶ Σάτυροι ῥώοντο κυβιστητῆρι κυδοιμῷ   340
ταυροφυεῖς κεράεσσι πεποιθότες, ἐσσυμένων δὲ
ἀλλοφανὴς κεχάλαστο δι' ἰξύος ὄρθιος οὐρή.
Σειληνῶν δὲ φάλαγγες ἐπέρρεον, ὧν ὁ μὲν αὐτῶν
ποσσὶ διχαζομένοις ἐποχημένος ἰξύι ταύρου
συμπλεκέων ἔθλιψε μέλος διδυμόθροον αὐλῶν.   345
καὶ πλοκάμους βαλίῃσι συναιθύσσουσα θυέλλαις
Μυγδονὶς ἐκροτάλιζεν ὁμόζυγα κύμβαλα Βάκχη,
καὶ λοφιὴν ἐπίκυρτον ἐμάστιε λυσσάδος ἄρκτου
θηρὸς ὑποβρυχίης ἀντώπιον· ἀγροτέρη δὲ
πόρδαλις οὐρεσίφοιτος ἐλαύνετο κέντορι θύρσῳ.   350
καί τις ἀμερσινόοιο κατάσχετος ἅλματι λύσσης
ἴχνεσιν ἀβρέκτοισιν ἐπεσκίρτησε θαλάσσῃ,
οἷα Ποσειδάωνος ἐπισκαίρουσα καρήνῳ·
λὰξ ποδὶ κύματα τύψεν, ἐπηπείλησε δὲ πόντῳ
σιγαλέῳ, καὶ κωφὸν ὕδωρ ἐπεμάστιε θύρσῳ   355
Βασσαρὶς ὑγροφόρητος· ἀπὸ πλοκάμοιο δὲ νύμφης
ἀφλεγέος σελάγιζε κατ' αὐχένος αὐτόματον πῦρ,
θάμβος ἰδεῖν. κινυρὴ δὲ παρ' ἠόνι γείτονι πόντῳ
φύλοπιν εἰσορόωσα θαλασσομόθου Διονύσου
αἰνοπαθὴς Ψαμάθη πολυταρβέα ῥήξατο φωνήν·   360
  "Εἰ Θέτιδος χάριν οἶδα
                καὶ εὐπαλάμου Βριαρῆος,

290

she, a Bacchant and a woman ; Nereus defending the
sea came on land to fight with foaming arms against a
rock-loving Pan ; a mountain Bacchant chased the god
of Pallene [a] with blood-dripping ivy, but did not shake
him ! Glaucos assailed Dionysos, but Maron shot his
thyrsus at him and shook him off. A cloudhigh ele-
phant with earthshaking motions of his limbs stamped
about his stiff legs with massive unbending knee, and
attacked an earth-bedding seal with his long snout.
Satyrs also bustled about in dancing tumult, trusting
to the horns on their bull-heads, while the straight tail
draggled from their loins for a change as they hurried.
Hosts of Seilenoi rushed along, and one of them with
his two legs straddling across the back of a bull,
squeezed out a tune on his two pipes tied together.
A Mygdonian Bacchant rattled her pair of cymbals,
with hair fluttering in the brisk winds ; she flogged
the bowed neck of a wild bear against a monster of
the deep, and the wild panther of the mountains was
driven by a thyrsus-goad. One Bassarid possessed
with mindrobbing throes of madness skipt over
the sea with unwetted feet, as if she were dancing
upon Poseidon's head—she stamped on the waves,
threatened the silent sea, flogged the deaf water with
her thyrsus, that Bassarid who never sank ; from her
hair blazed fire selfkindled over her neck and burnt
it not, a wonder to behold. Psamathe sorrowful on
the beach beside the sea, watching the turmoil of
seabattling Dionysos, uttered the dire trouble of her
heart in terrified words :

361 " O Lord Zeus ! if thou hast gratitude for
Thetis and the ready hands of Briareus, if thou hast

---

[a] Poseidon, cf. Thuc. iv. 129. 3.

εἰ μάθες Αἰγαίωνα τεῶν χραισμήτορα θεσμῶν,
Ζεῦ ἄνα, Βάκχον ἔρυκε μεμηνότα· μηδὲ νοήσω
δουλοσύνην Νηρῆος ἐπὶ Γλαύκοιο τελευτῇ·
μὴ Θέτις αἰολόδακρυς ὑποδρήσσειε Λυαίῳ,   365
δμωίδα μή μιν ἴδοιμι παρὰ Βρομίῳ, χθόνα Λυδῶν
ὀψομένην μετὰ πόντον, Ἀχιλλέα, Πηλέα, Πύρρον,
υἱωνόν, πόσιν, υἷα μιῇ στενάχουσαν ἀνίῃ·
Λευκοθέην δ' ἐλέαιρε γοήμονα, τῆς παρακοίτης
υἷα λαβὼν ἐδάιξε, τὸν ἀστόργοιο τοκῆος   370
παιδοφόνοι γλωχῖνες ἐδαιτρεύσαντο μαχαίρης.''

   Ὡς φαμένης ἤκουσε δι' αἰθέρος ὑψιμέδων Ζεύς,
καὶ Βερόης ὑμέναιον ἐπέτρεπεν ἐννοσιγαίῳ,
καὶ μόθον ἐπρήυνε γαμοστόλον· οὐρανόθεν γὰρ
νυμφιδίην ἀτέλεστον ἀναστέλλοντες Ἐννὼ   375
Βάκχον ἀπειλητῆρες ἐκυκλώσαντο κεραυνοί.
καὶ θεὸς ἀμπελόεις γαμίῳ δεδονημένος ἰῷ
κούρην μὲν μενέαινε· πατὴρ δέ μιν ὑψιμέδων Ζεὺς
βρονταίης ἀνέκοπτε μέλος σάλπιγγος ἀράσσων,
καὶ πόθον ὑσμίνης ἀνεσείρασε πάτριος ἠχώ.   380
ὀκναλέοις δὲ πόδεσσιν ἐχάζετο νωθρὸς ὁδίτης,
στυγνὸς ὀπισθοβόλῳ δεδοκημένος ὄμματι κούρην·
οὔασι δ' αἰδομένοισιν ἀειδομένων ἐνὶ πόντῳ
ζῆλον ἔχων ἤκουεν Ἀμυμώνης ὑμεναίων.
καὶ γάμον ἡμιτέλεστον ἁλίβρομος ἤπυε σύριγξ,   385
καὶ δονέων ἄσβεστον ἐν ὕδασι νυμφίδιον πῦρ
παστὸν Ἀμυμώνης θαλαμηπόλος ἤπυε Νηρεύς,
καὶ μέλος ἔπλεκε Φόρκυς· ὁμοζήλῳ δὲ πορείῃ
Γλαῦκος ἀνεσκίρτησεν, ἐβακχεύθη Μελικέρτης·
καὶ ζυγίην Γαλάτεια διακρούουσα χορείην   390
ἄστατος ὀρχηστῆρι ποδῶν ἐλελίζετο παλμῷ,
καὶ γάμιον μέλος εἶπεν, ἐπεὶ μάθε καλὰ λιγαίνειν
ποιμενίῃ σύριγγι διδασκομένη Πολυφήμου.

not forgot Aigaion the protector of thy laws,[a] save us from Bacchos in his madness ! Let me never see Glaucos dead and Nereus a slave ! Let not Thetis in floods of tears be servant to Lyaios, let me not see her a slave to Bromios, leaving the deep, to look on the Lydian land, lamenting in one agony Achilles, Peleus, Pyrrhos, grandson, husband, and son ! Pity the groans of Leucothea, whose husband took their son and slew him—the heartless father butchered his son with the blade of his murderous knife ! ''

[372] She spoke her prayer, and Zeus on high heard her in heaven. He granted the hand of Beroë to Earthshaker, and pacified the rivals' quarrel. For from heaven to check the bridebattle yet undecided came threatening thunderbolts round about Dionysos. The vinegod wounded by the arrow of love still craved the maiden ; but Zeus the Father on high stayed him by playing a tune on his trumpet of thunder, and the sound from his father held back the desire for strife. With lingering feet he departed, with heavy pace, turning back for a last gloomy look at the girl ; jealous, with shamed ears, he heard the bridal songs of Amymone in the sea. The syrinx sounding from the brine proclaimed that the rites were already half done. Nereus as Amymone's chamberlain showed the bridal bed, shaking the wedding torches, the fire which no water can quench. Phorcys sang a song ; with equal spirit Glaucos danced and Melicertes romped about. And Galateia twangled a marriage dance and restlessly twirled in capering step, and she sang the marriage verses, for she had learnt well how to sing, being taught by Polyphemos with a shepherd's syrinx.

[a] *Cf. Il.* i. 396 ff.

Καὶ Βερόης διεροῖσιν ὁμιλήσας ὑμεναίοις
νυμφίος ἐννοσίγαιος ἐφίλατο πατρίδα νύμφης·   395
καὶ Βερόης ναέτῃσιν ἑῆς κειμήλιον εὐνῆς
Ἄρεος εἰναλίοιο θαλασσαίην πόρε νίκην.
καὶ γάμος ὄλβιος ἦεν, ἐπεὶ βυθίῳ παρὰ παστῷ
ἄξιον ἕδνον Ἔρωτος Ἄραψ ἐκομίσσατο Νηρεύς,
Ἡφαίστου σοφὸν ἔργον, Ὀλύμπια δαίδαλα, νύμφῃ,   400
ὁρμὸν ἄγων κάλυκάς τε φέρων ἕλικάς τε τιταίνων,
ὁππόσα Νηρεΐδεσσιν ἀμιμήτῳ κάμε τέχνῃ
Λήμνιος ἐργοπόνος παρὰ κύμασι[1]· καὶ μέσον ἅλμης
ἔμπυρον ἄκμονα πάλλεν ὑποβρυχίην τε πυράγρην,
φυσαλέου χοάνοιο περίδρομον ἄσθμα τιταίνων   405
ποιητοῖς ἀνέμοισιν, ἀναπτομένης δὲ καμίνου
ἐν ῥοθίοις ἄσβεστον ἐβόμβεεν ἐνδόμυχον πῦρ.
Νηρεὺς μὲν τάδε δῶρα πολύτροπα, δῶκε δὲ κούρῃ
Περσικὸς Εὐφρήτης πολυδαίδαλον εἶδος ἀράχνης·
χρυσὸν Ἴβηρ πόρε Ῥῆνος· ἐχεκτεάνων δὲ μετάλλων   410
ἤλυθεν εἴκελα δῶρα γέρων Πακτωλὸς ἀείρων
χερσὶ φυλασσομένῃσιν, ὅτι πρόμον ἔτρεμε Λυδῶν
Βάκχον ἑὸν βασιλῆα, καὶ ἔτρεμε γείτονα Ῥείην
Μυγδονίης πολιοῦχον ἑῆς χθονός· Ἠριδανὸς δὲ
Ἡλιάδων ἤλεκτρα ῥυηφενέων ἀπὸ δένδρων   415
δῶρα πόρε στίλβοντα· καὶ ἀργυρέης ἀπὸ πέτρης
Στρυμὼν ὅσσα μέταλλα καὶ ὁππόσα Γεῦδις ἀείρει,
ἕδνον Ἀμυμώνῃ δωρήσατο κυανοχαίτης.
   Ὡς ὁ μὲν ἀρτιχόρευτος ὑποβρυχίῳ παρὰ παστῷ
γήθεεν ἐννοσίγαιος· ἀμειδήτῳ δὲ Λυαίῳ   420
γνωτὸς Ἔρως φθονέοντι παρήγορον ἴαχε φωνήν·

---

[1] A gap in M and other mss.: F² reads κύμασι, Graefe,
followed by Ludwich, restores Κύπριδι.

³⁹⁴ After celebrating Beroë's wedding in the sea, her bridegroom Earthshaker was a friend to her native place. He gave her countrymen victory in war on the sea as a precious treasure in return for his bride. It was a wealthy wedding. Arabian Nereus brought to the bridechamber in the deep a worthy gift of love, a clever work of Hephaistos, Olympian ornaments, for the bride ; necklace and earrings and armlets he brought and offered, all that the Lemnian craftsman had made for the Nereïds with inimitable workmanship in the waves ^a—there in the midst of the brine he shook his fiery anvil and tongs under water, blowing the enclosed breath of the bellows ^b with mimic winds, and when the furnace was kindled the fire roared in the deep unquenched. Nereus then brought these gifts in great variety. But Persian Euphrates gave the girl the webspinner's embroidered wares ; Iberian Rhine brought gold ; old Pactolos came bringing the like offerings from his opulent mines, with cautious hands, for he feared the Lydian master, Bacchos his king, and he feared Rheia his neighbour, the cityholder of his country Mygdonia. Eridanos brought shining gifts, amber from the Heliad trees that trickle riches ; and from the silver rock, all the metals of Strymon and all that Geudis has were brought as a marriage-gift to Amymone by Seabluehair.

⁴¹⁹ And so the dances were over, and Earthshaker was happy in the bridechamber beneath the waters ; but Lyaios never smiled, and his brother Eros came to console him in his jealous mood :

^a This was when he was thrown out of heaven, and rescued by Thetis and Eurynome. Hom. *Il.* xviii. 398-405.

^b Literally, windy pipe : but Nonnos seems to have confused bellows with melting pot.

" Νυμφοκόμῳ, Διόνυσε, τί μέμφεαι εἰσέτι κεστῷ;
οὐ Βρομίῳ Βερόης γάμος ἔπρεπεν, ἀλλὰ θαλάσσης
ἄρμενος ἦν γάμος οὗτος, ὅτι βρυχίης Ἀφροδίτης
παῖδα λαβὼν ἔζευξα θαλασσοπόρῳ παρακοίτῃ·   425
ἁβροτέρην δ' ἐφύλαξα τεοῖς θαλάμοις Ἀριάδνην,
ἐκ γενεῆς Μίνωος ὁμόγνιον· οὐτιδανὴν δὲ
πόντιον αἷμα φέρουσαν Ἀμυμώνην λίπε πόντῳ.
ἀλλὰ λιπὼν Λιβάνοιο λόφον καὶ Ἀδώνιδος ὕδωρ
ἴξεαι εἰς Φρυγίην εὐπάρθενον, ἧχί σε μίμνει   430
ἄβροχον Ἡελίοιο λέχος Τιτηνίδος Αὔρης·
καὶ στέφος ἀσκήσασα μάχης καὶ παστάδα κούρης
Θρήκη νυμφοκόμος σε δεδέξεται, ἧχι καὶ αὐτὴ
Παλλήνη καλέει σε δορυσσόος, ἧς παρὰ παστῷ
ἀθλοφόρον γαμίοισι περιστέψω σε κορύμβοις   435
ἱμερτὴν τελέσαντα παλαισμοσύνην Ἀφροδίτης."
Τοῖα γυναιμανέοντι κασιγνήτῳ φάτο Βάκχῳ
θοῦρος Ἔρως· πτερύγων δὲ πυρώδεα βόμβον ἰάλλων
ἠερίη νόθος ὄρνις ἀνηώρητο πορείῃ,
καὶ Διὸς εἰς δόμον ἦλθεν. ἀπ' Ἀσσυρίοιο δὲ κόλπου   440
ἁβροχίτων Διόνυσος ἀνήιεν εἰς χθόνα Λυδῶν
Πακτωλοῦ παρὰ πέζαν, ὅπη χρυσαυγέι πηλῷ
ἀφνειῆς τιτάνοιο μέλαν φοινίσσεται ὕδωρ·
Μαιονὶς δ' ἐπέβαινε, καὶ ἵστατο μητέρι Ῥείῃ
Ἰνδῴης ὀρέγων βασιλήια δῶρα θαλάσσης.   445
καλλείψας δὲ ῥέεθρα βαθυπλούτου ποταμοῖο
καὶ Φρύγιον κενεῶνα καὶ ἁβροβίων γένος ἀνδρῶν
Ἀρκτῴην παρὰ πέζαν ἐὴν ἐφύτευσεν ὀπώρην,
Εὐρώπης πτολίεθρα μετ' Ἀσίδος ἄστεα βαίνων.

422 " Dionysos, why do you still bear a grudge against the cestus that makes marriages ? Beroë was no proper bride for Bacchos, but this marriage of the sea was quite fitting, because I joined the daughter of Aphrodite of the sea to a husband whose path is in the sea. I have kept a daintier one for your bridechamber, Ariadne, of the family of Minos and your kin. Leave Amymone to the sea, a nobody, one of the family of the sea herself. You must leave the mountains of Lebanon and the waters of Adonis and go to Phrygia, the land of lovely girls ; there awaits you a bride without salt water, Aura of Titan stock.[a] Thrace the friend of brides will receive you, with a wreath of victory ready and a bride's bower ; thither Pallene also the shakespear summons you, beside whose chamber I will crown you with a wedding wreath for your prowess, when you have won Aphrodite's delectable wrestling-match."

437 So wild Eros spoke to his lovemad brother Bacchos : then he flapt his whizzing fiery wings, and up the sham bird flew in the skies travelling until he came to the house of Zeus. And from the Assyrian gulf Dionysos went daintily clad into the Lydian land along the plain of Pactolos, where the dark water is reddened by the goldgleaming mud of wealthy lime ; he entered Maionia, and stood before Rheia his mother, offering royal gifts from the Indian sea. Then leaving the stream of this river of deep riches, and the Phrygian plain, and the nation of softliving men, he planted his vine on the northerly plain, and passed from the towns of Asia to the cities of Europe.

[a] Hyperion, father of Helios, was a Titan, so the reading may pass.

ΔΙΟΝΥΣΙΑΚΩΝ ΤΕΣΣΑΡΑΚΟΣΤΟΝ
ΤΕΤΑΡΤΟΝ

Τεσσαρακοστὸν ὕφηνα τὸ τέτρατον, ἧχι γυναῖκας
δέρκεο μαινομένας καὶ Πενθέος ὄγκον ἀπειλῆς.

"Ηδη δ' Ἰλλυρίης Δαυλάντιον ἔθνος ἀρούρης
καὶ πέδον Αἱμονίης καὶ Πήλιον ἄκρον ἐάσας
Ἑλλάδος ἐγγὺς ἵκανε, καὶ Ἀονίη παρὰ πέζῃ
στῆσε χορούς. ἀίων δὲ μέλος μυκήτορος αὐλοῦ
Πανὶ Ταναγραίῳ θιάσους ἐστήσατο ποιμήν·   5
καὶ κρήνη κελάδησεν, ὅπῃ χθονὸς ἄκρον ἀράξας
ὑγρὸς ὄνυξ ἵππειος ἐπώνυμον ἔγλυφεν ὕδωρ·
Ἀσωπὸς δ' ἐχόρευε πυρίπνοα χεύματα σύρων
καὶ προχοὰς ἐλέλιξε· σὺν Ἰσμηνῷ δὲ τοκῆι
κυκλάδας αἰθύσσουσα ῥοὰς ὠρχήσατο Δίρκη.   10
καί ποτέ τις δρυόεντος ἀναΐξασα κορύμβου
ἡμιφανὴς ἐλίγαινεν Ἀμαδρυὰς ὑψόθι δένδρου,
οὔνομα κυδαίνουσα κορυμβοφόρου Διονύσου·
πηγαίη δ' ὁμόφωνος ἀσάμβαλος ἴαχε Νύμφη.
Καὶ κτύπος οὐρεσίφοιτος ἀδειψήτοιο βοείης   15
Πενθέος ἀσπόνδοισιν ἐπεσμαράγησεν ἀκουαῖς·
οἰνοφόρῳ δ' ἀθέμιστος ἄναξ ἐπεχώσατο Βάκχῳ,
καὶ στρατιὴν ἐκόρυσσε μαχήμονα, κέκλετο δ' ἀστοῖς

---

[a] There are Taulantians in Strabo and Livy, and Lucan
vi. 16.

BOOK XLIV

The forty-fourth web I have woven, where you may
see maddened women and the heavy threat
of Pentheus.

ALREADY he had passed the Daulantian [a] tribe of
Illyrian soil, and the plain of Haimonia and the Pelion
peak, and was nearing Hellas ; there he established
dances on the Aonian plain. The shepherd hearing
the tune of the drooning pipes formed congregations
for Pan at Tanagra. A fountain bubbled on the
spot where the horse's wet hoof scratched the sur-
face of the ground and made a hollow for the water
which took its name from him.[b] Asopos danced
breathing fiery streams, as he swept his floods along
and twirled his waters. Dirce danced, spouting her
whirling waters along with her father Ismenos. At
times a Hamadryad shot out of her clustering foliage
and half showed herself high in a tree, and praised
the name of Dionysos cluster-laden ; and the unshod
nymph of the spring sang in tune with her.

¹⁵ The noise of the raw cowhide resounded over the
mountains, and reached the ears of irreconcilable
Pentheus. The impious king was angry with winegod
Bacchos, and he armed a hostile host, calling to the

[b] Hippocrene.

ἄστεος ἑπταπόροιο περιφράξαι πυλεῶνας·
οἱ μὲν ἐπεκλήισσαν ἀμοιβαδίς, ἐξαπίνης δὲ   20
αὐτόματοι κληῖδες ἀνωίγνυντο πυλάων,
καὶ δολιχοὺς πυλεῶνι μάτην ἐπέβαλλον ὀχῆας
ἠερίοις θεράποντες ἐριδμαίνοντες ἀήταις.
οὐ τότε τις πυλαωρὸς ἰδὼν ἀνεσείρασε Βάκχην·
Σειληνοὺς δὲ γέροντας ἀτευχέας ἀσπιδιῶται   25
ἔτρεμον αἰχμητῆρες· ὁμογλώσσῳ δ᾽ ἀλαλητῷ
κεκλομένου βασιλῆος ἀφειδήσαντες ἀπειλῆς
πολλάκις ὠρχήσαντο, σὺν εὐτύκτοις δὲ βοείαις
κυκλάδος ἐστήσαντο σακεσπάλον ἅλμα χορείης,   29
ἀντίτυπον μίμημα φιλοσμαράγων Κορυβάντων.   33
φρικαλέαι δ᾽ ἰάχησαν ἐν οὔρεσι λυσσάδες ἄρκτοι·   30
καὶ γένυν αἰθύσσουσα καὶ ὑψιπότητον ἐρωὴν   31
πόρδαλις ᾐώρητο· λέων δέ τις ἁβρὸν ἀθύρων   32
μειλίχιον βρύχημα συνήλικι πέμπε λεαίνῃ.   34

Ἤδη δ᾽ αὐτοέλικτος ἐσείετο Πενθέος αὐλὴ   35
ἀκλινέων σφαιρηδὸν ἀναΐσσουσα θεμέθλων·
καὶ πυλεών δεδόνητο θορών ἐνοσίχθονι παλμῷ,
πήματος ἐσσομένοιο προάγγελος· αὐτόματος δὲ
λάινος Ὀγκαίης ἐλελίζετο βωμὸς Ἀθήνης,
ὅν ποτε Κάδμος ἔδειμεν, ὅτε βραδυπειθέι ῥιπῇ   40
μόσχου πυργοδόμοιο φερέπτολις ὤκλασε χηλή·
ἀμφὶ δὲ θεῖον ἄγαλμα πολισσούχοιο θεαίνης
αὐτομάτῃ ῥαθάμιγγι θεόσσυτος ἔβλυεν ἱδρὼς
δεῖμα φέρων ναέτῃσι· καὶ ἐκ ποδὸς ἄχρι καρήνου
ἄγγελος ἐσσομένων βρέτας Ἄρεος ἔρρεε λύθρῳ.   45

Καὶ ναέται δεδόνηντο· φόβῳ δ᾽ ἐλελίζετο μήτηρ
Πενθέος αὐχήεντος, ἐβακχεύθη δὲ μενοινῇ,
μνησαμένη προτέροιο δαφοινήεντος ὀνείρου
πικρὰ προθεσπίζοντος, ἐπεὶ πάρος ὑψόθι λέκτρων
ἐξ ὅτε κοιρανίην πατρώιον ἥρπασε Πενθεύς,   50
300

people to bar the portals of the sevenway city. One by one they were shut, but the locks of the gates suddenly opened of themselves : in vain the servants resisted the winds of heaven and set the long bars at each gate. Then no gatewarden could check a Bacchant if he saw her; but shielded spearmen trembled before old Seilenoi unarmed—disregarding often the threats of their clamouring king, they danced with singlethroated acclaim; with their well-made oxhides they danced the round in shieldshaking leaps, the very picture of the noisy Corybants. Terrible bears growled madly in the hills, the panther gnashed her teeth and leapt high in the air, the lion in playful sport gave a gentle roar to his comrade lioness.

35 Already the palace of Pentheus began of itself to tremble and quake, and started from its immovable foundations all about ; the gatehouse quivered and sprang up with earthshaking throbs, foretelling the trouble to come. The stone altar of Oncaian Athena tottered of itself, that which Cadmos had built, when with slow-convincing movement the heifer's hoof sank, to bid him build a wall and found a city ; over the divine image of the cityholding goddess, godsent sweat beaded in drops of itself, bringing fear to the people — from head to foot the statue of Ares ran with gore, telling of things to come.

46 The inhabitants also were shaken. The mother of boastful Pentheus quivered with fear, mad with anxiety, remembering that bloody dream of old with its prophecy of bitterness ; how once, after Pentheus had seized his father's sovereignty, Agauë slumber-

301

πάννυχον ὑπναλέοις ὀάροις εὔδουσαν Ἀγαύην
φάσματα μιμηλοῖο διεπτοίησεν ὀνείρου,
ἀπλανέος θρώσκοντα δι᾽ εὐκεράου πυλεῶνος·
ἔλπετο γὰρ Πενθῆα χοροίτυπον ἁβρὸν ὁδίτην
ἄρσενα κοσμήσαντα γυναικείῳ χρόα πέπλῳ   55
ῥῖψαι πορφυρόνωτον ἐπὶ χθόνα φᾶρος ἀνάκτων,
θύρσον ἐλαφρίζοντα καὶ οὐ σκήπτροιο φορῆα·
καί μιν ἰδεῖν ἐδόκησε πάλιν Καδμηὶς Ἀγαύη
ἑζόμενον σκιεροῖο μετάρσιον ὑψόθι δένδρου·
καὶ φυτὸν ὑψικάρηνον, ὅπῃ θρασὺς ἕζετο Πενθεύς, 60
θῆρες ἐκυκλώσαντο, καὶ ἄγριον εἶχον ἐρωὴν
δένδρον ἀπειλητῆρι μετοχλίζοντες ὀδόντι,
τρηχαλέαις γενύεσσι· τινασσομένοιο δὲ δένδρου
κύμβαχος αὐτοκύλιστος ἕλιξ δινεύετο Πενθεύς,
καί μιν ἐδηλήσαντο δεδουπότα λυσσάδες ἄρκτοι· 65
ἀγροτέρη δὲ λέαινα καταΐσσουσα προσώπου
πρυμνόθεν ἔσπασε χεῖρα,
                    καὶ ἄσχετα μαινομένη θὴρ
ἡμιτόμου Πενθῆος ἐρεισαμένη πόδα λαιμῷ
θηγαλέοις ὀνύχεσσι διέθρισεν ἀνθερεῶνα,
αἱμαλέον δὲ κάρηνον ἐκούφισεν ἅρπαγι ταρσῷ   70
οἰκτρὰ δαϊζομένου, καὶ ἐδείκνυε μάρτυρι Κάδμῳ
παλλομένη, βροτέην δ᾽ ἀλιτήμονα ῥήξατο φωνήν·
   " Εἰμὶ τεὴ θυγάτηρ θηροκτόνος· εἰμὶ δὲ μήτηρ
Πενθέος ὀλβίστοιο, τεὴ φιλότεκνος Ἀγαύη.
τηλίκον ὤλεσα θῆρα· λεοντοφόνοιο δὲ νίκης   75
δέχνυσο τοῦτο κάρηνον ἐμῆς πρωτάγριον ἀλκῆς·
τηλίκον οὔ ποτε θῆρα κατέκτανε σύγγονος Ἰνώ,
οὐ κτάνεν Αὐτονόη· σὺ δὲ σύμβολα παιδὸς Ἀγαύης
πῆξον ἀριστοπόνοιο τεοῦ προπάροιθε μελάθρου."
   Τοῖον ὄναρ βλοσυρωπὸν ὑπόχλοος εἶδεν Ἀγαύη. 80
ἔνθεν ἐριπτοίητος ἀπωσαμένη πτερὸν Ὕπνου,
302

ing on her bed had been terrified all night in her sleep, when the unreal phantom of a dream had leapt through the Gate of Horn which never deceives,[a] and whispered in her sleepy ear. For she thought she saw Pentheus a dainty dancer on the road, his manly form dressed up in a woman's robe, throwing to the ground the purple robe of kings, bearing the sceptre no longer but holding a thyrsus. Again, Cadmeian Agauë thought she saw him perched high up in a shady tree; round the lofty trunk where sat bold Pentheus was a circle of wild beasts, furiously pushing to root up the tree with the dangerous teeth of their hard jaws. The tree shook, and Pentheus came tumbling over and over of himself, and when he dumped down, mad she-bears tore him; a wild lioness leapt in his face and tore out an arm from the joint—then the mad raging monster set one paw on the throat of Pentheus cut in two, and tore through his gullet with her sharp claws, and lifted the bloody head in her ferocious paw piteously lacerated, and showed it to Cadmos, who saw it all, swinging it about as she spoke in human voice these wicked words:

[73] "I am your daughter, the slayer of wild beasts! I am the mother of Pentheus, happiest of men, your Agauë, the loving mother! See what a beast I have killed! Accept this head, the firstfruits of my valour, after victorious slaughter of the lion. Such a beast Ino my sister never slew, Autonoë never slew. Hang up before your hall this keepsake from Agauë your doughty daughter."

[80] Such was the horrible vision that pale Agauë saw. Then after she had shaken off sleep's wing,

---

[a] *Cf.* Hom. *Od.* xix. 562 ff.

ὀρθρινὴ καλέσασα θεηγόρον υἷα Χαρικλοῦς,
μάντιας ἐσσομένων φονίους ἐδίδαξεν ὀνείρους·
Τειρεσίας δ' ἐκέλευσε θεοπρόπος ἄρσενα ῥέξαι
ταῦρον, ἀοσσητῆρα δαφοινήεντος ὀνείρου,   85
Ζηνὸς ἀλεξικάκοιο θεοκλήτῳ παρὰ βωμῷ,
μηκεδανῆς ἐλάτης παρὰ δένδρεον, ἧχι Κιθαιρὼν
πέπταται ὑψικάρηνος· Ἀμαδρυάδεσσι δὲ Νύμφαις
θῆλυν ὄιν σήμαινε θυηπολέειν παρὰ λόχμη.
ἔγνω δ' ἔμφρονα θῆρα καὶ ἀγρώσσουσαν Ἀγαύην   90
γαστρὸς ἑῆς ὠδῖνα καὶ ὠλεσίτεκνον ἀγῶνα
καὶ κεφαλὴν Πενθῆος· ἐν ἀφθόγγῳ δὲ σιωπῇ
κρύψεν ὀνειρείης ἀπατήλιον εἰκόνα νίκης,
Πενθέα μὴ βαρύμηνιν ἑὸν βασιλῆα χαλέψῃ.
πειθομένη δὲ γέροντι σοφῷ φιλότεκνος Ἀγαύη   95
εἰς ὄρος ὑψικάρηνον ὁμόστολος ἧιε Κάδμῳ
Πενθέος ἐσπομένοιο· καὶ εὐκεράῳ παρὰ βωμῷ
θῆλυν ὄιν κερόεντι συνέμπορον ἄρσενι ταύρῳ,
ἧχι Διὸς πέλεν ἄλσος ὀρειάδος ἔμπλεον ὕλης,
Ζηνὶ καὶ Ἀδρυάδεσσι μίαν ξύνωσε θυηλὴν   100
Κάδμος Ἀγηνορίδης, θεοτερπέα βωμὸν ἀνάψας,
ῥέξων ἀμφοτέροισιν· ἀναπτομένοιο δὲ πυρσοῦ
κνίση μὲν περίφοιτος ἕλιξ συνενήχετο καπνῷ
εὐόδμῳ στροφάλιγγι, δαϊζομένου δ' ἄρα ταύρου
ὄρθιος αἱμαλέης αὐτόσσυτος αὐλὸς ἐέρσης
χεῖρας ἐρευθιόωντι φόνῳ πόρφυρεν Ἀγαύης . . .   105
αὐχένιον δὲ τένοντα πέριξ στεφανηδὸν ἑλίξας
οἰδαλέην ἐπίκυρτον ἑὴν δοχμώσατο δειρὴν
μείλιχος εἰλικόεντι δράκων μιτρούμενος ὁλκῷ,
στέμματι δ' ὁλκαίῳ κεφαλὴν κυκλώσατο Κάδμου   110
πρηῢς ὄφις, καὶ γλῶσσα πέριξ λίχμαζεν ὑπήνην
μειλιχίων φίλον ἰὸν ἀποπτύουσα γενείων
οἰγομένων· καὶ θῆλυς ὄφις μιτρώσατο κόρσην
304

trembling with terror, in the morning she called in the seer, Chariclo's son, and revealed to him her dream, the bloody prophecy of things to come. Teireisias the diviner bade her sacrifice a male bull to help against the bloody dream, at the altar where men call upon Zeus the Protector, beside the trunk of a tall pinetree where Cithairon spreads his lofty head; he told her to offer a female sheep to the Hamadryad Nymphs in the thicket. He knew the beast as human, he knew Agauë hunting the fruit of her own womb, the struggle that killed her son, the head of Pentheus; but he concealed in wordless silence the deceptive vision of victory in the dream, that he might not provoke the heavy wrath of Pentheus his king. Agauë the tender mother obeyed the wise old man, and went to the lofty hill together with Cadmos while Pentheus followed. At the horns of the altar Cadmos Agenorides made one common sacrifice to Zeus and the Hadryads, female and male together, sheep and horned bull, where stood the grove of Zeus full of mountain trees; he lit the fire on the altar to do pleasure to the gods, and did sacrifice to both. When the flame was kindled, the rich savour was spread abroad with the smoke in fragrant rings. When the bull was slaughtered, a jet of bloody dew spouted straight up of itself and stained the hands of Agauë with red blood. . . . A serpent crept with its coils, surrounding the throat of Cadmos like a garland, twining and trailing a crooked swollen collar about it in a lacing circle but doing no harm—the gentle creature crept round his head like a trailing chaplet, and his tongue licked his chin all over dribbling the friendly poison from open mouth, quite harmless; a female snake girdled the temples of Harmonia like a wreath of

Ἁρμονίης ξανθοῖσι περιπλεχθεῖσα κορύμβοις.
καὶ διδύμων ὀφίων πετρώσατο γυῖα Κρονίων,   115
ὅττι παρ' Ἰλλυρικοῖο δρακοντοβότου στόμα πόντου
Ἁρμονίη καὶ Κάδμος ἀμειβομένοιο προσώπου
λαΐνην ἤμελλον ἔχειν ὀφιώδεα μορφήν.   118
καὶ φόβον ἄλλον ἔχουσα μετὰ προτέρου φόβον ὕπνου 121
νόστιμος εἰς δόμον ἦλθε σὺν υἱέι καὶ γενετῆρι.   122
  Τοῖον ἴδεν ποτὲ φάσμα, καὶ ὀμφήεντος ὀνείρου   119
μνησαμένη δεδόνητο φόβῳ φιλότεκνος Ἀγαύη.   120
 Ἤδη δ' ἑπταπόροιο δι' ἄστεος ἵπτατο Φήμη   123
ὄργια κηρύσσουσα χοροπλεκέος Διονύσου·
οὐδέ τις ἦν ἀχόρευτος ἀνὰ πτόλιν· ἀγρονόμων δὲ   125
εἰαρινοῖς πετάλοισιν ἐμιτρώθησαν ἀγυιαί·
καὶ θάλαμον Σεμέλης χλοερῷ σκιόωσα κορύμβῳ
νυμφιδίου σπινθῆρος ἔτι πνείοντα κεραυνοῦ
αὐτοφυὴς ἐμέθυσσεν ἕλιξ εὐώδεϊ καρπῷ.
φρικτὰ δὲ παπταίνων πολυειδέα θαύματα Βάκχου, 130
ζῆλον ἔχων ὑπέροπλον, ἄναξ κυμαίνετο Πενθεύς·
καὶ κενεῆς προχέων ὑπερήνορα κόμπον ἀπειλῆς
τοῖον ἔπος δμώεσσιν ἀτάσθαλος ἴαχε Πενθεύς·
  "Λυδὸν ἐμὸν θεράποντα κομίσσατε,
                    θῆλυν ἀλήτην,
δαινυμένου Πενθῆος ὑποδρηστῆρα τραπέζης,   135
οἰνοδόκῳ ποτὸν ἄλλο διαστάζοντα κυπέλλῳ,
ἢ γλάγος ἢ γλυκὺ χεῦμα[1]· κασιγνήτην δὲ τεκούσης 138
Αὐτονόην πληγῇσιν ἀμοιβαίῃσιν ἱμάσσω,   147
καὶ πλοκάμους τμήξωμεν ἀκερσικόμου Διονύσου· 139
κύμβαλα δ' ἠχήεντα διαρρίψαντες ἀήταις   140
καὶ πάταγον Βερέκυντα καὶ Εὔια τύμπανα Ῥείης
ἕλκετε Βασσαρίδας μανιώδεας, ἕλκετε Βάκχας,
ἀμφιπόλους Βρομίοιο συνήλυδας, ἃς ἐνὶ Θήβῃ

[1] Ludwich marks a lacuna here.

clusters in her yellow hair. Then Cronion turned the bodies of both snakes into stone,[a] because Harmonia and Cadmos were destined to change their appearance and to assume the form of stone snakes, at the mouth of the snakebreeding Illyrian gulf. Then Agauë returned home with her son and her father, having a new fear besides the fear of the dream.

119 Such was the vision which Agauë had seen, and remembering this ominous dream the fond mother was shaken with fear.

123 Already Rumour was flying about the seven-gated city proclaiming the rites of danceweaving Dionysos. No one there was throughout the city who would not dance. The streets were garlanded with spring leafage by the country people. The chamber of Semele, still breathing sparks of the marriage thunders, was shaded by selfgrowing bunches of green leaves which intoxicated the place with sweet odours. King Pentheus swelled with arrogance and jealousy to see the terrible wonders of Bacchos in so many shapes. Then Pentheus uttered proud boasts and empty threats to his servants in these insulting words :

134 " Bring here my Lydian slave, that womanish vagabond, to serve the table of Pentheus at his dinner ; let him fill his winebeaker with some other drink, milk or some sweet liquor; I will flog my mother's sister Autonoë with retributive strokes of my hands, and we will crop the uncropt locks of Dionysos. Throw to the winds his tinkling cymbals, and the Berecyntian din and Euian tambourines of Rheia. Drag hither the mad Bassarids, drag the Bacchants hither, the handmaids who attend on

---

[a] Imitated from *Il.* ii. 319, but given a new meaning.

Ἰσμηνοῦ διεροῖσιν ἀκοντίζοντες ἐναύλοις
Νηίδας Ἀονίαις ποταμηίσι μίξατε Νύμφαις
ἥλικας, Ἀδρυάδας δὲ γέρων δέξαιτο Κιθαιρὼν   145
ἄλλαις Ἀδρυάδεσσιν ὁμόζυγας ἀντὶ Δυαίου.   146
ἄξατε πῦρ, θεράποντες, ἐπεὶ ποινήτορι θεσμῷ,   148
ἐκ πυρὸς εἰ πέλε Βάκχος, ἐγὼ πυρὶ Βάκχον ὀπάσσω·
Ζεὺς Σεμέλην ἐδάμασσεν, ἐγὼ Διόνυσον ὀλέσσω.   150
εἰ δέ κε πειρήσαιτο καὶ ἡμετέροιο κεραυνοῦ,
γνώσεται, οἷον ἔχω χθόνιον σέλας· οὐρανίου γὰρ
θερμοτέρους σπινθῆρας ἐμὸν λάχεν ἀντίτυπον πῦρ·
σήμερον αἰθαλόεντα τὸν ἀμπελόεντα τελέσσω.
εἰ δὲ μόθον στήσειε μαχήμονα θύρσον ἀείρων,   155
γνώσεται, οἷον ἔχω χθόνιον δόρυ· καί μιν ὀλέσσω,
οὐ ποδός, οὐ λαγόνων, οὐ στήθεος, οὐ κενεώνων
ὠτειλὴν μεθέποντα· καὶ οὐ βουπλῆγι δαΐξω
κυρτὰ βοοκραίροιο κεράατα δισσὰ μετώπου,
οὐδὲ διατμήξω μέσον αὐχένος· ἀλλά ἑ τύψω   160
ἔγχεϊ χαλκείῳ τετορημένον εἰς πτύχα μηροῦ,
ὅττι Διὸς μεγάλοιο γονὴν ἐψεύσατο μηροῦ
καὶ πόλον ὡς ἑὸν οἶκον· ἐγὼ δέ μιν ἀντὶ μελάθρου
ἀντὶ Διὸς πυλεῶνος ἐνέρτερον Ἄιδι πέμψω,
ἠέ μιν αὐτοκύλιστον ἀλυσκάζοντα καλύψω   165
κύμασιν Ἰσμηνοῖο, καὶ οὐ χρέος ἐστὶ θαλάσσης.
οὐ δέχομαι βροτὸν ἄνδρα νόθον θεόν· εἰ θέμις εἰπεῖν,
ψεύσομαι, ὡς Διόνυσος, ἐμὸν γένος· οὐκ ἀπὸ Κάδμου
αἷμα φέρω χθονίοιο, πατὴρ δ' ἐμός, ὄρχαμος ἄστρων,
Ἥλιός με φύτευσε, καὶ οὐκ ἔσπειρεν Ἐχίων·   170
τίκτε Σεληναίη με, καὶ οὐκ ἐλόχευσεν Ἀγαύη·
εἰμὶ γένος Κρονίδαο, καὶ αἰθέρος εἰμὶ πολίτης·
οὐρανὸς ἀστερόφοιτος ἐμὴ πόλις· ἵλατε, Θῆβαι·
Παλλὰς ἐμὴ παράκοιτις, ἐμὴ δάμαρ ἄμβροτος Ἥβη·
Πενθέι μαζὸν ὄρεξε μετ' Ἄρεα δεσπότις Ἥρη,   175

Bromios—hurl them into the watery beds of Ismenos here in Thebes, mingle the Naiads with the Aonian rivernymphs their mates, let old Cithairon receive Hadryads to join his own Hadryads instead of Lyaios. Bring fire, men, for by the law of vengeance I will throw Bacchos into the fire, if he came out of the fire : Zeus tamed Semele, I will destroy Dionysos ! If he would like to try my thunder also, he shall learn what fire I have from earth ! [a] For my fire has hotter sparks to match the heavenly fire. To-day I will make the viny one a scorchy one ! If he lift his thyrsus and give battle, he shall learn what kind of a spear I have from earth. I will destroy him without a wound in foot or flank, breast or belly ! I will not cut off the two crooked horns from his bullhorned head with a poleaxe, I will not cut through his neck : I will pierce the fork of his thigh with a blow from a spear of bronze, because of his lies about the thigh of great Zeus, and heaven as his home. Instead of the palace of Zeus, instead of his gatehouse, I will send him down to Hades, or make him roll himself helpless into the waves of Ismenos to hide—we can do without the sea !

[167] " I will not receive a mortal man as a bastard god. If I dare say it, I will deny my own breeding, like Dionysos. I have not in me the blood of mortal Cadmos, but my father is the chief of stars—Helios begat me, not Echion ; Selene brought me forth, not Agauë ; I am the offspring of Cronides and a citizen of heaven, the sky with its wandering stars is my home— so forgive me, Thebes ! Pallas is my concubine, immortal Hebe my consort. Queen Hera gave me the

[a] He is " from earth " as being descended from the earth, born Spartoi.

καὶ ζαθέη μετὰ Φοῖβον ἐγείνατο Πενθέα Λητώ·
Ἄρτεμιν ἱεμένην νυμφεύσομαι· οὐδέ με φεύγει,
ὡς ποτε Φοῖβον ἔφευγεν ἑῆς μνηστῆρα κορείης,
μῶμον ἀλυσκάζουσα κασιγνήτων ὑμεναίων.
εἰ δὲ τεὴν Σεμέλην οὐκ ἔφλεγεν οὐρανίη φλόξ,   180
παιδὸς ἑῆς διὰ μῶμον ἑὸν δόμον ἔφλεγε Κάδμος,
ἀστεροπὴν δ' ἐκάλεσσε χαμαιγενὲς ἁπτόμενον πῦρ,
καὶ δαΐδων ὀνόμηνε σέλας σπινθῆρα κεραυνοῦ."

   Ὡς φαμένου βασιλῆος ἐπεστρατόωντο μαχηταὶ
ὁπλοφόροι κενεοῖσιν ἐριδμαίνοντες ἀήταις·   185
καὶ στρατὸς ἄσπετος ἦεν ἔσω πιτυώδεος ὕλης,
ἴχνια μαστεύοντες ἀθηήτοιο Λυαίου.

   Ὄφρα μὲν ἐνναέτησιν ἄναξ ἐπετέλλετο Πενθεύς,
τόφρα δὲ καὶ Διόνυσος ἀφεγγέα νύκτα δοκεύων
τοῖον ἔπος πρὸς Ὄλυμπον ἀνίαχε κυκλάδι Μήνῃ·   190
 "Ὠ τέκος Ἠελίοιο, πολύστροφε, παντρόφε Μήνη,
ἅρματος ἀργυρέοιο κυβερνήτειρα Σελήνη,
εἰ σὺ πέλεις Ἑκάτη πολυώνυμος, ἐννυχίη δὲ
πυρσοφόρῳ παλάμῃ δονέεις θιασώδεα πεύκην,
ἔρχεο, νυκτιπόλος, σκυλακοτρόφος, ὅττί σε τέρπει   195
κνυζηθμῷ γοόωντι κυνοσσόος ἔννυχος ἠχώ·
Ἄρτεμις εἰ σὺ πέλεις ἐλαφηβόλος, ἐν δὲ κολώναις
νεβροφόνῳ σπεύδουσα συναγρώσσεις Διονύσῳ,
ἔσσο κασιγνήτοιο βοηθόος· ἀρχεγόνου γὰρ
αἷμα λαχὼν Κάδμοιο διώκομαι ἔκτοθι Θήβης,   200
μητρὸς ἐμῆς Σεμέλης ἀπὸ πατρίδος· ὠκύμορος γὰρ
θνητὸς ἀνὴρ κλονέει με θεημάχος· ὡς νυχίη δὲ

---

[a] Evidently a folktale explaining why Sun (Apollo-Helios)
and Moon (Artemis-Selene) are never together; for more such
stories, see A. H. Krappe, *La Genèse des mythes* (Paris, Payot,
1938), pp. 129 ff.

breast after Ares, divine Leto brought me forth after
Phoibos. I will woo Artemis, who wants me—she
does not run from me as she did from Phoibos, the
wooer of her maidenhood, because she feared blame
for wedding with a brother.[a] And if the heavenly
flame did not burn your Semele, Cadmos did burn his
house for his daughter's shame, and gave the name of
lightning to the earthly fire he kindled, called the
flame of torches the spark of the thunderbolt."

[184] When the king had spoken, his men of war
mustered in arms to fight the empty winds ; there
was an infinite host in the pinewood, seeking the
tracks of Lyaios ever unseen.

[188] But while Pentheus was giving his commands to
the people, Dionysos waited for darksome night, and
appealed in these words to the circling Moon in
heaven :

[191] "O daughter of Helios,[b] Moon of many turnings,
nurse of all ! O Selene, driver of the silver car ! If
thou art Hecate of many names, if in the night thou
dost shake thy mystic torch in brandcarrying hand,
come nightwanderer, nurse of puppies because the
nightly sound of the hurrying dogs is thy delight with
their mournful whimpering. If thou art staghunter
Artemis, if on the hills thou dost eagerly hunt with
fawnkilling Dionysos, be thy brother's helper now !
For I have in me the blood of ancient Cadmos, and I
am being chased out of Thebes, out of my mother
Semele's home. A mortal man, a creature quickly
perishing, an enemy of god, persecutes me. As a

[b] So first in Eurip. *Phoen.* 175, of surviving works, but
the scholiast there says it comes in " Aeschylus and others of
the more scientific ($\phi\nu\sigma\iota\kappa\acute{\omega}\tau\epsilon\rho o\iota$) writers." It is indeed more
astronomical than mythological, since the moon's light is
from the sun. Usually she is the sun's sister.

νυκτελίῳ χραίσμησον ἐλαυνομένῳ Διονύσῳ·
εἰ δὲ σὺ Περσεφόνεια νεκυσσόος, ὑμέτεραι δὲ
ψυχαὶ Ταρταρίοισιν ὑποδρήσσουσι θοώκοις,   205
νεκρὸν ἴδω Πενθῆα, καὶ ἀχνυμένου Διονύσου
δάκρυον εὐνήσειε τεὸς ψυχοστόλος Ἑρμῆς·
σεῖο δὲ Τισιφόνης μανιώδεος ἠὲ Μεγαίρης
Ταρταρίῃ μάστιγι λαθίφρονα παῦσον ἀπειλὴν
Γηγενέος Πενθῆος, ἐπεὶ δυσμήχανος Ἥρη   210
ὀψίγονον Τιτῆνα νέῳ θώρηξε Λυαίῳ.
ἀλλὰ σὺ φῶτα δάμασσον ἀθέσμιον, ὄφρα γεραίρῃς
ἀρχεγόνου Ζαγρῆος ἐπωνυμίην Διονύσου.
Ζεῦ ἄνα, καὶ σὺ δόκευε μεμηνότος ἀνδρὸς ἀπειλήν·
κλῦθι, πάτερ καὶ μῆτερ· ἐλεγχομένου δὲ Λυαίου   215
σῇ στεροπῇ γαμίῃ Σεμέλης τιμήορος ἔστω."
  Ὣς φαμένου ταυρῶπις ἀνίαχεν ὑψόθι Μήνη·
  "Νυκτιφαὲς Διόνυσε,
                        φυτηκόμε, σύνδρομε Μήνης,
σῆς σταφυλῆς ἀλέγιζε· μέλει δέ μοι ὄργια Βάκχου,
ὑμετέρων ὅτι γαῖα φυτῶν ὠδῖνα πεπαίνει   220
μαρμαρυγὴν δροσόεσσαν ἀκοιμήτοιο Σελήνης
δεχνυμένη· σὺ δέ, Βάκχε χοροίτυπε, θύρσα τιταίνων
σῆς γενετῆς ἀλέγιζε, καὶ οὐ τρομέεις γένος ἀνδρῶν
ἀδρανέων, οἷς κοῦφος ἀεὶ νόος, ὧν καὶ ἀνάγκῃ
Εὐμενίδων μάστιγες ἀναστέλλουσιν ἀπειλάς.   225
σὺν σοὶ δυσμενέεσσι κορύσσομαι· ἶσα δὲ Βάκχῳ
κοιρανέω μανίης ἑτερόφρονος· εἰμὶ δὲ Μήνη
Βακχιάς, οὐχ ὅτι μοῦνον ἐν αἰθέρι μῆνας ἑλίσσω,
ἀλλ᾽ ὅτι καὶ μανίης μεδέω καὶ λύσσαν ἐγείρω.

---

^a Cf. on 152.

being of the night, help Dionysos of the night, when they pursue me ! If thou art Persephoneia, whipper-in of the dead, and yours are the ghosts which are subservient to the throne of Tartaros, let me see Pentheus a dead man, and let Hermes thy musterer of ghosts lull to sleep the tears of Dionysos in his grief. With the Tartarean whip of thy Tisiphone, or furious Megaira, stop the foolish threats of Pentheus, this son of earth,[a] since implacable Hera has armed a lateborn Titan against Lyaios. I pray thee, master this impious creature, to honour the Dionysos who revived the name of primeval Zagreus.[b] Lord Zeus, do thou also look upon the threat of this madman. Hear me, father and mother! Lyaios is contemned : let thy marriage lightning be the avenger of Semele ! "

[203] To this appeal bullface [c] Mene answered on high :

[218] " Night-illuminating Dionysos, friend of plants, comrade of Mene, look to your grapes ; my concern is the mystic rites of Bacchos, for the earth ripens the offspring of your plants when it receives the dewy sparkles of unresting Selene. Then do you, dancing Bacchos, stretch out your thyrsus and look to your offspring; and you need not fear a race of puny men, whose mind is light, whose threats the whips of the furies repress perforce. With you I will attack your enemies. Equally with Bacchos I rule distracted madness. I am the Bacchic Mene, not alone because in heaven I turn the months, but because I command madness and excite lunacy. I will not leave un-

[b] With this string of the moon's identifications with various goddesses, *cf.* the similar list of the sun's names, xl. 369 ff.

[c] So called because her exaltation (ὕψωμα) is in Taurus ; this is astrology, not myth.

οὐ χθονίην σέθεν ὕβριν ἐγὼ νήποινον ἐάσω·   230
ἤδη γὰρ Λυκόοργος ἀπειλήσας Διονύσῳ,
ὁ πρὶν ἐὼν ταχύγουνος, ὁ Μαινάδας ὀξὺ διώξας,
τυφλὸς ἀλητεύει καὶ δεύεται ἡγεμονῆος.
ἤδη δ᾽ ἀμφὶ τένοντας Ἐρυθραίων δονακήων
κέκλιται ἔνθα καὶ ἔνθα, τεῆς αὐτάγγελος ἀλκῆς,   235
Ἰνδῶν νεκρὸς ὅμιλος, ἀναινομένῳ δὲ ῥεέθρῳ
ἄφρονα Δηριαδῆα πατὴρ ἔκρυψεν Ὑδάσπης
ἔγχεϊ κισσήεντι τετυμμένον· αὐτὰρ ὁ φεύγων
πατρῴῳ βαρύθοντι κατηφέϊ πῖπτε ῥεέθρῳ·
Τυρσηνοὶ δεδάασι τεὸν σθένος, ὁππότε νηῶν   240
ὄρθιος ἱστὸς ἄμειπτο καὶ ἀμπελόεις πέλεν ὄρπηξ
αὐτοτελής, τὸ δὲ λαῖφος ὑπὸ σκιεροῖσι πετήλοις
ἡμερίδων εὔβοτρυς ἀνηέξητο καλύπτρη,
καὶ πρότονοι σύριζον ἐχιδνήεντι κορύμβῳ
ἰοβόλοι, βροτέην δὲ φυὴν καὶ ἐχέφρονα βουλὴν   245
δυσμενέες ῥίψαντες ἀμειβομένοιο προσώπου
ἀφραδέες δελφῖνες ἐνιπλώουσι θαλάσσῃ·
εἰσέτι κωμάζουσι καὶ ἐν ῥοθίοις Διονύσου,
οἷα κυβιστητῆρες ἐπισκαίρουσι γαλήνῃ.
καὶ νέκυς ὑμετέρῳ βεβολημένος ὀξέϊ θύρσῳ   250
χεύμασιν Ἀσσυρίοισι καλύπτεται Ἰνδὸς Ὀρόντης,
εἰσέτι δειμαίνων καὶ ἐν ὕδασιν οὔνομα Βάκχου."

  Τοῖον ἔπος Βρομίῳ χρυσήνιος ἴαχε δαίμων.
ὄφρα μὲν εἰσέτι Βάκχος ὁμίλεε κυκλάδι Μήνῃ,
τόφρα δὲ καὶ Ζαγρῆϊ χαριζομένη Διονύσῳ   255
Περσεφόνη θώρηξεν Ἐρινύας, ἀχνυμένη δὲ
ὀψιγόνῳ χραίσμησε κασιγνήτῳ Διονύσῳ.

  Αἱ δὲ Διὸς χθονίοιο δυσαντέϊ νεύματι κόρσης[1]
Εὐμενίδες Πενθῆος ἐπεστρατόωντο μελάθρῳ,
ὧν ἡ μὲν ζοφεροῖο διαθρώσκουσα βερέθρου   260
Ταρταρίην ἐλέλιζεν ἐχιδνήεσσαν ἱμάσθλην,

punished earthly violence against you. For already
Lycurgos who threatened Dionysos, so quick of knee
once, who sharply harried the Mainads, is a blind vaga-
bond who needs a guide. Already over the stretches
of Erythraian reedbeds a crowd of Indians lie dead
here and there, dumb witnesses to your valour, and
foolish Deriades has been swallowed up in the un-
willing stream of his father Hydaspes, pierced with
an ivy spear—yes, he fled and fell into the sad stream
of his despondent father. The Tyrsenians learnt
your strength, when the standing mast of their ship
was changed, and turned into a vinestock of itself, the
sail spread into a shady canopy of leaves of garden-
vine and rich bunches of grapes, the forestays whistled
with clumps of serpents hissing poison, your enemies
threw off their human shape and intelligent mind and
changed their looks to senseless dolphins wallowing
in the sea—still they make revel for Dionysos even
in the surge, skipping like tumblers in the calm
water. Indian Orontes also is dead, struck by your
sharp thyrsus, and drowned in the Assyrian floods,
still fearing the name of Bacchos even under the
waters."

253 Such was the answer of the goldenrein deity to
Bromios. But while Bacchos yet conversed with cir-
cling Mene, even then Persephone was arming her
Furies for the pleasure of Dionysos Zagreus, and in
wrath helping Dionysos his later born brother.

258 Then at the grim nod of Underworld Zeus, the
Furies assailed the palace of Pentheus. One leapt
out of the gloomy pit swinging her Tartarean whip
of vipers; she drew a stream from Cocytos and

---

[1] Ῥείης MS.: κούρης Koch, κόρσης Graefe, Ludwich.

Κωκυτοῦ δὲ ῥέεθρον ἀρύετο καὶ Στυγὸς ὕδωρ,
καὶ χθονίῃ ῥαθάμιγγι δόμους ἔρραινεν Ἀγαύης . . .
οἷα προθεσπίζοντα γόον καὶ δάκρυα Θήβης·
Ἀκταίην δὲ μάχαιραν ἀπ' Ἀτθίδος ἤγαγε δαίμων, 265
ἀρχαίην Ἰτύλοιο μιαιφόνον, ᾗ ποτε μήτηρ
Πρόκνη θυμολέαινα σὺν ἀνδροφόνῳ Φιλομήλῃ
τηλυγέτην ὠδῖνα διατμήξασα σιδήρῳ
παιδοβόρῳ Τηρῆι φίλην δαιτρεύσατο φορβήν·
κείνην χειρὶ φέρουσα φόνων ὀχετηγὸν Ἐρινὺς 270
ἀρχεκάκοις ὀνύχεσσι διαγλύψασα κονίην
Ἀττικὸν ἔκρυφεν ἆορ ὀρεσσιφύτῳ παρὰ ῥίζῃ
μηκεδανῆς ἐλάτης, ᾗ Μαινάδες, ὁππόθι Πενθεὺς
μέλλε θανεῖν ἀκάρηνος· ἐπαμήσασα δὲ κόχλῳ
Γοργόνος ἀρτιφόνοιο νεόρρυτον αἷμα Μεδούσης 275
πορφυρέαις ἔχρισε Λιβυστίσι δένδρον ἐέρσαις.
καὶ τὰ μὲν ἐν σκοπέλοις τεχνήσατο μαινὰς Ἐρινύς.

Ὀρφναίοις δὲ πόδεσσι δόμων ἐπεβήσατο Κάδμου
νυκτιφαὴς Διόνυσος ἔχων ταυρώπιδα μορφήν,
αἰθύσσων Κρονίην μανιώδεα Πανὸς ἱμάσθλην· 280
βακχεύσας δ' ἀχάλινον Ἀρισταίοιο γυναῖκα
Αὐτονόην ἐκάλεσσε, καὶ ἴαχε θυιάδι φωνῇ·

"Ὀλβίη, Αὐτονόη, Σεμέλης πλέον· ἀρτιγάμου γὰρ
υἱέος εἰς ὑμέναιον ἐριδμαίνεις καὶ Ὀλύμπῳ·
αἰθέρος ἥρπασας εὖχος, ἐπεὶ λάχεν ἁβρὸν ἀκοίτην 285
Ἄρτεμις Ἀκταίωνα καὶ Ἐνδυμίωνα Σελήνη.
οὐ θάνεν Ἀκταίων, οὐκ ἔλλαχε θηρὸς ὀπωπήν,
οὐ στικτῆς ἐλάφοιο τανυγλώχινα κεραίην,
οὐ νόθον εἶδος ἔδεκτο, καὶ οὐκ ἐψεύσατο μορφήν,
οὐ κύνας ἀγρευτῆρας ἑοὺς ἐνόησε φονῆας· 290

---

[a] Since all this was in Thrace, it is hard to see how the knife got to Attica, even though the two sisters were Athenians.

water from Styx, and drenched Agauë's rooms with
the infernal drops as if with a prophecy of tears
and groanings for Thebes ; and the deity brought
that Attic knife from Attica, which long before
murdered Itylos, when his mother Procne with heart
like a lioness, helped by murderous Philomele, cut
with steel the throat of the beloved child of her
womb, and served up his own son for cannibal
Tereus to eat.[a] This knife, the channel of blood-
shed, the Fury held, and scratching up the dust with
her pernicious fingernails she buried the Attic blade
among the hillgrown roots of a tall fir, among the
Mainads, where Pentheus was to die headless.
She brought the blood of Gorgon Medusa, scraped
off into a shell fresh when she was newly slain,
and smeared the tree with the crimson Libyan
drops. This is what the mad Fury did in the
mountains.

278 Now with darkling steps night-illuminating
Dionysos entered the palace of Cadmos, wearing
the head of a bull, cracking Pan's Cronian [b] whip
of madness, and put madness into the unbridled
wife of Aristaios. He called Autonoë and cried in
wild tones—

283 " Autonoë, happier far than Semele—for by
your son's late marriage you can rival Olympos
itself ! You have seized the honours of the skies,
now Artemis has got Actaion for her dainty leman,
and Selene Endymion ! Actaion never died, he
never took the shape of a wild creature, he had no
antlered horn of a dappled deer, no bastard shape,
no false body, he saw no hounds hunting and killing

[b] Because Pan is descended by one way or another from
Cronos.

ἀλλὰ κακογλώσσων στομάτων κενεόφρονι μύθῳ
υἱέος ὑμετέροιο μόρον ψεύσαντο βοτῆρες,
νυμφίον ἐχθαίροντες ἀνυμφεύτοιο θεαίνης.
οἶδα, πόθεν δόλος οὗτος· ἐπ' ἀλλοτρίοις ὑμεναίοις
εἰς γάμον, εἰς Παφίην ζηλήμονές εἰσι γυναῖκες.   29[5]
ἀλλὰ θυελλήεντι διαθρώσκουσα πεδίλῳ
σπεῦδε μολεῖν ἀκίχητος ἐς οὔρεα· κεῖθι μολοῦσα
ὄψεαι 'Ακταίωνα συναγρώσσοντα Λυαίῳ,
Ἄρτεμιν ἐγγὺς ἔχοντα, καὶ αἰόλα δίκτυα θήρης
ἐνδρομίδας φορέοντα, καὶ ἀμφαφόωντα φαρέτρην.   30[0]
ὀλβίη, Αὐτονόη, Σεμέλης πλέον, ὅττι θεαίνης
εἰς γάμον ἐρχομένης ἑκυρὴ πέλες ἰοχεαίρης·
'Ινοῦς καλλιτόκοιο μακαρτέρη, ὅττι θεαίνης
σὸς πάις ἔλλαχε λέκτρα, τὰ μὴ λάχεν Ὦτος ἀγήνωρ.
οὐ θρασὺς 'Ωρίων πέλε νυμφίος ἰοχεαίρης.   30[5]
χάρματι δ' ἡβήσας σέθεν υἱέος εἵνεκα νύμφης
κωμάζει σέο Κάδμος ὀρεσσαύλῳ παρὰ παστῷ,
σείων ἠερίοις ἀνέμοις χιονώδεα χαίτην.
ἔγρεο, καὶ σὺ γένοιο γαμοστόλος, εὔλοχε μῆτερ·
ἄρμενος οὗτος Ἔρως, ὅτι νυμφίον Ἄρτεμις ἁγνὴ   31[0]
υἷα κασιγνήτοιο, καὶ οὐ ξένον εἶχεν ἀκοίτην.
ἀλλὰ θεὰ φυγόδεμνος ἐπήν ποτε παῖδα λοχεύσῃ,
υἱέα κουφίζουσα σαόφρονος ἰοχεαίρης
πήχεϊ παιδοκόμῳ ζηλήμονι δεῖξον 'Αγαύῃ.
τίς νέμεσίς ποτε τοῦτο, κυνοσσόος εἰ παρὰ παστῷ   315
ἤθελε θηρητῆρα λαγωβόλον υἷα λοχεῦσαι,
εἴκελον 'Ακταίωνι φιλοσκοπέλῳ τε Κυρήνῃ,
μητρῴων ἐλάφων ἐποχημένον ὠκέϊ δίφρῳ;"

him. No, these were all herdsmen's lies, empty-minded fables of malicious tongues about your son's fate, because they hated the bridegroom of an un-wedded goddess. I know where this invention came from : women are jealous about marriage and love in others. Come, leap up with stormy shoe ! Make haste, speed into the mountains ! There you shall see Actaion beside Lyaios on the hunt, with Artemis not far off, woven nets in his hands and hunting-boots on his feet, fingering his quiver. Happier far than Semele, Autonoë ! for a goddess came to you for marriage, a goddess became your gooddaughter, the Archeress herself ! More blessed than that mother Ino proud of her son, for your son got the bed of a goddess, which proud Otos never got. Bold Orion was never bridegroom of the Archeress. Your Cadmos is young again with joy for your son's bride, and holds revel beside their bridal bed in the moun-tains, with his snowy hair fluttering in the airy breeze. Wake up, and make one in the marriage company, happy mother ! This is a proper love, for holy Artemis has a brother's son for bridegroom, not a stranger husband. And when the goddess who hated marriage brings forth a child, you shall dandle the son of the chaste Archeress in your cherishing arms and make Agauë jealous at the sight ! Why should not the huntress be pleased to bear a son in her bridal chamber, a hunter himself and a marksman, like Actaion, or Cyrene who loved the mountains, and let him ride behind his mother's team of swift deer ? "

ΔΙΟΝΥΣΙΑΚΩΝ ΤΕΣΣΑΡΑΚΟΣΤΟΝ
ΠΕΜΠΤΟΝ

Πέμπτον τεσσαρακοστὸν ἐπόψεαι,
                             ὁππόθι Πενθεὺς
ταῦρον ἐπισφίγγει κεραελκέος ἀντὶ Λυαίου.

Ὡς φαμένου Βρομίοιο δόμων ἐξέδραμε νύμφη
χάρματι λυσσήεντι κατάσχετος, ὄφρα νοήσῃ
νυμφίον Ἀκταίωνα παρήμενον ἰοχεαίρῃ·
καί οἱ ἐπειγομένη σφαλερῷ ποδὶ σύνδρομος αὔραις
εἰς ὄρος ἀκρήδεμνος ὁμάρτεε μαινὰς Ἀγαύη,   5
καὶ Κρονίης μάστιγος ἱμασσομένη φρένα κέντρῳ
ἄσκοπον ἐρροίβδησε μεμηνότι χείλεϊ φωνήν·
" Οὐτιδανῷ Πενθῆι κορύσσομαι, ὄφρα δαείη,
θαρσαλέην ὅτι Κάδμος Ἀμαζόνα τίκτεν Ἀγαύην.
ἔμπλεος ἠνορέης καὶ ἐγὼ πέλον· ἢν ἐθελήσω,   10
καὶ γυμναῖς παλάμῃσιν ὅλον Πενθῆα δαμάσσω,
καὶ στρατιὴν εὔοπλον ἀτευχέι χειρὶ δαΐξω.
θύρσον ἔχω· μελίης οὐ δεύομαι, οὐ δόρυ πάλλω·
ἔγχεϊ δ᾽ ἀμπελόεντι δορυσσόον ἀνέρα βάλλω·
οὐ φορέω θώρηκα, καὶ εὐθώρηκα δαμάσσω.   15
κύμβαλα δ᾽ αἰθύσσουσα καὶ ἀμφιπλῆγα βοείην
κυδαίνω Διὸς υἷα, καὶ οὐ Πενθῆα γεραίρω.
Λύδιά μοι δότε ῥόπτρα· τί μέλλετε, θυιάδες ὧραι;
ἵξομαι εἰς σκοπέλους, ὅθι Μαινάδες, ᾗχι γυναῖκες
320

BOOK XLV

See also the forty-fifth, where Pentheus binds the
bull instead of stronghorn Lyaios.

WHEN Bromios had spoken, the nymph rushed from
the house possessed by joyous madness, that she
might see Actaion as bridegroom seated beside the
Archeress; along with her as she hastened swift as
the wind sped Agauë to the mountain, with stag-
gering steps, unveiled, frenzied, the sting of the
Cronian[a] whip flogging her wits, while she poured
out these heedless words from her maddened lips :

8 " I rebel against that ridiculous Pentheus, to
teach him what a bold Amazon is Agauë the daughter
of Cadmos ! I too am chockfull of valour. If I like,
I will tame all Pentheus even with my bare hands,
and I will destroy his well-armed host with no weapon
in my hand ! I have a thyrsus ; ashplant I want not,
no spear I shake—with viny lance I strike the spear-
shaking man ! I wear no corselet, but I will tame
the man who wears the best. Shaking my cymbals
and my tambour which I beat on both sides I magnify
the son of Zeus, I honour not Pentheus. Give me the
Lydian drums—why do ye delay, ye hours of festival ?
I will come to the hills, where Mainads, where women

[a] Hardly more definite than " divine," all the Olympians
being related in one way or another to Cronos.

ἥλικες ἀγρώσσοντι συναγρώσσουσι Λυαίῳ.   20
ζῆλον ἔχω, Διόνυσε, λεοντοφόνοιο Κυρήνης·
φείδεό μοι Βρομίοιο, θεημάχε, φείδεο, Πενθεῦ·
εἰς σκοπέλους ἀκίχητος ἐλεύσομαι, ὄφρα καὶ αὐτὴ
Εὔιον ἀείδουσα χοροίτυπον ἴχνος ἑλίξω·
οὐκέτι βοτρυόεντος ἀναίνομαι ὄργια Βάκχου,   25
οὐκέτι Βασσαρίδων στυγέω χορόν· ἀλλὰ καὶ αὐτὴ
δειμαίνω Διόνυσον, ὃν ἤροσεν ἄφθιτος εὐνή,
ὃν Διὸς ὑψιμέδοντος ἐχυτλώσαντο κεραυνοί.
ἔσσομαι ὠκυπέδιλος, ὁμήλυδος ἰοχεαίρης
δίκτυα κουφίζουσα, καὶ οὐ κλωστῆρας Ἀθήνης.''   30
  Ὣς φαμένη πεπότητο νέη σκαίρουσα Μιμαλλών,
ληναίης μεθέπουσα φιλεύιον ἅλμα χορείης,
Βάκχον ἀνευάζουσα καὶ ἀείδουσα Θυώνην·
καὶ Σεμέλην ὑπάτοιο Διὸς κίκλησκε γυναῖκα,
καὶ σέλας εὐφαέων γαμίων ἑλίγαινε κεραυνῶν.   35
  Καὶ χορὸς ἐν σκοπέλοισιν ἔην πολύς·
                       ἀμφὶ δὲ πέτραι
ἴαχον· ἑπταπύλου δὲ πέδον περιδέδρομε Θήβης
ἠχὴ ποικιλόμορφος· ὁμογλώσσῳ δ' ἀλαλητῷ
μελπομένων βαρύδουπος ἐπεσμαράγησε Κιθαιρών·
καὶ δροσόεις κελάδησεν ἁλὸς κτύπος· ἦν δὲ νοῆσαι 40
δένδρεα κωμάζοντα καὶ αὐδήεσσαν ἐρίπνην.
καί τις ἑοῦ θαλάμοιο χοροίτυπος ἔκθορε κούρη,
αὐλὸς ὅτε τρητοῖσι πόροις ἰάχησε κεράστης·
καὶ κτύπος ἀμφιβόητος ἀδεψήτοιο βοείης
παρθενικὰς βάκχευσεν, ἀπ' εὐτύκτων δὲ μελάθρων 45
εἰς ὄρος ὑψικάρηνον ἐρημάδας ἤλασε Βάκχας.
καί τις ἀνοιστρηθεῖσα θυελλήεντι πεδίλῳ
κούρη λυσιέθειρα διέσσυτο παρθενεῶνος,
κερκίδα καλλείψασα καὶ ἱστοτέλειαν Ἀθήνην·
καὶ πλοκάμων ἀκόμιστον ἀπορρίψασα καλύπτρην 50

of like years, join the hunt of hunting Lyaios. O Dionysos, I am jealous of Cyrene lionslayer! Spare me Bromios, O thou rebel against heaven—spare him, O Pentheus! I will come at speed into the hills, that I too may sing Euios and twirl a dancing foot. No longer I refuse the rites of grapegod Bacchos, no longer I hate the Bassarids' dance; but I too stand in awe of Dionysos, offspring of the bed incorruptible, bathed by thunderbolts from Zeus on high. Swift will my shoes go, as I carry nets beside the Archeress, no longer the skeins of Athena."

31 So crying she flew away, a new skipping Mimallon, practising the Euian leap of the winepress, calling Euoi to Bacchos and lauding Thyone—aye, and she called to Semele, wife of Zeus the highest, and loudly sang the brightness of those bridal lightnings.

36 Then there was great dancing on the hills. The rocks resounded all about, a thousand new noises rolled round the land of sevengate Thebes; the one concordant chorus of the singers filled Cithairon with heavy-echoing din; the dewy salt sea roared; one could see trees making merry, and hear voices from the rocks. Many a maiden ran out of her room to foot it in the dance, when the pipe of horn tootled through its drilled holes, and the double blows on the raw hide made the girls go mad, and drove them from their well-built halls to be Bacchants in the wilderness of the lofty mountains. Many a maiden driven crazy shook her hair loose and rushed with stormy shoe from her chamber, leaving loomcomb and Athena with her craft, cast away the veil unheeded from her hair,

μίσγετο Βασσαρίδεσσι καὶ ᾿Αονὶς ἔπλετο Βάκχη.
Τειρεσίας δ᾿ ἱέρευσεν ἀλεξικάκῳ Διονύσῳ
βωμὸν ἀναστήσας, ἵνα Πενθέος ὕβριν ἐρύξῃ
καὶ χόλον ἀπρήυντον ἀποσκεδάσειε Λυαίου·
ἀλλὰ μάτην ἱκέτευσεν, ἐπεὶ λίνον ἤλυθε Μοίρης.   55
καὶ Σεμέλης γενέτην ἐκαλέσσατο μάντις ἐχέφρων,
ὄφρα μετασχήσωσι χοροστασίην Διονύσου.
βριθομένοις δὲ πόδεσσι γέρων ὠρχήσατο Κάδμος
στέψας ᾿Αονίῳ χιονώδεα βόστρυχα κισσῷ·
Τειρεσίας δ᾿ ὁμόφοιτος ἑὸν πόδα νωθρὸν ἑλίσσων, 60
Μυγδονίῳ Φρύγα κῶμον ἀνακρούων Διονύσῳ,
εἰς χορὸν ἀίσσοντι συνέμπορος ἦιε Κάδμῳ
γηραλέον νάρθηκι θεουδέι πῆχυν ἐρείσας.
ἀθρήσας δὲ γέροντας ὁμήλυδας ὄμματι λοξῷ
Τειρεσίαν καὶ Κάδμον ἀτάσθαλος ἴαχε Πενθεύς·   65
" Κάδμε, τί μαργαίνεις;
               τίνι δαίμονι κῶμον ἐγείρεις;
Κάδμε, μιαινομένης ἀποκάθεο κισσὸν ἐθείρης,
κάτθεο καὶ νάρθηκα νοοπλανέος Διονύσου·
᾿Ογκαίης δ᾿ ἀνάειρε σαόφρονα χαλκὸν ᾿Αθήνης.
νήπιε Τειρεσία, στεφανηφόρε, ῥῖψον ἀήταις   70
σῶν πλοκάμων τάδε φύλλα, νόθον στέφος·
                 ἀντὶ δὲ θύρσου
Φοίβου μᾶλλον ἄειρε τεὴν ᾿Ισμηνίδα δάφνην.
αἰδέομαι σέο γῆρας, ἀμετροβίων δὲ καὶ αὐτῶν
μάρτυρα σῶν ἐτέων πολιὴν πλοκαμίδα γεραίρω·
εἰ μὴ γὰρ τόδε γῆρας ἐρήτυε καὶ σέο χαίτη,   75
καί κεν ἀλυκτοπέδῃσιν ἐγὼ σέο χεῖρας ἑλίξας
δέσμιον ἀχλυόεντι κατεσφρήγισσα μελάθρῳ.

---

[a] Theban.

mingled with Bassarids—and lo! Aionian[a] turned Bacchant!

[52] Teiresias built an altar to Protecting Dionysos and sacrificed there, that he might prevent the defiance of Pentheus and avert the wrath of Lyaios yet unappeased; but his prayers were in vain, since the thread of Fate was there. The wise seer called Semele's father also, that they might share the dance of Dionysos. With heavy feet ancient Cadmos danced, crowning his snowy hair with Aonian ivy, and Teiresias his old comrade wheeled a sluggish foot, beating a Phrygian revelstep for Mygdonian Dionysos; so he joined the eager efforts of Cadmos hastening to the dance, and supported his old arm on a pious fennel stalk. Pentheus the hothead saw old Teiresias and Cadmos there together, and looking askance at them cried out—

[66] "Why this madness, Cadmos? What god do you honour with this revel? Tear the ivy from your hair, Cadmos, it defiles it! And drop that fennel of Dionysos, the deluder of men's wits! Take up the bronze[b] of Athena Oncaia, which makes men sane. Foolish Teiresias to wear that garland! Throw these leaves to the winds, that false chaplet on your hair. Take up rather the Ismenian laurel of your own Phoibos, instead of a thyrsus. I respect your old age, I honour the hoary locks that witness to the years of your life, as old as theirs. But if this old age and this your hair did not save you, I had twisted galling bonds about your hands and sealed you up in a gloomy cell.

[b] Possibly a spear, but it may be an instrument of some sort used in her cult; we know little or nothing of the ritual of Onca.

σὸς νόος οὔ με λέληθε· σὺ γὰρ Πενθῆι μεγαίρων
μαντοσύναις δολίῃσι νόθον θεὸν ἀνέρα τεύχεις,
δῶρα λαβὼν Λυδοῖο παρ' ἀνέρος ἠπεροπῆος,   80
δῶρα πολυχρύσοιο φατιζομένου ποταμοῖο.
ἀλλ' ἐρέεις, ὅτι Βάκχος ἐποίνιον εὗρεν ὀπώρην·
οἶνος ἀεὶ μεθύοντας ἐφέλκεται εἰς Ἀφροδίτην,
εἰς φόνον ἀσταθέος νόον ἀνέρος οἶνος ἐγείρει.
ἀλλὰ Διὸς γενετῆρος ἔχει δέμας ἠὲ χιτῶνας·   85
χρύσεα πέπλα φέρων, οὐ νεβρίδας, ὑψιμέδων Ζεὺς
ἀστράπτει μακάρεσσι· καὶ ἀνδράσι μάρναται Ἄρης
χάλκεον ἔγχος ἔχων, οὐκ οἴνοπα θύρσον ἀείρων·
οὐ βοέοις κεράεσσι κερασφόρος ἐστὶν Ἀπόλλων.
μὴ ποταμὸς Σεμέλην νυμφεύσατο, καὶ τέκε νύμφη 90
υἷα νόθον κερόεντα βοοκραίρῳ παρακοίτῃ;
ἀλλ' ἐρέεις· ' γλαυκῶπις ἐς ἄρσενα δῆριν ἱκάνει
σύγγονον ἔγχος ἔχουσα καὶ ἀσπίδα
                    Παλλὰς Ἀθήνη ' . . . .
αἰγίδα καὶ σὺ τίταινε τεοῦ Κρονίδαο τοκῆος."
    Ὣς φαμένου Πενθῆος ἀμείβετο μάντις ἐχέφρων· 95
    "Τί κλονέεις Διόνυσον, ὃν ἤροσεν ὑψιμέδων Ζεύς,
ὃν Κρονίδης ὤδινε πατὴρ ἐγκύμονι μηρῷ,
παιδοκόμῳ δὲ γάλακτι θεητόκος ἔτρεφε Ῥείη,
ὃν πάρος ἡμιτέλεστον ἔτι πνείοντα τεκούσης
ἀφλεγέες σπινθῆρες ἐχυτλώσαντο κεραυνοῦ;   100
οὗτος ἀμαλλοτόκῳ Δημήτερι μοῦνος ἐρίζει
ἀντίτυπον σταχύεσσιν ἔχων εὔβοτρυν ὀπώρην.
ἀλλὰ χόλον Βρομίοιο φυλάσσεο· δυσσεβίης δὲ
σοί, τέκος, ἢν ἐθέλῃς, Σικελόν τινα μῦθον ἐνίψω.
Τυρσηνῶν ποτε παῖδες ἐναυτίλλοντο θαλάσσῃ,   105

---

[a] *i.e.* the κέρας he carries is his bow (made partly of horn)

[78] " I understand what is in your mind. You have a grudge against Pentheus, and you make a man into a bastard god by lying oracles—that Lydian impostor has bribed you by promising plenty of gold from the famous golden river. But you will say, Bacchos has invented the wine-fruit.—Yes, and what wine always does is to drag drunken men into lust; what wine does is to excite an unstable man's mind to murder. But he wears the shape and garments of Zeus his father!—Golden robes are what Lord Zeus wears, not fawnskins, when he thunders in the heights among the Blessed; when Ares fights with men, he carries a spear of bronze, not a thyrsus of vineleaves in his hand; Apollo is not horned with bull's horns.[a] Was it a River that wedded Semele? did the bride bear a horned bastard to her bullhorned husband? But you will say, Brighteyes Pallas Athena marches to battle with men, holding the spear and shield that were born with her. . . . Then you should hold the aegis of your father Cronides."

[95] When Pentheus ended, the wise seer replied :

[96] " Why do you persecute Dionysos, begotten by Zeus the Lord on high, whom Cronides brought forth from a pregnant thigh, whom Rheia mother of the gods nursed with her cherishing milk, who half-complete, with a whiff of his mother still about him, was bathed by lightnings which burnt him not? This is the only rival to Demeter mother of harvest, with his fruit of grapes against the corn ! Nay, beware of the wrath of Bromios. About impiety, I will tell you, if you wish, my son, a Sicilian story.

[105] " Sons of the Tyrsenians once were sailing on

or possibly his hair (one way of dressing the hair was called " the horn ").

ξεινοφόνοι, πλωτῆρες ἀλήμονες, ἅρπαγες ὄλβου,
πάντοθεν ἁρπάζοντες ἐπάκτια πώεα μήλων·
καὶ πολὺς ἔνθα καὶ ἔνθα δορικτήτων ἀπὸ νηῶν
εἰς μόρον ὑδατόεντα γέρων ἐκυλίνδετο ναύτης
ἡμιθανής, ἕτερος δὲ προασπίζων ἕο ποίμνης   110
ἀμφιλαφὴς πολίῃσι φόνῳ φοινίσσετο ποιμήν.
ἔμπορος εἰ τότε πόντον ἐπέπλεεν, εἴ ποτε Φοῖνιξ
ὤνια Σιδονίης ἁλιπόρφυρα πέπλα θαλάσσης
εἶχεν, ὑπὲρ πόντοιο λαβὼν Τυρσηνὸς ἀλήτης
ἀπροϊδὴς πεφόρητο ῥυηφενέων ἐπὶ νηῶν·   115
καί τις ἀνὴρ νήποινον ἀπείρονα φόρτον ὀλέσσας
εἰς Σικελὴν Ἀρέθουσαν ἀνὴρ πορθμεύετο Φοῖνιξ
δέσμιος, ἁρπαμένοιο λιπόπτολις ἄμμορος ὄλβου.
ἀλλὰ δόλῳ Διόνυσος ἐπίκλοπον εἶδος ἀμείψας
Τυρσηνοὺς ἀπάφησε· νόθην δ' ὑπεδύσατο μορφήν,   120
ἱμερόεις ἅτε κοῦρος ἔχων ἀχάρακτον ὑπήνην,
αὐχένι κόσμον ἔχων χρυσήλατον· ἀμφὶ δὲ κόρσην
στέμματος ἀστράπτοντος ἔην αὐτόσσυτος αἴγλη
λυχνίδος ἀσβέστοιο, καὶ ἔγχλοα νῶτα μαράγδου,
καὶ λίθος Ἰνδώῃ χαροπῆς ἀμάρυγμα θαλάσσης·   125
καὶ χροῒ δύσατο πέπλα φαάντερα κυκλάδος Ἠοῦς
ἄρτι χαρασσομένης, Τυρίῃ πεπαλαγμένα κόχλῳ.
ἵστατο δ' αἰγιαλοῖο παρ' ὀφρύσιν, οἷα καὶ αὐτὸς
ὁλκάδος ἱμείρων ἐπιβήμεναι. οἱ δὲ θορόντες
φαιδρὸν ἑλήϊσσαντο δολοπλόκον υἷα Θυώνης   130
καὶ κτεάνων γύμνωσαν· ὑποτροχόωσα δὲ σειρὴ
χερσὶν ὀπισθοτόνοισιν ἐμιτρώθη Διονύσου.
καὶ νέος ἐξαπίνης μέγας ἔπλετο θέσπιδι μορφῇ
ἀνδροφυὴς κερόεις ὑψούμενος ἄχρις Ὀλύμπου,
νύσσων ἠερίων νεφέων σκέπας· εὐκελάδῳ δὲ   135

the sea—wandering mariners, murderers of the
stranger, pirates of the rich, stealing from every side
the flocks of sheep near the coast. Many an old sailor
man from the ships which they captured here and there
was rolled half dead to his fate in the waters; many
a stout shepherd fighting for his herd dyed his grey
hairs in his red blood. If any merchant then sailed
the seas, if any Phoinician with sea-purple stuffs from
Sidonian parts for sale, the Tyrsenian pirate caught
him suddenly out at sea, and set upon his vessels laden
with riches; and so many a man lost infinite cargo
without a penny paid, and the Phoinician was carried
to Sicilian Arethusa in chains, far from home, his
fortune stolen and gone. But Dionysos disguised
himself in a deceptive shape, and outwitted the
Tyrsenians.

120 " He put on a false appearance, like a lovely boy
with smooth chin, wearing a gold necklace upon his
neck; about his temples was a chaplet shining with
selfsped gleams of a light unquenchable, broad green
emeralds and the Indian stone,[a] a scintillation of
the bright sea. His body was clad in robes streaked
with dye from the Tyrian shell more brilliant than
the circling Dawn, when she has just been marked
with lines.[b] He stood on the brow of the shore,
as if he wished to embark in their ship. They leapt
ashore and captured the radiant son of Thyone in
his guile; they stript him of his possessions, and tied
Dionysos's hands fast with ropes running behind his
back. Suddenly the lad grew tall with wonderful
beauty, as a man with horned head rising up to
Olympos, touching the canopy of aerial clouds, and

[a] Pearl.
[b] The meaning of this curious phrase is doubtful.

ὡς στρατὸς ἐννεάχιλος ἑῷ μυκήσατο λαιμῷ.
μηκεδανοὶ δὲ κάλωες ἐχιδναῖοι πέλον ὁλκοί,
ἔμπνοα μορφωθέντες ἐς ἀγκύλα νῶτα δρακόντων·
καὶ πρότονοι σύριζον· ὑπηνέμιος δὲ κεράστης
ὁλκαίαις ἑλίκεσσιν ἀνέδραμεν εἰς κέρας ἱστοῦ·   140
καὶ χλοεροῖς πετάλοισι κατάσκιος ἠέρι γείτων
ἱστὸς ἔην κυπάρισσος ὑπέρτατος· ἐν δὲ μεσόδμῃ
κισσὸς ἀερσιπότητος ἀνήιεν αἰθέρι γείτων,
σειρὴν αὐτοέλικτον ἐπιπλέξας κυπαρίσσῳ·
ἀμφὶ δὲ πηδαλίοισιν ὑπερκύψασα θαλάσσης   145
Βακχιὰς ἀμπελόεντι κάμαξ ἐβαρύνετο καρπῷ·
πρύμνης δ' ἡδυπότοιο βαρυνομένης Διονύσου
οἶνον ἀναβλύζουσα μέθης βακχεύετο πηγή.
ἀμφὶ δὲ σέλματα πάντα διὰ πρώρης ἀνιόντες
θῆρες ἀεξήθησαν· ἐμυκήσαντο δὲ ταῦροι,   150
καὶ βλοσυρὸν κελάδημα λέων βρυχήσατο λαιμῷ.
Τυρσηνοὶ δ' ἰάχησαν, ἐβακχεύοντο δὲ λύσσῃ
εἰς φόβον οἰστρηθέντες. ἀεξιφύτοιο δὲ πόντου
ἄνθεα κυματόεντες ἀπέπτυον ὕδατος ὁλκοί·
καὶ ῥόδον ἐβλάστησε, καὶ ὑψόθεν, ὡς ἐνὶ κήπῳ,   155
ἀφροτόκοι κενεῶνες ἐφοινίσσοντο θαλάσσης,
καὶ κρίνον ἐν ῥοθίοις ἀμαρύσσετο.
                         δερκομένων δὲ
ψευδομένους λειμῶνας ἐβακχεύθησαν ὀπωπαί,
καί σφιν ὄρος βαθύδενδρον ἐφαίνετο καὶ νομὸς ὕλης
καὶ χορὸς ἀγρονόμων καὶ πώεα μηλοβοτήρων,   160
καὶ κτύπον ὠίσαντο λιγυφθόγγοιο νομῆος
ποιμενίῃ σύριγγι μελιζομένοιο νοῆσαι,
καὶ λιγυρῶν ἀίοντες ἐυτρήτων μέλος αὐλῶν
μεσσατίου πλώοντες ἀτέρμονος ὑψόθι πόντου
γαῖαν ἰδεῖν ἐδόκησαν· ἀμερσινόῳ δ' ὑπὸ λύσσῃ   165
εἰς βυθὸν ἀίσσοντες ἐπωρχήσαντο γαλήνῃ,
330

with booming throat roared as loud as an army of nine thousand men.[a] The long hawsers became trailing snakes, changed into live serpents twisting their bodies about, the stayropes hissed, up into the air a horned viper ran along the mast to the yard in trailing coils: near the sky, the mast was a tall cypress with a shade of green leaves ; ivy sprang up from the mastbox and ran into the sky wrapping its tendrils about the cypress of itself, the Bacchic stem popped out of the sea round the steering-oars all heavy with bunches of grapes ; over the laden poop poured a fountain of wine bubbling the sweet drink of Dionysos. All along the decks wild beasts were springing up over the prow : bulls were bellowing, a lion's throat let out a fearsome roar.

152 " The Tyrsenians shrieked and rushed wildly about goaded with fear. Plants were sprouting in the sea : the rolling waves of the waters put out flowers ; the rose grew there, and reddened the rounded foaming swell upon it as if it were a garden, lilies gleamed in the surge. As they beheld these counterfeit meadows their eyes were bewitched. The place seemed to be a hill thick with trees, and a woodland pasturage, companies of countrymen and shepherds with their sheep ; they thought they saw a tuneful herdsman playing a tune on his shepherd's pipes ; they thought they heard the melody from the loud pipes' holes, and saw land while still sailing upon the boundless sea ; then deluded by their madness they leapt into the deep and danced in the quiet

[a] Compare Hom. *Il.* v. 859-861.

ποντοπόροι δελφῖνες· ἀμειβομένου δὲ προσώπου
εἰς φύσιν ἰχθυόεσσαν ἐμορφώθη γένος ἀνδρῶν.
καὶ σύ, τέκος, δολόεντα χόλον πεφύλαξο Λυαίου.
ἀλλ' ἐρέεις· 'μεθέπω δέμας ἄλκιμον, ἀμφιέπω δὲ   170
φρικτὸν ὀδοντοφύτων αὐτόσπορον αἷμα Γιγάντων.'
δαιμονίην φύγε χεῖρα Γιγαντοφόνου Διονύσου,
ὅς ποτε Τυρσηνοῖο παρὰ κρηπῖδα Πελώρου
Ἄλπον ἀπηλοίησε, θεημάχον υἱὸν Ἀρούρης,
μαρνάμενον σκοπέλοισι καὶ αἰχμάζοντα κολώναις·   175
μαινομένου δὲ Γίγαντος ὑποπτήσσων στίχα λαιμῶν
οὐ τότε κεῖνο κάρηνον ὁδοιπόρος ἔστιχε πέτρης·
εἰ δέ τις ἀγνώσσων ἀβάτῳ πεφόρητο κελεύθῳ
μαστίζων θρασὺν ἵππον, ὑπὲρ σκοπέλοιο νοήσας
χερσὶ πολυσπερέεσσι περίπλοκον υἱὸς Ἀρούρης   180
ἡνίοχον καὶ πῶλον ἑῷ τυμβεύσατο λαιμῷ.
πολλάκι δ' εὐδένδροιο δι' οὔρεος εἰς νομὸν ἕλκων
μῆλα μεσημβρίζοντα γέρων δαιτρεύετο ποιμήν.
οὐ τότε δ' αἰπολίοισι παρήμενος ἢ παρὰ μάνδραις
συμφερτοῖς δονάκεσσι μελίζετο μουσοπόλος Πάν,   185
οὐ κτύπον ὑστερόφωνος ἀμείβετο πηκτίδος Ἠχώ·
ἀλλά, λάλον περ ἐοῦσαν, ἐθήμονι σύνθροον αὐλῷ
Πανὸς ἀσιγήτοιο κατεσφρηγίσσατο σιγή,
ὅττι Γίγας τότε πᾶσιν ἐπέχραεν· οὐ τότε βούτης,
οὐ χορὸς ὑλοτόμων τις ὁμήλικας ἤκαχε Νύμφας   190
τέμνων νήια δοῦρα, καὶ οὐ σοφὸς ὁλκάδα τέκτων
δουροπαγὲς γόμφωσεν ὀδοιπόρον ἅρμα θαλάσσης,
εἰσόκε κεῖνα κάρηνα παρέστιχε Βάκχος ὁδεύων,
σείων Εὔια θύρσα· παρερχομένῳ δὲ Λυαίῳ
ὑψινεφὴς περίμετρος ἐπέχραεν υἱὸς Ἀρούρης,   195
ἀσπίδα πετρήεσσαν ἑοῖς ὤμοισιν ἀείρων·

---

[a] No one else mentions Alpos, whose name, despite the fact
that he is placed in Sicily, would seem to be connected with

water, now dolphins of the sea—for the shape of the men was changed into the shape of fish.

169 " So you also, my son, should beware of the resourceful anger of Lyaios. But you will say—I have mighty strength, I have in my nature the blood of the terrible giants that sprang of themselves from the sown Teeth. Then avoid the divine hand of Dionysos Giantslayer, who once beside the base of Tyrsenian Peloros smashed Alpos,[a] the son of Earth who fought against gods, battering with rocks and throwing hills. No wayfarer then climbed the height of that rock, for fear of the raging Giant and his row of mouths ; and if one in ignorance travelled on that forbidden road whipping a bold horse, the son of Earth spied him, pulled him over the rock with a tangle of many hands, entombed man and colt in his gullet! Often some old shepherd leading his sheep to pasture along the wooded hillside at midday was gobbled up. In those days melodious Pan never sat beside herds of goats or sheepcotes playing his tune on the assembled reeds, no imitating Echo returned the sounds of his pipes ; but prattler as she was, silence sealed those lips which were wont to sound with the pipe of Pan never silent, because the Giant then oppressed all. No cowherd then came, no band of woodmen cutting timbers for a ship troubled the Nymphs of the trees, their agemates, no clever shipwright clamped together a barge, the woodriveted car that travels the roads of the sea, until Bacchos on his travels passed by that peak, shaking his Euian thyrsus. As Lyaios passed, the huge son of Earth high as the clouds attacked him. A rock was the shield

the Alps in some way ; the syllable *alp*- is found in other place-names.

καὶ σκόπελον βέλος εἶχεν, ἐπεσκίρτησε δὲ Βάκχῳ
γείτονα δενδρήεσσαν ἔχων ὑψίδρομον αἰχμήν,
ἢ πίτυν ἢ πλατάνιστον ἀκοντίζων Διονύσῳ.
ὡς ῥόπαλον πίτυν εἶχε, καὶ ὡς θοὸν ἆορ ἑλίσσων 200
πρυμνόθεν αὐτόρριζον ἐκούφισε θάμνον ἐλαίης.
ἀλλ᾽ ὅτε τηλεβόλους ὀρέων ἐκένωσε κολώνας,
καὶ σκιερῆς βαθύδενδρος ἐγυμνώθη ῥάχις ὕλης,
θυρσομανὴς τότε Βάκχος ἑὸν βέλος ἠθάδι ῥοίζῳ
εἰς σκοπὸν ἠκόντιζε, καὶ ἠλιβάτου τύχεν Ἄλπου 205
εἰς πλατὺν ἀνθερεῶνα, κατ᾽ ἀσφαράγοιο δὲ μέσσου
ὀξυτενὴς χλοάουσα διέσσυτο Βακχιὰς αἰχμή·
ἔνθα Γίγας ὀλίγῳ τετορημένος ὀξέι θύρσῳ
ἡμιθανὴς κεκύλιστο καὶ ἔμπεσε γείτονι πόντῳ,
πλησάμενος βαθύκολπον ὅλον κενεῶνα θαλάσσης· 210
ὑψώσας δὲ ῥέεθρα Τυφαονίης διὰ πέτρης
θερμὰ κασιγνήτοιο κατέκλυσε νῶτα χαμευνῆς,
ἔμπυρον ὑδατόεντι καταψύχων δέμας ὁλκῷ.
ἀλλά, τέκος, πεφύλαξο, μὴ εἴκελα καὶ σὺ νοήσῃς,
Τυρσηνῶν ἅτε παῖδες,

ἅτε θρασὺς υἱὸς Ἀρούρης." 215

Εἶπε καὶ οὐ παρέπεισεν· ἀταρβήτῳ δὲ πεδίλῳ
εἰς ὄρος ὑψικάρηνον ὁμόσσυτος ἦιε Κάδμῳ,
ὄφρα χοροῦ ψαύσειε. σιδηροφόροις δὲ μαχηταῖς
ἀσπίδα κουφίζων κορυθαίολος ἴαχε Πενθεύς·
" Δμῶες ἐμοί,

στείχοντες ἐν ἄστεϊ καὶ μέσον ὕλης 220
ἄξατέ μοι βαρύδεσμον ἀνάλκιδα τοῦτον ἀλήτην,
ὄφρα τυπεὶς Πενθῆος ἀμοιβαίῃσιν ἱμάσθλαις
μηκέτι φαρμακόεντι ποτῷ θέλξειε γυναῖκας,
ἀλλὰ γόνυ κλίνειεν· ἀπὸ σκοπέλων δὲ καὶ αὐτὴν
μητέρα βακχευθεῖσαν ἐμὴν φιλότεκνον Ἀγαύην 225
φοιτάδος ἀγρύπνοιο μεταστήσασθε χορείης,
334

upon his shoulders, a hilltop was his missile ; he
leapt on Bacchos, with a tall tree which he found
near for a pike, some pine or planetree to cast at
Dionysos.   A pine was his club, and he pulled up an
olive spire from the roots to whirl for a quick sword.
But when he had stript the whole mountain for his
long shots, and the ridge was bare of all the thick
shady trees, then Bacchos thyrsus-wild sped his own
shot whizzing as usual to the mark, and hit this tower-
ing Alpos full in the wide throat—right through the
gullet went the sharp point of the greeny spear.   Then
the Giant pierced with the sharp little thyrsus rolled
over half dead and fell in the neighbouring sea,
filling the whole deephollowed abyss of the bay.
He lifted the waters and deluged Typhaon's rock,[a]
flooding the hot surface of his brother's bed and
cooling his scorched body with a torrent of water.
Nay, my son, be careful, that you too may not see
what the sons of Tyrsenia saw, what the bold son of
Earth saw."

216 He spoke, but could not convince ; and so with
undaunted shoe he hurried to the high mountains
with Cadmos, that he might share the dance.   But
Pentheus in flashing helm, shield on arm, cried to
his armed warriors—

220 " My servants, make haste through the city and
the depth of the woods—bring me here in heavy chains
that weakling vagabond, that flogged by the repeated
lashes of Pentheus he may cease to bewitch women
with his drugged potion, and bend the knee instead.
Bring back also out of the hills my fond mother Agauë
now gone mad, separate her from the sleepless

---

[a] The island under which he lies buried, Inarime in Virgil,
Aen. ix. 716.

λυσσαλέης ἐρύσαντες ἀνάμπυκα βότρυν ἐθείρης."
Ὣς φαμένου Πενθῆος ὀπάονες ὠκέι ταρσῷ
ἔδραμον ὑψικόμοιο δυσέμβατον εἰς ῥάχιν ὕλης
ἴχνια μαστεύοντες ὀριπλανέος Διονύσου.   23
καὶ μόγις ἀθρήσαντες ἐρημάδος ἀγχόθι πέτρης
θυρσομανῆ Διόνυσον ἐπερρώσαντο μαχηταί·
καὶ παλάμαις Βρομίοιο πέριξ ἔσφιγξαν ἱμάντας,
δεσμὰ βαλεῖν ἐθέλοντες ἀνικήτῳ Διονύσῳ·
ἀλλ' ὁ μὲν ἦεν ἄφαντος, ἑῷ πτερόεντι πεδίλῳ   23
ἀίξας ἀκίχητος, ἐν ἀφθόγγῳ δὲ σιωπῇ
δαιμονίη θεράποντες ἐδουλώθησαν ἀνάγκῃ,
μῆνιν ἀλυσκάζοντες ἀθηήτοιο Λυαίου
ταρβαλέοι. καὶ Βάκχος ὁμοίιος ἀσπιδιώτῃ
ἄζυγα ταῦρον ἔχων ἐδράξατο χειρὶ κεραίης,   24
ὡς θεράπων Πενθῆος ἀπειλείων Διονύσῳ
ψευδομένῳ κερόεντι, καὶ ὡς κοτέοντι προσώπῳ
Πενθέος ἐγγὺς ἵκανε μεμηνότος, ἑζομένου δὲ
λυσσαλέου βασιλῆος ἀγήνορα κόμπον ἀθύρων
φρικαλέην ἀγέλαστος ἐπίκλοπον ἴαχε φωνήν·   24
"Οὗτος ἀνήρ, σκηπτοῦχε,
            τεὴν οἴστρησεν Ἀγαύην·
οὗτος ἀνὴρ ἐθέλει βασιληίδα Πενθέος ἕδρην·
ἀλλὰ λαβὼν κερόεντα δολόφρονα Βάκχον ἀλήτην
δῆσον ἀλυκτοπέδῃσι τεῶν μνηστῆρα θοώκων,
καὶ κεφαλὴν πεφύλαξο βοοκραίρου Διονύσου,   25(
μή σε λαβὼν πλήξειε τανυγλώχινι κεραίῃ."
Ὣς φαμένου Βρομίοιο κατάσχετος ἔμφρονι λύσσῃ
μῦθον ἀπειλητῆρα θεημάχος ἴαχε Πενθεύς·
"Δήσατε, δήσατε τοῦτον, ἐμῶν συλήτορα θώκων·
οὗτος ἐμοῖς σκήπτροισι κορύσσεται, οὗτος ἱκάνει   25:
Καδμείην ἐθέλων Σεμέλης πατρώιον ἕδρην.
καλὸν ἐμοὶ Διόνυσον, ὃν ἤροσε λάθριος εὐνή,
336

wandering dance—drag her by the hair now snood-
less in her frenzy ! ''

²²⁸ At this command, Pentheus's men with swift
foot ran to the rugged ridge of leafy woodland seeking
the tracks of hillranging Dionysos. With difficulty
the soldiers found the thyrsus-maddened god near a
lonely rock; they rushed upon him and wound straps
about Bromios's hands, binding him fast—that is how
they meant to imprison invincible Dionysos ! But
he disappeared—gone in a flash, untraceable, on his
winged shoes. The men stood silent—speechless,
cowed by divine compulsion, shrinking before the
wrath of Lyaios unseen, terrified. And Bacchos in
the likeness of a soldier with shield in hand, seized
a wild bull by the horn, making as if he were one of
the servants of Pentheus, crying out upon this false
horned Dionysos. He put on a look of rage and
came near to mad Pentheus where he sat, and
mocked at the proud boasts of the frenzied king as he
spoke unsmiling these deceitful threatening words :

²⁴⁶ '' This is the man, your Majesty, who has sent
your Agauë mad ! This is the man who covets the
royal throne of Pentheus ! Take this horned vaga-
bond Bacchos full of tricks—bind in galling fetters
the pretender to your throne—and beware of the
bull's horns of Dionysos's head, or he may catch you
and pierce you with the long point of his horn ! ''

²⁵² When Bromios had finished, god-defiant Pen-
theus uttered reckless words, his mind being
possessed by the delirium of Bromios :

²⁵⁴ '' Bind him, bind him, the robber of my throne !
This is the enemy of my sceptre, this is he that comes
coveting the royal seat of Semele and her father !
A fine thing for me to share my honour with Dionysos,

ἀνδροφυῆ τινα ταῦρον ἔχειν ξυνήονα τιμῆς,
βουκεράῳ νόθον εἶδος ἐπαυγάζοντα μετώπῳ,
ὃν μετὰ Πασιφάην Σεμέλη τάχα γείνατο ταύρῳ, 260
βοσκομένῳ κερόεντι συναπτομένη παρακοίτῃ.''
  Εἶπε καὶ ἀγραύλοιο πόδας ταύροιο πιέζων
σφίγξεν ἀλυκτοπέδῃσι· λαβὼν δέ μιν ἀντὶ Λυαίου
ἤγαγεν ἱππείης πεπεδημένον ἐγγύθι φάτνης,
ὡς Σεμέλης θρασὺν υἷα καὶ οὔ τινα ταῦρον ἐέργων 265
Βασσαρίδων δὲ φάλαγγα περίπλοκον ἅμματι χειρῶν
δέσμιον εὐρώεντι κατεσφρήγισσε μελάθρῳ,
εἰς γλαφυρόν τινα κοῖλον ἀτερπέος οἶκον ἀνάγκης,
Κιμμερίων μίμημα δυσέκβατον, ἄμμορον Ἠοῦς,
ἀμφιπόλους Βρομίου θιασώδεας, ὧν ὑπὸ δεσμῷ 270
θλιβομέναις παλάμῃσιν ἐμιτρώθησαν ἱμάντες,
χαλκείη δὲ πόδεσσιν ἐπεσφρηγίζετο σειρή.
  Ἀλλὰ ταχυστροφάλιγγος
                          ὅτε δρόμος ἦλθε χορείης,
Μαινάδες ὠρχήσαντο· θυελλήεσσα δὲ Βάκχη
ἄστατα δινηθεῖσα ποδῶν βητάρμονι παλμῷ 275
ἀρραγέων ἀνέκοπτε παλίλλυτον ὁλκὸν ἱμάντων,
καὶ παλάμαις κροτάλιζεν ἐλεύθερον Εὔιον ἠχὼ
εὐρύθμοις πατάγοισιν· ὑπὸ στροφάλιγγι δὲ ταρσῶν
χαλκοβαρὴς σφριγόωσα ποδῶν ἐσχίζετο σειρή.
καὶ δόμον ἀχλυόεντα θεόσσυτος ἔστεφεν αἴγλη 280
Βασσαρίδων ζοφεροῖο καταστάζουσα μελάθρου·
καὶ σκοτίου πυλεῶνες ἀνεπτύσσοντο βερέθρου
αὐτόματοι· τρομερῷ δὲ τεθηπότες ἅλματι ταρσῶν
Βασσαρίδων βρύχημα καὶ ἄγριον ἀφρὸν ὀδόντων
εἰς φόβον ἠπείγοντο φυλάκτορες. αἱ δὲ φυγοῦσαι 285
νόστιμον ἴχνος ἔκαμψαν ἐρημάδος εἰς ῥάχιν ὕλης,
ὧν ἡ μὲν βοέην ἀγέλην δαιτρεύσατο θύρσῳ[1]
ῥινοτόρῳ, καὶ χεῖρας ἑὰς ἐμιήνατο λύθρῳ

338

the son of an illicit bed, a bull in human form, with
a shape of borrowed glory upon his oxhorned face,
whom Semele perhaps mothered for a bull, like
another Pasiphaë, mated with a grazing horned
bedfellow ! "

262 He spoke, and bound fast the legs of the wild
bull in galling shackles. Taking him for Lyaios he led
him shackled near the horses' manger, thinking his
captive Semele's bold son and no bull. He tied
together with ropes the hands of all the ranks of
Bassarids, sealed them up in a mouldy dungeon, a
vaulted cavern, a house of joyless constraint, whence
none could escape, dark as the Cimmerians, far from
the light of day, these followers of Bromios in the
revels ; their arms were bound in a clasp of galling
straps, chains of bronze were sealed on their legs.

273 But when the time came for the quickturning
dance, then danced the Mainads. The Bacchants like
a storm shook loose the wrappings of their straps un-
broken and circled quickly in tripping step, rattling a
free Euian noise with rhythmic claps, while the turn-
ing of their feet broke the thick heavy fetters of
bronze round their legs. A heavensent radiance
filled the dark dungeon of the Bassarids, diffused
over the gloomy roof ; the doors of the darksome
den opened of themselves ; the jailers were stupe-
fied at the cries and the ferocious foaming teeth of
the Bassarids, and their leaping feet, and fled in
terror.

285 So they escaped and turned their way back to
the forest in the lonely hills. One slew a herd of bulls
with skinpiercing thyrsus, and soiled her hands in the

---

[1] θύρσῳ Cunaeus, Warmington independently, for ταύρων
written perhaps echoing βοέην ἀγέλην, cf. ταυρείην in l. 289.

ταυρείην ὀνύχεσσι διασχίζουσα καλύπτρην
τρηχαλέην, ἑτέρη δὲ δαφοινήεντι κορύμβῳ   290
εἰροπόκων ἄρρηκτα διέτμαγε πώεα μήλων,
ἄλλη δ' αἶγας ἔπεφνεν· ἐφοινίσσοντο δὲ λύθρου
αἱμαλέαις λιβάδεσσι δαϊζομένης ἀπὸ ποίμνης.
ἄλλη δὲ τριέτηρον ἀφαρπάξασα τοκῆος
ἄτρομον ἀστυφέλικτον ἀδέσμιον ὑψόθεν ὤμων   295
ἵστατο κουφίζουσα μεμηλότα παῖδα θυέλλαις,
ἑζόμενον γελόωντα καὶ οὐ πίπτοντα κονίῃ·
καὶ γλάγος ᾔτεε κοῦρος, ἑὴν ἅτε μητέρα, Βάκχην,
στήθεα δ' ἀμφαφάασκεν· ἀνυμφεύτοιο δὲ κούρης
αὐτομάτην γλαγόεσσαν ἀνέβλυον ἰκμάδα μαζοί·   300
παιδὶ δὲ πειναλέῳ λασίους πετάσασα χιτῶνας
χείλεσι νηπιάχοισι νεόρρυτον ὤρεγε θηλήν,
παρθενικὴ δ' ἐκόρεσσεν ἀήθεϊ κοῦρον ἐέρσῃ·
πολλαὶ δ' ἀρτιτόκοιο μετοχλισθέντα τεκούσης
τέκνα δασυστέρνοιο τιθηνήσαντο λεαίνης.   305
ἄλλη δίψιον οὖδας ἐπέκτυπεν ὀξέι θύρσῳ
ἄκρον ὄρος πλήξασα νεοσχιδές· αὐτοτελῆ δὲ
οἶνον ἐρευγομένη κραναὴ πορφύρετο πέτρη,
λειβομένου δὲ γάλακτος ἀρασσομένης ἀπὸ πέτρης
πίδακες αὐτοχύτοισιν ἐλευκαίνοντο ῥεέθροις.   310
ἄλλη ῥῖψε δράκοντα κατὰ δρυός· ἀμφὶ δὲ δένδρῳ
σπεῖραν ὄφις κύκλωσε, καὶ ἔπλετο κισσὸς ἀλήτης
πρέμνον ἑλισσομένῳ σκολιῷ μιτρούμενος ὁλκῷ,
ἀμφελελιζομένων μιμούμενος ἅμμα δρακόντων.
καὶ Σάτυρος πεφόρητο σεσηρότα θῆρα κομίζων   315
τίγριν ἀπειλητῆρα καθήμενον ὑψόθι νώτου,
ἄγριον ἦθος ἔχοντα καὶ οὐ ψαύοντα φορῆος·
καὶ συὸς ἄκρα γένεια γέρων Σειληνὸς ἐρύσσας
κάρχαρον ἠκόντιζεν ἐς ἠέρα κάπρον ἀθύρων·
ἄλλος ἀελλήεντι ποδῶν ἐπιβήτορι παλμῷ   320

340

gore, tearing the rough bull's hide with her finger-
nails. Another cut to pieces a flock of sheep with
bloody twigs, not tearing their soft wool ; another
killed goats, and all were dyed with bloody streams of
gore from the slaughtered herd. Another snatched
from the father a threeyear child, and set it upon her
shoulder untrembling, unshaken, unbound, balancing
the boy in the winds' charge—there he sat laughing,
never falling in the dust. The boy asked the
Bacchant for milk, thinking it was his mother, and
pawed her breast—and milky drops ran of them-
selves to the breasts of the unwedded maiden, she
opened her hairy wrap for the hungry boy, and offered
a newly flowing teat to his childish lips ; so a virgin
stilled the boy with an unfamiliar drink. Many
forced away newborn cubs from a shaggychested
lioness and nursed them. Another struck the thirsty
soil with the point of a thyrsus ; the top of the hill
split at once, and the hard rock poured out purple
wine of itself, or with a tap on the rock fountains of
milk ran out of themselves in white streams. An-
other threw a snake at an oak ; the snake coiled
round the tree, and turned into moving ivy running
round girdling the trunk, just as snakes run their
coils round and round. A Satyr rushed along carry-
ing a snarling beast, a dangerous tiger which sat on
his back, which for all its wild nature did not touch
the bearer. One old Seilenos dragged a boar by the
snout and threw the tusked swine up in the air for fun.
Another with stormy leaps of his feet in a moment

εἰς λοφιὴν ἀκίχητος ἐπηώρητο καμήλου·
καί τις ὑπὲρ νώτοιο θορὼν ἐποχήσατο ταύρῳ.

Καὶ τὰ μὲν ἐν σκοπέλοισι· λυροδμήτῳ δ' ἐνὶ Θήβῃ
θαύματα ποικίλα Βάκχος ἐδείκνυε πᾶσι πολίταις·
καὶ σφαλεροῖσι πόδεσσιν ἐβακχεύοντο γυναῖκες . . . 325
χείλεσιν ἀφροκόμοισιν· ὅλη δ' ἐλελίζετο Θήβη,
καὶ φλογεροὺς σπινθῆρας ἀπηκόντιζον ἀγυιαί·
σείετο πάντα θέμεθλα, καὶ ὡς βοέων ἀπὸ λαιμῶν
ἀκλινέες πυλεῶνες ἐμυκήσαντο μελάθρων·
καὶ δόμος ἀστυφέλικτος ἀναβρομέεσκε κυδοιμῷ   330
λαϊνέῃ σάλπιγγι χέων αὐτόσσυτον ἠχώ.

Οὐδὲ χόλου Διόνυσος ἐπαύσατο· δαιμονίην δὲ
φθογγὴν ἠερόφοιτον ἐς ἑπταπόρων ἴτυν ἄστρων,
λυσσήεις ἅτε ταῦρος, ἑῷ μυκήσατο λαιμῷ·
καὶ κλονέων Πενθῆα μεμηνότα μάρτυρι πυρσῷ   335
μαρμαρυγῆς ἔπλησεν ὅλον δόμον· ἀμφὶ δὲ τοίχους
ἀντιπόρους σελάγιζε πολυσχιδὲς ἀλλόμενον πῦρ
δαιομένῳ σπινθῆρι κατάσσυτον, ἀμφὶ δὲ πέπλοις
πορφυρέοις καὶ στέρνον ἁλιχλαίνου βασιλῆος
πυρσὸς ἕλιξ πεφόρητο, καὶ οὐκ ἔφλεξε χιτῶνας·   340
κεκριμέναις δ' ἀκτῖσιν ἀποσπάδες ἅλματι θερμῷ
ἐκ ποδὸς εἰς μέσα νῶτα, δι' ἰξύος εἰς ῥάχιν ἄκρην
Πενθέος ἀμφὶ τένοντα μετήλυδες ἔτρεχον αὐγαί·
πολλάκι δ' αὐτοπόροιο πυρὸς βητάρμονι παλμῷ
Γηγενέος βασιλῆος ἐϋστρώτων ἐπὶ λέκτρων   345
ἀφλεγέας σπινθῆρας ἀπέπτυε θέσκελος αἴγλη.
καὶ σέλας αὐτοέλικτον ἰδὼν βρυχήσατο Πενθεύς,
κέκλετο δὲ δμώεσσιν ἄγειν ἀλκτήριον ὕδωρ,
ὄφρα κατασβέσσωσιν ἀναπτομένην φλόγα πυρσοῦ
δῶμα περιρραίνοντες ἀλεξικάκοισι ῥεέθροις·   350
καὶ γλαφυρῶν γυάλων ἐφάνη γυμνούμενον ὕδωρ,
καί, μεγάλη περ ἐοῦσα, ῥόον τερσαίνετο πηγὴ

342

mounted upon a camel's neck ; and one jumped on a bull and rode on his back.

323 So much for the mountains ; but in music-builded [a] Thebes, Bacchos manifested many wonders to all the people. The women danced wildly with staggering feet . . . with foaming lips. All Thebes was shaken, and sparks of fire shot up from the streets ; all the foundations quaked, the immovable gates of the mansions bellowed as if they had throats like a bull ; even the unshaken building rumbled in confusion, as if giving voice with a stone trumpet of its own.

332 Yet Dionysos did not abate his wrath. He sent his divine voice into the sky as far as the seven orbits of the stars, bellowing with his own throat like a mad bull. He pursued frenzied Pentheus with his witnesses, the fires, and filled the whole house with the blaze. Tongues of fire danced gleaming over the walls right and left with showers of burning sparks ; over the king's brilliant robes and the seapurple stuff about his chest ran spirals of fire which did not burn his garments. Separate streaks of fire went in hot leaps from foot to middleback, across his loins to the top of his backbone and round his neck ran the travelling flashes : often the divine light spat sparks that did not burn on the splendid bed of the earthborn king, the fire dancing about at random. Pentheus seeing this fire moving about of itself roared aloud and called his slaves to help, to bring saving water to drench the place with protective torrents and quench the burning flames. And the rounded cisterns were emptied, bared of water, the fountain of the river

[a] Because the stones of its walls came of themselves at the sound of Amphion's lyre.

ἄγγεσι νηρίθμοισιν ἀφυσσομένου ποταμοῖο.
καὶ πόνος ἀχρήιστος ἔην καὶ ἐτώσιον ὕδωρ,
καὶ διεραῖς λιβάδεσσιν ἀέξετο βαλλόμενον πῦρ   355
θερμοτέραις ἀκτῖσι· καὶ ὡς πολέων ἀπὸ ταύρων
μυκηθμοῦ κελάδοντος ὑπωροφίη πέλεν ἠχώ,
βρονταῖς δ' ἐνδομύχοισιν ἐπέκτυπε Πενθέος αὐλή.

great as it was, dried up when those thousands of vessels were dipt in the water. Their trouble was useless, the water did no good, wet floods poured on the fire only made its flames grow hotter still; there was a sound as of the echoing bellow of many bulls under that roof, and the palace of Pentheus resounded with internal thunders.

ΔΙΟΝΥΣΙΑΚΩΝ ΤΕΣΣΑΡΑΚΟΣΤΟΝ ΕΚΤΟΝ

Ἕκτον τεσσαρακοστὸν ἴδε πλέον, ἧχι νοήσεις
Πενθέος ἄκρα κάρηνα καὶ ὠλεσίτεκνον Ἀγαύην.

Ἀλλ' ὅτε δὴ γίνωσκεν ἄναξ θρασύς, ὅττι λυθέντος
αὐτομάτου δεσμοῖο σιδηροφόρων ἀπὸ χειρῶν
Μαινάδες ἐσσεύοντο μετήλυδες εἰς ῥάχιν ὕλης,
καὶ δόλον ἀλλοπρόσαλλον ἀθηήτου Διονύσου,
ἄστατος ὑβριστῆρι χόλῳ κυμαίνετο Πενθεύς·   5
καί μιν ἰδὼν παρεόντα παλίνδρομον ἠθάδι κισσῷ
βόστρυχα μιτρωθέντα, καὶ ἄπλοκον ὑψόθεν ὤμων
μηκεδανῆς ὀρόων κεχαλασμένον ὁλκὸν ἐθείρης,
τοῖον ἀπερροίβδησεν ἔπος λυσσώδεϊ λαιμῷ·
'' Ἡδὺς ὁ Τειρεσίαν ἀπατήλιον εἰς ἐμὲ πέμπων·   10
οὐ δύναται σέο μάντις ἐμὸν νόον ἠπεροπεύειν·
ἄλλοις ἔννεπε ταῦτα. θεὰ πόθεν υἱέι Ῥείη
οὐ Διὶ μαζὸν ὄρεξε, καὶ ἔτρεφεν υἷα Θυώνης;
εἴρεο Δικταίης κορυθαιόλον ἄντρον ἐρίπνης,   14
εἴρεο καὶ Κορύβαντας, ὅπῃ ποτὲ κοῦρος ἀθύρων   16
μαζὸν Ἀμαλθείης κουροτρόφον αἰγὸς ἀμέλγων   17
Ζεὺς μένος ἠέξησε, καὶ οὐ γλάγος ἔσπασε Ῥείης. 15
ἤθεα σῆς δολίης ἀπεμάξαο καὶ σὺ τεκούσης·   18
ψευδομένην Σεμέλην Κρονίδης ἔφλεξε κεραυνῷ·
ἄζεο, μὴ Κρονίδης μετὰ μητέρα καὶ σὲ δαμάσσῃ. 20

346

BOOK XLVI

See also the forty-sixth, where you will find the
head of Pentheus and Agauë mur-
dering her son.

As soon as Pentheus, that audacious king, understood
that the fetters of iron had dropt of themselves from
the prisoners' hands, and the Mainads were rushing
abroad to the mountain forest, as soon as he knew
the crafty plan of unseen Dionysos, restless at once
he swelled with violent wrath. Then he saw him
returned there, with wreaths of the usual ivy about
his head, and the long locks of hair flowing in
unkempt trails over his shoulders, and blustered out
these wild words from his frenzied throat—

¹⁰ " I like you for sending that swindler Teiresias
to me ! Your seer cannot deceive my mind. Tell
all that to someone else. How could goddess Rheia
refuse her breast to Zeus her own son, and yet nurse
the son of Thyone ? Ask the cave in the rock of
Dicte with its flashing helmets, ask the Corybants too,
where little Zeus used to play, when he sucked the
nourishing pap of goat Amaltheia and grew strong in
spirit, but never drank Rheia's milk. You also have
a touch of your deceitful mother. Semele was a liar,
and Cronides burnt her with his thunders : take care
that Cronides does not crush you like your mother. I

βάρβαρον οὐ μεθέπω καὶ ἐγὼ γένος· ἀρχέγονος δὲ
Ἰσμηνός με φύτευσε, καὶ οὐ τέκεν ὑγρὸς Ὑδάσπης·
Δηριάδην οὐκ οἶδα καὶ οὐ Λυκόοργος ἀκούω.
ἀλλὰ σὺν ὑμετέροις Σατύροις καὶ θυιάσι Βάκχαις
Δίρκης λεῖπε ῥέεθρα, καί, ἢν ἐθέλῃς, σέο θύρσῳ   25
κτεῖνε παρ' Ἀσσυρίοισι νεώτερον ἄλλον Ὀρόντην.
οὐ σὺ γένος Κρονίωνος Ὀλύμπιον· ὀλλυμένης γὰρ
ἀστεροπαὶ βοόωσιν ὀνείδεα σεῖο τεκούσης,
καὶ κρυφίων λεχέων ἐπιμάρτυρές εἰσι κεραυνοί.
οὐ Δανάην μετὰ λέκτρα κατέφλεγεν ὑέτιος Ζεύς,   30
καὶ γνωτὴν ἀδόνητον ἐμοῦ Κάδμοιο κομίζων
Εὐρώπην ἐφύλαξε, καὶ οὐκ ἔκρυψε θαλάσσῃ.
οἶδα μέν, ὡς ἀλόχευτον ἔτι βρέφος αἰθερίη φλὸξ
ὤλεσεν αἰθομένης μετὰ μητέρος, ἡμιτελῆ δὲ
λῦσε νόθην ὠδῖνα μαραινομένου τοκετοῖο·   35
εἰ δέ μιν οὐκ ἐδάμασσεν, ὅτι χθονίων ὑμεναίων
κρυπταδίης φιλότητος ἀναίτιός ἐσσι τεκούσης,
πείθομαι, ὡς ἐνέπεις, ἀέκων δέ σε παῖδα καλέσσω
Ζηνὸς ἐπουρανίοιο, καὶ οὐ φλεχθέντα κεραυνῷ.
καὶ σύ με τοῦτο δίδαξον ἀληθέι μάρτυρι μύθῳ·   40
Ζεὺς γενέτης πότε Φοῖβον ἢ Ἄρεα γείνατο μηρῷ;
εἰ Διὸς ἔλλαχες αἷμα, μετέρχεο κύκλον Ὀλύμπου
αἰθέρα ναιετάων, λίπε Πενθέι πατρίδα Θήβην.
ὤφελες ἄρμενον ἄλλον ἀμεμφέα μῦθον ἐνίψαι
ψεύδεϊ κερδαλέῳ κεράσας θελξίφρονα Πειθώ,   45
ὅττί σε παιδοτόκῳ Κρονίδης τέκεν ἠθάδι κόρσῃ·
οὐ τάχα τόσσον ἄπιστον ἔην ἔπος, ὅττι καὶ αὐτὸν
Βάκχον ἀνυμφεύτῳ μετὰ Παλλάδα τίκτε καρήνῳ.
ἤθελον, εἰ γένος ἔσχες Ὀλύμπιον, αἴθε Κρονίων
ὑψιμέδων σε φύτευσεν, ὅπως Διὸς αἷμα διώκων   50

too have no share of barbaric race in me. I am sprung from primeval Ismenos, not from watery Hydaspes; I know nothing of Deriades, my name is not Lycurgos. Now leave the streams of Dirce and take your Satyrs and mad Bacchants with you ; use your thyrsus, if you like, to kill another and a younger Orontes among the Assyrians. You are no Olympian off-spring of Cronion : for the lightnings cry aloud the shame of your perishing mother, the thunders are witnesses of her illicit bed. Zeus of the Rains burnt not Danaë after the bed ; he carried Europa, the sister of my Cadmos, and kept her unshaken—he did not drown her in the sea. I know that fire from heaven consumed the babe unborn along with the burning mother, and released the bastard fruit of this scorching delivery half-formed : if it did not destroy the babe, because you are innocent of your mother's furtive love of an earthly bedfellow, I believe it as you declare, and unwillingly I will call you son of heavenly Zeus and one not burnt up by the thunder. Now tell me in your turn, and bear true witness : when did their father Zeus ever produce Ares or Apollo from his thigh ? If you have in you the blood of Zeus, migrate to the vault of Olympos and live in heaven, leave to Pentheus his native Thebes. You should find another tale to fit the case, something plausible, and mix with your cunning imposture persuasion to enchant the mind—that Cronides brought you forth from his prolific brow as usual. Perhaps it would not be quite so incredible a story that he produced Bacchos too like Pallas from that unwedded brow. I would wish if you had been of the Olympian breed, yes if only Cronion Lord on High had got you, that I might hunt the offspring

νικήσω Διόνυσον, Ἐχίονος υἱὸς ἀκούων."
Ὣς φαμένου νεμέσιζε θεὸς καὶ ἀμείβετο μύθῳ,
κρύπτων δαιμονίης ὑποκάρδιον ὄγκον ἀπειλῆς·
" Βάρβαρα θεσμὰ φέρουσαν
      ἐπολβίζω χθόνα Κελτῶν,
ἧχι νέων βρεφέων καθαρὴν ὠδῖνα δικάζων   55
Ῥήνος ἀσημάντοιο θεμιστοπόλος τοκετοῖο
αἵματος ἀγνώστοιο νόθον γένος οἶδεν ἐλέγξαι.
οὐ μὲν ἐγὼ Ῥήνοιο φατιζομένου ποταμοῖο
χεύμασιν οὐτιδανοῖσι δικάζομαι, ἀλλὰ ῥεέθρων
πιστότεροι κήρυκες ἐμοὶ γεγάασι κεραυνοί· 60
κρείσσονα μαρτυρίην στεροπῆς μὴ δίζεο, Πενθεῦ·
ὕδατι μὲν Γαλάτης, σὺ δὲ πείθεο μάρτυρι πυρσῷ.
οὐ χατέω Πενθῆος ἐπιχθονίοιο μελάθρου·
δῶμα Διωνύσοιο πέλει πατρώιος αἰθήρ·
καὶ χθονὸς εἰ κρίσις ἦεν ἢ ἀστερόεντος Ὀλύμπου, 65
εἰπέ μοι εἰρομένῳ, τίνα φέρτερον αὐτὸς ἐνίψῃς,
οὐρανὸν ἑπτάζωνον ἢ ἑπταπύλου χθόνα Θήβης;
οὐ χατέω Πενθῆος ἐπιχθονίοιο μελάθρου.
μοῦνον ἐμῆς κύδαινε μελισταγὲς ἄνθος ὀπώρης·
μὴ ποτὸν ἀμπελόεντος ἀτιμήσῃς Διονύσου. 70
Ἰνδοφόνῳ Βρομίῳ μὴ μάρναο, θηλυτέρη δέ,
εἰ δύνασαι, πολέμιζε μιῇ ῥηξήνορι Βάκχῃ.
σοὶ τάχα καλὸν ἔθεντο προμάντιες οὔνομα Μοῖραι
ὑμετέρου θανάτοιο προάγγελον· αἰνοπαθῆ δὲ
οὐ νέμεσις Πενθῆα πεδοτρεφέος γενετῆρος 75
Γηγενὲς αἷμα φέροντα φέρειν μίμημα Γιγάντων,
οὐ νέμεσις καὶ Βάκχον Ὀλύμπιον αἷμα γενέθλης
Ζηνὸς ἔχειν μίμημα Γιγαντοφόνοιο τοκῆος.
350

of Zeus and conquer Dionysos, I, called the son of
Echion ! "

⁵² At these words the god was indignant, and re-
plied, concealing the weight of a fatal threat deep
in his heart :

⁵⁴ " I admire the Celtic land with its barbarous law,
where the Rhine tests the pure birth of a young baby :
he is judge of a doubtful birth, and knows how to
detect the bastard offspring of unknown blood.ᵃ But
my appeal is not to the insignificant stream of that
river called Rhine, but I have heralds more trust-
worthy than rivers, in the thunderbolts. Seek no
better testimony than the lightning, Pentheus. The
Gaul believes the water, do you believe the testifying
fire. I need not the earthly palace of Pentheus ; the
home of Dionysos is his father's heaven. If there
were a choice between earth and starry Olympos,
tell me I ask, which could you call better yourself,
sevenzone heaven or the land of sevengate Thebes ?
I need not the earthly palace of Pentheus !

⁶⁹ " Only respect the honeydripping bloom of my
fruit, do not despise the drink of Dionysos and his
vine. War not against Bromios the slayer of Indians,
but only one woman, fight if you can only with one
manbreaking Bacchant ! Perhaps the prophetic
Fates named you well,ᵇ to foreshow your death. No
wonder that Pentheus having the earthborn breed
of his ancestor sprung from the soil, should suffer the
direful fate of the Giants. No wonder that Bacchos
too, having the Olympian breed of his race, should
play the part of Zeus his giantslaying father. Ask

ᵃ See A. H. Krappe, *La Genèse des mythes* (Paris, Payot,
1938), p. 201, for modern discussions of this custom.

ᵇ Πενθεύς—πένθος (mourning).

εἴρεο Τειρεσίαν, τίνι χώεαι· εἴρεο Πυθώ,
τίς Σεμέλη παρίαυε, τίς ἤροσε παῖδα Θυώνης.　　80
εἰ δὲ μαθεῖν ἐθέλεις χοροτερπέος ὄργια Βάκχου,
φάρεα καλλείψας βασιλήια τέτλαθι, Πενθεῦ,
θήλεα πέπλα φέρειν, καὶ γίνεο θῆλυς Ἀγαύη·
μὴ δέ σε θηρεύοντα παραΐξωσι γυναῖκες.
ἢν δὲ τεῇ παλάμῃ θηροκτόνα τόξα τανύσσῃς,　　85
Κάδμος ἐπαινήσει σε συναγρώσσοντα τεκούσῃ.
Βάκχῳ μοῦνος ἔριζε, καί, εἰ θέμις, ἰοχεαίρῃ,
ὄφρα λεοντοφόνον σε μετ᾽ Ἀκταίωνα καλέσσω.
κάτθεο τεύχεα ταῦτα· σιδηροφόρους δὲ μαχητὰς
χερσὶν ἀθωρήκτοισιν ἐμαὶ κτείνουσι γυναῖκες·　　90
εἰ δέ σε νικήσωσιν ἀτευχέι θήλεϊ χάρμῃ
ἔντεσι κοσμηθέντα, τίς αἰνήσειε πολίτης
ἄνδρα γυναικείῃ κεκαφηότα δηιοτῆτι;
Βασσαρὶς οὐ τρομέει πτερόεν βέλος, οὐ δόρυ φεύγει·
ἀλλὰ δόλῳ κρυφίῳ πυκάσας ἄγνωστον ὀπωπὴν　　95
ὄψεαι ὄργια πάντα χοροπλεκέος Διονύσου.''
　Ὣς εἰπὼν παρέπεισεν, ἐπεὶ νόον ἀνδρὸς ἱμάσσων
φοιταλέης ἐδόνησε κατάσχετον ἅλματι λύσσης . . .
καὶ Βρομίῳ συνάεθλος ἐπέχραε Πενθέι Μήνη
δαιμονίη μάστιγι· συνερχομένης δὲ Λυαίῳ　　100
λυσσήεις θρασὺς οἶστρος ἀμερσινόοιο Σελήνης
φάσματα ποικιλόμορφα μεμηνότι Πενθέι δείξας
φρικτὸν Ἐχιονίδην προτέρης μετέθηκε μενοινῆς,
καὶ σφαλερῇ Πενθῆος ἐπεσμαράγησεν ἀκουῇ,
δαιμονίης σάλπιγγος ἀλάστορα δοῦπον ἀράσσων·　　10
ἀνέρα δ᾽ ἐπτοίησε. καὶ εἰς δόμον ἤλυθε Πενθεὺς
οἰστρομανής, ποθέων θιασώδεος ὄργια Βάκχου·
φωριαμοὺς δ᾽ ᾤξε θυώδεας, ἧχι γυναικῶν

---

[a] *i.e.* he became literally *lunatic*, *moon*-struck.

Teiresias who it is you are defying; ask Pytho who it is that slept with Semele, who it is begat Thyone's child.

81 " And if you are willing to learn the mysteries of dancedelighting Bacchos, put off your royal robes, Pentheus, condescend to wear the garments of a woman and become the woman Agauë, and let not the women escape you when you hunt them. Or if your hand draws the bow to slay wild beasts, Cadmos will praise you when you join your mother in the hunt. Alone, rival Bacchos, and if it be lawful, the Archeress, that I may call you a new Actaion lionslayer. Put off these arms. My women slay steel-armed warriors with their bare hands; if they conquer with unarmed female onset you clad in armour, which of your people would praise a man outworn in a battle with women? The Bassarid fears no feathered shaft, she flees no spear. No—be crafty and secret, disguise your aspect that none may know, and you shall see all the mysteries of danceweaving Dionysos."

97 Thus he persuaded Pentheus, since he lashed the man's mind, and shook him, in the clutches of throbbing madness and distraction. . . . Mene also helped Bromios, attacking Pentheus with her divine scourge; the frenzied reckless fury of distracting Selene joining in displayed many a phantom shape to maddened Pentheus,[a] and made the dread son of Echion forget his earlier intent, while she deafened his confused ears with the bray of her divine avenging trumpet, and she terrified the man.

106 Pentheus entered the house goaded to madness with a desire to see the secrets of Bacchos's congregation. He opened the scented coffers, where lay

κέκλιτο Σιδονίης ἁλιπόρφυρα πέπλα θαλάσσης·
καὶ χροῒ ποικιλόνωτον ἐδύσατο πέπλον Ἀγαύης· 110
Αὐτονόης δ' ἔσφιγξεν ἐπὶ πλοκάμοισι καλύπτρην,
στήθεα μιτρώσας βασιλήια κυκλάδι τέχνῃ·
καὶ πόδας ἐσφήκωσε γυναικείοισι πεδίλοις·
χειρὶ δὲ θύρσον ἄειρε· μετερχομένοιο δὲ Βάκχας
ποικίλος ἰχνευτῆρι χιτὼν ἐπεσύρετο ταρσῷ. 115
    Μιμηλοῖς δὲ πόδεσσιν ἕλιξ ὠρχήσατο Πενθεὺς
ἡδυμανής· λοξῷ δὲ πέδον κροτάλιζε πεδίλῳ
ἐκ ποδὸς αἰθύσσων ἕτερον πόδα· χεῖρα δὲ δισσὴν
θηλύνων ἐλέλιζεν ἀμοιβάδα δίζυγι παλμῷ,
οἷα γυνὴ παίζουσα χοροίτυπος· οἷα δὲ ῥόπτρῳ 120
δίκτυπον ἁρμονίην κροτέων ἑτερόζυγι χαλκῷ
ἠερίαις μεθέηκεν ἀλήμονα βόστρυχον αὔραις,
Λυδὸν ἀνακρούων μέλος Εὔιον. ἦ τάχα φαίης
ἄγρια κωμάζουσαν ἰδεῖν λυσσώδεα βάκχην.
καὶ διδύμους Φαέθοντας ἐδέρκετο καὶ δύο Θήβας· 125
ἔλπετο δ' ἀκαμάτων ἐπικείμενον ὑψόθεν ὤμων
Θήβης ἑπταπόροιο μετοχλίζειν πυλεῶνα.
    Ἀμφὶ δέ μιν στεφανηδὸν ἐκυκλώσαντο πολῖται,
ὃς μὲν ἔχων τροχόεντα λόφον χθονός,
                          ὃς δ' ἐπὶ πέτρῳ
ὑψιφανής, ὁ δὲ πῆχυν ἐπ' ἀνέρος ὦμον ἐρείσας 130
ἴχνος ἀνῃώρησεν ἐπὶ χθονὶ δάκτυλα πήξας·
καί τις ἐυγλώχινα μετήιεν ὄγκον ἀρούρης,
ἄλλος ἐπὶ προβλῆτος ἐπάλξιος, ὃς δὲ δοκεύων
δόχμιον ὄμμα τίταινεν ἀερσιλόφων ἀπὸ πύργων·
ὃς δὲ μέσας στεφανηδὸν ἐπ' ἄντυγι χεῖρας ἑλίξας 135
ἴχνεσιν ἀκροπόροισιν ἀνήιε κίονα βαίνων,
Πενθέα παπταίνων δεδονημένον ἅλματι λύσσης,
θύρσον ἀερτάζοντα καὶ αἰθύσσοντα καλύπτρην.
    Ἤδη δ' ἑπταπόροιο παρέδραμε τείχεα Θήβης,

the women's garments dyed in purple of the Sidonian sea. He donned the embroidered robe of Agauë, bound Autonoë's veil over his locks, laced his royal breast in a rounded handwork, passed his feet into women's shoes; he took a thyrsus in hand, and as he walked after the Bacchants a broidered smock trailed behind his hunting heel.

116 With mimicking feet Pentheus twirled in the dance, full of sweet madness; he rattled the ground with sidelong boot, darting one foot away from another. Unmanning his two hands he shook them in alternate beats, like a dancing woman at play; as drumming a double tune on the two plates of the cymbals, he loosed his long hair to float on the breezes of heaven and struck up a Euian melody of Lydia. You might fairly say you saw a wild Bacchant woman madly rollicking. Yes, and he saw two suns and two cities of Thebes; he thought he could hold a gatehouse of sevengate Thebes, hoisting it upon his untiring shoulders.[a]

128 Round him the people assembled in a ring, climbing one on a round tump of earth, one conspicuous high on a rock, while a third rested an arm over the shoulder of a neighbour and raised his foot on tiptoe above the ground: here one made for some lump[b] sticking out of the earth, another was on a projecting bastion, another watched with slanting eye from the towering ramparts; another hugging a round pillar swarmed up with the flat of his feet, and watched Pentheus waving his thyrsus and fluttering his veil and leaping in the throes of madness.

139 Already he had gone round the walls of Thebes

---

[a] Eur. *Bacch.* 912 ff.; these books are full of reminiscences of the play.   [b] L.'s conjecture, he now prefers ὄγμον.

αὐτομάτοις ἑλίκεσσιν ἀνοιγομένων πυλεώνων· 140
ἤδη δὲ πρὸ πόληος ἐς ἠέρα βόστρυχα σείων
ἁβρὰ δρακοντοβότοιο παρέστιχε νάματα Δίρκης·
καὶ ποδὶ λυσσήεντι χοροίτυπον ἴχνος ἑλίσσων
δαίμονος ἀμπελόεντος ὀπίστερον εἶχε πορείην.
    Ἀλλ' ὅτε χῶρον ἵκανεν, ὅθι δρύες, ἧχι χορεῖαι, 145
καὶ τελεταὶ Βρομίου θιασώδεες, ἧχι καὶ αὐτὴ
Βασσαρίδων ἀπέδιλος ἔην κεμαδοσσόος ἄγρη,
ἀμπελόεις τότε Βάκχος ὀρειάδος ἔνδοθι λόχμης
ἀρχαίην ἐλάτην ἰσομήκεα γείτονι πέτρῃ
δένδρον ἰδὼν περίμετρον ἐγήθεεν, ἧς ὑπὸ θάμνῳ 150
ἀγχινεφεῖς πετάλοισιν ἐπεσκιόωντο κολῶναι·
ἀκρότατον δὲ κόρυμβον ἀφειδέι χειρὶ πιέζων
εἰς πέδον, εἰς πέδον εἷλκε
                    κατὰ χθονὸς ἐκταδὰ Πενθεύς . . .
θαλλὸν ἀερσιπότητον, ἐπισφίγγων δὲ φορῆα
ὕψι τιταινομένων ἐδράξατο χειρὶ κορύμβων, 155
καὶ πόδας ἔνθα καὶ ἔνθα παλινδίνητος ἑλίσσων
ἄστατος ὀρχηστῆρι τύπῳ κουφίζετο Πενθεύς.
    Καὶ τότε Βασσαρίδεσσι χορίτιδες ἤλυθον Ὧραι·
ἀλλήλαις δ' ἐκέλευον, ἀνεζώννυντο δὲ πέπλοις,
νεβρίδα δ' ἀμφεβάλοντο· καὶ οὐρεσίφοιτος Ἀγαύη 160
ἀφροκόμοις στομάτεσσιν ἀπερροίβδησεν ἰωήν·
    " Αὐτονόη, σπεύσωμεν, ὅπῃ χορός ἐστι Λυαίου
καὶ κτύπος οὐρεσίφοιτος ἀκούεται ἠθάδος αὐλοῦ,
ὄφρα μέλος πλέξαιμι φιλεύιον, ὄφρα δαείω,
τίς φθαμένη στήσειε χοροστασίην Διονύσῳ, 165
τίς τίνα νικήσειε θυηπολέουσα Λυαίῳ.
δηθύνεις, ἀχόρευτε, καὶ ἡμέας ἔφθασεν Ἰνώ·
οὐκέτι πόντον ἔχει μετανάστιος, ἀλλὰ καὶ αὐτὴ

─────────────────────────
ᵃ The dragon which Cadmos killed, cf. iv. 356 ff.

while the portals of the seven gates opened on self-moving pivots, already he had passed the soft waters of dragonfeeding [a] Dirce before the city, with his hair blowing on the wind ; and beating mad feet in the circling dance he followed his course behind the vinegod.

[145] But when he came to the place where the trees were, and the dances and rites of the congregation of Bromios, where also was the hunting of their prickets by the unshod Bassarids, then vinegod Bacchos was glad, and espied in the mountain forest an ancient fir-tree tall as the neighbouring rock, which cast a shade with its bushy leaves over the cloudhigh hills. With unflinching hand he seized the top of the tree and dragged it down, down to the ground. Pentheus lay along the ground [and Bacchos let go] the soaring spire, Pentheus clung to the tree that carried him on high, grasped the branches with his hands as they were borne aloft, and whirling his legs about this way and that way restlessly, moved lightly like a dancer.[b]

[158] Then came the dancing-hours for the Bassarids. They called to one another and tucked up their robes and threw on the fawnskins. Hillranging Agauë shouted aloud with foam on her lips—

[162] "Autonoë, let us make haste to the dance of Lyaios, where the hillranging voice of the familiar pipe is heard, that I may recite the song that Euios loves, that I may learn who first will lead the dance for Dionysos, who will beat whom in doing worship to Lyaios ! You're late, you slack dancer, Ino has got there before us ! She is no longer an exile in the sea,

[b] This passage, for the sense of which *cf.* Eur. *Bacch.* 1064 ff., is extremely disordered and corrupt.

ἐξ ἁλὸς ἦλθε θέουσα σὺν ὑγροπόρῳ Μελικέρτῃ,
ἦλθε προασπίζουσα διωκομένου Διονύσου,　　　170
μὴ Πενθεὺς ἀθέμιστος ἐπιβρίσειε Λυαίῳ.
Μύστιδες, εἰς σκοπέλους, Ἰσμηνίδες ἔλθετε Βάκχαι,
καὶ τελετὰς στήσωμεν, ὁμοζήλῳ δὲ χορείῃ
Λυδαῖς Βασσαρίδεσσιν ἐρίζομεν, ὄφρά τις εἴπῃ·
‘ Μυγδονίην νίκησε Μιμαλλόνα Μαινὰς Ἀγαύη.’ ’’　175
    Ὣς φαμένη σκοπίαζε καθήμενον ὑψόθι δένδρου,
ἄγριον οἷα λέοντα, θεημάχον υἱέα μήτηρ·
καί μιν ἀγειρομέναις ἐπεδείκνυε θυιάσι Βάκχαις·
υἱέα δ᾽ ἔμφρονα θῆρα καλέσσατο λυσσάδι φωνῇ.
ἀμφὶ δέ μιν στεφανηδὸν ἐκυκλώσαντο γυναῖκες　　　180
ἑζόμενον πετάλοισι· καὶ εὐπαλάμῳ τινὶ δεσμῷ
δένδρον ἐπηχύναντο, καὶ ἤθελον εἰς χθόνα ῥίπτειν
ἔρνος ὁμοῦ Πενθῆι· περισφίγξασα δὲ θάμνῳ
ὁλκὸν ὁμοζυγέος παλάμης ἐνοσίχθονι παλμῷ
πρυμνόθεν αὐτόρριζον ἀνέσπασε δένδρον Ἀγαύη.　185
καὶ φυτὸν εἰς χθόνα πῖπτεν· ἐγυμνώθη δὲ Κιθαιρών·
καὶ θρασὺς αὐτοέλικτος ἄναξ βητάρμονι παλμῷ
κύμβαχος ἠερόθεν κεκυλισμένος ἤριπε Πενθεύς.
καὶ τότε μιν λίπε λύσσα νοοσφαλέος Διονύσου,
καὶ προτέρας φρένας ἔσχε τὸ δεύτερον· ἀμφὶ δὲ γαίῃ　190
γείτονα πότμον ἔχων κινυρὴν ἐφθέγξατο φωνήν·
    ‘‘ Νύμφαι Ἁμαδρυάδες με καλύψατε,
　　　　　　　　　　μή με δαμάσσῃ
παιδοφόνοις παλάμῃσιν ἐμὴ φιλότεκνος Ἀγαύη.
μῆτερ ἐμή, δύσμητερ, ἀπηνέος ἴσχεο λύσσης·
θῆρα πόθεν καλέεις με τὸν υἱέα; ποῖα κομίζω　　　195
στήθεα λαχνήεντα; τίνα βρυχηθμὸν ἰάλλω;
οὐκέτι γινώσκεις με, τὸν ἔτρεφες, οὐκέτι λεύσσεις·
σὴν φρένα καὶ τεὸν ὄμμα τίς ἥρπασε;
　　　　　　　　　　χαῖρε, Κιθαιρών·

but here she too comes running from the brine
with Melicertes the seafarer, she has come to defend
hunted Dionysos, lest impious Pentheus overwhelm
Lyaios. Mystics, to the mountains! Ismenian
Bacchants, here! Let us celebrate our rites, and
match the Lydian Bassarids with rival dances, that
some one may say —Mainad Agauë has beaten
Mygdonian Mimallon!"

176 As the words were spoken, she saw sitting high
in a tree, like a savage lion—the mother saw her im-
pious son. She pointed him out to the frenzied
Bacchants gathering there, and in the voice of a
maniac called her own human son a wild beast. The
women thronged round him girdlewise as he sat amid
the leaves; they embraced the trunk with a ring of
skilful hands and tried to throw down the tree with
Pentheus in it—but Agauë threw her two arms about
the trunk, and with earthshaking heave pulled the
tree up from its base, roots and all. The tree fell to
the ground, and Cithairon was bare. Pentheus the
audacious king shot through the air of himself with a
dancing leap, rolling and tumbling like a diver. At
that moment the madness left him which Dionysos
had sent to confuse his mind, and he recovered his
senses again. He saw fate near him on the earth,
and cried in lamentable tones:

192 "Cover me, Hamadryad Nymphs! Let not
Agauë my loving mother destroy her son with her own
hands! O my mother, cruel mother, cease from this
heartless frenzy! How can you call me your son a
wild beast? Where is my shaggy chest? Where is
my roaring voice? Do you not know me any longer
whom you nursed, do not you see any longer?
Who has robbed you of sense and sight? Farewell,

χαίρετε, δένδρεα ταῦτα καὶ οὔρεα· σώζεο, Θήβη
σώζεο καὶ σύ, φίλη παιδοκτόνε μῆτερ Ἀγαύη.   200
δέρκεο ταῦτα γένεια νεότριχα, δέρκεο μορφὴν
ἀνδρομένην· οὐκ εἰμὶ λέων· οὐ θῆρα δοκεύεις.
φείδεο σῆς ὠδῖνος, ἀμείλιχε, φείδεο μαζῶν·
Πενθέα παπταίνεις με, τὸν ἔτρεφες. ἴσχεο, φωνή,
μύθους σεῖο φύλαξον· ἀνήκοός ἐστιν Ἀγαύη.   205
εἰ δὲ κατακτείνεις με χαριζομένη Διονύσῳ,
μούνη παῖδα δάμασσον, ἀγάστονε, μηδὲ δαμῆναι
Βασσαρίδων τεὸν υἷα νόθαις παλάμῃσιν ἐάσῃς."

    Ὥς φάμενος λιτάνευε, καὶ οὐκ ἤκουσεν Ἀγαύη.
ἀμφὶ δέ μιν δασπλῆτες ἐπερρώοντο γυναῖκες   210
χερσὶν ὁμοζήλοισι· κυλινδομένου δὲ κονίῃ
ἡ μὲν ὀπισθιδίους πόδας εἴρυσεν, ἡ δὲ λαβοῦσα
δεξιτερὴν προθέλυμνον ἀνέσπασεν, Αὐτονόη δὲ
λαιὴν ἀντερύεσκε· παραπλαγχθεῖσα δὲ μήτηρ
στήθεϊ παιδὸς ἔπηξεν ἑὸν πόδα, κεκλιμένου δὲ   215
αὐχένα τολμήεντα διέθρισεν ὀξέϊ θύρσῳ·
καὶ φονίῳ ταχύγουνος ἀνέδραμε χάρματι λύσσης,
αἱματόεν δὲ κάρηνον ἀτερπέι δείκνυε Κάδμῳ·
ψευδομένου δὲ λέοντος ἀγαλλομένη χάριν ἄγρης
τοῖον ἀπερροίβδησεν ἔπος λυσσώδεϊ λαιμῷ·   220

    " Κάδμε μάκαρ, καλέω σε μακάρτερον·
                           ἐν σκοπέλοις γὰρ
χερσὶν ἀθωρήκτοισιν ἀριστεύουσαν Ἀγαύην
Ἄρτεμις ἐσκοπίαζε, καὶ εἰ πέλε δεσπότις ἄγρης,
ζῆλον ὑποκλέπτουσα λεοντοφόνου σέο κούρης·
καὶ Δρυάδες θάμβησαν ἐμὸν πόνον· ἡμετέρης δὲ   225
Ἁρμονίης γενέτης κεκορυθμένος ἠθάδι λόγχῃ
παῖδα τεὴν ἀσίδηρον ἐθάμβεε χάλκεος Ἄρης
θύρσον ἀκοντίζουσαν ἀλοιητῆρα λεόντων,
κυδιόων· σὺ δέ, Κάδμε, τεῶν ἐπιβήτορα θώκων
360

Cithairon, farewell these mountains and trees ! Be happy, Thebes, be happy you too, Agauë my dear mother and my murderer ! See this chin with its young beard, see the shape of a man—I am no lion ; no wild beast is what you see. Spare the fruit of your womb, pitiless one, spare your breasts. Pentheus is before you, your nursling. Silence, my voice, keep your tale to yourself, Agauë will not hear ! But if you kill me to please Dionysos, let no other destroy your son, unhappy one, let not your son be destroyed by the alien hands of Bassarids.''

²⁰⁹ Such was his prayer, and Agauë heard him not ; but the terrible women attacked him with one accord ; as he rolled in the dust, one pulled on his legs, one seized his right arm and wrenched it out at the joint, Autonoë dragged opposite at the left ; his deluded mother set her foot on his chest, and cut through that daring neck as he lay with sharp thyrsus—then ran nimbleknee with frenzied joy in his murder, and displayed the bloody head to unwelcoming Cadmos. Triumphant in the capture of a lion, as she thought, she cried out these words of madness :

²²¹ '' Blessed Cadmos, more blessed now I call you ! For in the mountains Artemis has seen Agauë triumphant with no weapon in her hands ; and even if she is queen of the hunt, she must hide her jealousy of your lionslaying daughter. The Dryads also wondered at my work. And the father of our Harmonia, armed with his familiar lance, brazen Ares, wondered full of pride at your child without a spear, casting a thyrsus and destroying lions. Pray call the king on your

361

Πενθέα δεῦρο κάλεσσον, ὅπως φθονερῇσιν ὀπωπαῖς 230
θηροφόνους ἱδρῶτας ὀπιπεύσειε γυναίου.[1]
δμῶες ἐμοί, στείχεσθε, παρὰ προπύλαια δὲ Κάδμου
πήξατε τοῦτο κάρηνον ἐμῆς ἀναθήματα νίκης.
τηλίκον οὗ ποτε θῆρα κατέκτανε σύγγονος Ἰνώ·
Αὐτονόη, σκοπίαζε καὶ αὐχένα κάμψον Ἀγαύη·   235
οὐ γὰρ ἐμοὶ λάχες εὖχος ὁμοίιον, ὑμετέρου δὲ
μητρὸς Ἀρισταίοιο φατιζομένην ἔτι νίκην
σῆς ἑκυρῆς ᾔσχυνα λεοντοφόνοιο Κυρήνης."
   Ἔννεπε κουφίζουσα φίλον βάρος· εἰσαΐων δὲ
Κάδμος ἀγαλλομένης ἑτερόφρονα παιδὸς ἀπειλήν, 240
μίξας δάκρυσι μῦθον ἀμείβετο πενθάδι φωνῇ·
   "Οἷον θῆρα δάμασσας ἐχέφρονα, τέκνον Ἀγαύη;
οἷον θῆρα δάμασσας, ὃν ὑμετέρη τέκε γαστήρ;
οἷον θῆρα δάμασσας, ὃν ἐσπέρμηνεν Ἐχίων;
δέρκεο σεῖο λέοντα, τὸν εἰσέτι τυτθὸν ἀείρων   245
παιδοκόμῳ κούφιζε γεγηθότι Κάδμος ἀγοστῷ·   247
δέρκεο σεῖο λέοντα, τὸν Ἁρμονίη σέο μήτηρ   246
πολλάκις ἠέρταζε καὶ ὤρεγε μαζὸν ἀμέλγειν.   248
μαστεύεις σέο παῖδα τεῶν θηήτορα μόχθων·
πῶς καλέσω Πενθῆα, τὸν ἐν παλάμῃσιν ἀείρεις;   250
ὃν κτάνες ἀγνώσσουσα, πόθεν σέο παῖδα καλέσσω; 252
θῆρα τεὸν σκοπίαζε, καὶ υἱέα σεῖο νοήσεις.   251
καλὰ φέρεις, Διόνυσε, τεῷ θρεπτήρια Κάδμῳ·   253
καλά μοι Ἁρμονίης νυμφεύματα δῶκε Κρονίων·
Ἄρεος ἄξια ταῦτα καὶ Οὐρανίης Ἀφροδίτης·   255
Ἰνὼ πόντον ἔχει, Σεμέλην ἔφλεξε Κρονίων,
μύρεται Αὐτονόη κερόεν τέκος, ἃ μέγα δειλή

---

[1] Λυαίου MSS. : γυναίου scripsi.   Ludwich -σειεν ὑαίνης.

[a] Cf. v. 292 ; Pindar, Pyth. ix. 26 ff.

throne, Cadmos, call Pentheus here, that with envious
eyes he may see the beastslaying sweat of a weak
woman !

²³² "This way, my men, hang up this head as a votive
offering of my victory on the gatehouse of Cadmos.
Sister Ino never killed a beast like this ! Look here
Autonoë, and bow your neck to Agauë ! For you
have never won glory like mine—the still famous
victory of lionslaying Cyrene,ᵃ mother of your
Aristaios and your own goodmother, has been put
to shame by mine ! "

²³⁹ While she spoke, she lifted her dear burden ;
but Cadmos hearing the distracted boasts of his
exulting daughter, answered in mourning voice and
mingled his tears with his words :

²⁴² " Ah, what a beast you have brought down,
Agauë my child, one with human reason ! What a
beast you have brought down, one which your own
womb brought forth ! What a beast you have
brought down, one that Echion begat ! Look upon
your lion, one that Cadmos lifted upon his nursing
arm when he was still a little tot, held in his joyful
arms. Look upon your lion, one that your mother
Harmonia often caught up and held to your suckling
breast. You search for your son to see your work :
how can I call Pentheus, when you hold him in your
hands ? How can I call your son, whom you have
killed in ignorance ? Look at your beast, and you
will recognize your son.

²⁵³ " O Dionysos ! A fine return you bring to
Cadmos who reared you ! Fine bridal gifts Cronion
gave me with Harmonia ! They are worthy of Ares
and heavenly Aphrodite. Ino is in the sea, Semele
was burnt by Cronion, Autonoë mourns her horned

ἔκτανεν, ὃν τέκε μοῦνον, ἀώριον υἱὸν Ἀγαύη,
καὶ μογέει Πολύδωρος ἐμὸς λιπόπατρις ἀλήτης.
μοῦνος ἐγὼ λιπόμην νέκυς ἔμπνοος· εἰς τίνα φεύγω, 260
Πενθέος ὀλλυμένοιο καὶ οἰχομένου Πολυδώρου;
τίς πόλις ὀθνείη με δεδέξεται; ἔρρε, Κιθαιρών·
γηροκόμους Κάδμοιο κατέκτανες, ἀμφοτέρους δὲ
νεκρὸν ἔχεις Πενθῆα, καὶ Ἀκταίωνα καλύπτεις."
Ὣς φαμένου Κάδμοιο γόον κρουνηδὸν ἰάλλων 265
δάκρυσι πηγαίοισι γέρων ἔκλαυσε Κιθαιρών·
καὶ δρύες ὠδύροντο, καὶ ἔκλαγον αἴλινα Νύμφαι
Νηιάδες. πολιὴν δὲ κόμην ἠδέσσατο Κάδμου
καὶ στοναχὴν Διόνυσος· ἀπενθήτου δὲ προσώπου
μίξας δάκρυ γέλωτι νόον μετέθηκεν Ἀγαύης, 270
καὶ πάλιν ἔμφρονα θῆκεν, ὅπως Πενθῆα γοήσῃ.
Ἡ δὲ μεταστρέψασα νόον καὶ ἄπιστον ὀπωπὴν
αὐτοπαγὴς ἄφθογγος ἐπὶ χρόνον ἵστατο μήτηρ·
καὶ κεφαλὴν Πενθῆος ὀπιπεύουσα θανόντος
ἤριπεν αὐτοκύλιστος, ὑπὲρ δαπέδοιο δὲ δειλὴ 275
βόστρυχον αἰσχύνουσα χυτῇ κεκύλιστο κονίῃ·
καὶ λασίους ἔρριψεν ἀπὸ στέρνοιο χιτῶνας
καὶ Βρομίου φιάλας θιασώδεας, αἵματος ὁλκῷ
στήθεα φοινίξασα καὶ ἀσκεπέων πτύχα μαζῶν·
καὶ κύσεν υἱέος ὄμμα καὶ ἔγχλοα κύκλα προσώπου 280
καὶ πλοκάμους χαρίεντας ἐρευθομένοιο καρήνου·
ὀξὺ δὲ κωκύουσα τόσην ἐφθέγξατο φωνήν·
"Νηλειὴς Διόνυσε, τεῆς ἀκόρητε γενέθλης,
δὸς προτέρην ἔτι λύσσαν ἐμοὶ πάλιν· ἄρτι γὰρ ἄλλην
χείρονα λύσσαν ἔχω πινυτόφρονα· δός μοι ἐκείνην 285
ἀφροσύνην, ἵνα θῆρα τὸ δεύτερον υἷα καλέσσω.
θῆρα βαλεῖν ἐδόκησα· νεοτμήτοιο δὲ κόρσης

---

^a Actaion in his stag-shape.

son,[a] and Agauë—what misery for Agauë! She has killed her only son, her own son untimely; and my Polydoros [b] wanders in sorrow, a banished man. Alone I am left, in a living death. Who will be my refuge, now Pentheus is dead and Polydoros gone? What foreign city will receive me? Curse you, Cithairon! You have slain those two who should cherish Cadmos in old age: Pentheus is with you, dead, Actaion is buried in your soil."

²⁶⁵ When Cadmos had ended, ancient Cithairon groaned from his springs and poured forth tears in fountains; the trees lamented, the Naiad Nymphs chanted dirges. Dionysos was abashed before the hoary head of Cadmos and his lamentations; mingling a tear with a smile on that untroubled countenance, he gave reason back to Agauë and made her sane once more, that she might mourn for Pentheus.

²⁷¹ The mother, herself again with eyes that she could trust, stood awhile rigid and voiceless. Then seeing the head of Pentheus dead she threw herself down, and rolled in helpless misery on the ground smearing the dust on her hair. She tore the shaggy skins from her breast and threw down the goblets of Bromios's company, scoring her chest and the cleft between her bare breasts with red scratches. She kissed her son's eyes and his pallid cheeks, and the charming locks of his bloodstained hair; then with bitter lamentation she spoke:

²⁸³ " Cruel Dionysos, insatiable persecutor of your family! Give me back my former madness—for a worse madness possesses me now in my sanity. Give me back that delirium, that I may call my son a wild beast once more. I thought I had struck a beast—

ἀντὶ λεοντείης κεφαλὴν Πενθῆος ἀείρω.
ὀλβίη Αὐτονόη βαρυδάκρυος, ὅττι θανόντα
ἔστενεν Ἀκταίωνα, καὶ οὐ κτάνεν υἱέα μήτηρ·   290
μούνη ἐγὼ γενόμην παιδοκτόνος· οὐ Μελικέρτην
ἔκτανεν ἠὲ Λέαρχον ἐμὴ μετανάστιος Ἰνώ,
ἀλλὰ πατὴρ ἐδάμασσε, τὸν ἤροσεν. ἇ μέγα δειλή,
Ζεὺς Σεμέλη παρίαυεν, ὅπως Πενθῆα γοήσω·
Ζεὺς γενέτης Διόνυσον ἑῷ τεκνώσατο μηρῷ,   295
Καδμείην ἵνα πᾶσαν ἀιστώσειε γενέθλην.
ἱλήκοι Διόνυσος· ὅλον γένος ὤλεσε Κάδμου.
ἀλλὰ θεοκλήτου γαμίην μετὰ δαῖτα τραπέζης,
Ἁρμονίης μετὰ λέκτρον,
              ἐμοῦ μετὰ παστάδα Κάδμου
ἀρχαίην κιθάρην δονέων πάλιν αὐτὸς Ἀπόλλων   300
θρῆνον ἕνα πλήξειε καὶ Αὐτονόη καὶ Ἀγαύη,
ὠκύμορον Πενθῆα καὶ Ἀκταίωνα λιγαίνων.
ἡμετέρης, φίλε κοῦρε, τί φάρμακόν ἐστιν ἀνίης;
οὔ πω σοῖς θαλάμοισιν ἐκούφισα νυμφοκόμον πῦρ·
οὐ ζυγίων ἤκουσα τεῶν ὑμέναιον Ἐρώτων·   305
ποῖον ἴδω σέο παῖδα παρήγορον; αἴθέ σε Βάκχη
ἄλλη ἀπηλοίησε, καὶ οὐ πολύμοχθος Ἀγαύη.
μητέρι μαινομένῃ μὴ μέμφεο, δύσμορε Πενθεῦ·
Βάκχῳ μέμφεο μᾶλλον· ἀναίτιός ἐστιν Ἀγαύη.
χεῖρες ἐμαί, φίλε κοῦρε, τεὴν στάζουσιν ἐέρσην   310
αὐχένος ἀμηθέντος· ἀπ' αὐτοχύτου δὲ καρήνου
αἷμα τεὸν μητρῷον ὅλον φοίνιξε χιτῶνα.
ναί, λίτομαι, Βρομίου δότε μοι δέπας·
                      ἀντὶ γὰρ οἴνου
λύθρον ἐμοῦ Πενθῆος ἐπισπένδω Διονύσῳ.
σοὶ μὲν ἐγὼ φιλόδακρυς, ἀώριε, τύμβον ἐγείρω   315
χερσὶν ἐμαῖς ἀκάρηνον ἐνικρύψασα κονίῃ
σὸν δέμας· ὑμετέρῳ δ' ἐπὶ σήματι τοῦτο χαράξω·

I hold a head newly cut from the neck, but no lion's head, it is Pentheus ! Autonoë is happy for all her heavy tears, for she mourned Actaion dead, and the mother slew not her son. I alone have become a childmurderer. Ino slew not Melicertes or Learchos, Ino my banished sister, but the father destroyed the son he had begotten. How unhappy I am ! Zeus slept with Semele only that I might mourn Pentheus; Zeus the father childed Dionysos from his own thigh, only to destroy the whole family of Cadmos. May Dionysos forgive me, he has destroyed the whole race of Cadmos. Now may even Apollo strike his harp again as before, as at the marriage feast where the gods were guests, as by Harmonia's bed, as in the bridechamber of my father Cadmos, let him twangle one dirge for Autonoë and Agauë both, and chant loudly of Actaion and Pentheus so quickly to perish. What medicine is there for my sorrow, O my dearest boy ? I have never lifted the marriage torch at your wedding ; I have never heard the bridal hymn for your wedded love. What son of yours can I see to comfort me ? Would that some other, some Bacchant, had destroyed you, not all-wretched Agauë ! Blame not your frenzied mother, illfated Pentheus, blame Bacchos rather—Agauë is innocent! My hands, dear lad, are dripping with the dew from your shorn neck, the blood from your head has incarnadined all the robe of the mother who shed it. Yes, I beseech you, give me the cup of Bromios ; for instead of wine I will pour the blood of my Pentheus as a libation to Dionysos. For you, untimely dead, I will build amid my tears a tomb with my own hands. I will lay in the earth your headless body ; and on your monument I will carve

NONNOS

' εἰμὶ νέκυς Πενθῆος, ὁδοιπόρε· νηδὺς Ἀγαύης
παιδοκόμος με λόχευσε
καὶ ἔκτανε παιδοφόνος χείρ.' "

Ἔννεπε λυσσώουσα σοφῇ φρενί· μυρομένης δὲ 320
Αὐτονόη γοόωσα παρήγορον ἴαχε φωνήν·

" Ζῆλον ἔχω καὶ ἔρωτα τεῆς κακότητος, Ἀγαύη,
ὅττι περιπτύσσεις γλυκερὴν Πενθῆος ὀπωπὴν
καὶ στόμα καὶ φίλον ὄμμα καὶ υἱέος ἄκρα κομάων.
γνωτή, ἐπολβίζω σε, καὶ εἰ κτάνες υἱέα μήτηρ· 325
ἀντὶ γὰρ Ἀκταίωνος ἀμειβομένης ἀπὸ μορφῆς
νεβρὸν ἐγὼ δάκρυσα, καὶ υἱέος ἀντὶ καρήνου
μηκεδανὴν ἐλάφοιο νόθην κτερέιξα κεραίην.
σῆς δ' ὀδύνης ἐλάχεια παραίφασις, ὅττι θανόντος
οὐκ ἴδες ἀλλοῖον τύπον υἱέος, οὐ τρίχα νεβροῦ, 330
οὐ χηλὴν ἀνόνητον ἐκούφισας ἠὲ κεραίην·
μούνη δ' ἔδρακον υἷα νόθον νέκυν, ἀλλοφυῆ δὲ
καὶ στικτὴν καὶ ἄναυδον ἐκώκυον εἰκόνα μορφῆς,
καὶ μήτηρ ἐλάφοιο καὶ οὐκέτι παιδὸς ἀκούω.
ἀλλὰ σὺ κυδαίνουσα, Διὸς φιλοπάρθενε κούρη, 335
ἀνδρὸς ἐμοῦ σέο Φοῖβον Ἀρισταίοιο τοκῆα
εἰς ἔλαφον μετάμειψον ἐμὴν βροτοειδέα μορφήν·
δὸς χάριν Ἀπόλλωνι· μετ' Ἀκταίωνα δὲ δειλὴν
τοῖς αὐτοῖς σκυλάκεσσι καὶ Αὐτονόην πόρε φορβὴν
ἢ κυσὶν ὑμετέροισιν· ἐσαθρήσῃ δὲ Κιθαιρὼν 340
μητέρα καὶ μετὰ παῖδα κυνοσπάδα· μηδέ με δειλὴν
σῶν ἐλάφων μεθέπουσαν ἴσην κεραελκέα μορφὴν
ἄγρια μαστίζουσα τεῇ ζεύξειας ἀπήνῃ.
χαῖρε φυτὸν Πενθῆος, ἀμείλιχε χαῖρε Κιθαιρὼν
χαίρετε καὶ νάρθηκες ἀμερσινόου Διονύσου· 345
σώζεό μοι, Φαέθων τερψίμβροτε· λάμπε κολώναις·
λάμπε καὶ ἀμφοτέροις, Λητωίδι καὶ Διονύσῳ·
εἰ δὲ τεαῖς ἀκτῖσι καὶ ἀνέρας οἶσθα δαμάσσαι,
368

these words : ' Wayfarer, I am the body of Pentheus ; the cherishing womb of Agauë brought me forth, and the murdering hand of Agauë slew her son.' "

320 So spoke the maddened creature in words of sanity—and while she lamented, Autonoë spoke with a sorrowful voice of consolation :

322 " I envy and desire your unhappiness, Agauë ; for you kiss the sweet face of Pentheus, his lips and his dear eyes and the hair of your son. Sister, I think you happy, even if you the mother slew your own son. But I had no Actaion to mourn ; his body was changed, and I wept over a fawn—instead of my son's head I buried the long antlers of a changeling stag. It is a small consolation to you in your pain, that you have seen your dead son in no alien shape, no fawn's fell, no unprofitable hoof, no horn you took up. I alone saw my son as a changeling corpse, I lamented an image of alien shape dappled and voiceless ; I am called mother of a stag and not a son. But I pray to thee, prudish daughter of Zeus, glorify thy Phoibos the begetter of Aristaios my husband, and change my mortal shape to a deer—do grace to Apollo ! Give unhappy Autonoë also as a prey to the same dogs as Actaion, or to your own hounds ; let Cithairon see the mother torn by dogs even after the son, but when I am changed to the same horned shape as thy deer, yoke me not, unhappy, to thy car nor flog me fiercely with thy whip.

344 " Farewell, tree of Pentheus, farewell pitiless Cithairon ; farewell also ye fennels of mind-deluding Dionysos ! Happy be thou, Phaëthon men's delight ! Shine on the hills ; show thy light both for Leto's daughter and Dionysos ! And if thou knowest how

σῷ καθαρῷ πυρὶ βάλλε καὶ Αὐτονόην καὶ Ἀγαύην·
ἔσσο δὲ Πασιφάης τιμήορος, ὄφρα γελάσσῃς   350
Ἀρμονίης γενέτειραν ἀνιάζων Ἀφροδίτην.''

Εἶπε, καὶ ὠλεσίτεκνος ὀδύρετο μᾶλλον Ἀγαύη.
καὶ νέκυν, ὃν κατέπεφνε, φίλη τυμβεύσατο μήτηρ
πίδακα δακρυόεσσαν ἀναβλύζουσα προσώπου·
καὶ τάφον εὐποίητον ἐτεκτήναντο πολῖται.   355

Ὣς αἱ μὲν στενάχοντο κατηφέες· εἰσορόων δὲ
Βάκχος ἄναξ ἐλέαιρε, φιλοθρήνους δὲ γυναῖκας
μυρομένας ἀνέκοψεν, ἐπεὶ στοιχηδὸν ἑκάστῃ
λυσίπονον κεράσας μελιηδέι φάρμακον οἴνῳ
δῶκε ποτὸν ληθαῖον· ὀδυρομένοιο δὲ Κάδμου   360
πένθιμον ἐπρήυνε γόον παιήονι μύθῳ·
ἀμφοτέρας δ' εὔνησε καὶ Αὐτονόην καὶ Ἀγαύην,
ἐλπίδος ἐσσομένης πρωτάγγελα θέσφατα φαίνων.
Ἰλλυρίην δ' ἐπὶ γαῖαν ἐς Ἑσπερίου χθόνα πόντου
Ἀρμονίην λιπόπατριν ὁμόστολον ἤλικι Κάδμῳ   365
ἀμφοτέρους πόμπευεν ἀλήμονας, οἷς χρόνος ἕρπων
ὤπασε πετρήεσσαν ἔχειν ὀφιώδεα μορφήν.

Καὶ Σατύρους καὶ Πᾶνας ἔχων
                        καὶ λύγκας ἱμάσσων
ἁβρὸς ἀσιγήτοισιν ἐκώμασε Βάκχος Ἀθήναις.

---

[a] He identifies Apollo with the Sun, and his arrows with
its rays.
[b] Since Pasiphaë's trouble arose from hideously mis-

to destroy men also with thy rays,[a] strike with thy pure fire Autonoë and Agauë. Be Pasiphaë's avenger,[b] to plague with a laugh Harmonia's mother Aphrodite.''

352 She spoke ; and Agauë childmurderer sorrowed yet more. The loving mother entombed the dead son whom she had slain, pouring a fountain of tears over her face, and the people built a goodly sepulchre.

356 So they mourned in dejection ; Lord Bacchos saw and pitied, and checked the dirge of the lamenting women, when he had mingled a medicine with honeysweet wine and passed it to each in turn as a drink to lull their troubles. He gave them the drink of forgetfulness, and when Cadmos lamented he soothed his sorrowful moans with healing words. He sent Autonoë and Agauë to their beds, and showed them oracles of god to tell of coming hope. Over the Illyrian country to the land of the Western sea he sped, and banished Harmonia with Cadmos her agemate, both wanderers, for whom creeping Time had in store a change into the shape of snaky stone.[c]

368 Then Bacchos with his Pans and Satyrs whipt up his lynxes, and went in gorgeous pomp to farfamed Athens.

directed love, let her father the Sun take vengance on the love goddess's children.

[c] At the end of their lives, Zeus transformed Cadmos and Harmonia into stone serpents, and placed them in Elysium.

ΔΙΟΝΥΣΙΑΚΩΝ ΤΕΣΣΑΡΑΚΟΣΤΟΝ ΕΒΔΟΜΟΝ

Ἔρχεο τεσσαρακοστὸν ἐς ἕβδομον,
              ὁππόθι Περσεὺς
καὶ μόρος Ἰκαρίοιο καὶ ἀβροχίτων Ἀριάδνη.

Ἤδη δ' ἔνθα καὶ ἔνθα δι' ἄστεος ἵπτατο Φήμη
ἄγγελος αὐτοβόητος ἐρισταφύλου Διονύσου
Ἀτθίδι φοιτήσαντος· ἀκοιμήτου δὲ Λυαίου
εἰς χορὸν εὐώδινες ἐβακχεύθησαν Ἀθῆναι.
καὶ πολὺς ἔβρεμε κῶμος· ὁμηγερέες δὲ πολῖται   5
εἵμασι δαιδαλέοισιν ἀνεχλαίνωσαν ἀγυιὰς
χερσὶ πολυσπερέεσσιν· ἀεξιφύτοιο δὲ Βάκχου
ἡμερίδων πετάλοισιν ἐμιτρώθησαν Ἀθῆναι
αὐτόματοι· φιάλας δὲ σιδηροφόρων διὰ μαζῶν
στήθεσι μυστιπόλοισιν ἀνεζώννυντο γυναῖκες,   10
παρθενικαὶ δ' ἐχόρευον, ἐπεστέψαντο δὲ κόρσης

---

[a] Perhaps the most corrupt passage in Nonnos. Any attempt to translate it continuously results in nonsense, for what could it mean to say that the women girt anything around their " mail-clad breasts " or that drinking-cups were hung like a girdle around anything ? Attic women did not go about in corselets, and Nonnos knew they did not ; the words must refer to Athena in person or to her statue. Drinking-cups are of course part of the Dionysiac apparatus,

372

BOOK XLVII

Come to the forty-seventh, in which is Perseus, and
the death of Icarios, and Ariadne in her
rich robes.

ALREADY Rumour was flitting up and down the city,
announcing of herself that Dionysos of the grapes
had come to visit Attica; and prolific Athens broke
out into wild dancing for unresting Lyaios. Loud
was the sound of revelling; crowds of citizens with
forests of fluttering hands decked out the streets
in hangings of many colours, and vineleaves which
Bacchos made to grow wreathed themselves all over
Athens. [The women hung mystic plates of iron over
their breasts and bound them round their bodies[a]:] the
maidens danced and crowned their brows with flowers

but no one and nothing had a string of them slung about him
or it. The only possible explanation seems to be that some-
thing, probably two or three lines, has dropped out and the
remainder been patched together by a copyist into the present
verse 9. Perhaps the archetype of our MSS. was damaged
and illegible here. The general sense may have been:
" *Drinking-cups* the men now held instead of weapons (or
tools); even *through the mail-clad breasts* of Athena there
shot a shaft of Bacchic extasy; *and the women girt their
bosoms, used to* (*Demeter's ?*) *mysteries* with (some Dionysiac
emblem, such as vine-leaves)." Marcellus conjectures
φάλλους here and ix. 125, xlvi. 278, where it makes sense
although there is no evidence in support.

ἄνθεϊ κισσήεντι περίπλοκον Ἀτθίδα χαίτην.
Ἰλισσὸς δ' ἐλέλιζε περὶ πτόλιν ἔμπνοον ὕδωρ
κυδαίνων Διόνυσον· ὁμοζήλῳ δὲ χορείῃ
Εὔιον ἐκρούοντο μέλος Κηφισίδες ὄχθαι.   15
φυταλιὴ δ' ἀνέτελλεν, ἀπὸ χθονίοιο δὲ κόλπου
αὐτοφυὴς γλυκεροῖο πεπαινομένου τοκετοῖο
βότρυς ἐλαιήεντος ἐφοινίχθη Μαραθῶνος,
καὶ δρύες ἐψιθύριζον, ἀνοιγομένων δὲ πετήλων
δίχροον ἠρεύγοντο ῥόδον λειμωνίδες Ὧραι,   20
καὶ κρίνον αὐτοτέλεστον ἐμαιώσαντο κολῶναι.
καὶ Φρυγίοις αὐλοῖσιν ἐπέκτυπεν αὐλὸς Ἀθήνης,
καὶ δίδυμον κελάδημα δόναξ ἐλίγαινεν Ἀχαρνεὺς
θλιβόμενος παλάμῃσιν· ὁμογλώσσων δ' ἀπὸ λαιμῶν
Μυγδονίη βαρύδουπος ὁμόθροος ἄζυγι κούρῃ   25
δίθροον ἁρμονίην ἐπιδήμιος ἴαχε Βάκχη
πῆχυν ἐπικλίνουσα νέη Πακτωλίδι νύμφῃ,
καὶ φλόγα νυκτιχόρευτον ἀνέσχεθε δίζυγι πεύκῃ
ἀρχεγόνῳ Ζαγρῆι καὶ ὀψιγόνῳ Διονύσῳ·
μνησαμένη δ' Ἰτύλοιο καὶ ἱστοπόνου Φιλομήλης   30
σύνθροος αἰολόδειρος ἀνέκλαγεν Ἀθὶς ἀηδών,
καὶ Ζεφύρου λάλος ὄρνις ὑπωροφίην χέε μολπήν,
μνῆστιν ὅλην Τηρῆος ἀπορρίψασα θυέλλαις.
    Οὐδέ τις ἦν ἀχόρευτος ἀνὰ πτόλιν. αὐτὰρ ὁ χαίρων
Βάκχος ἐς Ἰκαρίου δόμον ἤλυθεν, ὃς πέλεν ἄλλων   35
φέρτερος ἀγρονόμων ἑτερότροπα δένδρα φυτεύειν.
ἀγραύλοις δὲ πόδεσσι γέρων ἐχόρευεν ἀλωεὺς
ἀθρήσας Διόνυσον ἐπήλυδα, καλλιφύτων δὲ
κοίρανον ἡμερίδων ὀλίγῃ ξείνισσε τραπέζῃ·
Ἠριγόνη δ' ἐκέρασσεν ἀφυσσαμένη γλάγος αἰγῶν·   40

---

[a] This line has attached to it an amusing bit of literary
history. Bentley quoted it in his *Dissertation on Phalaris*.
p. 25 of the edition of 1699, to show that the correct form of
374

of ivy braided in Attic hair.   Ilissos rolled round the
city living water to glorify Dionysos ; the banks of
Cephisos echoed the Euian tune to the universal
dance.   The plant shot up from the bosom of the
earth, grapes selfgrown with sweet fruit ripening red-
dened the olive-groves of Marathon.   Trees whispered,
meadows put forth in season roses of two colours
with opening petals, the hills gave birth to the lily
selfgrown.   Athena's pipes answered the Phrygian
pipes, the Acharnian reed pressed by the fingers
played its double ditty.   The native Bacchant leaned
her arm on the young Pactolian bride, and sounded a
double harmony with deep note answering the Myg-
donian girl, or held up the dancing nightly flame
of double torches, for Zagreus [a] born long ago and
Dionysos lately born.   The melodious-throated night-
ingale of Attica sang her varied notes in the chorus,
remembering Itylos and Philomela busy at the loom ;
and the chattering bird of Zephyros [b] twittered under
the eaves, casting to the winds all memory of Tereus.

[34] No one in the city did not dance.   Then Bacchos
glad went to the house of Icarios, who excelled the
other countrymen in planting many sorts of trees.   The
old gardener danced on his clownish feet when he saw
Dionysos as his visitor, and entertained the lord of
noble gardenvines at his frugal board.   Erigone [c]
went to draw and mingle milk of the goats, but

the god's name was Zagreus and not Zagraios.   Two modern
editors gravely inform the public that there is no such verse
and that Bentley quoted from memory (which he probably
did, and knew his Greek authors better than either his con-
temporary or his later critics).   See the Bohn edition of the
Dissertation (London, 1883), p. 91.

[b] Imitated from Leonidas in the *Greek Anthology* x. 1.

[c] Icarios's daughter.

ἀλλά ἑ Βάκχος ἔρυκε, φιλοστόργῳ δὲ γεραιῷ
ὤπασε λυσιπόνοιο μέθης ἐγκύμονας ἀσκούς,
δεξιτερῇ δ' εὔοδμον ἔχων δέπας ἡδέος οἴνου
ὤρεγεν Ἰκαρίῳ· φιλίῳ δ' ἠσπάζετο μύθῳ·
" Δέξο, γέρον, τόδε δῶρον,
                    ὃ μὴ δεδάασιν Ἀθῆναι.   45
ὦ γέρον, ὀλβίζω σε· σὲ γὰρ μέλψουσι πολῖται
τοῖον ἔπος βοόωντες, ὅτι κλέος εὗρεν ἐλέγξαι
Ἰκάριος Κελεοῖο καὶ Ἠριγόνη Μετανείρης.
ζῆλον ἔχω προτέρης Δημήτερος, ὅττι καὶ αὐτὴ
ἄλλῳ γειοπόνῳ στάχυν ὄμπνιον ὤπασε Δηώ.   50
Τριπτόλεμος στάχυν εὗρε,
                    σὺ δ' οἴνοπα βότρυν ὀπώρης·
ἵλαος οὐρανίῳ Γανυμήδεϊ μοῦνος ἐρίζεις,
Τριπτολέμου προτέροιο μακάρτερε· θυμοβόρους γὰρ
οὐ στάχυες λύουσι μεληδόνας, οἰνοτόκοι δὲ
βότρυες ἀνδρομέης παιηόνές εἰσιν ἀνίης."   55
Τοῖον ἔπος κατέλεξε, φιλοξείνῳ δὲ γεραιῷ
ἁβρὸν ἐγερσινόοιο δέπας πόρεν ἔμπλεον οἴνου·
καὶ πίεν ἄλλο μετ' ἄλλο γέρων φυτοεργὸς ἀλωεύς,
οἶστρον ἔχων ἀκόρητον ἐυρραθάμιγγος ἐέρσης·
κούρη δ' ἀντὶ γάλακτος ἀφυσσαμένη χύσιν οἴνου   60
ὤρεγε χειρὶ κύπελλον, ἕως ἐμέθυσσε τοκῆα.
ἀλλ' ὅτε δὴ κόρον εὗρε κυπελλοδόκοιο τραπέζης,
δόχμιος ἀμφιέλικτος ἐρισφαλὲς ἴχνος ἑλίσσων
ποσσὶν ἀμοιβαίοισιν ἀνεσκίρτησεν ἀλωεύς,
Ζαγρέος Εὔιον ὕμνον ἀνακρούων Διονύσῳ.   65
ἀγρονόμῳ δὲ γέροντι φυτηκόμος ὤπασε δαίμων
κλήματα βοτρυόεντα, φιλεύια δῶρα τραπέζης·

---

[a] The king of Eleusis whom Demeter visited ; Metaneira
was his queen, Triptolemos either his son or one of his nobles.

Bacchos checked her, and handed to the kindly old man skins full of curetrouble liquor. He took in his right hand and offered Icarios a cup of sweet fragrant wine, as he greeted him in friendly words:

⁴⁵ " Accept this gift, Sir, which Athens knows not. Sir, I deem you happy, for your fellow-citizens will celebrate you, proclaiming aloud that Icarios has found fame to obscure Celeos,ᵃ and Erigone to outdo Metaneira. I rival Demeter of the olden days, because Deo too brought a gift, the harvest-corn, to another husbandman. Triptolemos discovered corn, you the winecheeked grape of my vintage. You alone ᵇ rival Ganymedes in heaven, you more blessed than Triptolemos was before ; for corn does not dissolve the sorrows that eat the heart, but the winebearing grape is the healer of human pain."

⁵⁶ Such were the words he spoke, as he offered a handsome cup full of mindawakening wine to the hospitable old man. The old hardworking gardener drank, and drank again, with desire insatiable for the dewy trickling drops. His girl poured no more milk, but reached him cup after cup of wine until her father was drunken ; and when at last he had taken enough of that table spread with cups, the gardener skipt about with changing step, staggering and rolling sideways, and struck up the Euian chant of Zagreus for Dionysos. Then the plantloving god presented to the old countryman Euian shoots of vine in return for his hospitable table, and the Lord taught

ᵇ The word ἵλαος is very doubtful. It means " gracious," " benign," and is correctly used of the feeling of a kindly deity or other superior being towards his inferiors, but seems very much out of place of good old Icarios. It seems likely that some such epithet as γάϊος should be read, " you on earth rival Ganymede in heaven."

καί μιν ἄναξ ἐδίδαξεν ἀεξιφύτῳ τινὶ τέχνῃ
κλάσσαι βοθριάσαι τε βαλεῖν τ' ἐνὶ κλήματα γύροις.
Ἄλλοις δ' ἀγρονόμοισι γέρων φυτοεργὸς ἀλωεὺς 70
δῶρα φέρων Βρομίοιο καὶ ἀμπελόεσσαν ὀπώρην
οἰνοφύτους ἐδίδαξε φυτηκομίας Διονύσου·
καὶ νομίῳ κρητῆρι βαλὼν ῥόον ἄσπετον οἴνου
δαινυμένους ηὔφραινεν ἐπασσυτέροισι κυπέλλοις,
οἰνοδόκων θυόεσσαν ἀναπτύξας χύσιν ἀσκῶν. 75
καί τις ἐγερσινόοιο πιὼν ῥόον ἡδέος οἴνου
Ἠριγόνης γενετῆρα φίλῳ μειλίξατο μύθῳ·
   " Εἰπέ, γέρον, πόθεν εὗρες
                  ἐπὶ χθονὶ νέκταρ Ὀλύμπου;
οὐκ ἀπὸ Κηφισοῖο φέρεις ξανθόχροον ὕδωρ,
οὐκ ἀπὸ Νηιάδων μελιηδέα δῶρα κομίζεις· 80
οὐ γὰρ ἀναβλύζουσι μελίρρυτα χεύματα πηγαί,
οὐ ῥόος Ἰλισσοῖο χυτῷ φοινίσσεται ὁλκῷ·
οὐ ποτὸν ἔπλετο τοῦτο φιλοπτόρθοιο μελίσσης,
ὀξύτατον μερόπεσσι φέρον κόρον· ἀλλοφυὲς δὲ
καὶ μέλιτος γλυκεροῖο φέρεις γλυκερώτερον ὕδωρ· 85
πάτριον οὐ πόμα τοῦτο λοχεύεται Ἀτθὶς ἐλαίη·
λαρότερον δὲ γάλακτος ἔχεις ποτὸν ἐμμενὲς αἰεὶ
συμφερταῖς λιβάδεσσι μελικρήτου κυκεῶνος.
εἰ δὲ ποτὸν μερόπεσσιν ἀεξιφύτων ἀπὸ κήπων
ἐκ καλύκων δεδάασιν ἄγειν ῥοδοπήχεες Ὧραι, 90
καί κεν ἐγὼ καλέεσκον Ἀδώνιδος ἢ Κυθερείης
εἰαρινὸν πόμα τοῦτο, ῥόδων εὔοδμον ἐέρσην.
λυσίπονον καὶ ξεῖνον ἄγεις ποτόν· ἠερίοις γὰρ
πλαζομένας ἀνέμοισιν ἐμὰς ἐκέδασσε μερίμνας.
μή σοι δῶρον ἔδωκεν ἀπ' αἰθέρος ἄμβροτος Ἥβη; 95
μή σοι τοῦτο κόμισσε τεῇ πολιοῦχος Ἀθήνη·
οὐρανόθεν κρητῆρα τίς ἥρπασεν, ἔνθεν ἀφύσσει

him the art of making them grow, by breaking and
ditching and curving the shoots round into the soil.[a]

⁷⁰ So the industrious old gardener passed on to
other countrymen the gifts of Bromios with their
vintage of grapes, and taught them how to plant and
care for the viny growth of Dionysos ; he poured into
his rustic mixer streams of wine inexhaustible, and
cheered the hearts of banqueters with cup after
cup, releasing the fragrant liquid from his wineskins.
Many a one would compliment Erigone's father with
grateful words as he drank the sweet liquor of
mind-awakening wine :

⁷⁸ " Tell us, gaffer, how you found on earth the
nectar of Olympos ? This golden water never came
from Cephisos, this honeysweet treasure was not
brought from the Naiads ! For our fountains do not
bubble up honey-streams like this, the river Ilissos
does not run in such a purple flood. This is no drink
from the plantloving bee, which quickest of all brings
satiety to mortal man. This is another kind of water,
sweeter than sweet honey ; this is no national draught
born from the Athenian olive. You have a drink
richer than milk which ever keeps its taste, mingled
with drops of honey-posset. If the rosyarm Seasons
have learnt to distil a drink for mortals from all the
flowercups that grow in our gardens, I would call
this a spring-time beverage of Adonis or Cythereia,
the sweetsmelling dew of roses ! A strange drink
yours, which dissolves trouble ! for it has scattered
my cares wandering in the winds of heaven.

⁹⁵ " Can it be that immortal Hebe has given you
this gift from heaven ? Can it be that Athena your
cityholder has provided this ? Who has stolen the

---

[a] Compare note on xvii. 83.

Ζηνὶ καὶ ἀθανάτοισι δέπας κεράσας Γανυμήδης·
ξεινοδόκου Κελεοῖο μακάρτερε, μὴ σὺ καὶ αὐτὸς
ἵλαον οὐρανόθεν ναέτην ξείνισσας Ὀλύμπου;   100
πείθομαι, ὡς θεὸς ἄλλος ἐκώμασε σεῖο μελάθρῳ,
καὶ φιλίης πόμα τοῦτο τεῆς διὰ δεῖπνα τραπέζης
Ἀτθίδι δῶρον ἔδωκεν, ἅτε στάχυν ὤπασε Δηώ."
    Ἔννεπε θαμβήσας γλυκερὸν ποτόν·
                            ἐκ στομάτων δὲ
ἡδυμανὴς ἀλάλαζε χέων ἄγραυλον ἀοιδήν.   105
    Ἀγρονόμοι δ' ἀρύοντες ἐπασσυτέροισι κυπέλλοις
πάντες ἐβακχεύθησαν ἀμερσινόῳ φρένας οἴνῳ·
ὄμματα δ' ἐπλάζοντο, φιλακρήτοις δὲ κυπέλλοις
ἄργυφα πορφύροντο παρήια, γειοπόνων δὲ
στήθεα θερμαίνοντο, ποτῷ δ' ἐβαρύνετο κόρση,   110
καὶ φλέβες οἰδαίνοντος ἐκυμαίνοντο καρήνου·
τοῖσι δὲ δερκομένοισιν ἐσείετο κόλπος ἀρούρης
καὶ δρύες ὠρχήσαντο καὶ ἐσκίρτησαν ἐρίπναι·
καὶ σφαλεραῖς λιβάδεσσιν ἄθεος ἔμπλεος οἴνου
ὕπτιος αὐτοκύλιστος ἐπὶ χθόνα κάππεσεν ἀνήρ.   115
    Καὶ χορὸς ἀγρονόμων φονίῳ δεδονημένος οἴστρῳ
τλήμονος Ἰκαρίοιο κατέτρεχε θυιάδι λύσσῃ,
οἷά τε φαρμακόεντα κερασσαμένου δόλον οἴνου,
ὃς μὲν ἔχων βουπλῆγα σιδήρεον, ὃς δὲ μακέλλῃ
θωρήξας ἔο χεῖρας, ὁ δὲ σταχυητόμον ἅρπην   120
κουφίζων, ἕτερος δὲ λίθον περίμετρον ἀείρων,
ἄλλος ἀνεπτοίητο καλαύροπα χειρὶ τιταίνων,
γηραλέον πλήσσοντες· ἑλὼν δέ τις ἐγγὺς ἱμάσθλην
Ἰκαρίου τέτρηνε δέμας ταμεσίχροϊ κέντρῳ.
    Καὶ μογέων χθονὶ πῖπτε γέρων φυτοεργὸς ἀλωεύς   125
τυπτόμενος ῥοπάλοισιν, ἐπισκαίρων δὲ τραπέζῃ

mixing-bowl from the sky,[a] from which Ganymedes mixes the liquor and ladles out a cup for Zeus and the immortals ?   O more blessed than hospitable Celeos, can it be you also have yourself entertained some gracious Olympian who dwells in the heavens ? I believe some other god came in mirth to visit your roof, and gave this drink to our country in friendship for your hospitable table, as Deo gave us corn ! "

[104] Thus he spoke, admiring the delicious drink ; and from his lips rang out a stream of rustic song in sweet madness.

[106] So the countrymen quaffed cup after cup, and made a wild revel over the wine which dazed their wits.   Their eyes rolled, their pale cheeks grew red— for they drank their liquor neat, their peasant-breasts grew hot, their heads grew heavy with the drink, the veins were swollen upon their foreheads.   The bosom of the earth shook before their eyes, the trees danced and the mountains skipt.   Men fell on their backs rolling helplessly over the ground, full of the un-familiar wine with its slippery drops.

[116] Then the company of countrymen driven by murderous infatuation charged upon poor Icarios in maniac fury, as if the wine were mixt with a de-ceiving drug—one holding an iron poleaxe, one with a shovel for a weapon in his hands, one holding the cornreaping sickle, another raising an immense block of stone, while another, beside himself, brandished a cudgel in his hand—all striking the old man : one came near with a goad and pierced his body with its fleshcutting spike.

[125] The unhappy old industrious gardener thus beaten with blows fell to the ground, then leaping

---

[a] The constellation Crater.

τύψε μέθης κρητῆρα, καὶ αἴθοπος εἰς χύσιν οἴνου
ἡμιθανὴς κεκύλιστο· βαρυνομένου δὲ καρήνου
ἀγρονόμων πληγῇσιν ἀμοιβαίῃσι τυπέντος
αἱμαλέη φοίνιξεν ὁμόχροον οἶνον ἐέρση·   130
καὶ μόγις ἐκ στομάτων ἔπος ἴαχεν "Αιδι γείτων·
  "Οἶνος ἐμοῦ Βρομίου, βροτέης ἄμπαυμα μερίμνης,
ὁ γλυκὺς εἰς ἐμὲ μοῦνον ἀμείλιχος· εὐφροσύνη γὰρ
ἀνδράσι πᾶσιν ὄπασσε, καὶ Ἰκαρίῳ πόρε πότμον·
ὁ γλυκὺς Ἠριγόνῃ πολεμήιος· ἡμετέρην γὰρ   135
νηπενθὴς Διόνυσος ἐθήκατο πενθάδα κούρην."
  Οὔ πω μῦθος ἔλεγε· μόρος δέ οἱ ἔφθασε φωνήν.
καὶ νέκυς αὐτόθι κεῖτο, σαόφρονος ἔκτοθι κούρης,
ὄμμασι πεπταμένοισιν. ἐν ἀστρώτῳ δὲ χαμευνῇ
νήδυμον ὕπνον ἴαυον ὑπὲρ δαπέδοιο φονῆες   140
οἰνοβαρεῖς, νεκύεσσιν ἐοικότες· ἐγρόμενοι δέ,
ὃν κτάνον ἀγνώσσοντες, ἀνέστενον· ὑψόθι δ' ὤμων
νεκρὸν ἐλαφρίζοντες ἀνήγαγον εἰς ῥάχιν ὕλης
ἔμφρονα θυμὸν ἔχοντες, ἐν εὐύδρῳ δὲ ῥεέθρῳ
ὠτειλὰς ἐκάθηραν ὀρεσσιχύτῳ παρὰ πηγῇ·   145
καὶ νέκυν ἀρτιδάικτον, ὃν ἔκτανον ἄφρονι λύσσῃ,
ἀνδροφόνοις παλάμῃσιν ἐτυμβεύσαντο φονῆες.
  Ψυχὴ δ' Ἰκαρίοιο πανείκελος ἔσσυτο καπνῷ
εἰς δόμον Ἠριγόνης· βροτέῃ δ' ἰσάζετο μορφῇ
κοῦφον ὀνειρείης σκιερῆς εἴδωλον ὀπωπῆς,   150
ἀνδρὶ νεουτήτῳ πανομοίιος, εἶχε δὲ δειλὴ
στικτὸν ἀσημάντοιο φόνου κήρυκα χιτῶνα,
αἵματι φοινίσσοντα καὶ αὐχμώοντα κονίῃ,
ῥωγαλέον πληγῇσιν ἀμοιβαίοιο σιδήρου.
καὶ παλάμας ὤρεξε· νεοσφαγέων δὲ δοκεύειν   155
ὠτειλὰς μελέων ἐπεδείκνυε γείτονι κούρῃ.

upon the table upset the mixing-bowl and rolled half-dead in the flood of ruddy wine : his head sank under the shower of blows from the countrymen, and drops of his red blood mingled with the red wine. Now next-door to death he stammered out these words :

132 " The wine of my Bromios, the comfort of human care, that sweet one is pitiless against me alone ! It has given a merry heart to all men, and it has brought fate to Icarios. The sweet one is no friend to Erigone, for Dionysos who mourns not has made my girl to mourn."

137 Before he could finish his words, fate came first and stayed his voice : there he lay dead with eyes wide open, far from his modest daughter. His murderers heavy with wine slumbered careless on the bare ground like dead men. When they awoke, they mourned aloud for him they had unwittingly slain, and in their right mind now they carried his body on their shoulders up to a woody ridge, and washed his wounds in the abundant waters of a mountain brook. So they who had slain buried him they had slain in their senseless fury, the same murderous hands buried the body which they had lately torn.

148 The soul of Icarios floated like smoke to the room of Erigone. It was a light phantom in mortal shape, the shadowy vision of a dream, like a man newly slain ; the wretched ghost wore a tunic with marks that betrayed the unexplained murder, red with blood and dirty with dust, torn to rags by blows on blows of beating steel. The phantom stretched out its hands and came close to the girl, and pointed out the wounds on the newly mangled

383

παρθενικὴ δ' ὀλόλυξε φιλοθρήνοις ἐν ὀνείροις,
ὡς ἴδεν ἕλκεα τόσσα καρήατος, ὡς ἴδε δειλὴ
λύθρον ἐρευθομένοιο νεόρρυτον ἀνθερεῶνος·
καὶ σκιόεις γενέτης ἔπος ἔννεπε πενθάδι κούρῃ·   160
  " Ἔγρεο, δειλαίη, καὶ δίζεο σεῖο τοκῆα·
ἔγρεο, καὶ μεθύοντας ἐμοὺς μάστευε φονῆας·
εἰμὶ τεὸς γενέτης βαρυώδυνος, ὃν χάριν οἴνου
ἀγρονόμοι δασπλῆτες ἐδηλήσαντο σιδήρῳ.
ὦ τέκος, ὀλβίζω σε· σὺ γὰρ κταμένοιο τοκῆος   165
οὐ καναχὴν ἤκουσας ἀρασσομένοιο καρήνου,
οὐ πολιὴν ἐνόησας ἐρευθομένην ὑπὸ λύθρῳ,
οὐ νέκυν ἀρτιδάικτον ἐπισπαίροντα κονίῃ,
πατροφόνους κορύνας οὐκ ἔδρακες· ἀλλά σε δαίμων
ἔκτοθι πατρὸς ἔρυκε, τεὴν δ' ἐφύλαξεν ὀπωπήν,   170
μὴ μόρον ἀθρήσειε δαϊζομένου γενετῆρος.
αἵματι πορφύροντας ἐμοὺς σκοπίαζε χιτῶνας·
χθιζὰ γὰρ οἰνωθέντες ἀμοιβαίοισι κυπέλλοις
ἀγρονόμοι βλύζοντες ἀήθεος ἰκμάδα Βάκχου
ἀμφ' ἐμὲ κυκλώσαντο· δαϊζόμενος δὲ σιδήρῳ   175
μηλονόμους ἐκάλεσσα, καὶ οὐκ ἤκουσαν ἰωήν·
μούνη δ' ὑστερόφωνος ἐμὸν κτύπον ἔκλυεν Ἠχὼ
θρήνοις ἀντιτύποισι τεὸν στενάχουσα τοκῆα.
οὐκέτι κουφίζουσα καλαύροπα μεσσόθεν ὕλης
εἰς νομὸν ἀνθεμόεντα καὶ εἰς λειμῶνας ἱκάνεις,   180
σὴν ἀγέλην βόσκουσα σὺν ἀγραύλῳ¹ παρακοίτῃ·
οὐκέτι δενδροκόμοιο τεῆς ψαύουσα μακέλλης
κῆπον ἐς εὐώδινα φέρεις ἀμαρήιον ὕδωρ·
ἀλλὰ μελιρραθάμιγγος ἐμῆς ἀκόρητος ὀπώρης
κλαῖε τεὸν γενέτην με δεδουπότα· καί σε νοήσω   185
ὀρφανικὴν ζώουσαν ἀπειρήτην ὑμεναίων."

¹ So mss.: Ludwich ἀγραύλου.

limbs for her to see. The maiden shrieked in this melancholy dream, when she saw so many wounds on that head, when the poor thing saw the blood which had lately poured from that red throat. And the shade of her father spoke these words to his sorrowing child :

161 " Wake, poor creature, go and seek your father ! Wake, and search for my drunken murderers ! I am your much-afflicted father, whom the savage country folk have destroyed because of wine with cold steel. I call you happy, my child ; your father was killed, but you heard not the smashing of my beaten head, you saw not the hoary hair stained with gore, the body new-mangled panting on the ground, you saw not the clubs that killed your father. No : Providence kept you far away from your father, and guarded your eyes that they might not see the death of a murdered sire. Look at my clothes, red with blood ! For yesterday country people drunken with cup after cup of wine and dribbling the unfamiliar juice of Bacchos, thronged about me. As the steel tore me, I called on the shepherds, and they heard not my voice : only Echo heard the noise of me and followed with answering tones, and mourned your father with a copy of my lamentable words. Never now will you lift your crook in the midst of the woodlands and go to the meadows and flowery pasture along with a rustic husband, feeding your flock ; never will you handle your hoe to work about the trees and bring water along the channels to make the garden grow. Yet be not too greedy with my honeydripping fruit, but weep for me your father low fallen in death. I shall see you living as an orphan and knowing nothing of marriage."

Ὣς φαμένη πτερόεσσα παρέδραμεν ὄψις ὀνείρου.
κούρη δ᾽ ἐγρομένη ῥοδέας ἤμυξε παρειάς,
πενθαλέοις δ᾽ ὀνύχεσσιν ἀκαμπέας ἔξεσε μαζούς,
καὶ δολιχῆς προθέλυμνον ἀνέσπασε βότρυν ἐθείρης· 190
καὶ βόας ἀθρήσασα παρισταμένους ἔτι πέτρῃ
παρθένος ἀχνυμένη κινυρῇ βρυχήσατο φωνῇ·

" Πῇ νέκυς Ἰκαρίοιο, φίλαι φθέγξασθε κολῶναι·
πότμον ἐμοῦ γενετῆρος ἐθήμονες εἴπατε ταῦροι·
πατρὸς ἐμοῦ κταμένοιο τίνες γεγάασι φονῆες;   195
πῇ μοι ἐμὸς γενέτης γλυκὺς οἴχεται;

                                        ἦ ῥα διδάσκων
γείτονα καλλιφύτοιο νέους ὄρπηκας ὀπώρης
πλάζεται ἀγρονόμοισι παρήμενος, ἤ τινι βούτῃ
δενδροκόμῳ παρέμιμνε συνέστιος εἰλαπινάζων;
εἴπατε μυρομένη, καὶ τλήσομαι, εἰσόκεν ἔλθῃ.   200
εἰ μὲν ἔτι ζώει γενέτης ἐμός, ἔρνεα κήπου
ἀρδεύσω παλίνορσος ἅμα ζώουσα τοκῆι·
εἰ δὲ πατὴρ τέθνηκε καὶ οὐκέτι δένδρα φυτεύει,
ἀθρήσω μόρον ἶσον ἐπὶ φθιμένῳ γενετῆρι."

   Ὣς φαμένη
                    ταχύγουνος ἀνέδραμεν εἰς ῥάχιν ὕλης,   205
ἴχνια μαστεύουσα νεοσφαγέος γενετῆρος.
οὐ δέ οἱ εἰρομένῃ θρασὺς αἰπόλος, οὐ παρὰ λόχμαις
παρθένον οἰκτείρων ἀγεληκόμος ἔννεπε βούτης
ἴχνιον ἀστήρικτον ἀκηρύκτοιο τοκῆος,
οὐ νέκυν Ἰκαρίοιο γέρων ἐπεδείκνυε ποιμήν·   210
ἀλλὰ μάτην ἀλάλητο· μόγις δέ μιν εὗρεν ἀλωεὺς
καὶ κινυροῖς στομάτεσσι δυσάγγελον ἴαχε φωνήν,
καὶ τάφον ἐγγὺς ἔδειξε νεοδμήτοιο τοκῆος.

   Παρθενικὴ δ᾽ ἀίουσα σαόφρονι μαίνετο λύσσῃ·
καὶ πλοκάμους τίλλουσα φίλῳ παρακάτθετο τύμβῳ 215
παρθένος ἀκρήδεμνος ἀσάμβαλος, αὐτοχύτοις δὲ
386

¹⁸⁷ So spoke the vision of the dream, and then flew away. But the girl awaking tore her rose-red cheeks, and mourning scored her firm breasts with her finger-nails, and tore long locks of hair from the roots ; then seeing the cattle still standing by her on the rock, the sorrowful maiden cried in a voice of lamentation :

¹⁹³ " Where is the body of Icarios ? Tell me, beloved hills ! Tell me my father's fate, ye bulls that knew him well ! Who were the murderers of my father slain? Where has my darling father gone? Is he wandering over the countryside, staying with the countrymen and teaching a neighbour to plant the young shoots of his fair vintage, or is he the guest of some pastoral gardener and sharing his feast ? Tell his mourning daughter, and I will endure till he come. If my father is still alive, I will live with my parent again and water the plants of his garden : but if my father is dead and plants trees no more, I will face death like his over his dead body."

²⁰⁵ So she spoke, and ran with swift knee up into the mountain forest, seeking the tracks of her father newly slain. But to her questions no goatherd was bold to reply, no herdsman of cattle in the woodlands pitied the maiden or pointed to a faint trace of her father still unheard-of, no ancient shepherd showed her the body of Icarios, but she wandered in vain. At last a gardener found her and told the sad news in a sorrowful voice, and showed the tomb to her father lately slain.

²¹⁴ When the maiden heard it, she was distracted but with sober madness : she plucked the hair from her head and laid it upon the beloved tomb, a maiden unveiled, unshod, drenching her clothes with selfshed

δάκρυσιν ἀενάοισι λελουμένον εἶχε χιτῶνα.
χείλεσι δ' ἀφθόγγοισιν ἐπεσφρηγίσσατο σιγὴν
εἰς χρόνον· Ἠριγόνη δὲ κύων ὁμόφοιτος ἐχέφρων
κνυζηθμῷ γοόωντι συνέστιχε πενθάδι κούρῃ,   220
καί οἱ ὀδυρομένη συνοδύρετο. μαινομένη δὲ
εἰς φυτὸν ὑψικάρηνον ἀνέδραμεν· ἀμφὶ δὲ δένδρῳ
ἀγχονίῳ σφίγξασα περίπλοκον αὐχένα δεσμῷ
αὐτοφόνῳ στροφάλιγγι μετάρσιος ὤλετο κούρη,   224
ἀμφοτέρους δονέουσα πόδας βητάρμονι παλμῷ·   226
καὶ θάνε, καὶ μόρον εἶχεν ἑκούσιον·

                       ἀμφὶ δὲ κούρην   225
πυκνὰ κύων δεδόνητο, καὶ ἴαχε πένθιμον ἠχὼ   227
ὄμμασι θηρείοισι νοήμονα δάκρυα λείβων.

  Οὐδὲ κύων ἀφύλακτον ἐρημάδα κάλλιπε κούρην,
ἀλλὰ φυτῷ παρέμιμνεν ἐπήλυδα θῆρα διώκων,   230
πόρδαλιν ἠὲ λέοντα· παρερχομένοισι δ' ὁδίταις
νεύμασιν ἀφθόγγοις ἐπεδείκνυεν ἄζυγα κούρην
δεσμοῖς ἀγχονίοισι περίπλοκον ὑψόθι δένδρου.
οἱ δέ μιν οἰκτείροντες ἀνήιον εἰς φυτὸν ὕλης
ἴχνεσιν ἀκροτάτοισιν, ἀπ' εὐπετάλων δὲ κορύμβων   235
παρθενικὴν ἀδμῆτα κατήγαγον· ἀγχιφανῆ δὲ
γαῖαν ἐκοιλαίνοντο πεδοσκαφέεσσι μακέλλαις.
τοῖς ἅμα καὶ πεπόνητο κύων πινυτόφρονι θυμῷ,
πενθαλέῳ δ' ἐβάθυνε πέδον τεχνήμονι ταρσῷ,
θηγαλέοις ὀνύχεσσι χυτῆς χθονὸς ἄκρα χαράσσων.   240
καὶ νέκυν ἀρτιδάικτον ἐπεκτερέιξαν ὁδῖται·
καὶ ξυνῆς μεθέπων ὑποκάρδιον ὄγκον ἀνίης
εἰς ἑὸν ἔργον ἕκαστος ἀνέδραμεν ὀξέι ταρσῷ·
αὐτὰρ ὁ μοῦνος ἔμιμνε κύων παρὰ γείτονι τύμβῳ
Ἠριγόνης ὑπ' ἔρωτι, θελήμονι δ' ὤλολε πότμῳ.   245
  Ζεὺς δὲ πατὴρ ἐλέαιρεν· ἐν ἀστερόεντι δὲ κύκλῳ
Ἠριγόνην στήριξε Λεοντείῳ παρὰ νώτῳ·

showers of ever-flowing tears. Speechless for a time, Erigone kept her lips sealed with silence ; the dog the companion of Erigone shared her feelings, he whimpered and howled by the side of his mourning mistress, sorrowing with her sorrow. Wildly she ran up to a tall tree : she tied upon it a rope with a noose fast about her neck and hung herself high in the air, twisting in self-sought agonies with her two twitching feet. So she died, and had a willing fate ; her dog ran round and round the girl with sorrowful howls, a dumb animal dropping tears of sympathy from his eyes.

229 The dog would not leave his mistress alone, unguarded, but there he stayed by the tree, and chased off the preying beasts, panther or lion. Then wayfarers passed, and he showed with mute gestures the unwedded maid hanging in the tree with a noose about her neck. Full of pity they came up to the tree on tiptoe, and took down the chaste maiden from the leafy branches ; then hollowed a grave close by with earthdigging shovels. The sorrowing dog knew what they did, and helped them, scratching and scattering the surface of the soil with sharp claws and grubbing with clever feet. So the wayfarers buried the body but lately dead, and they went away on their business quickfoot with a weight of sorrow under their hearts one and all. But the dog remained near the tomb alone, for love of Erigone, and there he died of his own free will.

246 Father Zeus had pity, and he placed Erigone in the company of the stars near the Lion's back.

παρθενικὴ δ' ἄγραυλος ἔχει στάχυν· οὐ γὰρ ἀείρειν
ἤθελεν οἴνοπα βότρυν ἑοῦ γενέταο φονῆα.
Ἰκάριον δὲ γέροντα συνήλυδα γείτονι κούρῃ   250
εἰς πόλον ἀστερόφοιτον ἄγων ὀνόμηνε Βοώτην
φαιδρόν, Ἀμαξαίης ἐπαφώμενον Ἀρκάδος Ἄρκτου·
καὶ Κύνα μαρμαίροντα καταΐσσοντα Λαγωοῦ
ἔμπυρον ἄστρον ἔθηκεν, ὅπῃ περὶ κυκλον Ὀλύμπου
ποντιὰς ἀστερόεντι τύπῳ ναυτίλλεται Ἀργώ.   255
καὶ τὰ μὲν ἔπλασε μῦθος Ἀχαιικὸς ἠθάδα πειθὼ
ψεύδεϊ συγκεράσας· τὸ δ' ἐτήτυμον, ὑψιμέδων Ζεὺς
ψυχὴν Ἠριγόνης σταχυώδεος ἀστέρι Κούρης
οὐρανίης ἐπένειμεν ὁμόζυγον, αἰθερίου δὲ
ἄγχι Κυνὸς κύνα θῆκεν ὁμοίιον εἴδεϊ μορφῆς,   260
Σείριον, ὃν καλέουσιν ὀπωρινόν, Ἰκαρίου δὲ
ψυχὴν ἠερόφοιτον ἐπεξύνωσε Βοώτῃ.
καὶ τὰ μὲν οἰνοφύτῳ Κρονίδης πόρεν Ἀτθίδι γαίῃ,
ἓν γέρας ἐντύνων καὶ Παλλάδι καὶ Διονύσῳ.
Ἰλισσοῦ δὲ ῥέεθρα μελίρρυτα Βάκχος ἐάσας   265
ἁβρὸς ἐς ἀμπελόεσσαν ἐκώμασεν ἄντυγα Νάξου·
ἀμφὶ δέ μιν πτερὰ πάλλεν Ἔρως θρασύς,
                                            ἐρχομένου δὲ
μελλογάμου Κυθέρεια προηγεμόνευε Λυαίου.
ἄρτι γὰρ ὑπνώουσαν ἐπ' αἰγιαλοῖσιν ἐάσας
παρθενικὴν λιπόπατριν ἀμείλιχος ἔπλεε Θησεύς,   270
συνθεσίας δ' ἀνέμοισιν ἐπέτρεπεν. ὑπναλέην δὲ
ἀθρήσας Διόνυσος ἐρημαίην Ἀριάδνην

---

[a] He turned into Canis Minor, not Sirius.

[b] That the souls of the dead can turn into stars is a doctrine
as old at least as Aristophanes (*Peace* 832), and Nonnos uses
it to reconcile two divergent sets of star-myths.

[c] Theseus, son of Aigeus king of Athens, had gone to

The rustic maid holds an ear of corn ; for she did not wish to carry the red grapes which had been her father's death. And Zeus brought old Icarios into the starspangled sky to move beside his daughter, and called him Boötes, the Plowman, shining bright, and touching the Wain of the Arcadian Bear. The Dog he made also a fiery constellation *a* chasing the Hare, in that part where the starry image of seafaring Argo voyages round the circle of Olympos.

²⁵⁶ Such is the fiction of the Achaian story, mingling as usual persuasion with falsehood : but the truth is : Zeus our Lord on high joined the soul of Erigone with the star of the heavenly Virgin holding an ear of corn, and near the heavenly Dog he placed a dog like him in shape, Seirios of the autumn as they call him, and the soul of Icarios he combined with Boötes in the heavens.*b* These are the gifts of Cronides to the vinelands of Attica, offering one honour to Pallas and Dionysos together.

²⁶⁵ Now Bacchos left the honeyflowing streams of Ilissos, and went in dainty revel to the vineclad district of Naxos. About him bold Eros beat his wings, and Cythereia led, before the coming of Lyaios the bridegroom. For Theseus had just sailed away, and left without pity the banished maiden asleep on the shore, scattering his promises to the winds.*c* When Dionysos beheld deserted Ariadne sleeping, he mingled love

Crete as one of the human victims for the Minotaur. With the help of Ariadne, daughter of Minos king of Cnossos, he overcame it and then sailed away, taking Ariadne with him. Here the story in all surviving accounts is defective, but parallel stories from elsewhere in Europe make it clear that he did something magically wrong and so fell into a supernatural forgetfulness of her (*cf.* Theocritos ii. 37-41). Therefore he left her asleep on Naxos.

θαύματι μῖξεν ἔρωτα· χοροπλεκέεσσι δὲ Βάκχαις
γλώσσῃ θαμβαλέῃ πεφυλαγμένον ἔννεπε μῦθον·
 " Βασσαρίδες, μὴ ῥόπτρα τινάξατε,
                              μὴ κτύπος ἔστω   275
ἢ ποδὸς ἢ σύριγγος· ἐάσατε Κύπριν ἰαύειν·
ἀλλ' οὐ κεστὸν ἔχει σημάντορα Κυπρογενείης.
πείθομαι, ὡς δολόεντι Χάρις νυμφεύεται Ὕπνῳ·
ἀλλ' ἐπεὶ ὄρθρος ἔλαμψε καὶ ἐγγύθι φαίνεται Ἠώς,
Πασιθέην εὔδουσαν ἐγείρατε· τίς παρὰ Νάξῳ,   280
τίς Χάριν ἐχλαίνωσεν ἀνείμονα; μὴ πέλεν Ἥβη;
ἀλλὰ δέπας μακάρων τίνι κάλλιπε; μὴ παρὰ πόντῳ
κέκλιται αἰγλήεσσα βοῶν ἐλάτειρα Σελήνη;
καὶ πόθεν Ἐνδυμίωνος ἐθήμονος ἐκτὸς ἰαύει;
μὴ Θέτιν ἀργυρόπεζαν ἐπ' αἰγιαλοῖσι δοκεύω;   285
ἀλλ' οὐ γυμνὸν ἔχει ῥοδέον δέμας. εἰ θέμις εἰπεῖν,
Ναξιὰς ἰοχέαιρα πόνων ἀμπαύεται ἄγρης,
θηροφόνους ἱδρῶτας ἀποσμήξασα θαλάσσῃ·
τίκτει γὰρ γλυκὺν ὕπνον ἀεὶ πόνος· ἀλλ' ἐνὶ λόχμῃ
Ἄρτεμιν ἑλκεχίτωνα τίς ἔδρακε; μίμνετε, Βάκχαι.   290
στῆθι, Μάρων· μὴ δεῦρο χορεύσατε· λῆγε λιγαίνων,
Πὰν φίλε, μὴ σκεδάσειας ἑώιον ὕπνον Ἀθήνης·
καὶ τίνι Παλλὰς ἔλειπεν ἑὸν δόρυ; καὶ τίς ἀείρει
χαλκείην τρυφάλειαν ἢ αἰγίδα Τριτογενείης; "
   Τοῖα μὲν ἔννεπε Βάκχος· ἀπὸ ψαμάθοιο δὲ δειλὴ   295
ὕπνον ἀποσκεδάσασα δυσίμερος ἔγρετο κούρη,
καὶ στόλον οὐκ ἐνόησε καὶ οὐ πόσιν ἠπεροπῆα·
ἀλλὰ σὺν ἀλκυόνεσσι Κυδωνιὰς ἔστενε νύμφη
ἰόνας μεθέπουσα, βαρύβρομον ἕδνον Ἐρώτων·
ἤιθεον δ' ὀνόμηνεν· ἐμαίνετο δ' ἐγγύθι πόντου   300
ὁλκάδα διζομένη· φθονερῷ δ' ἐπεμήνιεν ὕπνῳ,
392

with wonder, and spoke out his admiration cautiously to the danceweaving Bacchants :

275 " Bassarids, shake not your tambours, let there be no sound of pipes or feet. Let Cypris rest !—But she has not the cestus which marks the Cyprian. I believe it is the Grace that wedded Hypnos, cunning creature ![a] But since dawn is bright and morning seems near, awaken sleeping Pasithea. But who has given a dress to the naked Grace in Naxos, who ? Is it Hebe ? But to whom has she left the goblet of the Blessed ? Can this be Selene, that bright driver of cattle, lying on the seashore ? Then how can she be sleeping apart from her inseparable Endymion? Is it silverfoot Thetis I see on the strand ? No, it is not naked, that rosy form. If I may dare to say so, it is the Archeress resting here in Naxos from her labours of the hunt, now she has wiped off in the sea the sweat of hunting and slaying. For hard work always brings sweet sleep. But who has seen Artemis in the woods in long robes ? Stay, Bacchants —stand still, Maron—dance not this way, stop singing, dear Pan, that you may not disturb the morning sleep of Athena. No—with whom did Pallas leave her spear ? and who bears the bronze helmet or aegis of Tritogeneia ? "

295 So cried Bacchos—Sleep flew away, the poor lovelorn girl scattered sleep, awoke and rose from the sand, and she saw no fleet, no husband— the deceiver ! But the Cydonian [b] maiden lamented with the kingfishers, and paced the heavy murmuring shore which was all that the Loves had given her. She called on the young man's name, madly she sought his vessel along the seaside, scolded the

[a] See Hom. *Il.* xiv. 270-276.   [b] Cretan.

καὶ Παφίης πολὺ μᾶλλον ἐμέμφετο μητρὶ θαλάσσῃ·
καὶ Βορέην ἱκέτευε, καὶ ὅρκιον εἶπεν ἀήτην,
ὅρκιον Ὠρείθυιαν, ὅπως πάλιν εἰς χθόνα Νάξου
κοῦρον ἄγοι,
      γλυκερὴν δὲ τὸ δεύτερον ὁλκάδα λεύσσῃ·   30
Αἴολον ᾔτεε μᾶλλον ἀθελγέα· λισσομένη δὲ
πείθετο καὶ κατένευσε, καὶ ἀντικέλευθον ἀήτην
πέμψεν, ἵνα πνεύσειε· ποθοβλήτοιο δὲ κούρης
οὐ Βορέης ἀλέγιζε δυσίμερος· ἀλλὰ καὶ αὐταὶ
παρθενικῇ κοτέοντο τάχα ζηλήμονες αὖραι,   31
αἳ τότε νῆα κόμισσαν ἐς Ἀτθίδα. παρθενικὴν δὲ
αὐτὸς Ἔρως θάμβησεν, ἀπενθήτῳ δ᾽ ἐνὶ Νάξῳ
εἰσιδέειν ἐδόκησεν ὀδυρομένην Ἀφροδίτην·
ἦν δὲ φαεινοτέρη καὶ ἐν ἄλγεσι, καί μιν ἀνίη
ἀχνυμένην κόσμησε· κινυρομένη δ᾽ Ἀριάδνη   31
εἴκαθεν εἰς κρίσιν ἦκα φιλομμειδὴς Ἀφροδίτη
ἱμερόεν γελόωσα, καὶ εἴκαθεν ὄμματα Πειθοῦς
καὶ Χαρίτων καὶ Ἔρωτος ἐπήρατα δάκρυσι κούρης.
ὀψὲ δὲ δακρυόεσσα τόσην ἐφθέγξατο φωνήν·

   " Ὕπνος ἐμοὶ γλυκὺς ἦλθεν,
              ἕως γλυκὺς ᾤχετο Θησεύς·   32
αἴθε με τερπομένῃ[1] ἔτι κάλλιπεν· ὑπναλέη δὲ
Κεκροπίην ἐνόησα, καὶ ἔνδοθι Θησέος αὐλῆς
ἁβρὸς ἔην ὑμέναιος ἀειδομένης Ἀριάδνης
καὶ χορός, ἡμετέρη δ᾽ ἐπεκόσμεε τερπομένη χεὶρ
εἰαρινοῖς πετάλοισι τεθηλότα βωμὸν Ἐρώτων·   32
καὶ γάμιον στέφος εἶχον· ἔην δέ μοι ἐγγύθι Θησεὺς
εἵμασι νυμφιδίοισι θυηπολέων Ἀφροδίτῃ.
ὤμοι, ποῖον ὄνειρον ἴδον γλυκύν· ἀλλά με φεύγων
ᾤχετο καλλείψας ἔτι παρθένον· ἵλαθι, Πειθώ·
ταῦτά μοι ἀχλυόεσσα γαμοστόλος ὤπασεν ὀρφνή,   33

[1] So mss.: Ludwich μετερχομένην.

envious sleep, reproached even more the Paphian's
mother, the sea ; she prayed to Boreas and adjured
the wind, adjured Oreithyia to bring back the boy
to the land of Naxos and to let her see that sweet
ship again. She besought hardhearted Aiolos yet
more ; he heard her prayer and obeyed, sending a
contrary wind to blow, but Boreas lovelorn himself
cared nothing for the maid stricken with desire—
yes, even the breezes themselves must have had a
spite against the maiden when they carried the ship
to the Athenian land. Eros himself admired the
maiden, and thought he saw Aphrodite lamenting
in Naxos where all is joy. She was even more re-
splendent in her grief, and pain was a grace to the
sorrower. Compare the two, and Aphrodite gently
smiling and laughing with love must give place to
Ariadne in sorrow, the delectable eyes of Peitho
or the Graces or Love himself must yield to the
maiden's tears. At last in her tears she found voice
to speak thus :

320 " Sweet sleep came to me, when sweet Theseus
left me. Would that I had been still happy when he
left me ! But in my sleep I saw the land of Cecrops ;
in the palace of Theseus was a splendid wedding and
dance with songs for Ariadne, and my happy hand
was adorning the Loves' blooming altar with luxuriant
spring flowers. And I wore a bridal wreath ; Theseus
was beside me in wedding garments, sacrificing to
Aphrodite. Alas, what a sweet dream I saw ! But
now it is gone, and I am left here yet virgin.[a]
Forgive me, Peitho ! All this bridal pomp the misty

---

[a] A bit of orthodoxy on Nonnos's part ; a god's bride must
be virgin. The local legend was that Ariadne died in child-
bed, Plutarch, *Thes.* 20.

καὶ φθονερὴ τάδε πάντα φαεσφόρος ἥρπασεν Ἠώς·
ἐγρομένη δ' οὐχ εὗρον ἐμὸν πόθον· ἦ ῥα καὶ αὐταὶ
εἰκόνες ἀντιτύπων ζηλήμονές εἰσιν Ἐρώτων,
ὅττι τελεσσιγάμων ἀπατήλιον ὄψιν ὀνείρων
ἱμερτὴν ἐνόησα, καὶ ἱμερόεις φύγε Θησεύς;   335
εἰς ἐμὲ καὶ φίλος Ὕπνος ἀνάρσιος· εἴπατε, πέτραι,
εἴπατέ μοι δυσέρωτι· τίς ἥρπασεν ἀστὸν Ἀθήνης;
εἰ Βορέης πνεύσειεν, ἐς Ὠρείθυιαν ἱκάνω·
ἀλλά μοι Ὠρείθυια χολώεται, ὅττι καὶ αὐτὴ
αἷμα φέρει Μαραθῶνος, ὅθεν φίλος ἔπλετο Θησεύς.   340
εἰ Ζέφυρος κλονέει, Ζεφυρηίδι δείξατε νύμφῃ
Ἴριδι μητρὶ Πόθοιο βιαζομένην Ἀριάδνην·
εἰ Νότος, εἰ θρασὺς Εὖρος, ἐς ἠριγένειαν ἱκάνω
μεμφομένη ῥοθίων ἀνέμων δυσέρωτι τεκούσῃ.
δὸς κενεὴν πάλιν, Ὕπνε, φίλην χάριν, ἶσον ἐκείνῳ   345
πέμπων ἄλλον ὄνειρον ἐπήρατον, ὄφρα νοήσω
Κύπριδος ὑπναλέης γλυκερὴν ἀπατήλιον εὐνήν·
μοῦνον ἐμοῖς δήθυνον ἐπ' ὄμμασιν, ὄφρα νοήσω
ἄπνοον οἶστρον Ἔρωτος ὀνειρείων ὑμεναίων.
εἰ μὲν ἐς Ἀτθίδα γαῖαν, ἐπίκλοπε νυμφίε Θησεῦ,   350
σὸν πλόον ἐκ Νάξοιο μετήγαγον ἅρπαγες αὖραι,
εἰπέ μοι εἰρομένῃ, καὶ ἐς Αἴολον αὐτίκα βαίνω
μεμφομένη φθονεροῖσι καὶ οὐχ ὁσίοισιν ἀήταις·
εἰ δέ με τὴν λιπόπατριν ἐρημάδι πάρθετο Νάξῳ,
καὶ σέθεν ἀγνώσσοντος ἀμείλιχος ἔπλεε ναύτης,   355
ἤλιτεν εἰς Θησῆα καὶ εἰς Θέμιν, εἰς Ἀριάδνην·
μηκέτι ναυτίλος οὗτος ἴδοι ποτὲ πομπὸν ἀήτην,
μηδέ μιν ἀσταθέεσσι συνιππεύοντα θυέλλαις
ἵλαος ἀθρήσειε γαληναῖος Μελικέρτης·

ᵃ The allusion is to the altars of Eros and Anteros, for

396

darkness marshalled for me, all this the envious dawn of day has torn from me—and awaking I found not my heart's desire ! Are the very images of Love and Love Returned jealous of me ?[a] for I saw a delightful vision of marriage accomplished in a deceitful dream, and lovely Theseus was gone.

336 " To me, even kind Sleep is cruel. Tell me, ye rocks, tell the unhappy lover—who stole the man of Athens ? If it should be Boreas blowing, I appeal to Oreithyia : but Oreithyia hates me, because she also has the blood of Marathon, whence beloved Theseus came. If Zephyros torments me, tell Iris the bride of Zephyros and mother of Desire, to behold Ariadne maltreated. If it is Notos, if bold Euros, I appeal to Eos and reproach the mother of the blustering winds,[b] lovelorn herself.

345 " Give me again, Sleep, your empty boon, so pleasant ; send me another delectable dream like that, so that I may know the sweet bed of love in a deceptive dream ! Only linger upon my eyes, that I may know the unreal passion of married love in a dream ! O Theseus my treacherous bridegroom, if the marauding winds have carried your course from Naxos to the Athenian land, tell me now I ask, and I will resort to Aiolos at once reproaching the jealous and wicked winds. But if some cruel seaman without your knowledge left me outlawed in desert Naxos, and sailed away, he sinned against Theseus and against Themis, against Ariadne. May that sailor never see a favourable wind ; if he rides the raging storm, may Melicertes never look on him graciously

which see Rose, *Handbook of Mythology*, p. 123. That these altars are both of comparatively late origin does not trouble Nonnos.　　　　　　　　　　[b] *Cf.* Hesiod, *Theog.* 378.

ἀλλὰ Νότος πνεύσειεν, ὅτε χρέος ἐστὶ Βορῆος·   360
Εὖρον ἴδοι Ζεφύρου κεχρημένος· εἰαρινοὶ δὲ
ποντοπόροις ὅτε πᾶσιν ἐπιπνείουσιν ἀῆται,
χειμερίη τότε μοῦνος ὁμιλήσειε θαλάσσῃ.
ἤλιτε ναυτίλος οὗτος ἀθέσμιος· ἀλλὰ καὶ αὐτὴ
ἀασάμην ποθέουσα σαόφρονος ἀστὸν Ἀθήνης.   365
αἴθέ μιν οὐκ ἐπόθησα δυσίμερος· εἰς Παφίην γὰρ
ὁππόσον ἱμερόεις, τόσον ἄγριος ἔπλετο Θησεύς·
οὐ τάδε μοι κατέλεξεν ἐμὸν μίτον εἰσέτι πάλλων·
οὐ τάδε μοι κατέλεξε παρ' ἡμετέρῳ λαβυρίνθῳ.
αἴθέ μιν ἔκτανε ταῦρος ἀμείλιχος· ἴσχεο, φωνή,   370
ἀφροσύνης, μὴ κτεῖνε νέον γλυκύν· ὤμοι Ἐρώτων·
Θησεὺς ἔπλεε μοῦνος ἐς εὐώδινας Ἀθήνας.
οἶδα, πόθεν με λέλοιπε· μιῆς τάχα παρθενικάων
σύμπλοον ἔσχεν ἔρωτα, καὶ ἐν Μαραθῶνι χορεύει
εἰς ἑτέρης γάμον ἄλλον, ἐγὼ δ' ἔτι Νάξον ὁδεύω.   375
παστὸς ἐμὸς πέλε Νάξος, ἐπίκλοπε νυμφίε Θησεῦ·
ὤλεσα καὶ γενέτην καὶ νυμφίον· ὤμοι Ἐρώτων·
οὐχ ὁρόω Μίνωα, καὶ οὐ Θησῆα δοκεύω·
Κνωσσὸν ἐμὴν προλέλοιπα,
                    τεὰς δ' οὐκ εἶδον Ἀθήνας·
πατρὸς ἐνοσφίσθην καὶ πατρίδος· ἆ μέγα δειλή,   380
ἔδνον ἐμῆς φιλότητος ὕδωρ ἁλός· εἰς τίνα φεύγω;
τίς θεὸς ἁρπάξει με καὶ εἰς Μαραθῶνα κομίσσει
Κύπριδι καὶ Θησῆι δικαζομένην Ἀριάδνην;
τίς με λαβὼν κομίσειε δι' οἴδματος; αἴθε καὶ αὐτὴ
ἡμετέρης μίτον ἄλλον ἴδω πομπῆα κελεύθου·   385
τοῖον ἔχειν ἐθέλω καὶ ἐγὼ μίτον, ὥς κεν ἀλύξω
Αἰγαίης ἁλὸς οἶδμα καὶ εἰς Μαραθῶνα περήσω,
ὄφρα περιπτύξω σε, καὶ εἰ στυγέεις Ἀριάδνην,
ὄφρα περιπτύξω σε τὸν ὁρκαπάτην παρακοίτην.

or bring him a calm sea ; but may Notos blow when he wants Boreas, may he see Euros when he needs Zephyros ; when the winds of springtime blow upon all mariners, may he alone meet with a wintry sea.

364 " That lawless sailor sinned : but I myself was blinded when I desired the countryman of chaste Athena. Would that I had not desired him, love-lorn ! For Theseus is as savage as he is charming in love. This is not what he said to me while yet he handled my thread, this is not what he said at our labyrinth ! [a] O that the cruel bull had killed him ! Hush, my voice, no more folly, do not kill the delightful boy. Alas, my love ! Theseus has sailed alone to Athens his happy mother. I know why he left me—in love no doubt with one of the maidens who sailed with him, and now he holds wedding dance for the other at Marathon while I still walk in Naxos. My bridal bower was Naxos, O Theseus my treacherous bridegroom ! I have lost both father and bridegroom : alas my love ! I see not Minos, I behold not Theseus ; I have left my own Cnossos, but I have not seen your Athens ; both father and fatherland are lost. O unhappy me ! Your gift for my love is the water of the brine. Who can be my refuge ? What god will catch me up and convey to Marathon Ariadne, that she may claim her rights before Cypris and Theseus ? Who will take me and carry me over the flood ? If only I could myself see another thread, to guide my way too ! Such a thread I want for myself, to escape from the Aigaian flood and cross to Marathon, that I may embrace you even if you hate Ariadne, that I may embrace you my perjured husband. Take me for

---

[a] The clue of thread she gave him to find his way out of the maze where the Minotaur lived.

δέξό με σῶν λεχέων θαλαμηπόλον, ἢν ἐθελήσῃς·   39
καὶ στορέσω σέο λέκτρα . . .

μετὰ Κρήτην Ἀριάδνη,
οἷά τε ληισθεῖσα· καὶ ὀλβίστη σέο νύμφη
τλήσομαι, ὡς θεράπαινα, πολύκροτον ἱστὸν ὑφαίνειν
καὶ φθονεροῖς ὤμοισιν ἀήθεα κάλπιν ἀείρειν,
καὶ γλυκερῷ Θησῆι φέρειν ἐπιδόρπιον ὕδωρ·   39
μοῦνον ἴδω Θησῆα· καὶ ἡμετέρη ποτὲ μήτηρ
ἀγρονόμοις θήτευε, καὶ αὐχένα κάμψε νομῇ,
βοσκομένῳ δ' ὀάριζεν ἀφωνήτῳ τινὶ ταύρῳ,
καὶ βοΐ ταῦρον ἔτικτε· μελιζομένου δὲ βοτῆρος
πηκτίδος οὐ πόθον ἔσχεν, ὅσον μυκηθμὸν ἀκούειν. 40
οὐ μὲν ἐγὼ ψαύσαιμι καλαύροπος, οὐ παρὰ φάτνῃ
στήσομαι· ἡμετέρης δὲ παρέσσομαι ἐγγὺς ἀνάσσης
φθεγγομένῳ Θησῆι, καὶ οὐ μυκηθμὸν ἀκούσω·
καὶ τεὸν ἱμερόεντα γάμων ὑμέναιον ἀείσω
ζῆλον ὑποκλέπτουσα νεοζυγέος σέο νύμφης.   40
στῆσον Ναξιάδεσσι παρ' ἠόσι ποντοπορεύων,
στῆσον ἐμοὶ σέο νῆα· τί, ναυτίλε, καὶ σὺ χαλέπτεις;
ὡς ἄρα καὶ σὺ πέλεις Μαραθώνιος· εἰ μὲν ἱκάνεις
εἰς ἐρατὴν σέο γαῖαν, ὅπῃ δόμος ἐστὶν Ἐρώτων,
δέξό με δειλαίην, ἵνα Κέκροπος ἄστυ νοήσω·   41
εἰ δέ με καλλείψεις καί, ἀμείλιχε, ποντοπορεύεις,
εἰπὲ τεῷ Θησῆι κινυρομένην Ἀριάδνην,
μεμφομένην ἀτέλεστον ἐπίκλοπον ὅρκον Ἐρώτων.
οἶδα, πόθεν Θησῆος ὑπόσχεσιν ἠπεροπῆος
θῆκεν Ἔρως βαρύμηνις ἀνήνυτον· ἀντὶ γὰρ Ἥρης, 41
ἣν Ζυγίην καλέουσιν, ἀπειρογάμοιο θεαίνης
ὤμοσεν ἀχράντοιο γαμήλιον ὅρκον Ἀθήνης·
Παλλάδος ὅρκον ὄμοσσε·

τί Παλλάδι καὶ Κυθερείῃ; "
Τοῖα κινυρομένης ἐπετέρπετο Βάκχος ἀκούων·
400

your chambermaid, if you like, and I will lay your bed, and be your Ariadne (in Marathon) instead of Crete, like some captive girl. I will endure to serve your most happy bride ; I will ply the rattling loom, and lift a pitcher on envious shoulders, an unfamiliar task, and bring handwash after supper for sweet Theseus— only let me see Theseus ! My mother too once was the menial of a farmer,[a] and bowed her neck for a herdsman, and prattled of love to a dumb bull in the pasture, and brought the bull a calf. She cared not to hear the herdsman make music on his pipe so much as to hear the bellowing bull. I will not touch the crook, I will not stand in the stall ; but I will be ready beside my queen to hear the voice of Theseus, not the bellowing of a bull. I will sing a lovely song for your wedding, and hide my jealousy of your newly wedded bride.

406 " Stay your voyage by the sands of Naxos, sailor, stay your ship for me ! What—are you angry too ? So you too come from Marathon ? If you are bound for your lovely land, where is the home of love, take this unhappy girl on board that I may behold the city of Cecrops. If you must leave me, pitiless, and go on your voyage, tell your Theseus of mourning Ariadne, how she reproaches the treacherous oath of love unfulfilled. I know why angry Eros has left unfulfilled Theseus the deceiver's promise. He swore his marriage-oath not by Hera, whom they call the Nuptial goddess, but by the immaculate Athena, the goddess who knows nothing of marriage. He swore by Pallas—and what has Pallas to do with Cythereia ? "

419 Bacchos was enraptured to hear this lament.

---

[a] When she was disguised as a cow.

Κεκροπίην δ' ἐνόησε καὶ οὔνομα Θησέος ἔγνω   4⟨2⟩
καὶ στόλον ἐκ Κρήτης ἀπατήλιον· ἄγχι δὲ κούρης
ἔνθεον εἶδος ἔχων ἀμαρύσσετο· παρθενικὴν δὲ
φέρτερον εἰς πόθον ἄλλον ἐμάστιε κέντορι κεστῷ
θοῦρος Ἔρως περίφοιτος, ὅπως Μινωίδα κούρην
πειθομένην ζεύξειε κασιγνήτῳ Διονύσῳ.   4⟨ ⟩
καὶ κινυρὴν δυσέρωτα παρηγορέων Ἀριάδνην
τοῖον ἔπος φάτο Βάκχος ἑῇ φρενοθελγέι φωνῇ·
    " Παρθένε, τί στενάχεις
                    ἀπατήλιον ἀστὸν Ἀθήνης;
μνῆστιν ἔα Θησῆος· ἔχεις Διόνυσον ἀκοίτην,
ἀντὶ μινυνθαδίου πόσιν ἄφθιτον· εἰ δέ σε τέρπει   4⟨ ⟩
ἥλικος ἠιθέου βρότεον δέμας, οὔ ποτε Θησεὺς
εἰς ἀρετὴν καὶ κάλλος ἐριδμαίνει Διονύσῳ.
ἀλλ' ἐρέεις· ' ναετῆρα πεδοσκαφέος λαβυρίνθου
δισσοφυῆ φοίνιξεν ὁμόζυγον ἀνέρα ταύρῳ'·
οἶδας ἀοσσητῆρα τεὸν μίτον· οὐ γὰρ ἀγῶνα   4⟨ ⟩
εὗρεν ἀεθλεύειν κορυνηφόρος ἀστὸς Ἀθήνης,
εἰ μὴ θῆλυς ἄμυνε ῥοδόχροος· οὔ σε διδάξω
καὶ Παφίην καὶ Ἔρωτα καὶ ἠλακάτην Ἀριάδνης.
αἰθέρος οὐκ ἐρέεις ὅτι μείζονές εἰσιν Ἀθῆναι·
οὐ Διὶ παμμεδέοντι πανείκελος ἔπλετο Μίνως,   4⟨ ⟩
σὸς γενέτης· οὐ Κνωσσὸς ὁμοίιός ἐστιν Ὀλύμπῳ.
οὐδὲ μάτην στόλος οὗτος ἐμῆς ἀπεβήσατο Νάξου,
ἀλλὰ Πόθος σε φύλαξεν ἀρειοτέροις ὑμεναίοις·
ὀλβίη, ὅττι λιποῦσα χερείονα Θησέος εὐνὴν
δέμνιον ἱμερόεντος ἐσαθρήσεις Διονύσου.   ⟨ ⟩
τί πλέον ἤθελες εὖχος ὑπέρτερον; ἀμφότερον γὰρ
οὐρανὸν οἶκον ἔχεις, ἑκυρὸς δέ σοί ἐστι Κρονίων.
οὔ σοι Κασσιέπεια δυνήσεται ἰσοφαρίζειν
παιδὸς ἑῆς διὰ κόσμον Ὀλύμπιον· αἰθερίους γὰρ

He noticed Cecropia, and knew the name of Theseus
and the deceitful voyage from Crete. Before the girl
he appeared in his radiant godhead; Eros moved
swiftly about, and with stinging cestus he whipt the
maiden into a nobler love, that he might lead Minos's
daughter to join willingly with his brother Dionysos.
Then Bacchos comforted Ariadne, lovelorn and
lamenting, with these words in his mindcharming
voice:

428 " Maiden, why do you sorrow for the deceitful
man of Athens? Let pass the memory of Theseus;
you have Dionysos for your lover, a husband incor-
ruptible for the husband of a day! If you are pleased
with the mortal body of a youthful yearsmate,
Theseus can never challenge Dionysos in manhood or
comeliness. But you will say, ' He shed the blood of
the halfbull man whose den was the earthdug laby-
rinth!' But you know your thread was his saviour:
for the man of Athens with his club[a] would never
have found victory in that contest without a rosy-
red girl to help him. I need not tell you of Eros
and the Paphian and Ariadne's distaff. You will not
say that Athens is greater than heaven. Minos your
father was not the equal of Zeus Almighty, Cnossos is
not like Olympos. Not for nothing did that fleet sail
from my Naxos, but Desire preserved you for a nobler
bridal. Happy girl, that you leave the poor bed of
Theseus to look on the couch of Dionysos the desir-
able! What could you pray for higher than that?
You have both heaven for your home and Cronion for
your goodfather. Cassiepeia will not be equal to you
because of her daughter's Olympian glory; for

---

[a] In this as in many other details Theseus is an echo of
Heracles.

δεσμοὺς Ἀνδρομέδῃ καὶ ἐν ἄστρασιν

                 ὤπασε Περσεύς·   450

ἀλλὰ σοι ἀστερόεν τελέσω στέφος, ὥς κεν ἀκούσῃς

εὐνέτις αἰγλήεσσα φιλοστεφάνου Διονύσου.''

   Εἶπε παρηγορέων· καὶ ἐπάλλετο χάρματι κούρη

μνῆστιν ὅλην Θησῆος ἀπορρίψασα θαλάσσῃ,

οὐρανίου μνηστῆρος ὑποσχεσίην ὑμεναίων   455

δεξαμένη. καὶ παστὸν Ἔρως ἐπεκόσμεε Βάκχῳ·

καὶ χορὸς ἐσμαράγησε γαμήλιος· ἀμφὶ δὲ παστῷ

ἄνθεα πάντα τέθηλε· καὶ εἰαρινοῖσι πετήλοις

Νάξον ἐκυκλώσαντο χορίτιδες Ὀρχομενοῖο·

καὶ θαλάμους ἐλίγαινεν Ἁμαδρυάς, ἀμφὶ δὲ πηγαῖς 460

Νηιὰς ἀκρήδεμνος ἀσάμβαλος ἤνεσε Νύμφη

δαίμονι βοτρυόεντι συναπτομένην Ἀριάδνην·

Ὀρτυγίη δ' ὀλόλυζε, πολισσούχοιο δὲ Φοίβου

γνωτῷ νυμφίον ὕμνον ἀνακρούουσα Λυαίῳ

εἰς χορὸν ἐσκίρτησε καὶ ἀστυφέλικτος ἐοῦσα.   465

πορφυρέοις δὲ ῥόδοισι περίτροχον ἄνθος ἐρέπτων

μάντις Ἔρως πυρόεις στέφος ἔπλεκε,

                    σύγχροον ἄστρων,

οὐρανίου Στεφάνοιο προάγγελον· ἀμφὶ δὲ νύμφης

Ναξιάδος σκίρτησε γαμοστόλος ἑσμὸς Ἐρώτων.

   Καὶ ζυγίοις θαλάμοισιν ὁμιλήσας ὑμεναίοις   470

Χρυσοπάτωρ πολύπαιδα γονὴν ἔσπειρεν ἀκοίτης.

καὶ δολιχὴν πολιοῖο χρόνου στροφάλιγγα κυλίνδων

μητέρος εὐώδινος ἑῆς ἐμνήσατο Ῥείης·

καὶ Χαρίτων πλήθουσαν ἀμεμφέα Νάξον ἐάσας

Ἑλλάδος ἄστεα πάντα μετήιεν· ἱπποβότου δὲ   475

Ἄργεος ἐγγὺς ἵκανε, καὶ εἰ λάχεν Ἴναχον Ἥρη.

οἱ δέ μιν οὐκ ἐδέχοντο, χοροπλεκέας δὲ γυναῖκας

καὶ Σατύρους ἐδίωκον, ἀπηρνήσαντο δὲ θύρσους,

μή ποτε δηλήσαιτο Πελασγικὸν ἕδρανον Ἥρη

Perseus has left her heavenly chains to Andromeda even in the stars, but for you I will make a starry crown,[a] that you may be called the shining bedfellow of crownloving Dionysos."

[453] So he comforted her; the girl throbbed with joy, and cast into the sea all her memories of Theseus when she received the promise of wedlock from her heavenly wooer. Then Eros decked out a bridal chamber for Bacchos, the wedding dance resounded, about the bridal bed all flowers grew; the dancers of Orchomenos [b] surrounded Naxos with foliage of spring, the Hamadryad sang of the wedding, the Naiad nymph by the fountains unveiled unshod praised the union of Ariadne with the vinegod: Ortygia [c] cried aloud in triumph, and chanting a bridal hymn for Lyaios the brother of Phoibos cityholder she skipt in the dance, that unshakable rock. Fiery Eros made a round flowergarland with red roses and plaited a wreath coloured like the stars, as prophet and herald of the heavenly Crown; and round about the Naxian bride danced a swarm of the Loves which attend on marriage.

[470] The Golden Father entering the chamber of wedded love sowed the seed of many children. Then rolling the long circle of hoary time, he remembered Rheia his prolific mother; and leaving faultless Naxos still full of Graces he visited all the towns of Hellas. He came near horsebreeding Argos, even though Hera ruled the Inachos. But the people would not receive him; they chased away the danceweaving women and Satyrs; they repudiated the thyrsus, lest Hera should be jealous and destroy her Pelasgian seat, if

---

[a] The constellation Corona.
[b] The Graces.   [c] Delos, or its nymph.

ζηλήμων, βαρύμηνις ἐπιβρίθουσα Λυαίῳ· 480
Σειληνοὺς δὲ γέροντας ἐρήτυον. ἀχνύμενος δὲ
Ἰναχίδας Διόνυσος ὅλας οἴστρησε γυναῖκας·
μυκηθμῷ δ' ἀλάλαζον Ἀχαιίδες· ἀντομένοις δὲ
ἔχραον ἐν τριόδοισιν· ἐπὶ σφετέροισι δὲ δειλαὶ
ἀρτιτόκοις βρεφέεσσιν ἐπωξύνοντο μαχαίρας, 485
ὧν ἡ μὲν ξίφος εἷλκε καὶ ἔκτανεν υἱέα μήτηρ,
ἄλλη δὲ τριέτηρον ἀπηλοίησε γενέθλην,
καί τις ἀνηκόντιζεν ἐς ἠέρα κοῦρον ἀλήτην
εἰσέτι μαστεύοντα φίλον γλάγος· ὀλλυμένων δὲ
Ἴναχος ἀρτιτόκων βρεφέων ἐπεμαίνετο πότμῳ· 490
μήτηρ δ' ἔκτανεν υἷα, καὶ οὐ πόθος ἔπλετο μαζῶν
παιδοκόμων, οὐ μνῆστις ἀναγκαίου τοκετοῖο·
Ἀστερίων δ', ὅθι πολλὰ θαλύσια μείζονος ἥβης
ἠιθέων κείροντο λιπότριχος ἄνθεα κόρσης,
αὐτοὺς παῖδας ἔδεκτο καὶ οὐκέτι βόστρυχα χαίτης. 495
   Καί τις ἰδών τινα λάτριν ἐπερχομένοιο Λυαίου
τοῖον ἔπος κατέλεξε Πελασγίδας ἀστὸς ἀρούρης·
   '' Οὗτος ὁ βότρυν ἔχων, διφυὲς γένος· ἄξιον Ἥρης
Ἄργος ἔχει Περσῆα καὶ οὐ χατέει Διονύσου·
ἄλλον ἔχω Διὸς υἷα καὶ οὐ Βάκχοιο χατίζω. 500
ποσσὶ πολυσκάρθμοισι πατεῖ Διόνυσος ὀπώρην·
ἴχνεσιν ὑψιπόροισιν ἐμὸς γόνος ἠέρα τέμνει.
μὴ κισσῷ δρεπάνην ἰσάζετε· καὶ γὰρ ἀρείων
Βάκχου θυρσοφόρου δρεπανηφόρος ἔπλετο Περσεύς·
εἰ στρατὸν Ἰνδὸν ἔπεφνεν, ἀέθλιον ἶσον ἐνίψω 505
Γοργοφόνῳ Περσῆι καὶ Ἰνδοφόνῳ Διονύσῳ·
εἰ δὲ πολυκλύστοιο παρ' Ἑσπέριον κλίμα πόντου
ὁλκάδα λαϊνέην Τυρσηνίδα πῆξε θαλάσσῃ,

ᵃ A river of the Argolid. Young people, on reaching

her heavy wrath should press hard on Lyaios ; they checked the old Seilenoi. Then Dionysos, angry, sent madness upon all the Inachian women. The women of Achaia loudly bellowed ; they attacked those they met at the threeways ; the poor creatures sharpened knives for their own newborn babies—one mother drew sword and slew her son, another destroyed her threeyearold child, one again hurled into the air her baby boy still searching for the welcome milk. Inachos was stained with the death of perishing newborn babes ; a mother killed a son, never missed him at her nursing breast, never thought of the pangs of travail. Asterion,[a] where the young men so often cut the flower of their bared brows as firstfruits of growing age, now received the children themselves and no longer locks of hair.

[496] As Lyaios came up, a man of the Pelasgian country thus called out to one of the servants of the god :

[498] "You there with the grapes, you hybrid! Argos has her Perseus, one worthy of Hera, and needs not Dionysos. I have another son of Zeus and I want no Bacchos. Dionysos treads the vintage with dancing feet ; my countryman cuts the air with high-travelling steps.[b] Do not think ivy as good as the sickle, for Perseus with his sickle is better than Bacchos with his ivy ; if Bacchos destroyed the Indian host, I will announce an equal prize for Perseus Gorgonslayer and Dionysos Indianslayer. If Bacchos once in the western region of the rolling sea turned into stone a Tyrrhenian ship and fixt it

puberty, commonly cut their hair and offered it to a local deity, often a river.
   [b] For the story of Perseus, see Rose, *Handbook of Greek Mythology*, pp. 272 ff.

κῆτος ὅλον περίμετρον ἐμὸς πετρώσατο Περσεύς.
εἰ δὲ τεὸς Διόνυσος ἐρημονόμῳ παρὰ πόντῳ   510
ὑπναλέην ἐσάωσεν ἐπ᾽ ἠιόνων Ἀριάδνην,
δεσμοὺς Ἀνδρομέδης πτερόεις ἀνελύσατο Περσεύς,
ἄξιον ἕδνον ἔχων πετρώδεα θῆρα θαλάσσης·
οὔ πως Ἀνδρομέδην Παφίης χάριν,
                                        οὔ ποτε Περσεὺς   515
Θησέος ἱμείρουσαν ἑὴν ἐρρύσατο νύμφην·
ἀλλὰ σαοφρονέοντα γάμον λάχεν. ὡς Σεμέλην δέ,
οὐ Δανάην πυρόεντες ἐτεφρώσαντο κεραυνοί·
ἀλλὰ πατὴρ Περσῆος Ὀλύμπιος ὄμβρος Ἐρώτων
χρύσεος εἰς γάμον ἦλθε,
                                        καὶ οὐ φλογόεις παρακοίτης.
οὐκ ἄγαμαί ποτε τοῦτον ἐγὼ πρόμον· ἐν παλάμῃ γὰρ   520
ποῖον ἔχει δόρυ θοῦρον Ἀρήιον; ἴσχεο, Περσεῦ·
Γοργοφόνῳ δρεπάνῃ μὴ μάρναο θήλεϊ κισσῷ·
μὴ σέο χεῖρα μίαινε γυναικείοισι κοθόρνοις·
μὴ κυνέην Ἀΐδαο τεοῖς κροτάφοισι τινάξῃς
στέμματος ἀμπελόεντος ἐναντίον· ἢν δ᾽ ἐθελήσῃς,   525
Ἀνδρομέδην θώρηξον ἀθωρήκτῳ Διονύσῳ·
χάζεό μοι, Διόνυσε, καὶ ἵππιον Ἄργος ἐάσας
Θήβης ἑπταπύλοιο πάλιν βάκχευε γυναῖκας·
κτεῖνε νέον Πενθῆα· τί Περσέι καὶ Διονύσῳ;
Ἴναχον ὠκυρέεθρον ἀναίνεο· καί σε δεχέσθω   530
Θήβης Ἀονίης ποταμὸς βραδύς· οὔ σε διδάξω
Ἀσωπὸν βαρύγουνον ἔτι ζείοντα κεραυνῷ.''
   Τοῖον ἔπος κατέλεξεν ἐπεγγελόων Διονύσῳ.
Ἀργείην δὲ φάλαγγα Πελασγιὰς ὥπλισεν Ἥρη·
μαντιπόλῳ δ᾽ ἤικτο Μελάμποδι· χωομένη δὲ   535
Γοργοφόνῳ Περσῆι μαχήμονα ῥήξατο φωνήν·
   '' Οὐρανίης βλάστημα γονῆς, κορυθαίολε Περσεῦ,
σὴν δρεπάνην ἀνάειρε, μὴ ἀπτολέμῳ τινὶ θύρσῳ
408

in the sea, my Perseus turned into stone a whole huge monster of the deep. If your Dionysos saved Ariadne, sleeping on the sands beside an empty sea, Perseus on the wing loosed the chains of Andromeda and offered the stone seamonster as a worthy bridal gift. Not for the Paphian's sake, not while she longed for Theseus did Perseus save Andromeda to be his bride ; a chaste wedding was his. No fiery lightnings burnt Danaë to ashes, like Semele ; but the father of Perseus came to his wedding as a golden shower of love from heaven, not as a flaming bedfellow.

520 " I do not admire this hero at all. For what lusty spear of war does he hold ? Stay, Perseus, do not fight the woman's ivy with your Gorgonslayer sickle, do not defile your hand with a woman's buskins, do not shake the cap of Hades [a] upon your brow against a wreath of vineleaves—but if you wish, arm Andromeda against unarmed Dionysos. Begone, Dionysos, I tell you ; leave Argos and its horses and madden once more the women of sevengate Thebes. Find another Pentheus to kill—what has Perseus to do with Dionysos ? Let be the swift stream of Inachos, and let the slow river of Aonian Thebes receive you. I need not remind you of heavyknee Asopos boiling still with the thunderbolt." [b]

533 So the man spoke, deriding Dionysos. Meanwhile Pelasgian Hera equipped her Argive army ; she took the shape of the seer Melampus, and angrily called to Perseus Gorgonslayer in martial words :

537 " Perseus Flashhelm, offspring of heavenly race ! Lift your sickle, and let not weak women

---

[a] The Cap of Darkness (*Tarnkappe*) by which he was made invisible in his adventures.　　　　[b] *Cf.* xxiii. 232.

ἀδρανέες τεὸν Ἄργος ἀιστώσωσι γυναῖκες
μὴ τρομέοις ἕνα μοῦνον ὄφιν ζωστῆρα κομάων, 540
ὅττι δαφοινήεσσα τεῇ θηροκτόνος ἅρπη
λήια τοσσατίων ὀφίων ἤμησε Μεδούσης·
Βασσαρίδων δὲ φάλαγγι κορύσσεο· χαλκορόφου δὲ
μνώεο παρθενεῶνος, ὅπη Δανάης διὰ κόλπου
χρύσεον ὄμβρον ἔχευε γαμοκλόπον ὑέτιος Ζεύς, 545
μὴ Δανάη μετὰ λέκτρα, μετὰ χρυσέους ὑμεναίους
οὐτιδανῷ γόνυ δοῦλον ὑπογνάμψειε Λυαίῳ·
δεῖξον, ὅτι Κρονίωνος ἐτήτυμον αἷμα κομίζεις,
δεῖξον, ὅτι χρύσειον ἔχεις γένος, οὐρανίου δὲ
λέκτρα τεοῦ κήρυξον ἐχεκτεάνου νιφετοῖο· 550
καὶ Σατύροις πολέμιζε· κορυσσομένῳ δὲ Λυαίῳ
φοίνιον ὄμμα τίταινε δρακοντοκόμοιο Μεδούσης,
καὶ μετὰ πικρὸν ἄνακτα πολυκλύστοιο Σερίφου
λάϊνεον νέον ἄλλον ἐσαθρήσω Πολυδέκτην.
σὺν σοὶ πανδαμάτειρα κορύσσεται Ἀργολὶς Ἥρη 555
μητρυιὴ Βρομίοιο· προασπίζων δὲ Μυκήνης
σὴν δρεπάνην κούφιζε σαόπτολιν, ὄφρα νοήσω
ἑσπομένην Περσῆι δορικτήτην Ἀριάδνην·
κτεῖνε βοοκραίρων Σατύρων στίχα· Βασσαρίδων δὲ
ὄμματι Γοργείῳ βροτέην μετάμειψον ὀπωπὴν 560
εἰς βρέτας αὐτοτέλεστον ὁμοίιον· ἀντιτύπῳ δὲ
κάλλεϊ πετρήεντι τεὰς κόσμησον ἀγυιάς,
Ἰναχίαις ἀγορῇσιν ἀγάλματα ποικίλα τεύχων.
τί τρομέεις Διόνυσον, ὃν οὐ Διὸς ἤροσαν εὐναί;
εἰπέ, τί σοι ῥέξειε; μετάρσιον ἠεροφοίτην 565
πεζὸς ὑπὲρ δαπέδοιο πότε πτερόεντα κιχήσει; ''
    Ἔννεπε θαρσύνουσα· καὶ
                    εἰς μόθον ἔπτατο Περσεύς.
καὶ ναέτας καλέουσα Πελασγιὰς ἔβρεμε σάλπιγξ,
ὧν ὁ μὲν αἰχμητῆρος ἐκούφισε Λυγκέος αἰχμήν,
410

lay waste your Argos with an unwarlike thyrsus.
Tremble not before only one snake wreathed in the
hair, when your monsterslaying sickle reaped such a
harvest as the vipers of Medusa! Attack the army
of Bassarids; remember the brazen vault which was
Danaë's chamber, where Rainy Zeus poured in her
bosom a shower of bridestealing gold—let not Danaë
after that bed, after the wedding of gold, bend a
slavish knee to that nobody Dionysos. Show that
you have in you the true blood of Cronion, show that
you have the golden breed, proclaim the bed that
received that snowstorm of heavenly riches. Make
war on the Satyrs too: turn towards battling Lyaios
the deadly eye of snakehair Medusa, and let me see
a new Polydectes made stone after the hateful king
of wavewashed Seriphos. By your side is Argive
Hera in arms, allvanquishing, the stepmother of
Bromios. Defend Mycene lift your sickle to save
our city, that I may behold Ariadne captive of your
spear following Perseus. Kill the array of bull-
horned Satyrs, change with the Gorgon's eye the
human countenances of the Bassarids into like images
selfmade; with the beauty of the stone copies adorn
your streets, and make statues like an artist for the
Inachian market-places. Why do you tremble before
Dionysos, no offspring of the bed of Zeus? Tell
me, what could he do to you? When shall a foot-
farer on the ground catch a winged traveller of the
air?"

567 So she encouraged him, and Perseus flew into
the fray. The Pelasgian trumpet blared calling the
people. They came, one lifting the spear of spearman

411

ὃς δὲ παλαιοτέροιο Φορωνέος, ὃς δὲ Πελασγοῦ, 570
ἄλλος ἀνηέρταζεν Ἀβαντίδα χειρὶ βοείην
καὶ μελίην Προίτοιο, καὶ Ἀκρισίοιο φαρέτρην
ἄλλος ἀνὴρ κούφιζεν, ὁ δὲ θρασὺς εἰς μόθον ἔστη
ἄορ ἔχων Δαναοῖο, τὸ πέρ ποτε γυμνὸν ἀείρων
θυγατέρας θώρηξεν ἐς ἀνδροφόνους ὑμεναίους, 575
ἄλλος ἔην κρατέων πέλεκυν μέγαν, ὃν παρὰ βωμῷ
Ἴναχος ἀστυόχοιο θυηπόλος ἔνθεος Ἥρης
ἵστατο κουφίζων βοέων τμητῆρα μετώπων.
καὶ στρατὸς ἐγρεκύδοιμος ἀερσιπόδων ὑπὲρ ἵππων
ἔδραμε μαρναμένου μετὰ Περσέος· ὃς δὲ παρέστη 580
τρηχαλέοις στομάτεσσι μάχης ἀλαλαγμὸν ἰάλλων,
πεζὸς ἀνήρ, καὶ τόξα συνήρμοσε κυκλάδι νευρῇ,
καὶ γλαφυρὴν ἤειρεν ὑπὲρ νώτοιο φαρέτρην·
καὶ πρόμος Ἀργείων
                    δρεπανηφόρος ἔπλετο Περσεύς,
καὶ πόδας ἠερίοισιν ἐπεσφήκωσε πεδίλοις, 585
καὶ κεφαλὴν κούφιζεν ἀθηήτοιο Μεδούσης.
   Λυσικόμους δ᾽ Ἰόβακχος ἑὰς ἐκόρυσσε γυναῖκας
καὶ Σατύρους κερόεντας· ἐβακχεύθη δὲ κυδοιμῷ
ἠερίην πτερόεντος ἰδὼν προμάχοιο πορείην·
χειρὶ δὲ θύρσον ἄειρεν, ἑοῦ προβλῆτα προσώπου 590
κουφίζων ἀδάμαντα, Διὸς πετρούμενον ὄμβρῳ
λᾶαν, ἀλεξητῆρα λιθογλήνοιο Μεδούσης,
ὄφρα φύγῃ σέλας ἐχθρὸν ἀθηήτοιο προσώπου.
   Βασσαρίδων δὲ φάλαγγας ἰδὼν
                            καὶ θύσθλα Λυαίου,
φρικαλέον γελόων κορυθαίολος ἔννεπε Περσεύς· 595

---

[a] The only reason why they are armed with these old weapons is to let Nonnos show his knowledge of the legendary kings of Argos. Danaos apparently signalled with his sword to his daughters to set upon their husbands. For the story,

Lynceus, one the spear of Phoroneus more ancient still, one that of Pelasgos, one carried on his arm the oxhide of Abas, and the ashplant of Proitos, another bore the quiver of Acrisios; this bold man stood up to fight holding the sword of Danaos, which once he raised naked when he armed his daughters for those husband-murdering bridals; another again grasped the great axe which Inachos held to strike the bulls' foreheads, when he stood as the inspired priest of Hera Cityholder.[a] The battlestirring host behind their prancing teams ran with Perseus to the field; and he stood before them shouting the warcry with harsh voice, on foot himself, and shook back the rounded quiver over his shoulder, and fitted arrows to curving bow. Perseus of the sickle was champion of the Argives; he fitted his feet into the flying shoes, and he lifted up the head of Medusa which no eyes may see.

[587] But Iobacchos marshalled his women with flowing locks, and Satyrs with horns. Wild for battle he was when he saw the winged champion coursing through the air. The thyrsus was held up in his hand, and to defend his face he carried a diamond, the gem made stone in the showers of Zeus which protects against the stony glare of Medusa, that the baleful light of that destroying face may do him no harm.[b]

[594] And Flashhelm Perseus when he saw the ranks of the Bassarids and the gear of Lyaios, laughed terribly and cried—

see Rose, *Handbook of Greek Mythology*, p. 272. For a like list, see Statius, *Theb.* iv. 589 ff.

[b] Probably Dionysos protects himself with a diamond because this stone *venena vincit atque inrita facit et lymphationes abigit metusque vanos expellit a mente*, Pliny *N.H.* xxxvii. 61.

" Ἡδὺς ὁ θύρσον ἔχων, χλοερὸν βέλος,
                εἰς ἐμὲ βαίνων
οὐτιδανοῖς πετάλοισι κορύσσεαι, Ἄρεα παίζων·
εἰ Διὸς ἔλλαχες αἷμα, τεὴν ἀνάφαινε γενέθλην·
εἰ ποταμοῦ χρύσειον ἔχεις Πακτώλιον ὕδωρ,
χρυσὸν ἔχω γενετῆρα, πατὴρ δ' ἐμὸς ὑέτιος Ζεύς· 600
ἠνίδε φοινίσσοντα θεμείλια παρθενεῶνος,
λείψανα κεῖνα φέροντα ῥυηφενέος νιφετοῖο.
ἀλλὰ φύγε κλυτὸν Ἄργος, ἐπεὶ μενεδήιος Ἥρη
ἔλλαχεν ἕδρανα ταῦτα τεῆς ὀλέτειρα τεκούσης,
μή σε τὸν οἰστρήσαντα καὶ οἰστρηθέντα τελέσσῃ, 605
μή σε πάλιν μανίη τεθοωμένον ὀψὲ νοήσω."
  Ὣς εἰπὼν προμάχιζεν· ἀνεπτοίησε δὲ Βάκχας
Ἄρεα θωρήξασα καὶ ἀμητῆρα Μεδούσης
Ἥρη πανδαμάτειρα· καταιθύσσουσα δὲ Βάκχου
ἀστεροπῆς μίμημα, θεόσσυτον ἀλλόμενον πῦρ, 610
ῥῖψε κατὰ Βρομίοιο σελασφόρον αἴθοπα λόγχην.
καὶ γελόων Διόνυσος ἀμείβετο θυιάδι φωνῇ·
  " Οὐ τόσον ἀστράπτουσαν ἔχεις ἀσίδηρον ἀκωκήν·
οὐ δύνασαι κλονέειν με, καὶ εἰ λάχες ἔμπυρον αἰχμήν·
οὐδέ με πημαίνει στεροπὴ Διός· ἡμιτελὴ γὰρ 615
νήπιον εἰσέτι Βάκχον ἐχυτλώσαντο κεραυνοὶ
ἀφλεγὲς ἄσθμα χέοντες ἀδηλήτῳ Διονύσῳ.
καὶ σὺ μέγα φρονέων δρεπανηφόρε παύεο Περσεῦ·
Γοργόνος οὐ μόθος οὗτος ὀλίζονος, οὐ μία νύμφη
Ἀνδρομέδη βαρύδεσμος ἀέθλιον· ἀλλὰ Λυαίῳ 620
δῆριν ἄγεις, ὃς Ζηνὸς ἔχει γένος, ᾧ ποτε μούνῳ
Ῥείη μαζὸν ὄρεξε φερέσβιον, ὃν ποτε πυρσῷ
ἀστεροπῆς γαμίης μαιώσατο μειλιχίη φλόξ,
ὃν δύσις, ὃν θάμβησεν Ἑωσφόρος, ᾧ στίχες Ἰνδῶν
εἴκαθον, ὃν τρομέων καὶ Δηριάδης καὶ Ὀρόντης 625

596 " It's nice to see you there with that thyrsus, that greenleaf shaft, marching against me armed with your wretched foliage, playing at war ! If you have in you the blood of Zeus, show your breeding ! If you have the water of golden Pactolos River, I have a golden Father—my father is Zeus of the Rains. See the crimson foundations of my mother's chamber, still keeping relics of that snowstorm of wealth ! Go, flee now from famous Argos, since these buildings belong to steadfast Hera, your mother's destroyer, lest she make you the maddener mad, lest I see you once more driven with frenzy at last."

607 He spoke, and advanced to the fight. All-vanquishing Hera marshalled the battle, and scattered the Bacchants with Medusa's reaper ; she dashed upon Bacchos like the lightning, a godsent leaping fire, and cast at Bromios her gleaming flashing lance. But Dionysos laughing replied in a wild voice—

613 " Not so much of a flash you make in that blade of yours, with no iron ; you cannot scare me, though your point is on fire ! Even the lightning of Zeus does not hurt me ; for when I was half-made and still a baby the thunders bathed me, pouring breath which burnt not upon inviolate Dionysos. You too, Perseus of the sickle, proud as you are, make an end ! This is no battle for a feeble Gorgon, the prize is not a lone girl in heavy chains, Andromeda. Lyaios is your enemy, the offspring of Zeus, to whom alone long ago Rheia offered the life-giving breast ; for whom long ago the flame of marriage-lightning was a gentle midwife ; the admiration of East and of West, before whom the armies of India gave way ; at whom Deriades trembled, and

ἠλιβάτων ἀπέλεθρον ἔχων ἴνδαλμα Γιγάντων
ἤριπεν, ᾧ θρασὺς Ἄλπος ὑπώκλασεν, υἱὸς Ἀρούρης,
ἀγχινεφὲς περίμετρον ἔχων δέμας, ᾧ γόνυ κάμπτει
λαὸς Ἄραψ, Σικελὸς δὲ μελίζεται εἰσέτι ναύτης
Τυρσηνῶν νόθον εἶδος ἁλίδρομον, ὧν ποτε μορφὴν 630
ἀνδρομέην ἤμειψα μετάτροπον, ἀντὶ δὲ φωτῶν
ἰχθύες ὀρχηστῆρες ἐπισκαίρουσι θαλάσσῃ.
Θήβης δ' ἑπταπύλου γόον ἔκλυες· οὔ σε διδάξω
αἰνομανῆ Πενθῆα καὶ ὠλεσίτεκνον Ἀγαύην·
φήμης δ' οὐ χατέεις ἢ μάρτυρος, ὅττι Λυαίου 635
πειρήθη τεὸν Ἄργος, Ἀχαιάδες δὲ καὶ αὐταὶ
σφωιτέρας ὠδῖνας ἔτι στενάχουσι γυναῖκες.
ἀλλά, φίλος, πολέμιζε, καὶ αἰχμάζοντα κορύμβοις
αἰνήσεις τάχα Βάκχον, ὅτι πτερὰ σεῖο πεδίλων
ὄψεαι ἀρραγέεσσιν ἐμοῖς εἴκοντα κοθόρνοις· 640
οὔ ποτε Βασσαρίδων σκεδάσεις μόθον, οὔ ποτε λήξω
πέμπων οἴνοπα θύρσον, ἕως τεὸν Ἄργεϊ δείξω
ἔγχεϊ κισσήεντι πεπαρμένον ἀνθερεῶνα
καὶ δρέπανον πετάλοις νικώμενον· οὔ σε σαώσει
Ζεὺς ἐμός, οὐ γλαυκῶπις ὁμόγνιος, οὐ σέθεν Ἥρη, 645
καὶ μάλα περ κοτέουσα μενεπτολέμῳ Διονύσῳ·
ἀλλὰ κατακτείνω σε, καὶ αὐχήεσσα Μυκήνη
ὄψεται ἀμηθέντα τὸν ἀμητῆρα Μεδούσης·
ἢ σε περισφίγξας ἐνὶ λάρνακι μείζονι δεσμῷ
πλωτὸν ἀκοντίζω σε τὸ δεύτερον ἠθάδι πόντῳ· 650
ἢν δ' ἐθέλῃς, ἐπίβηθι τεῆς πάλιν ὀψὲ Σερίφου.
ἢν δὲ τεῇ χρυσέῃ μεγαλίζεαι ἀμφὶ γενέθλῃ,
οὐτιδανὴν συνάεθλον ἔχε χρυσῆν Ἀφροδίτην.''
    Ὣς εἰπὼν προμάχιζεν· ἐπεστρατόωντο δὲ Βάκχαι,
καὶ Σάτυροι πολέμιζον. ὑπὲρ Βρομίου δὲ καρήνου 655
αἰθύσσων πτερὰ κοῦφα μετάρσιος ἵπτατο Περσεύς·
ὑψώσας δ' Ἰόβακχος ἑὸν δέμας, αἰθέρι γείτων
416

Orontes with his towering giant-stature fell; to whom bold Alpos bent his knee, that son of Earth with huge body rising near the clouds; to whom the Arabian nation kneels down, and the Sicilian mariner still sings the changeling shape of sea-scouring Tyrrhenian pirates, when once I transformed their human bodies and now instead of men they are fishes dancing and leaping in the sea.

633 " You have heard the groaning of sevengate Thebes; I need not remind you of Pentheus in dire madness and Agauë who slew her child; you need no tale or witness how your Argos has felt Lyaios, and the wives of Achaia themselves are still mourning for their children. Very well, fight, my friend, and soon you shall praise Bacchos with his weapons of leafage, when you see the wings of your shoes yielding to my unconquerable buskins. Never shall you scatter my battling Bassarids, never will I cease casting my vine-wand, until I show Argos your throat pierced by my spear of ivy and your sickle beaten by my leaves. Zeus my father will not save you, nor Brighteyes my sister, nor your own Hera, however she hates the steadfast Dionysos: but I will kill you, and boastful Mycene shall see beheaded the man who beheaded Medusa. Or I will bind you in a chest with greater bonds, and throw you to float again on the sea you know so well; you may land again at Seriphos by and by, if you like. If you are so proud of your golden birth, you may take the golden Aphrodite, that good-for-nothing, to help you."

654 When he had ended, he went on fighting: the Bacchants fell to, the Satyrs joined the battle. Over the head of Bromios Perseus flew in the air, flapping his light wings; but Iobacchos lifted his body and

ἄπτερος ὑψικέλευθος ἀείρετο μείζονι ταρσῷ
ἱπταμένου Περσῆος ὑπέρτερος, ἑπταπόρῳ δὲ
αἰθέρι χεῖρα πέλασσε, καὶ ὡμίλησεν Ὀλύμπῳ,   660
καὶ νεφέλας ἔθλιψε· φόβῳ δ' ἐλελίζετο Περσεὺς
δεξιτερὴν ἀκίχητον ὀπιπεύων Διονύσου
ἠελίου ψαύουσαν, ἐφαπτομένην δὲ σελήνης.
   Ἀλλὰ λιπὼν Διόνυσον ἐμάρνατο θυιάσι Βάκχαις·
καὶ παλάμῃ δονέων θανατηφόρον ὄμμα Μεδούσης   665
λαΐνην ποίησε κορυσσομένην Ἀριάδνην.
καὶ πλέον ἔβρεμε Βάκχος ἰδὼν πετρώδεα νύμφην·
καί νύ κεν Ἄργος ἔπερσε καὶ ἐπρήνιξε Μυκήνας
καὶ Δαναῶν ἤμησεν ὅλην στίχα, καί νύ κεν αὐτὴν
μαρναμένην ἄγνωστον ἀνούτατον οὔτασεν Ἥρην   670
μάντιος ἀντιτύποιο νόθῃ βροτοειδέι μορφῇ,
καί νύ κεν ὠκυπέδιλος ὑπὲρ μόρον ἔφθιτο Περσεύς,
εἰ μή μιν κατόπισθε φανεὶς πτερόεντι πεδίλῳ
χρυσείης πλοκαμῖδος ἑλὼν ἀνεσείρασεν Ἑρμῆς,
καί μιν ἀλεξικάκῳ φιλίῳ μειλίξατο μύθῳ·   675
   " Ζηνὸς γνήσιον αἷμα, νόθος ζηλήμονος Ἥρης,
οἶσθα μέν, ὥς σε σάωσα διιπετέων ἀπὸ πυρσῶν,
             καί σε Λάμου ποταμοῖο θυγατράσιν
                        ὤπασα Νύμφαις
εἰσέτι κουρίζοντα, πάλιν δέ σε χερσὶν ἀείρων
εἰς δόμον ὑμετέρης κουροτρόφον ἤγαγον Ἰνοῦς·   680
καὶ σὺ τεῷ ῥυτῆρι φέρων χάριν υἱέι Μαίης,
γνωτέ, μάχην εὔνησον ὁμόγνιον· ἀμφότεροι γὰρ
Περσεὺς καὶ Διόνυσος ἑνὸς βλάστημα τοκῆος·
μὴ στρατὸν Ἀργείων, μὴ μέμφεο Περσέος ἄρπην·
οὐ γὰρ ἑκὼν ἐς Ἄρεα κορύσσεται· ἀλλά μιν Ἥρη   685
ὥπλισε, μαντιπόλου δὲ Μελάμποδος εἴδεϊ μορφῆς
μάρναται ἀμφαδίην· σὺ δὲ χάζεο δῆριν ἐάσας,

rose wingless on high near to the heavens with larger limbs over flying Perseus, and brought his hand near the sevenring sky, and touched Olympos, and crushed the clouds : Perseus quivered with fear as he saw the right hand of Dionysos out of reach and touching the sun, catching hold of the moon.

664 So he left Dionysos and fought with the mad Bacchants. He shook in his hand the deadly face of Medusa, and turned armed Ariadne into stone. Bacchos was even more furious when he saw his bride all stone. He would have sacked Argos and razed Mycene to the ground and mowed down the whole host of Danaäns, yes even wounded invulnerable Hera herself, who was fighting unrecognized in the false borrowed shape of a mortal, a seer, and Swiftshoe Perseus would have perished, fate or no fate,—but Hermes appeared behind him with winged shoes and pulled him back by his golden hair, and calmed him with friendly words to avert the ruin :

676 " Trueborn offspring of Zeus, if bastard for jealous Hera ! You know how I saved you from the fires that fell from heaven, and entrusted you to those Nymphs, the daughters of river Lamos,[a] when still a little child ; how again I carried you in my arms to the house of Ino your fostering nurse. Then show gratitude, my brother, to your saviour the son of Maia, and still this feud of brothers—for both Perseus and Dionysos are offspring of one sire. Do not reproach the people of Argos, nor the sickle of Perseus, for he arms not willingly for this war. But Hera has armed him, and she is fighting openly in the shape of the seer Melampus. Retire and leave the strife, or Hera irre-

---

[a] Cf. ix. 28. Only Nonnos mentions this obscure river-god (of Helicon, cf. Paus. ix. 31. 7) as father of Dionysos's nurses.

μή σοι ἐπιβρίσειε πάλιν δυσμήχανος Ἥρη.
ἀλλ' ἐρέεις ἀλόχοιο τεῆς μόρον· εὐκλέι πότμῳ
μαρναμένη τέθνηκε, σὺ δὲ φθιμένην Ἀριάδνην   690
ὤφελες ὀλβίζειν, ὅτι τηλίκον εὗρε φονῆα
οὐρανίης γεγαῶτα καὶ οὐ βροτέης ἀπὸ φύτλης,
κήτεος ἀμητῆρα καὶ ἱπποτόκοιο Μεδούσης·
οὐ λίνα Μοιράων ἐπιπείθεται· οὐρανίου γὰρ
κάτθανεν Ἠλέκτρη Διὸς εὐνέτις, ᾤχετο δ' αὐτὴ   695
τῷ Διὶ νυμφευθεῖσα κασιγνήτη σέο Κάδμου
Εὐρώπη μετὰ λέκτρον Ὀλύμπιον, ὑμετέρη δὲ
εἰσέτι γαστρὶ φέρουσα τεὸν τόκον ὤλετο μήτηρ·
οὐ Σεμέλη πρὸ μόροιο πύλας ἐπέρησεν Ὀλύμπου,
ἀλλ' ὅτε πότμον ἔδεκτο. καὶ ὀλλυμένη σέο νύμφη   700
ἵξεται ἀστερόφοιτον ἐς οὐρανόν, ἡμετέρης δὲ
Πληιάδος ἑπταπόροιο φανήσεται ἐγγύθι Μαίης.
τί πλέον ἤθελεν ἄλλο φιλαίτερον ἢ χθονὶ λάμπειν
αἰθέρα ναιετάουσα μετὰ Κρήτην Ἀριάδνη;
ἀλλὰ σὺ κάτθεο θύρσον, ἔα δ' ἀνέμοισιν Ἐννώ,   705
καὶ βρέτας αὐτοτέλεστον ἐπιχθονίης Ἀριάδνης,
οὐρανίης στήριξον ὅπη βρέτας ἵσταται Ἥρης.
μὴ πόλιν ἐκπέρσειας, ὅπη σέθεν αἷμα τοκήων,
ὑμετέρης δὲ γέραιρε βοοκραίρου πέδον Ἰοῦς
εὐνήσας σέο θύρσον· Ἀχαιάδας δὲ γυναῖκας   710
αἰνήσεις μετόπισθεν, ἐπεὶ ταυρώπιδος Ἥρης
βωμὸν ἀναστήσουσι καὶ εὐθαλάμου σέο νύμφης."

Τοῖον ἔπος κατέλεξε, καὶ ἵππιον Ἄργος ἐάσας
εἰς πόλον αὗτις ἵκανεν, ἐπ' ἀμφοτέροισι κεράσσας
θεσμὸν ὁμοφροσύνης καὶ Περσέι καὶ Διονύσῳ.   715
οὐδὲ μὲν αὐτόθι μίμνεν ἐπὶ χρόνον Ἀργολὶς Ἥρη·
ἀλλὰ μεταστρέψασα νόθην βροτοειδέα μορφὴν

---

[a] Because Pegasos sprang from her headless trunk.

concilable may overwhelm you again in her might. But
you will urge the fate of your bride. She has died in
battle, a glorious fate, and you ought to think Ariadne
happy in her death, because she found one so great to
slay her, one sprung from heaven and of no mortal
stock, one who killed the seamonster and beheaded
horsebreeding *a* Medusa. The Fates' threads obey
not persuasion. For Electra died, the bedfellow of
heavenly Zeus; Europa herself disappeared after the
Olympian bed, the sister of your Cadmos, she who
was wedded to Zeus; your mother perished too, while
she still carried you in her womb; Semele entered
not the gates of Olympos before death, but after she
had received her fate. And your bride even in death
shall enter the starspangled sky, and she will be seen
near Maia my mother among the seven travelling
Pleiads. What could Ariadne wish more welcome
than to live in the heavens and give light to the
earth, after Crete? Come now, lay down your
thyrsus, let the winds blow battle away, and fix the
selfmade image of mortal Ariadne where the image
of heavenly Hera stands. Do not sack the city
where the stock of your parents remains, but still
your thyrsus, and respect the country of cowhorn
Io. You will praise the women of Achaia by and
by, when they shall build an altar to bullface *b* Hera
and your charming bride."

713 So he spoke, and leaving Argos the land of
horses returned to the sky, after he had mingled a
league of friendship between Perseus and Dionysos.
Nor did Argive Hera remain long in that place; but
putting off her pretended mortal body she took her

---

b The Homeric βοῶπις, which, though Nonnos cannot have
known that, probably did originally mean " cow-faced."

θέσκελον εἶδος ἔχουσα πάλιν νόστησεν Ὀλύμπῳ.
Ἰναχίῃ δὲ φάλαγγι γέρων ἀγόρευε Μελάμπους
Λυγκέος ἀρχεγόνοιο θεουδέος αἷμα Πελασγοῦ·   720
" Μαντιπόλῳ πείθεσθε καὶ οἴνοπι σείσατε Βάκχῳ
σείσατε χάλκεα ῥόπτρα καὶ Εὔια τύμπανα Ῥείης,
Ἰναχίην μὴ πᾶσαν ἀιστώσειε γενέθλην,
μὴ μετὰ νήπια τέκνα καὶ ἡβητῆρας ὀλέσσῃ,
μὴ τεκέων μετὰ πότμον ἀποκτείνειε γυναῖκας·   725
ἀλλὰ θυηπολίην θεοτερπέα ῥέξατε Βάκχῳ
καὶ Διί, καὶ Περσῆι χορεύσατε καὶ Διονύσῳ."
Ὣς εἰπὼν παρέπεισεν· ἀολλίζοντο δὲ λαοὶ
Βάκχῳ νυκτιχόρευτον ἀνακρούοντες ἀοιδήν,
καὶ τελετὰς στήσαντο· θεοκλήτῳ δὲ χορείῃ   730
ῥόπτρα μὲν ἐπλατάγησεν, ἐπεκροτέοντο δὲ ταρσοί,
καὶ δαῖδες σελάγιζον· ὁμηγερέες δὲ πολῖται
μυστιπόλῳ χρίοντο παρήια λευκάδι γύψῳ·
τύμπανα δ' ἐπλατάγησεν, ἀρασσομένοιο δὲ χαλκοῦ
δίκτυπος ἔβρεμε δοῦπος· ἐφοινίσσοντο δὲ βωμοὶ   735
σφαζομένων στοιχηδὸν ἐπασσυτέρων ἀπὸ ταύρων,
κτείνετο δ' ἄσπετα μῆλα· καὶ ἀνέρες αἴθοπι βωμῷ
Βάκχον ἐμειλίξαντο καὶ ἱλάσκοντο γυναῖκες·
καὶ μέλος ἠερόφοιτον ἐπέκτυπε θῆλυς ἰωὴ
κώμου ἀμειβομένη ζωάγριον, Ἰναχίδες δὲ   740
Μαινάδες ἐρρίψαντο λαθίφρονα λύσσαν ἀήταις.

divine form and returned to Olympos. Then old Melampus addressed the Icarian host, he the offspring of divine Pelasgian Lynceus founder of the race :—

721 " Obey your seer, and shake your tambours in honour of wineface Bacchos, shake your bronze tambours and the Euian cymbals of Rheia, that he may not wipe out the whole Inachian race, that he may not destroy the young men after the little children, that he may not kill the wives after their offspring. Come, do sacrifice to Bacchos and Zeus, and please the god's heart, and dance before Perseus and Dionysos."

727 They did as he bade them. The people gathered together, and struck up a song with nightly dances for Bacchos and performed the holy rites : in the pious dance the tambours rattled, the feet beat the ground, the torches blazed. All the people in company smeared their cheeks with white mystic chalk.a Kettledrums rattled, the double tap sounded as the bronze was beaten. Altars were red with bulls slaughtered in rows one after another, a multitude of sheep were killed. At the burning altar men made their peace with Bacchos, women won his grace. Women's voices resounded in the air echoing in turn the song of salvation ; Inachian women and Mainad women cast their deluding fury to the winds.

---

a Heard of now and again in such connexions, see *e.g.* Aristophanes, *Clouds* 261, and the scholiast there. It was a means of purification, presumably because of its colour.

ΔΙΟΝΥΣΙΑΚΩΝ ΤΕΣΣΑΡΑΚΟΣΤΟΝ ΟΓΔΟΟΝ

Δίζεο τεσσαρακοστὸν ἐς ὄγδοον αἷμα Γιγάντων,
Παλλήνην δὲ δόκευε καὶ ὑπναλέης τόκον Αὔρης.

Αὐτὰρ ὁ πορδαλίων ἐποχημένος ἄντυγι δίφρου
Θρηικίη περίφοιτος ἐκώμασε Βάκχος ἀρούρῃ,
ἵππιον ἀρχεγόνοιο Φορωνέος οὐδας ἐάσας.
οὐδὲ χόλον πρήυνε παλίγκοτον Ἰναχὶς Ἥρη
Ἄργεος οἰστρηθέντος, Ἀχαιάδων δὲ γυναικῶν   5
λύσσης μνῆστιν ἔχουσα πάλιν θωρήσσετο Βάκχῳ.
καὶ δολίας ἀνέφαινε λιτὰς παμμήτορι Γαίῃ,
ἔργα Διὸς βοόωσα καὶ ἠνορέην Διονύσου
Γηγενέων ὀλέσαντος ἀμετρήτων νέφος Ἰνδῶν·
καὶ Σεμέλης ὅτε παῖδα φερέσβιος ἔκλυε μήτηρ   10
Ἰνδῴην ταχύποτμον ἀιστώσαντα γενέθλην,
μνησαμένη τεκέων πλέον ἔστενεν· ἀμφὶ δὲ Βάκχῳ
αὐτογόνων θώρηξεν ὀρίδρομα φῦλα Γιγάντων,
ὑψιλόφους ἕο παῖδας ἀνοιστρήσασα κυδοιμῷ·
" Παῖδες ἐμοί, μάρνασθε κορυμβοφόρῳ Διονύσῳ   15
ἠλιβάτοις σκοπέλοισιν, ἐμῆς δ᾽ ὀλετῆρα γενέθλης
Ἰνδοφόνον Διὸς υἷα κιχήσατε· μηδὲ νοήσω
σὺν Διὶ κοιρανέοντα νόθον σκηπτοῦχον Ὀλύμπου.

BOOK XLVIII

In the forty-eighth, seek the blood of the giants, and
look out for Pallene and the son of
sleeping Aura.

Now Bacchos quitted the horsebreeding soil of ancient
Phoroneus,[a] and mounted in his round car behind
the team of panthers passed in revelry over the
Thracian land. But Inachian Hera had not softened
her rancorous rage for Argos maddened; she remem-
bered the frenzy of the Achaian women and prepared
again to attack Bacchos. She addressed her deceitful
prayers to Allmother Earth, crying out upon the
doings of Zeus and the valour of Dionysos, who had
destroyed that cloud of numberless earthborn
Indians ; and when the lifebringing mother heard
that the son of Semele had wiped out the Indian
nation with speedy fate, she groaned still more
thinking of her children. Then she armed all round
Bacchos the mountainranging tribes of giants, earth's
own brood, and goaded her huge sons to battle :
 15 " My sons, make your attack with hightowering
rocks against clustergarlanded Dionysos—catch this
Indianslayer, this destroyer of my family, this son
of Zeus, and let me not see him ruling with Zeus a

---

[a] Argos, of which Phoroneus, son of Inachos, was the
(mythical) first king.

δήσατε, δήσατε Βάκχον, ὅπως θαλαμηπόλος εἴη,
ὁππότε Πορφυρίωνι χαρίζομαι εἰς γάμον Ἥβην 20
καὶ Χθονίῳ Κυθέρειαν, ὅτε γλαυκῶπιν ἀείσω
εὐνέτιν Ἐγκελάδοιο καὶ Ἄρτεμιν Ἀλκυονῆος·
ἄξατέ μοι Διόνυσον, ἵνα Κρονίωνα χαλέψω
δουλοσύνην ὁρόωντα δορικτήτοιο Λυαίου·
ἠέ μιν οὐτάζοντες ἀλοιητῆρι σιδήρῳ 25
κτείνατέ μοι Ζαγρῆι πανείκελον, ὄφρά τις εἴπῃ
ἢ θεὸς ἢ μερόπων τις, ὅτι Κρονίδαο γενέθλη
Γαῖα χολωομένη διδύμους θώρηξε φονῆας,
πρεσβυτέρους Τιτῆνας ἐπὶ προτέρῳ Διονύσῳ,
ὁπλοτέρους δὲ Γίγαντας ἐπ' ὀψιγόνῳ Διονύσῳ." 30
Ὣς φαμένη στίχα πᾶσαν ἀνεπτοίησε Γιγάντων.
Γηγενέων δὲ φάλαγγες ἐπεστρατόωντο κυδοιμῷ.
ὃς μὲν ἔχων Νυσαῖον ἐδέθλιον, ὃς δὲ σιδήρῳ
ὑψινεφῆ κενεῶνα χαραδρήεντα κολάψας,
αἰχμάζων σκοπέλοισιν ἐθωρήχθη Διονύσῳ· 35
ὃς δὲ λόφον πετραῖον ἁλικρήπιδος ἀρούρης,
ἄλλος ἁλιζώνοιο διαρρήξας ῥάχιν ἰσθμοῦ
εἰς ἐνοπὴν ἔσπευδεν. ἀμετρήτοισι δ' ἀγοστοῖς
Πήλιον ὑψικάρηνον ἀνηκόντιζε Πελωρεὺς
γυμνώσας Φιλύρης γλαφυρὸν δόμον· ἁρπαμένου δὲ 40
ἀσκεπέος σκοπέλοιο γέρων ἐλελίζετο Χείρων,
ἀνδροφυὴς ἀτέλεστος ὁμήλικι σύμπλοκος ἵππῳ.
ἡμερίδων δὲ κόρυμβον ἔχων ὀλετῆρα Γιγάντων
Βάκχος ἀερσιλόφοιο κατέτρεχεν Ἀλκυονῆος,
οὐ δόρυ θοῦρον ἔχων, οὐ φοίνιον ἄορ ἀείρων, 45
ἀλλὰ πολυσπερέας παλάμας ἐδάιξε Γιγάντων,
αἰχμάζων ἑλίκεσσι· φιλακρήτῳ δὲ πετήλῳ
φρικτὰ πεδοτρεφέων ἐδαΐζετο φῦλα δρακόντων·

---

^a The masculine names belong to Giants.

bastard monarch of Olympos! Bind him, bind
Bacchos fast, that he may attend in the chamber
when I bestow Hebe on Porphyrion as a wife, and
give Cythereia to Chthonios, when I sing Bright-
eyes the bedfellow of Encelados, and Artemis of
Alcyoneus.[a] Bring Dionysos to me, that I may
enrage Cronion when he sees Lyaios a slave and
the captive of my spear. Or wound him with
cutting steel and kill him for me like Zagreus, that
one may say, god or mortal, that Earth in her
anger has twice armed her slayers against the breed
of Cronides—the older Titans against the former
Dionysos, the younger Giants against Dionysos later
born."

31 With these words she excited all the host of the
Giants, and the battalions of the Earthborn set forth
to war, one bearing a bulwark of Nysa, one who had
sliced off with steel the flank of a cloudhigh preci-
pice, each with these rocks for missiles armed him
against Dionysos; one hastened to the conflict bearing
the rocky hill of some land with its base in the brine,
another with a reef torn from a brinegirt isthmus.
Peloreus took up Pelion with hightowering peak as
a missile in his innumerable arms, and left the cave
of Philyra [b] bare: as the rocky roof of his cave was
pulled off, old Cheiron quivered and shook, that figure
of half a man growing into a comrade horse. But
Bacchos held a bunch of giantsbane vine, and ran at
Alcyoneus with the mountain upraised in his hands:
he wielded no furious lance, no deadly sword, but
he struck with his bunch of tendrils and shore off
the multitudinous hands of the Giants; the terrible
swarms of groundbred serpents were shorn off by

[b] Wife of Cheiron the wise centaur.

τυπτομένων δὲ Γίγαντος ἐχιδνοκόμων κεφαλάων
αὐχένες ἀμηθέντες ἐπωρχήσαντο κονίῃ.   50
κτείνετο δ' ἄσπετα φῦλα· δαϊζομένων δὲ Γιγάντων
αἵματος ἀενάου ποταμοὶ ῥέον, ἀρτιχύτοις δὲ
πορφυρέοις ῥοθίοισιν ἐφοινίσσοντο χαράδραι.
Γηγενέων δὲ φάλαγγες ἐβακχεύοντο δρακόντων
βόστρυχα δειμαίνοντες ἐχιδνοκόμου Διονύσου.   55
    Καὶ πυρὶ μάρνατο Βάκχος, ἐς ἠέρα δαλὸν ἰάλλων
ἀντιβίων ὀλετῆρα· δι' ὑψιπόρου δὲ κελεύθου
Βακχιὰς αὐτοέλικτος ἐπέτρεχεν ἁλλομένη φλόξ,
γυιοβόρῳ σπινθῆρι καταΐσσουσα Γιγάντων·
καί τις ἀπειλητῆρι φέρων σέλας ἀνθερεῶνι   60
ἡμιδαὴς σύριζε δράκων πυριθαλπέι λαιμῷ,
καπνὸν ἀποπτύων, οὐ λοίγιον ἰὸν ἰάλλων.
    Καὶ κλόνος ἄσπετος ἦεν· ἐπ' ἀντιβίων δὲ καρήνων
Βάκχος ἀνῃώρητο μαχήμονα δαλὸν ἀείρων,
καὶ χθονίῳ πρηστῆρι δέμας θέρμαινε Γιγάντων   65
ἀντίτυπον μίμημα Διοβλήτοιο κεραυνοῦ·
καὶ δαῖδες σελάγιζον· ἐπ' Ἐγκελάδου δὲ καρήνῳ
ἠέρα θερμαίνων ἐλελίζετο πυρσὸς ἀλήτης·
ἀλλά μιν οὐκ ἐδάμασσε, καὶ οὐ χθονίου πυρὸς ἀτμῷ
Ἐγκέλαδος γόνυ κάμψεν, ἐπεὶ πεφύλακτο κεραυνῷ.   70
Ἀλκυονεὺς δ' ἀπέλεθρος ἐπεσκίρτησε Λυαίῳ
Θρηικίοις σκοπέλοισι κεκορυθμένος· ἀμφὶ δὲ Βάκχῳ
ὑψινεφῆ κούφιζε ῥάχιν δυσχείμονος Αἵμου
εἰς σκοπὸν ἀχρήιστον, ἀνουτήτου Διονύσου·
καὶ σκοπιὴν ἔρριψεν· ἐφαπτόμεναι δὲ Λυαίου   75
νεβρίδος ἀρρήκτοιο διεσχίζοντο κολῶναι·
Ἠμαθίης δὲ κάρηνα νέος γύμνωσε Τυφωεὺς
ὑψιφανής, προτέρῳ πανομοίιος, ὅς ποτε πολλοὺς
ῥωγαλέους κενεῶνας ἐκούφισε μητρὸς ἀρούρης,

those tippling leaves, the Giants' heads with those
viper tresses were cut off and the severed necks
danced in the dust. Tribes innumerable were de-
stroyed ; from the slain Giants ran everflowing rivers
of blood, crimson torrents newly poured coloured the
ravines red. The swarms of earthbred snakes ran
wild with fear before the tresses of Dionysos viper-
enwreathed.

56 Fire was also a weapon of Bacchos. He cast a
torch in the air to destroy his adversaries : through
the high paths ran the Bacchic flame leaping and
curling over itself and shooting down corrosive sparks
on the Giants' limbs ; and there was a serpent with
a blaze in his threatening mouth, half-burnt and
whistling with a firescorched throat, spitting out
smoke instead of a spurt of deadly poison.

63 There was infinite tumult. Bacchos raised
himself and lifted his fighting torch over the heads
of his adversaries, and roasted the Giants' bodies
with a great conflagration, an image on earth of the
thunderbolt cast by Zeus. The torches blazed : fire
was rolling all over the head of Encelados and making
the air hot, but it did not vanquish him—Encelados
bent not his knee in the steam of the earthly fire,
since he was reserved for a thunderbolt. Vast
Alcyoneus leapt upon Lyaios armed with his Thracian
crags ; he lifted over Bacchos a cloudhigh peak of
wintry Haimos—useless against that mark, Dionysos
the invulnerable. He threw the cliff, but when the
rocks touched the fawnskin of Lyaios, they could
not tear it, and burst into splinters themselves.
Typhoeus towering high had stript the mountains
of Emathia (a younger Typhoeus in all parts like
the older, who once had lifted many a rugged strip

πετραίοις βελέεσσι καταιχμάζων Διονύσου.   80
καί τινος ἀσπαίροντος ἐπὶ χθονὸς ἆορ ἐρύσσας
Βάκχος ἄναξ κεκόρυστο Γιγαντείοισι καρήνοις,
ἰοβόλων πλοκάμων ὀφιώδεα λήϊα κείρων·
καὶ στρατὸν αὐτοτέλεστον ἀτευχέι χειρὶ δαΐζων
μάρνατο λυσσήεις, χλοερῶν ἐπιβήτορα δένδρων   85
κισσὸν ἔχων τανύφυλλον, ἀκοντιστῆρα Γιγάντων.

Καί νύ κε πάντας ἔπεφνεν ἑῷ ῥηξήνορι θύρσῳ,
ἀλλὰ παλινδίνητος ἑκὼν ἀνεχάζετο χάρμης,
δυσμενέας ζώοντας ἑῷ γενετῆρι φυλάσσων.

Καί νύ κεν εἰς Φρυγίην ταχὺς ἔδραμεν ὠκέι ταρσῷ,   90
ἀλλὰ μιν ἄλλος ἄεθλος ἐρήτυεν, ὄφρα θανόντων
τοσσατίων ἕνα φῶτα κατακτείνειε φονῆα
Παλλήνης γενέτην θανατηφόρον, ὅς ποτε κούρης
οἶστρον ἔχων ἀθέμιστον ἁμαρτιγάμων ὑμεναίων
συζυγίην ἀνέκοπτεν, ἀμετρήτους δὲ δαΐζων   95
μελλογάμους μνηστῆρας ἀπέθρισεν, ὧν ὑπὸ λύθρῳ
κτεινομένων καναχηδὸν ἐφοινίσσοντο παλαῖστραι,
εἰσόκε Βάκχος ἵκανε Δίκης πρόμος· ἀγχιγάμου δὲ
Παλλήνης δυσέρωτι παριστάμενος γενετῆρι
ῥιγεδανῆς ὑμέναιον ἀτάσθαλον ᾔτεε κούρης,   100
ποικίλα δ᾽ ὤρεγε δῶρα· καὶ αἰτίζοντι Λυαίῳ
φρικτὸς ἀνὴρ κήρυξε παλαισμοσύνην ὑμεναίων·
καί μιν ἄγων ἐπέβησε κακοξείνοιο παλαίστρης,
ὁππόθι τολμήεσσα δορυσσόος ἵστατο κούρη
νυμφιδίην ὤμοισιν ἐλαφρίζουσα βοείην.   105

Καὶ τότε Κύπρις ἔην ἐναγώνιος· ἦν δ᾽ ἐνὶ μέσσῳ
γυμνὸς Ἔρως καὶ στέμμα γαμήλιον ὤρεγε Βάκχῳ,

ᵃ Sithon king of the Odomantes in Thrace.   There are two
forms of the story, (a) that all wooers must fight Sithon, till
at last one pair were set to fight each other, and one of them,
Cleitos, whom Pallene loved, was secretly helped by her, won

430

of his mother earth), and cast the rocky missiles at
Dionysos. Lord Bacchos pulled away the sword of
one that was gasping on the ground and attacked
the Giants' heads, cutting the snaky crop of poison-
spitting hair; even without weapon he destroyed
the selfmarshalled host, fighting furiously, and using
the treeclimbing longleaf ivy to strike the Giants.

[87] Indeed he would have slain all with his man-
breaking thyrsus, if he had not retired of his own will
out of the fray and left enemies alive for his Father.

[90] Then he would quickly have gone to Phrygia
with speeding foot, but another task held him back;
that after so many had died he might kill one murder-
ous creature, Pallene's deathdealing father.[a] He once
had an unlawful passion for his daughter; he used
to thwart her marriage and hinder every match.
Wooers innumerable who would have wed her he
killed, a great harvest of them; the places of wrestling
were noisy with their murders and red with their
blood, until Bacchos came as the champion of Justice.
There was Pallene, ever so near to wedlock, and her
father full of unholy passion: Bacchos came near,
and proposed to make the wicked match with his hor-
rible daughter, offering all manner of gifts. To this
request of Lyaios, the dreadful man declared how
wrestling must win the bride. He led him into the
place of contest, so ill-omened for strangers, where
the audacious girl stood ready spear in hand bearing
her bridal shield on her shoulders.[b]

[106] Then Cypris presided over the ring. In the
midst was Eros naked, holding out to Bacchos the

and finally married her, (b) the version given here. Both
stories seem to be rather late.

[b] This seems a remnant of some other version, in which the
contest was a duel, not a wrestling-match.

ἦν δὲ παλαισμοσύνη νυμφοστόλος· ἀργυφέῳ δὲ
ἁβρὸν ἀνεχλαίνωσεν ἑὸν δέμας εἵματι Πειθὼ
νίκην μελλογάμοιο προθεσπίζουσα Λυαίου.   110
καὶ βριαρῶν μελέων ἀπεδύσατο φάρεα κούρη,
καὶ δόρυ θοῦρον ἔθηκε γαμήλιον, ἁβροτέρη δὲ
Σιθονὶς ἀκρήδεμνος ἀσάμβαλος ἵστατο κούρη,
θηλυφανής, ἀσίδηρος, ἐρευθιόωντι δὲ δεσμῷ
ἀκλινέων τροχόεσσαν ἴτυν μιτρώσατο μαζῶν·   115
καὶ δέμας ἀσκεπὲς ἦεν, ἀμετρήτων δὲ κομάων
ἀπλεκέες πλοκαμῖδες ἐπέρρεον αὐχένι κούρης,
καὶ κνήμας ἀνέφαινε καὶ ἀσκεπέων πτύχα μηρῶν
γυμνῆς φαινομένης ἐπιγουνίδος· ἀμφὶ δὲ μηροῖς
ἥρμοσε λευκὸν ὕφασμα, γυναικείης σκέπας αἰδοῦς·   120
καὶ χρόα πιαλέῳ πεπαλαγμένον εἶχεν ἐλαίῳ
καὶ παλάμας πολὺ μᾶλλον, ὅπως ἀλύτων ἀπὸ χειρῶν
ὑγρὸν ὀλισθήσειε πιεζομένη χρόα κούρη.

Καὶ βλοσυροῖς στομάτεσσιν ἀπειλήσασα Λυαίῳ
νυμφοκόμῳ μνηστῆρι παρίστατο, διχθάδιον δὲ   125
αὐχένι δεσμὸν ἔβαλλεν ὁμόζυγι πήχεος ὁλκῷ·
ἀλλὰ παλινδίνητον ἑὴν ἀνελύσατο δειρὴν
Βάκχος ἀπορρίψας ἀπαλόχροα δάκτυλα κούρης,
δεσμοῖς θηλυτέροισι περίπλοκον αὐχένα σείων·
καὶ διδύμας στεφανηδὸν ἐπ' ἰξύι χεῖρας ἑλίξας   130
Παλλήνην ἐτίναξε ποδῶν ἑτεραλκέι παλμῷ·
καὶ ῥοδέης παλάμης ἐδράξατο, Κυπριδίην δὲ
εἶχε παραιφασίην χιονώδεα χεῖρα πιέζων·
οὐδὲ τόσον μενέαινεν ἐπὶ χθονὶ παῖδα κυλίνδειν,
ὅσσον ἐπιψαύειν ἁπαλοῦ χροός, ἡδέι μόχθῳ   135
τερπόμενος· καὶ ἔκαμε δολοπλόκον ἆσθμα τιταίνων
ὡς βροτός, ἀμβολίῃ δὲ θελήμονι κάλλιπε νίκην.
Παλλήνη δ' ἐρόεσσα πάλης τεχνήμονι παλμῷ
θηλυτέραις παλάμῃσι δέμας κούφιζε Λυαίου·

bridal wreath. Wrestling was to win the bride:
Peitho clad her delicate body in a silvery robe, fore-
telling victory for Lyaios's wooing. The girl stript
the clothes off her muscular limbs; she laid down the
fierce wedding-spear. There stood the daughter of
Sithon, daintier now, unshod, unveiled, unarmed, re-
vealed a woman, but a red band girt the rounded
curve of her firm breasts. Her body was uncovered,
but for the long tresses of the abundant hair which
flowed loose over the girl's neck. Her legs were
visible, and the curve of her thighs uncovered with
the part above the knee bare, but a white wrap fitted
close over the thighs to cover her nakedness. Her
skin had been well rubbed with fat oil, and her arms
more than all, that she might slip out easily if her
body were pressed in a grasp too strong to loosen.

¹²⁴ She came up to Lyaios her eager wooer with
rough threatening words, and threw her two arms with
a swing linking them round his neck; Bacchos just
threw back his neck with the woman's fetters about
it, and shook it loose again, throwing off the girl's
tender fingers. Then he put his two arms round her
waist like a girdle, and shook her from side to side by
movements of his feet. He grasped a rosy palm, and
felt comfort for his love as he squeezed the snowwhite
hand. He did not wish so much to give the maid a
throw as to touch the soft flesh, entranced with his
delightful task; he used all his guile, panting with
labouring breath, as if he were a mortal, delaying
victory on purpose. Lovely Pallene tried a trick of
the ring to lift the body of Lyaios, but her woman's

οὐδέ μιν ἤερταζε, τόσον βάρος, ἀλλὰ καμοῦσα   140
ἄρσενα γυῖα λέλοιπεν ἀκινήτου Διονύσου.
καὶ θεὸς ἀντιτύπῳ περιδέσμιον ἅμματι χειρῶν
παρθενικὴν ἐρόεσσαν ἑλών, ἅτε θύρσον ἀείρων,
δόχμιον ἀμφιέλικτον ἐκούφισεν ὑψόθεν ὤμου·
χειρὶ δὲ φειδομένῃ βριαρὴν ἀπεσείσατο κούρην,   145
Παλλήνην δ' ἀτίνακτον ὅλην ἐτανύσσατο γαίῃ·
καὶ δολίοις βλεφάροισιν ἑὴν ἐλέλιζεν ὀπωπήν,
κούρης ἁβροκόμου κεκονιμένα γυῖα δοκεύων
καὶ πλοκάμους ῥυπόωντας ἀκηδέστοιο καρήνου.
ἀλλὰ παλινδίνητος ἀναΐξασα κονίης   150
ὄρθιος ἐστήριξε τὸ δεύτερον ἴχνια κούρη·
καὶ τροχαλῇ Διόνυσος ἀφειδέι γούνατος ὁρμῇ
γαστέρα Παλλήνης κρατέων ἑτεραλκέι παλμῷ
παρθενικὴν μενέαινεν ὑπὲρ δαπέδοιο κυλίνδειν,
καὶ παλάμας μετέθηκεν ἐπὶ πλευροῖσιν ἑλίξας   155
αὐχένα κυρτώσας ἐπικάρσιον, ἀμφὶ δὲ νώτῳ
μεσσατίῳ κύκλωσεν ὀπίστερα δάκτυλα κάμψας,
ἢ σφυρὸν ἢ κνήμην δεδοκημένος ἢ γόνυ μάρψειν.
καὶ θεὸς αὐτοκύλιστος ἑκούσιος ἤριπε γαίῃ
οὐτιδανῇ παλάμῃ νικώμενος· ἱμερόεν δὲ   160
φάρμακον ἔσχεν ἔρωτος, ἐνὶ γλυκερῇ δὲ κονίῃ
κουφίζων ἐρόεις ἐπὶ νηδύι φόρτον Ἐρώτων
ὕπτιος αὐτὸς ἔμιμνε, καὶ οὐκ ἀπεσείσατο κούρην,
ἀλλά μιν ἐσφήκωσε πόθου φρενοθελγέι δεσμῷ.
ἡ δὲ ταχυστροφάλιγγι ποδῶν νωμήτορι παλμῷ   165
ἴχνιον ἠώρησεν, ἐρωμανέος δὲ Λυαίου
ἄρσενα λύσατο χεῖρα· θεὸς δ' ὑπ' ὀλίζονι ῥιπῇ
γυῖα μεταστρέψας ῥοδέην ἐτανύσσατο κούρην
ἐν δαπέδῳ στορέσας· καὶ ἐπὶ χθονὶ κέκλιτο κούρη
χεῖρας ἐφαπλώσασα· τιταινομένης δ' ἐπὶ πέζῃ   170
εὐπαλάμῳ σφήκωσεν ὁμόζυγον αὐχένα δεσμῷ.

arms were not equal to raise that great weight ; she tired, and let go the masculine limbs of Dionysos immovable. Then the god took a like hold of the lovely girl, and joining his two arms about his adversary lifted her as if she were his own wand, and threw her aslant round and over his shoulder ; then with gentle hand swung off the sturdy girl and laid her at full length quiet on the ground. He let his eyes furtively wander, scanning the limbs of the girl covered with her glorious hair in the dust, the luxurious tresses of the untidy head dabbled in dirt.

150 But the girl jumped up again from the dust and stood up steady on her feet once more. Then Dionysos with an agile movement mercilessly set his knee against Pallene's belly, and holding her tried to roll her over on the ground with a sideways heave, changed his arms to a grasp round her waist, bent his head to one side and shifted his fingers behind to the middle of her back, and tried to hook ankle or shin, or to catch the knee. At last the god fell back of himself rolling on the ground and let a feeble hand conquer him : a charming physic it was for his love, when he lay beautiful in that happy dust on his back, bearing upon his own belly that lovely burden—he lay still, and did not throw off the girl, but held her fast with soulconsoling bonds of desire. She pulled herself from the manly hands of lovemad Dionysos, and lifted herself to her feet with a twist of her legs in a quick supple movement ; but the god with a slight effort simply rolled over and laid the rosy girl flat on the ground. So there lay the girl on the ground stretching her arms abroad, and as she lay along the ground he joined his arms neatly in a clasp about her neck.

NONNOS

Ὠκυτέροις δὲ πόδεσσι πατὴρ κατὰ μέσσον ὀρούσας
ἀθλεύειν ἐθέλουσαν ἑὴν ἀνεσείρασε κούρην,
καὶ γαμίην ἀνέκοψεν ἀεθλοσύνην ὑμεναίων
νίκην ἱμερόεσσαν ἐπιτρέψας Διονύσῳ,   175
μή μιν ἀποκτείνειεν ἔχων ἀστεμφέϊ δεσμῷ.
καὶ Διὸς αἰνήσαντος ἀεθλοφόρον μετὰ νίκην
γνωτὸν Ἔρως ἔστεψε γάμων πομπῆι κορύμβῳ
ἱμερτὴν τελέσαντα παλαισμοσύνην ὑμεναίων.
καὶ πέλε τοῖος ἄεθλος ὁμοίιος, ὡς ὅτε κούρην   180
χρυσοφαῆ προπάροιθε γαμήλια δῶρα κυλίνδων
Ἱππομένης νίκησεν ἐπειγομένην Ἀταλάντην.

Ἀλλ' ὅτε νυμφοκόμοιο πάλης ἐτέλεσσεν ἀγῶνα
Βάκχος, ἔτι στάζων γαμίους ἱδρῶτας ἀέθλων
Σιθόνα μὲν πρήνιξε τετυμμένον ὀξέϊ θύρσῳ,   185
μνηστήρων ὀλετῆρα, κυλινδομένου δὲ κονίῃ
κούρῃ θύρσον ἔδωκε μιαιφόνον ἕδνον Ἐρώτων.

---

[a] Presumably it was to be the best two out of three bouts.
So far Dionysos had scored one fall, the second bout was
undecided and did not count, since both had come down
(by Greek rules only clean throws counted), and so Pallene
might be equal yet.

[b] It is a not unhappy comparison which brings to-
gether Pallene, Atalante and (212) Oinomaos. Atalante,
daughter of Schoineus of Boiotia (or Arcadia) was loved by
Hippomenes (in the commonest version of the story), but
she would marry no one who could not beat her in a foot-
race, and those who lost the race were killed. Hippomenes,
by the favour of Aphrodite, had three of the golden apples of
the Hesperides, and every time he got ahead of Atalante in
the race, he threw one down before her, so that she delayed
to pick up it and thus lost despite her great speed of foot.
Oinomaos gave any suitor permission to take his daughter
Hippodameia and drive off with her in a chariot, reserving

172 Then with swift feet her father leapt between them. The girl wanted to try again,[a] but he held her back, and put an end to this wedding-contest for a bride by yielding love's victory to Dionysos, for fear he might kill her in that immovable grip. So after the victory in this contest, with the consent of Zeus, Eros crowned his brother with the cluster that heralds a wedding; for he had accomplished a delectable wedding-bout. It was indeed a contest like that when Hippomenes once conquered flying Atalanta, by rolling golden marriage-gifts in front of her feet.[b]

183 But when Bacchos had ended the wrestling-match for his bride, still dripping with the sweat of his wedding contest he struck down Sithon with a stab of his sharp thyrsus, Sithon the murderer of wooers ; and as the father rolled in the dust he gave his daughter the thyrsus that slew him, as a love-gift. That was

however the right to pursue in his own chariot and spear the suitor if he could catch him. In one version of the story of Pallene (Parthenius vi. 3-4), chariots are introduced also, though it is said that the competitors for her hand (*cf.* note on 93) were to fight from them, not race in them, a very odd archaism, since fighting in (as opposed to from) chariots was already obsolete in the days of Homer. This suggests that here again a pursuit (not a race in the ordinary sense) may have been the original contest. Atalante also, in a version preserved by Hyginus (*Fab.* 185. 2, see Rose *ad loc.*), did not race with her suitors, but ran after them, killing them if she caught them before they got to the goal. Now if we compare the curious ritual of Orchomenos (Plutarch, *Quaest. Graec.* 38), in which the priest of Dionysos pursued with a sword certain women, and might kill any one of them he caught, it seems in no way impossible that all these stories, or some of them at least, represent a ritual flight and pursuit (a common enough ceremony in itself) with a real or pretended killing involved. That such a performance should be confused with a ritual combat, also a fairly common proceeding, is natural enough.

καὶ γάμος ἦν πολύυμνος· ἀσιγήτῳ δ' ἐνὶ παστῷ
Σειληνοὶ κελάδησαν, ἐπωρχήσαντο δὲ Βάκχαι,
καὶ Σάτυροι μεθύοντες ἀνέπλεκον ὕμνον Ἐρώτων   190
συζυγίην μέλποντες ἀεθλοφόρων ὑμεναίων.
Νηρεΐδων δὲ φάλαγγες ὑπὸ σφυρὰ γείτονος ἰσθμοῦ
νυμφιδίῃ Διόνυσον ἐμιτρώσαντο χορείῃ,
καὶ μέλος ἐφθέγξαντο, παρὰ Θρήικι δὲ πόντῳ
ξεινοδόκος Βρομίοιο γέρων ὠρχήσατο Νηρεύς,   195
καὶ γαμίη Γαλάτεια περισκαίρουσα θαλάσσῃ
Παλλήνην ἐλίγαινε συναπτομένην Διονύσῳ,
καὶ Θέτις ἐσκίρτησε, καὶ εἰ πέλε νῆις Ἐρώτων,
καὶ γαμίην ἔστεψεν ἁλιζώνου ῥάχιν ἰσθμοῦ
Παλλήνης ὑμέναιον ἀνευάζων Μελικέρτης·   200
καί τις Ἀμαδρυάδων φλογερῇ παρὰ γείτονι Λήμνῳ
νυμφιδίην Θρήισσαν Ἀθωιὰς ἥψατο πεύκην.
καὶ φιλίοις ὀάροισι παρηγορέων ἕο νύμφην
μυρομένην γενετῆρα φιλεύιος εἶπεν ἀκοίτης·

" Παρθένε, μὴ στενάχιζε τεὸν δυσέρωτα τοκῆα· 205
παρθένε, μὴ στενάχιζε τεῆς μνηστῆρα κορείης·
τίς γενέτης ἔσπειρε καὶ εἰς γάμον ἤγαγε κούρην;
σὸν κενεὸν λίπε πένθος, ὅτι κταμένοιο τοκῆος,
Σιθόνος ὑμετέροιο, Δίκη γελόωσα χορεύει,
χερσὶ δὲ παρθενίῃσι γαμήλιον ἁψαμένη πῦρ,   210
ἢ γάμον ἀγνώσσουσα, τεὸν γάμον εἰσέτι μέλπει,
Οἰνόμαον πάλιν ἄλλον ὀπιπεύουσα θανόντα·
Οἰνόμαος μὲν ὄλωλε, καταφθιμένου δὲ τοκῆος
τέρπεται Ἱπποδάμεια σὺν ἀρτιγάμῳ παρακοίτῃ.
καὶ σὺ τεοῦ γενέταο πόθους ῥίψασα θυέλλαις   215
τέρπεο βοτρυόεντι συναπτομένη παρακοίτῃ,

ª The Isthmus of Pallene, westernmost of the three
promontories of Chalcidice.

a wedding of many songs: the bridechamber was never silent, Seilenoi chanted, Bacchants danced, drunken Satyrs wove a hymn of love and sang the alliance which came of this victorious match. Companies of Nereïds under the foothills of the neighbouring isthmus [a] encircled Dionysos with wedding dances and warbled their lay; beside the Thracian sea danced old Nereus, who once had Bromios for a guest; Galateia tript over the wedding-sea and carolled Pallene joined with Dionysos; Thetis capered although she knew nothing of love [b]; Melicertes crowned the seagirt wedding-reef of the isthmus chanting Euoi for Pallene's bridal; many a Hamadryad of Athos kindled a Thracian torch for the bridal in fiery Lemnos [c] close by. And while the bride mourned her father, the Euian bridegroom comforted her with lover's tender talk:—

205 " Maiden, lament not for your father so wicked in his love! Maiden, lament not for one that wooed your maidenhood! What father ever begat and then married his own daughter? Leave your empty mourning, because now that Sithon your father is slain Justice dances and laughs, and kindles a wedding-torch with her virgin hands; she who knows not marriage still is singing your marriage, as she beholds a new Oinomaos dead. Oinomaos died indeed, but although her father had perished, Hippodameia took her joy with her husband newly-wedded. [d] Then you too must throw to the winds your regret for your father, and take your joy united with your vinegod

[b] Because it was not till later that she married Peleus.

[c] A tradition of volcanic activities in Lemnos (Λήμνιον πῦρ) lingered into classical times.

[d] There is a real resemblance between the legends, see note on 182.

μῶμον ἀλευομένη πατρώιον· οὔ σε διδάξω
Σιθόνος ἐχθρὸν ἔρωτα καὶ ἀμβολίην ὑμεναίων,
ὃς φονίῃ παλάμῃ γαμβροκτόνον ἔγχος ἀείρων
γηραλέην σε τέλεσσεν, ἀπειρήτην Ἀφροδίτης,   220
συζυγίην δ᾽ ἐκέδασσεν ἀνυμφεύτων σέο λέκτρων.
μνηστήρων σκοπίαζε σεσηπότα λείψανα νεκρῶν,
οὓς Παφίη κόσμησε καὶ ἔκτανε θοῦρις Ἐρινύς·
ἠνίδε κεῖνα κάρηνα θαλύσια σεῖο μελάθρων,
λύθρον ἔτι στάζοντα κακοξείνων ὑμεναίων.   225
Σιθόνος οὐ μεθέπεις χθόνιον γένος· οὐράνιος δὲ
πείθομαι ὣς σε λόχευσε τεὸς Θρηίκιος Ἄρης,
πείθομαι, ὡς Κυθέρεια τεὴν ὤδινε γενέθλην·
καὶ σὺ τεῶν διδύμων ἀπεμάξαο θεσμὰ τοκήων,
Ἄρεος ἦθος ἔχουσα καὶ ἀγλαΐην Ἀφροδίτης·   230
πείθομαι, ὥς σε φύτευσεν ἄναξ ἐναγώνιος Ἑρμῆς
ἁβρὰ τελεσσιγάμοιο μολὼν ἐπὶ δέμνια Πειθοῦς,
καί σε παλαισμοσύνην ἐδιδάξατο πομπὸν Ἐρώτων."

Εἶπε παρηγορέων ἀχέων παιήονι μύθῳ,
μυρομένης δ᾽ εὔνησεν ἐπήρατα δάκρυα κούρης.   235
καὶ γαμίης δήθυνεν ἐπὶ χρόνον ἐγγύθι νύμφης
τερπόμενος φιλότητι νεοζυγέων ὑμεναίων.

Παλλήνης δὲ μέλαθρα λιπὼν καὶ Θρῆκα Βορῆα
Ῥείης εἰς δόμον ἦλθεν, ὅπῃ Φρυγίῃ παρὰ πέζῃ
δαίμονος εὐώδινος ἔσαν Κυβεληίδες αὐλαί.   240
ἐνθάδε θηρεύουσα παρὰ σφυρὰ Δίνδυμα πέτρης
Ῥυνδακὶς οὐρεσίφοιτος ἀέξετο παρθένος Αὔρη,
εἰσέτι νῆις Ἔρωτος, ὁμόδρομος ἰοχεαίρης,
ἀπτολέμων φεύγουσα νοήματα παρθενικάων,
Ἄρτεμις ὁπλοτέρη Ληλαντιάς, ἥν ποτε Τιτὴν   245
νυμφεύσας Περίβοιαν ἀπόσπορον Ὠκεανοῖο

lover, now that you have escaped a father's disgrace.
I need not tell you of Sithon's hateful love and your
marriage delayed ; how he took in hand a murderous
blade to kill your wooers, and let you grow old with-
out a taste of Aphrodite, scattered your hopes of a
husband and left your bed solitary. Look at the
rotting relics of your pretenders' bodies, whom the
Paphian adorned and the furious Avenger slew !
See those heads hung before your doors like first-
fruits of harvest, still dripping with the gore of those
inhospitable bridal feasts ! You are no mortal
daughter of Sithon. I believe a heavenly being
begat you, your own Thracian Ares. I believe
Cythereia brought you to birth ; and you have marks
of both parents imprinted, the temper of Ares and
the radiance of Aphrodite. Or I believe your father
was Lord Hermes of the ring, when he entered
the delicate bed of Peitho who brings marriage to
pass, and he taught you the wrestling which leads
the way to love."

234 So he consoled her with words that healed her
sorrow, and stilled the lovely tears of the mourning
maiden. And he lingered for some time beside his
wedded bride, taking his joy in the love of this new
marriage.

238 Then he left the halls of Pallene and Thracian
Boreas, and went on to Rheia's house, where the
divine court of the prolific Cybele stood on Phrygian
soil. There grew Aura the mountain maiden of
Rhyndacos, and hunted over the foothills of rocky
Dindymon. She was yet unacquainted with love, a
comrade of the Archeress. She kept aloof from the
notions of unwarlike maids, like a younger Artemis,
this daughter of Lelantos ; for the father of this

πρεσβυγενὴς Λήλαντος ἀελλόπον ἦροσε κούρην,
κούρην ἀντιάνειραν, ἀπειρήτην Ἀφροδίτης.
ἡ μὲν ἀνεβλάστησεν ὑπέρτερος ἥλικος ἥβης,
ἱμερτὴ ῥοδόπηχυς, ἀεὶ χαίρουσα κολώναις·   250
πολλάκι δ' ἀγρώσσουσα κατέτρεχε λυσσάδος ἄρκτου,
καὶ δόρυ θοῦρον ἔπεμπε καταιχμάζουσα λεαίνης,
οὐ κεμάδας κτείνουσα καὶ οὐ βάλλουσα λαγωούς·
ἀλλὰ δαφοινήεσσαν ἐλαφρίζουσα φαρέτρην
ὠμοβόρων τόξευεν ὀρίδρομα φῦλα λεόντων   255
θηροφόνοις βελέεσσιν· ἐπωνυμίη δὲ καὶ ἔργῳ
ὀξύτατον δρόμον εἶχεν ὀρειάσι σύνδρομος αὔραις.
  Καί ποτε διψαλέοιο πυραυγέι καύματος ὥρῃ
παρθένος ὑπνώουσα πόνων ἀμπαύετο θήρης·
καὶ δέμας ἁπλώσασα Κυβηλίδος ὑψόθι ποίης   260
κρᾶτα παρακλίνασα σαόφρονος ἔρνεϊ δάφνης
εὗδε μεσημβρίζουσα, καὶ ἐσσομένων ὑμεναίων
ἱμερτὴν ἐνόησε προμάντιος ὄψιν ὀνείρου,
ὅττι θεὸς πυρόεις τανύσας βέλος αἴθοπι νευρῇ
θοῦρος Ἔρως τόξευε λαγωβόλος ἔνδοθι λόχμης,   265
οὐτιδανοῖς βελέεσσιν ὀιστεύων στίχα θηρῶν·
παιδὶ δὲ θηρεύοντι συνέμπορος υἱέι Μύρρης
Κύπρις ἔην γελόωσα· καὶ ἵστατο παρθένος Αὔρη,
Ἀρτέμιδος μετὰ τόξον ἀήθεος ὑψόθεν ὤμου
ἀγρευτῆρος Ἔρωτος ἐλαφρίζουσα φαρέτρην·   270
αὐτὰρ ὁ θῆρας ἔπεφνεν, ἕως ἐκορέσσατο νευρῆς
βάλλων πορδαλίων βλοσυρὸν στόμα
                              καὶ γένυν ἄρκτου,
ζωγρήσας δὲ λέαιναν ἑῷ πανθελγέι κεστῷ
θῆρα πιεζομένην φιλοπαίγμονι δεῖξε τεκούσῃ·
παρθενικὴ δ' ἐδόκησε κατὰ κνέφας, ὅττι καὶ αὐτὴν 275

stormfoot girl was ancient Lelantos the Titan, who wedded Periboia, a daughter of Oceanos ; a manlike maid she was, who knew nothing of Aphrodite. She grew up taller than her yearsmates, a lovely rosy-armed thing, ever a friend of the hills. Often in hunting she ran down the wild bear, and sent her swift lance shooting against the lioness, but she slew no prickets and shot no hares. No, she carried her tawny quiver to shoot down hillranging tribes of ravening lions, with her shafts that were death to wild beasts. Her name was like her doings : Aura the Windmaid could run most swiftly, keeping pace with the highland winds.

258 One day in the scorching season of thirsty heat the maiden was asleep, resting from her labours of hunting. Stretching her body on Cybele's grass, and leaning her head on a bush of chaste[a] laurel, she slept at midday, and saw a vision in her dreams which foretold a delectable marriage to come—how the fiery god, wild Eros, fitted shaft to burning string and shot the hares in the forest, shot the wild beasts in a row with his tiny shafts ; how Cypris came, laughing, wandering with the young son of Myrrha[b] as he hunted, and Aura the maiden was there, carrying the quiver of huntsman Eros on the shoulder which was ere now used to the bow of Artemis. But Eros went on killing the beasts, until he was weary of the bowstring and hitting the grim face of a panther or the snout of a bear ; then he caught a lioness alive with the allbewitching cestus, and dragging the beast away showed her fettered to his merry mother. The maiden saw in the darkness

[a] Because the laurel is Daphne, who would have none of Apollo's advances.   [b] The son of Myrrha is Adonis.

πῆχυν ἐπικλίνουσαν Ἀδώνιδι καὶ Κυθερείη
μάργος Ἔρως ἐρέθιζεν, ὑπογνάμπτων Ἀφροδίτῃ
ληιδίης γόνυ δοῦλον ὑπερφιάλοιο λεαίνης,
τοῖον ἔπος βοόων· '' στεφανηφόρε μῆτερ Ἐρώτων,
αὐχένα σοι κλίνουσαν ἄγω φιλοπάρθενον Αὔρην·   280
ἀλλά, ποθοβλήτοιο χορίτιδες Ὀρχομενοῖο,
στέψατε κεστὸν ἱμάντα γαμοστόλον, ὅττι μενοινὴν
τοσσατίην νίκησεν ἀνικήτοιο λεαίνης.''
τοῖον ἔπος μαντῷον ὀρεστιὰς ἔδρακεν Αὔρη·
οὐδὲ μάτην πρὸς Ἔρωτας ἔην ὄναρ, ὅττι καὶ αὐτοὶ 285
εἰς λίνον ἄνδρα φέρουσι καὶ ἀγρώσσουσι γυναῖκα.
    Κούρη δ' ἐγρομένη πινυτόφρονι μαίνετο δάφνῃ,
καὶ Παφίῃ καὶ Ἔρωτι μαχέσσατο, καὶ πλέον Ὕπνῳ
χώσατο τολμήεντι, καὶ ἠπείλησεν Ὀνείρῳ,
καὶ πετάλοις νεμέσιζε καὶ ἀφθόγγῳ φάτο φωνῇ·   290
   '' Δάφνη, τί κλονέεις με;

                                       τί Κύπριδι καὶ σέο δένδρῳ; 292
ἀασάμην εὕδουσα τεοὺς ὑπὸ γείτονας ὄζους
σὸν φυτὸν ἐλπομένη φιλοπάρθενον, ὑμετέρης δὲ
φήμης οὐκ ἐτύχησα καὶ ἐλπίδος· ὡς ἄρα, Δάφνη,   295
σὸν δέμας ἀλλάξασα τεὸν νόον εὗρες ἀμεῖψαι;
μὴ γαμίη μετὰ πότμον ὑποδρήσσεις Ἀφροδίτῃ;
οὐ πινυτῆς τόδε δένδρον, ἀπ' ἀρτιγάμοιο δὲ νύμφης; 298
οὐ νέμεσις παρὰ μύρτον ὀνείρατα ταῦτα νοῆσαι,   291
μαχλάδος οὗτος ὄνειρος ἐπάξιος· ἦ ῥά σε Πειθώ,   299
ἦ ῥά σε χειρὶ φύτευσε τεὸς δαφναῖος Ἀπόλλων; '' 300
    Εἶπεν ὁμοῦ κοτέουσα φυτῷ καὶ Ἔρωτι καὶ Ὕπνῳ.
καί ποτε θηρεύουσα κατ' οὔρεα δεσπότις ἄγρης

---

[a] In her dream Aura is at once the familiar companion of
the powers of love and a wild creature just caught and given
to them.

[b] The Charites, as attendants of Aphrodite.

how mischievous Eros teased herself also as she leaned her arm on Cythereia and Adonis, while he made his prey the proud lioness, bend a slavish knee before Aphrodite, as he cried loudly, " Garlanded mother of the loves ! I lead to you Aura, the maiden too fond of maidenhood, and she bows her neck.ᵃ Now you dancers of lovestricken Orchomenos,ᵇ crown this cestus, the strap that waits on marriage, because it has conquered the stubborn will of this invincible lioness ! " Such was the prophetic oracle which Aura the maiden saw. Nor was it vain for the loves, since they themselves bring a man into the net and hunt a woman.

²⁸⁷ The maiden awoke, raved against the prudent laurel, upbraided Eros and the Paphian—but bold Sleep she reproached more than all and threatened the Dream : she was angry with the leaves and thought, though she spoke not,

²⁹² " Daphne, why do you persecute me ? What has your tree to do with Cypris ? I was deluded when I slept under your neighbouring branches, because I thought yours was a plant of chastity ; but I found nothing of your reputation or my hope. And so, Daphne, when you changed your shape you found how to change your mind ? Surely you are not the servant of conjugal Aphrodite after your death ? This is not the tree of a decent girl but of a bride newly wed. One might expect to see such dreams near a myrtle : this dream is worthy of a harlot. Did Peitho plant you, did your laurel-Apollo plant you with his own hand ? "

³⁰¹ She spoke thus, angry at the plant and Eros and Sleep all together.

³⁰² And once it happened that Artemis queen of

καύματος αἰθαλόεντος ἱμασσομένη χρόα πυρσῷ
Ἄρτεμις ἔντυε δίφρον, ὅπως ἅμα Νηίσι Νύμφαις
θερμὸν ὀρεσσιχύτοισι δέμας ψύξειε λοετροῖς,   305
ἡνίκα μέσσον ἔην φλογερὸν θέρος, ἡνίκα πάλλων
καρχαλέης πυρόεντα μεσημβρινὸν ἦχον ἱμάσθλης
Ἥλιος σελάγιζε λεοντείων ἐπὶ νώτων.
καὶ κεμάδας ζυγίοισι συνεκλήισσε λεπάδνοις
Ἄρτεμις οὐρεσίφοιτος· ἐπεμβαίνουσα δὲ δίφρου   310
λάζετο καὶ μάστιγα καὶ ἡνία παρθένος Αὔρη,
καὶ κεφαλὴν ἤλαυνε θυελλήεσσαν ἀπήνην.
ἀενάου δὲ θύγατρες ἀνάμπυκες Ὠκεανοῖο
δμωίδες ἐρρώοντο συνήλυδες ἰοχεαίρῃ,
ὧν ἡ μὲν ταχύγουνος ἔην προκέλευθος ἀνάσσης,   315
ἄλλη δ᾽ ἰσοκέλευθος ἀναστείλασα χιτῶνα
ἐγγὺς ἔην, ἑτέρη δὲ τανυκνήμιδος ἀπήνης
ἁπτομένη πείρινθος ὁμόδρομον εἶχε πορείην.
καὶ σέλας ἰοχέαιρα διαυγάζουσα προσώπου
ἀμφιπόλων ἤστραψεν ὑπέρτερος, ὡς ὅτε δίφρῳ   320
αἰθερίῳ πέμπουσα φιλαγρύπνων φλόγα πυρσῶν
ἀννεφέλους ἀκτῖνας ὀιστεύουσα Σελήνη
πλησιφαὴς ἀνέτειλε[1] πυριτρεφέων μέσον ἄστρων,
οὐρανίην στίχα πᾶσαν ἀμαλδύνουσα προσώπῳ·
τῇ σέλας ἶσον ἔχουσα διέτρεχεν Ἄρτεμις ὕλην,   325
εἰσόκε χῶρον ἵκανεν, ὅπῃ κελάδοντι ῥεέθρῳ
Σαγγαρίου ποταμοῖο Διπετὲς ἕλκεται ὕδωρ.
Αὔρη δ᾽ ἀμφιέλισσαν ἑὴν ἀνέκοψεν ἱμάσθλην,
καὶ κεμάδας χρυσέοισιν ἀνακρούουσα χαλινοῖς
ἀμφὶ ῥοὰς ἔστησε φεραυγέα δίφρον ἀνάσσης·   330
καὶ θεὸς ἐκ δίφροιο κατέδραμεν· ἐκ δέ οἱ ὤμων

---

[1] ἀνέτελλε mss. : ἀνέτειλε scripsi.

---

[a] The constellation Leo, which the sun enters July 27.

the hunt was hunting over the hills, and her skin was beaten by the glow of the scorching heat, in the middle of glowing summer, at midday, when Helios blazed as he whipt the Lion's [a] back with the fire of his rough whistling whip ; so she got ready her car to cool her hot frame along with the Naiad Nymphs in a bath in some hill burn. Then Artemis hillranger fastened her prickets under the yokestraps. Maiden Aura mounted the car, took reins and whip and drove the horned [b] team like a tempest. The unveiled daughters of everflowing Oceanos her servants made haste to accompany the Archeress : one moved her swift knees as her queen's forerunner, another tucked up her tunic and ran level not far off, a third laid a hand on the basket of the swiftmoving car and ran alongside. Archeress diffusing radiance from her face stood shining above her attendants, as when Selene in her heavenly chariot sends forth the flame of her everwakeful fires in a shower of cloudless beams, and rises in full refulgence among the firefed stars, obscuring the whole heavenly host with her countenance [c] : radiant like her, Archeress traversed the forest, until she reached the place where the heavenfallen waters of Sangarios river are drawn in a murmuring stream.

[328] Then Aura checked her swinging whip, and holding up the prickets with the golden bridles, brought the radiant car of her mistress to a standstill beside the stream. The goddess leapt out of the car ; Upis [d]

[b] They were of the same mythical breed as the one caught by Heracles in his fourth labour, *cf.* Callimachos, *Hymn* iii. 105 ff. Hence the horns, though they were female.

[c] Since to Nonnos Artemis is the moon, the simile is natural.

[d] Upis, Hecaërge and Loxo the Hyperborean virgins of Delos, *cf.* Call. *Hymn* iv. 292.

τόξα μὲν Οὖπις ἔδεκτο, καὶ ἰοδόκην Ἑκαέργη,
Ὠκεανοῦ δὲ θύγατρες εὔπλοκα δίκτυα θήρης·
καὶ κύνας . . .
      ἐνδρομίδας δὲ ποδῶν ἀνελύσατο Λοξώ.
ἡ δὲ μεσημβρίζουσα σέβας φιλοπάρθενον αἰδοῦς   335
ἐν προχοαῖς ἐφύλαξε, διερπύζουσα ῥοάων
ἴχνεσι φειδομένοισι, καὶ ἐκ ποδὸς ἄχρι καρήνου   337
ἀκροβαφῆ κατὰ βαιὸν ἀναστείλασα χιτῶνα,   339
ἀμφιπερισφίγγουσα πόδας διδυμάονι μηρῷ   338
κρυπτόμενον μετρηδὸν ὅλον δέμας ἔκλυσε κούρη.   340
λοξὰ δὲ παπταίνουσα δι' ὕδατος εὔσκοπος Αὔρη
τολμηροῖς βλεφάροισιν ἀναιδήτοιο προσώπου
ἁγνὸν ἀθήτοιο δέμας διεμέτρεε κούρης,
θέσκελον εἰσορόωσα σαόφρονος εἶδος ἀνάσσης·
καὶ πόδας ἁπλώσασα τιταινομένων παλαμάων   345
δαίμονι νηχομένη συνενήχετο παρθένος Αὔρη.
ἡμιφανὴς δ' ἀτέλεστος ἔσω ποταμηίδος ὄχθης
ἰκμαλέας ῥαθάμιγγας ἀποσμήξασα κομάων . . .
Ἄρτεμις ἀγροτέρη· σχεδόθεν δέ οἱ ἀγρότις Αὔρη
μαζοὺς ἀμφαφόωσα θεημάχον ἴαχε φωνήν·   350
  " Ἄρτεμι, μοῦνον ἔχεις
              φιλοπάρθενον οὔνομα κούρης, 351
ὅττι διὰ στέρνων κεχαλασμένον ἄντυγα θηλῆς   353
θῆλυν ἔχεις Παφίης, οὐκ ἄρσενα μαζὸν Ἀθήνης,   352
καὶ ῥοδέους σπινθῆρας ὀιστεύουσι παρειαί·   354
ἀλλὰ δέμας μεθέπουσα ποθοβλήτοιο θεαίνης   355
καὶ σὺ γάμων βασίλευε σὺν ἁβροκόμῳ Κυθερείῃ,
δεξαμένη θαλάμοις τινὰ νυμφίον· ἢν δ' ἐθελήσῃς,
Ἑρμείῃ παρίαυε καὶ Ἄρεϊ, λεῖψον Ἀθήνην·
448

took the bow from her shoulders, and Hecaërge the quiver; the daughters of Oceanos took off the well-strung hunting-nets, and [another took charge of] the dogs; Loxo loosed the boots from her feet. She in the midday heat still guarded her maiden modesty in the river, moving through the water with cautious step, and lifting her tunic little by little from foot to head with the edge touching the surface, keeping the two feet and thighs close together and hiding her body as she bathed the whole by degrees.[a] Aura looked sideways through the water with the daring gaze of her sharp eyes unashamed, and scanned the holy frame of the virgin who may not be seen, examining the divine beauty of her chaste mistress; virgin Aura stretched out her arms and feet at full length and swam by the side of the swimming divinity. Now Artemis lady of the hunt [stood] half visible on the river bank, and wrung out the dripping water from her hair; Aura the maid of the hunt stood by her side, and stroked her breasts and uttered these impious words:

351 " Artemis, you only have the name of a virgin maid, because your rounded breasts are full and soft, a woman's breasts like the Paphian, not a man's like Athena, and your cheeks shed a rosy radiance![b] Well, since you have a body like that desirous goddess, why not be queen of marriage as well as Cythereia with her wealth of fine hair, and receive a bride-groom into your chamber? If it please you, leave Athena and sleep with Hermes and Ares. If it

[a] Much as if she had been a woman of the fellahin fording a river. This prudery is of course quite alien to the classical Artemis.

[b] i.e. you, being feminine and desirable, are really virgin; Athena is merely sexless.

449

ἢν δ' ἐθέλῃς, ἀνάειρε βέλος καὶ τόξον Ἐρώτων,
εἰ μεθέπεις θρασὺν οἶστρον ὀιστοκόμοιο φαρέτρης. 360
ἱλήκοι τεὸν εἶδος· ἐγὼ σέο μᾶλλον ἀρείων·
δέρκεο, πῶς μεθέπω βριαρὸν δέμας· ἠνίδε μορφὴν
ἄρσενα καὶ Ζεφύροιο θοώτερον ἴχνιον Αὔρης·
δέρκεο, πῶς σφριγόωσι βραχίονες· ἠνίδε μαζοὺς
ὄμφακας οἰδαίνοντας ἀθήλεας· ἢ τάχα φαίης, 365
ὅττι τεοὶ γλαγόεσσαν ἀναβλύζουσιν ἐέρσην·
πῶς παλάμην μεθέπεις ἀπαλόχροα; πῶς σέο μαζοὶ
οὔ τινα κύκλον ἔχουσι περίτροχον, οἷά περ Αὔρης,
αὐτόματοι κήρυκες ἀσυλήτοιο κορείης; "
Ἔννεπε κερτομέουσα· κατηφιόωσα δὲ σιγῇ 370
σύννομος οἰδαίνοντι χόλῳ κυμαίνετο δαίμων,
καὶ φονίους σπινθῆρας ἀνηκόντιζον ὀπωπαί·
ἐκ προχοῆς δ' ἀνέπαλτο, πάλιν δ' ἔνδυνε χιτῶνα,
καὶ καθαραῖς λαγόνεσσι τὸ δεύτερον ἥρμοσε μίτρην
ἀχνυμένη. Νέμεσιν δὲ μετήιεν· εὗρε δὲ κούρην 375
ὑψινεφῆ παρὰ Ταῦρον, ὅπῃ παρὰ γείτονι Κύδνῳ
παῦσε Τυφαονίης ὑψαύχενα κόμπον ἀπειλῆς·
καὶ τροχὸς αὐτοκύλιστος ἔην παρὰ ποσσὶν ἀνάσσης
σημαίνων, ὅτι πάντας ἀγήνορας εἰς πέδον ἕλκει
ὑψόθεν εἰλυφόωσα δίκης ποινήτορι κύκλῳ, 380
δαίμων πανδαμάτειρα, βίου στρωφῶσα πορείην·

---

[a] Cf. ii. 553 ff., where however Nemesis does not appear.
[b] The attributes of Nemesis here show what a long way
she had travelled from the local goddess of Rhamnus in
Attica, who had nothing abstract about her to begin with but
was a minor deity loved on occasion by Zeus, and even from
the Hellenistic Nemesis, whose closer association with the idea
of divine vengeance overtaking the too prosperous and over-
confident is shown by the characteristic attitude of her statues,
which are represented as spitting into the breast-fold of her
garment (cf. Theocr. vi. 39), to avert envy. Long before the
days of Nonnos, she had become a personification of the

please you, take up the bow and arrows of the loves, if your passion is so strong for a quiver full of arrows. I ask pardon of your beauty, but I am much better than you. See what a vigorous body I have! Look at Aura's body like a boy's, and her step swifter than Zephyros! See the muscles upon my arms, look at my breasts, round and unripe, not like a woman. You might almost say that yours are swelling with drops of milk! Why are your arms so tender, why are your breasts not round like Aura's, to tell the world themselves of unviolated maidenhood?"

370 So she spoke in raillery; the goddess listened downcast in boding silence. Waves of anger swelled in her breast, her flashing eyes had death in their look. She leapt up from the stream and put on her tunic again, and once more fitted the girdle upon her pure loins, offended. She betook herself to Nemesis, and found her on the heights of Tauros in the clouds, where beside neighbour Cydnos she had ended the proudnecked boasting of Typhon's threats.[a] A wheel turned itself round before the queen's feet, signifying that she rolls all the proud from on high to the ground with the avenging wheel of justice, she the allvanquishing deity who turns the path of life.[b] Round her throne flew

power which lays the froward low and redresses the balance of life. To express this, the ingenuity of Imperial times heaped upon her a multitude of emblems, of no significance in cult but purely allegorical. Her wheel is borrowed from Tyche; it may be that a line or two has fallen out before 385 which said she carried a whip; certainly she scourges men like a whip in 387, and this attribute belongs in the last instance to the Erinyes. The griffin is shown at her feet in some late representations of her in art. It would seem that there existed written directions how to paint or carve her: *cf.*

ἀμφὶ δέ οἱ πεπότητο παρὰ θρόνον ὄρνις ἀλάστωρ,
γρὺψ πτερόεις, πισύρων δὲ ποδῶν κουφίζετο παλμῷ
δαίμονος ἱπταμένης αὐτάγγελος, ὅττι καὶ αὐτὴ
τέτραχα μοιρηθέντα διέρχεται ἕδρανα κόσμου·   385
ἀνέρας ὑψιλόφους ἀλύτῳ σφίγγουσα χαλινῷ,
ἀντίτυπον μίμημα, καὶ ὡς κακότητος ἱμάσθη,
ὡς τροχὸν αὐτοκύλιστον, ἀγήνορα φῶτα κυλίνδει.
ἔγνω δ' ὡς ἐνόησε θεὰ χλοάοντι προσώπῳ
Ἄρτεμιν ἀχνυμένην φονίης πλήθουσαν ἀπειλῆς,   390
καί μιν ἀνειρομένη φιλίῳ μειλίξατο μύθῳ·

    " Σὸν χόλον, ἰοχέαιρα, τεαὶ βοόωσιν ὀπωπαί·
Ἄρτεμι, τίς κλονέει σε θεημάχος υἱὸς Ἀρούρης;
τίς πάλιν ἐβλάστησεν ὑπὲρ δαπέδοιο Τυφωεύς;
μὴ Τιτυὸς παλίνορσος ἐρωμανὲς ὄμμα τιταίνων   395
εἵματος ἀψαύστοιο τεῆς ἔψαυσε τεκούσης;
Ἄρτεμι, πῇ σέο τόξα καὶ Ἀπόλλωνος ὀιστοί;
τίς πάλιν Ὠρίων σε βιάζεται; εἰσέτι κεῖται
κεῖνος, ὃς ὑμετέροιο τάλας ἔψαυσε χιτῶνος,
μητρὸς ἔσω λαγόνων νέκυς ἄπνοος· εἰ δέ τις ἀνὴρ 400
χερσὶ ποθοβλήτοισι τεῶν ἐδράξατο πέπλων,
σκορπίον ἄλλον ἄεξε τεῆς ποινήτορα μίτρης·
εἰ δὲ πάλιν θρασὺς Ὦτος ἢ αὐχήεις Ἐφιάλτης
συζυγίην μενέαινε τεῶν ἀκίχητον Ἐρώτων,
κτεῖνον ἀνυμφεύτοιο τεῆς μνηστῆρα κορείης·   405
εἰ δὲ γυνὴ πολύτεκνος ἀνιάζει σέο Λητώ,
ἄλλη λαϊνέη Νιόβη κλαύσειε γενέθλην·
τίς φθόνος, εἰ λίθον ἄλλον ὑπὲρ Σιπύλοιο τελέσσω;

---

the curious description in Ammianus Marcellinus xiv. 11. 26,
where the attributes are wings, the wheel and a steering-oar,

a bird of vengeance, a griffin flying with wings, or balancing himself on four feet, to go unbidden before the flying goddess and show that she herself traverses the four separate quarters of the world: highcrested men she bridles with her bit which none can shake off, such is the meaning of the image, and she rolls a haughty fellow about as it were with the whip of misery, like a self-rolling wheel.[a] When the goddess beheld Artemis with pallid face, she knew that she was offended and full of deadly threatenings, and questioned her in friendly words:

392 " Your looks, Archeress, proclaim your anger. Artemis, what impious son of Earth persecutes you ? What second Typhoeus has sprung up from the ground ? Has Tityos risen again rolling a lovemad eye, and touched the robe of your untouchable mother ? Where is your bow, Artemis, where are Apollo's arrows ? What Orion is using force against you once more ? The wretch that touched your dress still lies in his mother's flanks, a lifeless corpse ; if any man has clutched your garments with lustful hands, grow another scorpion to avenge your girdle. If bold Otos again, or boastful Ephialtes, has desired to win your love so far beyond his reach, then slay the pretender to your unwedded virginity. If some prolific wife provokes your mother Leto, let her weep for her children, another Niobe of stone. Why should not I make another stone on Sipylos ? Is

but no griffin. For more details, see the elaborate article " Nemesis " by O. Rossbach in Roscher's *Lexikon*, especially cols. 136-137, 159-160.

[a] The text is very obscure, perhaps defective (see note on 378), and the translation uncertain.

μή σε πατὴρ διὰ λέκτρα μετὰ γλαυκῶπιν ὀρίνει;
μὴ τεὸν Ἑρμάωνι γάμον κατένευσε Κρονίων,　　　410
οἷα καὶ Ἡφαίστῳ καθαρῆς ὑμέναιον Ἀθήνης;
εἰ δὲ γυνὴ κλονέει σε, τεὴν ἅτε μητέρα Λητώ,
ἔσσομαι ἀχνυμένης τιμήορος ἰοχεαίρης."

Οὔ πω μῦθος ἔληγεν· ἀλεξικάκῳ δὲ θεαίνῃ
τοῖον ἔπος φθαμένη σκυλακοτρόφος ἴαχε κούρη·　　415

"Παρθένε πανδαμάτειρα, κυβερνήτειρα γενέθλης,
οὐ Ζεύς, οὐ Νιόβη με, καὶ οὐ θρασὺς Ὦτος ὀρίνει·
οὐ Τιτυὸς βαθύπεπλον ἐμὴν ἀνεσείρασε Λητώ·
οὐ νέος Ὠρίων με βιάζεται, υἱὸς Ἀρούρης·
ἀλλά με κερτομέουσα βαρύστομος ὀξέϊ μύθῳ　　420
ἤκαχε Ληλάντοιο πάϊς, δυσπάρθενος Αὔρη·
ἀλλὰ τί σοι τάδε πάντα διίξομαι; αἰδέομαι γὰρ
αἶσχος ἐμῶν μελέων ἐνέπειν καὶ ὀνείδεα μαζῶν·
μητρὶ δ᾽ ἐμῇ πάθον ἄλγος ὁμοίϊον· ἀμφότερον γὰρ
ἐν Φρυγίῃ Νιόβη διδυμητόκον ἤκαχε Λητώ,　　425
καὶ πάλιν ἐν Φρυγίῃ με θεημάχος ἤκαχεν Αὔρη·
ἀλλ᾽ ἡ μὲν νόθον εἶδος ἀμειψαμένη πόρε ποινήν,
Τανταλὶς αἰνοτόκεια, καὶ εἰσέτι δάκρυα λείβει
ὄμμασι πετραίοισιν· ἀνιηθεῖσα δὲ μούνη
αἶσχος ἔχω νήποινον, ἐπεὶ φιλοπάρθενος Αὔρη　　430
δάκρυσιν οὐ λίθον εἶχε λελουμένον, οὐκ ἴδε πηγὴν

ᵃ Here once more Nonnos gives us a mythological cata-
logue, this time of the various impious persons who had tried
to violate Artemis or her mother. Tityos assaulted Leto
shortly after the birth of her twins, and Apollo and Artemis
killed him with their arrows; for Orion's birth from the

your father pestering you to marry as he did
with Athena ? Surely Cronion has not promised you
to Hermes for a wife, as he promised pure Athena
to Hephaistos in wedlock ? But if some woman is
persecuting you as one did to your mother Leto, I
will be the avenger of the offended Archeress." [a]

414 She had not finished, when the puppybreeding
maiden broke in and said to the goddess who saves
from evil :

416 " Virgin allvanquishing, guide of creation, Zeus
pesters me not, nor Niobe, nor bold Otos ; no Tityos
has dragged at the long robes of my Leto ; no new
son of Earth like Orion forces me : no, it is that sour
virgin Aura, the daughter of Lelantos, who mocks
me and offends me with rude sharp words. But how
can I tell you all she said ? I am ashamed to describe
her calumny of my body and her abuse of my breasts.
I have suffered just as my mother did : we are both
alike—in Phrygia Niobe offended Leto the mother of
twins, in Phrygia again impious Aura offended me.
But Niobe paid for it by passing into a changeling
form, that daughter of Tantalos whose children were
her sorrow, and she still weeps with stony eyes ; I
alone am insulted and bear my disgrace without
vengeance, but Aura the champion of chastity has
washed no stone with tears, she has seen no fountain

ground, see xiii. 99 ff. ; the allusion here is to his trying to
violate Artemis, and being killed (not, as often, by her arrows,
but) by the scorpion which sprang up from the earth ; a con-
flation of two versions, for the scorpion is properly the divine
answer to his premature boast that he could kill all beasts.
Otos and Ephialtes wanted to marry Artemis, and by a trick
of hers or Apollo's they killed each other, *cf.* Hyginus, *Fab.* 28.
3 ; they were the gigantic sons of Poseidon and Iphimedeia.
The story of Niobe needs no re-telling (406 ff.) ; for the
attempt to make Athena marry Hephaistos, see on xiii. 172.

μῶμον ἀπαγγέλλουσαν ἀφειδέος ἀνθερεῶνος.
ἀλλὰ σὺ κυδαίνουσα τεὴν Τιτηνίδα φύτλην
δός μετὰ μητρῴην ἑτέρην χάριν, ὄφρα νοήσω
λαϊνέης ἀτίνακτον ἀμειβομένης δέμας Αὔρης·   435
μηδὲ τεὴν ἔμφυλον ὀδυρομένην λίπε κούρην,
μή μοι ἐπεγγελόωσαν ἴδω πάλιν ἄτροπον Αὔρην,
ἠέ μιν οἰστρήσειε τεῇ χαλκήλατος ἅρπη.''
    Ὣς φαμένην θάρσυνε θεὰ καὶ ἀμείβετο μύθῳ·
'' Λητῴη φυγόδεμνε, κυνοσσόε, σύγγονε Φοίβου,   440
οὐ μὲν ἐμῷ δρεπάνῳ Τιτηνίδα παῖδα δαμάσσω,
οὐδέ μιν ἐν Φρυγίῃ τελέσω πετρώδεα νύμφην,
Τιτήνων γεγαυῖα παλαίτατον αἷμα καὶ αὐτή,
μή ποτέ μοι μέμψαιτο πατὴρ Λήλαντος ἀκούων·
ἐν δέ σοι, ἰοχέαιρα, χαρίζομαι· ἀγρότις Αὔρη   445
παρθενικὴν ἤλεγξε, καὶ οὐκέτι παρθένος ἔσται·
καί μιν ἐσαθρήσειας ὀρεσσιχύτου διὰ κόλπου
δάκρυσι πηγαίοισιν ὀδυρομένην ἔτι μίτρην.''
    Εἶπε παρηγορέουσα· καὶ οὔρεα κάλλιπε κούρη
Ἄρτεμις ἑζομένη κεμάδων τετράζυγι δίφρῳ,   450
καὶ Φρυγίης ἐπέβαινεν. ὁμοζήλῳ δὲ πορείῃ
παρθένος Ἀδρήστεια μετήιε δύσμαχον Αὔρην,
γρῦπας ἀμιλλητῆρας ὑποζεύξασα χαλινῷ·
καὶ ταχινὴ πεφόρητο δι᾽ ἠέρος ὀξέι δίφρῳ,
καὶ δρόμον ἐστήριξεν ὑπὲρ Σιπύλοιο καρήνων   455
Τανταλίδος προπάροιθε λιθογλήνοιο προσώπου,
πτηνῶν τετραπόδων σκολιοὺς σφίγγουσα χαλινούς.
Αὔρης δ᾽ ἐγγὺς ἵκανεν ἀγήνορος· ὑψίνοον δὲ
αὐχένα δειλαίης ὀφιώδεϊ τύψεν ἱμάσθλῃ,
καί μιν ἀνεστυφέλιξε δίκης τροχοειδέι κύκλῳ,   460
καὶ νόον ἄφρονα κάμψεν ἀκαμπέος· ἀμφὶ δὲ μίτρην

declaring the faults of her uncontrolled tongue. I pray you, uphold the dignity of your Titan birth. Grant me a boon like my mother, that I may see Aura's body transformed into stone immovable ; leave not a maiden of your own race in sorrow, that I may not see Aura mocking me again and not to be turned—or let your sickle of beaten bronze drive her to madness ! "

439 She spoke, and the goddess replied with encouraging words :

440 " Chaste daughter of Leto, huntress, sister of Phoibos, I will not use my sickle to chastise a Titan girl, I will not make the maiden a stone in Phrygia, for I am myself born of the ancient race of Titans, and her father Lelantos might blame me when he heard : but one boon I will grant you, Archeress. Aura the maid of the hunt has reproached your virginity, and she shall be a virgin no longer. You shall see her in the bed of a mountain stream weeping fountains of tears for her maiden girdle."

449 So she consoled her ; and Artemis the maiden entered her car with its team of four prickets, left the mountain and drove back to Phrygia. With equal speed the maiden Adrasteia [a] pursued her obstinate enemy Aura. She had harnessed racing griffins under her bridle ; quick through the air she coursed in the swift car, until she tightened the curving bits of her fourfooted birds, and drew up on the peak of Sipylos in front of the face of Tantalos's daughter [b] with eyeballs of stone. Then she approached the haughty Aura. She flicked the proud neck of the hapless girl with her snaky whip, and struck her with the round wheel of justice, and bent the foolish

[a] Nemesis.   [b] Niobe.

παρθενικῆς ἐλέλιζεν ἐχιδνήεσσαν ἱμάσθλην
Ἀργολὶς Ἀδρήστεια· χαριζομένη δὲ θεαίνῃ,
καὶ μάλα περ κοτέοντι κασιγνήτῳ Διονύσῳ,
ὥπλισεν ἄλλον ἔρωτα, καὶ εἰ πέλε νῆις Ἐρώτων,   465
Παλλήνης μετὰ λέκτρα, μετὰ φθιμένην Ἀριάδνην,
τὴν μὲν λειπομένην ἐνὶ πατρίδι, τὴν δ' ἐνὶ γαίῃ
ἀλλοτρίῃ πετραῖον, Ἀχαιΐδος ὡς βρέτας Ἥρης,
καὶ Βερόης πολὺ μᾶλλον ἀνηνύστων περὶ λέκτρων.

Καὶ Νέμεσις πεπότητο νιφοβλήτῳ παρὰ Ταύρῳ,   470
εἰσόκε Κύδνον ἵκανε τὸ δεύτερον. ἀμφὶ δὲ κούρῃ
ἡδυβόλῳ¹ Διόνυσον Ἔρως οἴστρησεν ὀιστῷ,
καὶ πτερὰ κυκλώσας ἐπεβήσατο κοῦφος Ὀλύμπου.

Καὶ θεὸς οὐρεσίφοιτος ἱμάσσετο μείζονι πυρσῷ·
οὐ γὰρ ἔην ἐλάχεια παραίφασις· οὐ τότε κούρης   475
ἐλπίδα Κυπριδίην, οὐ φάρμακον εἶχεν Ἐρώτων·
ἀλλά μιν ἔφλεγε μᾶλλον Ἔρως θελξίφρονι πυρσῷ
θυιάδος ὀψιτέλεστον ἀπειθέος εἰς γάμον Αὔρης.
καὶ μογέων ἔκρυπτεν ἑὸν πόθον, οὐδ' ἐνὶ λόχμαις
Κυπριδίοις ὀάροισιν ὁμίλεεν ἐγγύθεν Αὔρης,   480
μή μιν ἀλυσκάζειε. τί κύντερον, ἢ ὅτε μοῦνοι
ἀνέρες ἱμείρουσι, καὶ οὐ ποθέουσι γυναῖκες;
καὶ μέθεπε πραπίδεσσι πεπηγμένον ἰὸν Ἐρώτων,
παρθένος εἰ δρόμον εἶχε κυνοσσόον ἔνδοθι λόχμης·
Κυπριδίοις δ' ἀνέμοισιν ἀειρομένοιο χιτῶνος   485
μηρὸν ὀπιπεύων θηλύνετο Βάκχος ἀλήτης.
ὀψὲ δὲ παφλάζοντι πόθῳ δεδονημένος Αὔρης
Βάκχος ἀμηχανέων ἔπος ἴαχε λυσσάδι φωνῇ·

¹ So Keydell: Ludwich ἡδυμόλῳ, after L; M ἡδυνόλῳ.

ᵃ Nemesis is called Adrasteia, if we may believe Antimachos of Colophon, Frag. 53 Wyss, because she was honoured by Adrastos king of Argos. The real connexion between the two names is of course that they both mean
458

unbending will. Argive [a] Adrasteia let the whip
with its vipers curl round the maiden's girdle, doing
pleasure to Artemis and to Dionysos while he was
still indignant; and although she was herself un-
acquainted with love, she prepared another love,
after the bed of Pallene, after the loss of Ariadne
—one was left in her own country, one was a stone
in a foreign land like the statue of Achaian Hera—
and more than all for the ill success with Beroë's bed.

470 Nemesis now flew back to snowbeaten Tauros
until she reached Cydnos again. And Eros drove
Dionysos mad for the girl with the delicious wound
of his arrow, then curving his wings flew lightly to
Olympos.

474 And the god roamed over the hills scourged with
a greater fire. For there was not the smallest comfort
for him. He had then no hope of the girl's love, no
physic for his passion; but Eros burnt him more
and more with the mindbewitching fire to win mad
obstinate Aura at last. With hard struggles he kept
his desire hidden; he used no lover's prattle beside
Aura in the woods, for fear she might avoid him.
What is more shameless, than when only men crave,
and women do not desire? Wandering Bacchos felt
the arrow of love fixt in his heart if the maiden was
hunting with her pack of dogs in the woods; if he
caught a glimpse of a thigh when the loving winds
lifted her tunic, he became soft as a woman. At
last buffeted by his tumultuous desire for Aura,
desperate he cried out in mad tones—

" unavoidable," the one being the sure vengeance which
overtakes the wrongdoer, the other a great king and warrior
whose power none could escape. Nonnos is showing off
his knowledge, whether first-hand or not, of Antimachos's
learned poem, the *Thebais*.

" Πανὸς ἐγὼ δυσέρωτος ἔχω τύπον, ὅττι με φεύγει
παρθένος ἠνεμόφοιτος, ἐρημονόμῳ δὲ πεδίλῳ   490
πλάζεται ἀστήρικτος ἀθηήτου πλέον Ἠχοῦς.
ὄλβιε, Πάν, Βρομίοιο πολὺ πλέον, ὅττι ματεύων
φάρμακον εὗρες ἔρωτος ἐνὶ φρενοθελγέι φωνῇ·
σὸν κτύπον ὑστερόφωνος ἀμείβεται ἄστατος Ἠχὼ
φθεγγομένη λάλον ἦχον ὁμοίιον· αἴθε καὶ αὐτὴ   495
ἐκ στομάτων ἕνα μῦθον ἀνήρυγε παρθένος Αὔρη.
οὗτος ἔρως οὐ πᾶσιν ὁμοίιος· οὐδὲ γὰρ αὐτὴ
παρθενικαῖς ἑτέρῃσιν ὁμότροπον ἦθος ἀέξει.
ποῖον ἐμῆς ὀδύνης πέλε φάρμακον; ἦ ῥά ἑ θέλξω
νεύματι Κυπριδίῳ; πότε που, πότε θέλγεται Αὔρη   500
κινυμένοις βλεφάροισιν; ἐρωμανὲς ὄμμα τιταίνων
τίς γαμίοις ὀάροισι παραπλάζει φρένας ἄρκτου
εἰς Παφίην, ἐς Ἔρωτα; τίς ὡμίλησε λεαίνῃ;
τίς δρυὶ μῦθον ἔλεξε; τίς ἄπνοον ἤπαφε πεύκην;
τίς κρανέην παρέπεισε, καὶ εἰς γάμον ἤγαγε πέτρην;   505
ποῖος ἀνὴρ θέλξειεν ἀκηλήτου νόον Αὔρης;
ποῖος ἀνὴρ θέλξειεν; ἀμιτροχίτωνι δὲ κούρῃ
τίς γάμον ἢ φιλότητος ἀρηγόνα κεστὸν ἐνύψῃ;
τίς γλυκὺ κέντρον Ἔρωτος ἢ οὔνομα Κυπρογενείης;
μᾶλλον Ἀθηναίη τάχα πείσεται· οὐδέ με φεύγει   510
Ἄρτεμις ἀπτοίητος, ὅσον φιλοπάρθενος Αὔρη.
αἴθε φίλοις στομάτεσσιν ἔπος τόδε μοῦνον ἐνύψῃ·
' Βάκχε, μάτην ποθέεις,

                              μὴ δίζεο παρθένον Αὔρην.' "
Ἔννεπεν ἀνθεμόεντος ἔσω λειμῶνος ὁδεύων
εἰαρινοῖς ἀνέμοισι, καὶ εὐόδμῳ παρὰ μύρτῳ   515
ἡδὺ μεσημβρίζων πόδας εὔνασεν, ἀμφὶ δὲ δένδρῳ
κέκλιτο συρίζουσαν ἔχων Ζεφυρήιον αὔρην
καὶ καμάτῳ καὶ ἔρωτι κατάσχετος· ἑζομένῳ δὲ

⁴⁸⁹ " I am like lovelorn Pan, when the girl flees me swift as the wind, and wanders, treading the wilderness with boot more agile than Echo never seen ! You are happy, Pan, much more than Bromios, for during your search you have found a physic for love in a mindbewitching voice. Echo follows your tones and returns them, moving from place to place, and utters a sound of speaking like your voice. If only maid Aura had done the same, and let one word sound from her lips ! This love is different from all others, for the girl herself has a nature not like the ways of other maidens. What physic is there for my pain ? Shall I charm her with lovers' nod and beck ? Ah when, ah when is Aura charmed with moving eyelids ? Who by lovemad looks or wooing whispers could seduce the heart of a shebear to the Paphian, to Eros ? Who discourses to a lioness ? Who talks to an oak ? Who has beguiled a lifeless firtree ? Who ever persuaded a cornel-tree, and took a rock in marriage ? And what man could charm the mind of Aura proof against all charms ? What man could charm her—who will mention marriage, or the cestus which helps love, to this girl with no girdle to her tunic ? Who will mention the sweet sting of love or the name of Cyprogeneia ? I think Athena will listen sooner ; and not intrepid Artemis avoids me so much as prudish Aura. If she would only say as much as this with her dear lips—' Bacchos, your desire is vain ; seek not for maiden Aura.' "

⁵¹⁴ So he spoke to the breezes of spring, while walking in a flowery meadow. Beside a fragrant myrtle he stayed his feet for a soothing rest at midday. He leaned against a tree and listened to the west breeze whispering, overcome by fatigue and

461

ἥλικος αὐτομέλαθρος ὑπερκύψασα κορύμβου
παρθένος ἀκρήδεμνος Ἀμαδρυὰς ἔννεπε Νύμφη,   520
Κύπριδι πιστὰ φέρουσα καὶ ἱμερόεντι Λυαίῳ·
  " Οὐ δύναται ποτε Βάκχος
                ἄγειν ἐπὶ δέμνιον Αὔρην,
εἰ μή μιν βαρύδεσμον ἀλυκτοπέδῃσι πεδήσῃ,
δεσμοῖς Κυπριδίοισι πόδας καὶ χεῖρας ἑλίξας,
ἠέ μιν ὑπνώουσαν ὑποζεύξας ὑμεναίοις   525
παρθενικῆς ἀνάεδνον ὑποκλέψειε κορείην."
  "Ὡς φαμένη παλίνορσος ὁμήλικι κεύθετο θάμνῳ
δυσαμένη δρυόεντα πάλιν δόμον· αὐτὰρ ὁ κάμνων
Βάκχος ἐρωτοτόκοισι νόον πόμπευεν ὀνείροις.
ψυχὴ δ' ἠνεμόφοιτος ἀποφθιμένης Ἀριάδνης,   530
νήδυμον ὑπνώοντι παρισταμένη Διονύσῳ,
ζηλήμων μετὰ πότμον ὀνειρείῳ φάτο μύθῳ·
  "Ἀμνήμων Διόνυσε τεῶν προτέρων ὑμεναίων,
Αὔρης ζῆλος ἔχει σε, καὶ οὐκ ἀλέγεις Ἀριάδνης·
ὤμοι ἐμοῦ Θησῆος, ὃν ἥρπασε πικρὸς ἀήτης,   535
ὤμοι ἐμοῦ Θησῆος, ὃν ἔλλαχεν ἀνέρα Φαίδρη.
οὐ τάχα μοι πέπρωτο φυγεῖν ψευδόρκον ἀκοίτην,
εἰ γλυκὺς ὑπναλέην με λίπεν νέος, ἀντὶ δὲ κείνου
νυμφεύθην δυσέρωτι καὶ ἠπεροπῆι Λυαίῳ.
ὤμοι, ὅτ' οὐ βροτὸν ἔσχον ἐγὼ ταχύποτμον ἀκοίτην, 540
καί κεν ἐρωμανέοντι κορυσσομένη Διονύσῳ
Λημνιάδων γενόμην καὶ ἐγὼ μία θηλυτεράων.
ἀλλὰ πολυσπερέων γαμίων ἐπιβήτορα λέκτρων,
νυμφίον ὁρκαπάτην, μετὰ Θησέα καὶ σὲ καλέσσω·
εἰ δέ σε δῶρον Ἔρωτος ἀπαιτίζει σέο νύμφη,   545
δέξό μοι ἠλακάτην, φιλοτήσιον ἔδνον Ἐρώτων,
ὄφρα πόρῃς, ἀθέμιστε, φιλοσκοπέλῳ σέο νύμφῃ

---

a Ariadne's sister, see Euripides, *Hippolytos* 339.

love ; and as he sat there, a Hamadryad Nymph at
home in the clusters of her native tree, a maiden un-
veiled, peeped out and said, true both to Cypris and
to loving Lyaios :

522 " Bacchos can never lead Aura to his bed,
unless he binds her first in heavy galling fetters, and
winds the bonds of Cypris round hands and feet ;
or else puts her under the yoke of marriage in sleep,
and steals the girl's maidenhood without brideprice."

527 Having spoken she hid again in the tree her
agemate, and entered again her woody home ; but
Bacchos distressed with lovebreeding dreams made
his mind a parade : the soul of dead Ariadne borne
on the wind came, and beside Dionysos sleeping
sound, stood jealous after death, and spoke in the
words of a dream :

534 " Dionysos, you have forgotten your former
bride : you long for Aura, and you care not for
Ariadne. O my own Theseus, whom the bitter wind
stole ! O my own Theseus, whom Phaidra *a* got for
husband ! I suppose it was fated that a perjured
husband must always run from me, if the sweet boy
left me while I slept, and I was married instead
to Lyaios, an inconstant lover and a deceiver. Alas,
that I had not a mortal husband, one soon to die ;
then I might have armed myself against lovemad
Dionysos and been one of the Lemnian women *b*
myself. But after Theseus, now I must call you too
a perjured bridegroom, the invader of many marriage
beds. If your bride asks you for a gift, take this
distaff at my hands, a friendly gift of love, that
you may give your mountaineering bride what your

---

b Might have killed him for unfaithfulness, as the women
of Lemnos did their men.

δῶρα τεῆς ἀλόχου Μινωίδος, ὄφρά τις εἴπῃ·
' δῶκε μίτον Θησῆι καὶ ἠλακάτην Διονύσῳ.'
καὶ σὺ κατὰ Κρονίωνα λέχος μετὰ λέκτρον ἀμείβων 550
ἔργα γυναιμανέος μιμήσαο σεῖο τοκῆος,
οἶστρον ἔχων ἀκόρητον ἀμοιβαίης Ἀφροδίτης·
Σιθονίης ἀλόχοιο νεοζυγέων ὑμεναίων,
Παλλήνης, γάμου οἶδα, καὶ Ἀλθαίης ὑμεναίους·
σιγήσω φιλότητα Κορωνίδος, ἧς ἀπὸ λέκτρων   555
τρεῖς Χάριτες γεγάασιν ὁμόζυγες· ἀλλά, Μυκῆναι,
πότμον ἐμὸν φθέγξασθε καὶ ἄγριον ὄμμα Μεδούσης,
καὶ φθονερῆς ἐς ἔρωτα βιαζομένης Ἀριάδνης,
ἠιόνες Νάξοιο, βοήσατε· ' νυμφίε Θησεῦ,
Μινώῃ καλέει σε χολωομένη Διονύσῳ.'   560
ἀλλὰ τί Κεκροπίης μιμνήσκομαι; εἰς Παφίην γὰρ
μέμφομαι ἀμφοτέροις, καὶ Θησέι καὶ Διονύσῳ.''

Ὣς φαμένη σκιόεντι πανείκελος ἔσσυτο καπνῷ.
καὶ θρασὺς ἔγρετο Βάκχος
                ἀποσκεδάσας πτερὸν Ὕπνου,
μυρομένην δ' ᾤκτειρεν ὀνειρείην Ἀριάδνην.   565
καὶ δόλον ἀλλοπρόσαλλον ἐδίζετο πομπὸν Ἐρώτων·
νύμφης δ' Ἀστακίδος προτέρων ἐμνήσατο λέκτρων,
πῶς ἐρατὴν δολόεντι ποτῷ νυμφεύσατο κούρην
ὕπνον ἔχων πομπῆα μεθυσφαλέων ὑμεναίων.

Ὄφρα μὲν ἤθελε Βάκχος ἐπεντύνειν δόλον εὐνῆς, 570
τόφρα δὲ φοιταλέη Ληλαντιὰς ἔδραμε κούρη
πίδακα μαστεύουσα, κατάσχετος αἴθοπι δίψῃ.
οὐδὲ λάθεν Διόνυσον ὀρίδρομος ἄστατος Αὔρη

---

[a] See xliii. 434. Dionysos is in some authors the father
of Meleagros, usually the son of Oineus, Althaia's husband;
see Hyginus, *Fab*. 129. Coronis as mother of the Charites
is heard of only here; she seems to have nothing to do with
Coronis the mother of Asclepios by Apollo.

Minoian wife gave you ; then people can say—' She gave the thread to Theseus, and the distaff to Dionysos.'

550 " You are just like Cronion changing from bed to bed, and you have imitated the doings of your womanmad father, having an insatiable passion for changing your loves. I know how you lately married your Sithonian wife Pallene, and your wedding with Althaia [a] : I will say nothing of the love of Coronis, from whose bed were born the three Graces ever inseparable. But O Mycenai, proclaim my fate and the savage glare of Medusa ! Shores of Naxos, cry aloud of Ariadne's lot, constrained to a hateful love, and say, ' O bridegroom Theseus, Minos's daughter calls you in anger against Dionysos !' But why do I think of Cecropia ? [b] To her of Paphos, I carry my plaint against them both, Theseus and Dionysos ! "

563 She spoke, and her shade flew away like shadowy smoke. Bold Bacchos awoke and shook off the wing of Sleep. He lamented the sorrow of Ariadne in his dream, and sought for some clever device which could meet all needs and lead him to love. First he remembered the bed of the Astacid nymph long before,[c] how he had wooed the lovely nymph with a cunning potion and made sleep his guide to intoxicated bridals.

570 While Bacchos would be preparing a cunning device for her bed, Lelantos's daughter wandered about seeking a fountain, for she was possessed with parching thirst. Dionysos failed not to see how thirsting Aura ran rapidly over the hills. Quickly

[b] Attica, from its mythical king Cecrops.
[c] The story of Nicaia, in books xv. and xvi.

διψαλέη· ταχινὸς δὲ θορὼν ἐπὶ πυθμένα πέτρης
θύρσῳ γαῖαν ἄρασσε· διχαζομένη δὲ κολώνη   575
αὐτομάτην ὤδινε μέθην εὐώδεϊ μαζῷ
χεύματι πορφύροντι· χαριζόμεναι δὲ Λυαίῳ
δμωίδες Ἠελίοιο κατέγραφον ἄνθεσιν Ὧραι
πίδακος ἄκρα μέτωπα, καὶ εὐόδμοισιν ἀήταις
ἀρτιφύτου λειμῶνος ἱμάσσετο νήδυμος ἀήρ·   580
εἶχε δὲ Ναρκίσσοιο φερώνυμα φύλλα κορύμβων
ἠιθέου χαρίεντος, ὃν εὐπετάλῳ παρὰ Λάτμῳ
νυμφίος Ἐνδυμίων κεραῆς ἔσπειρε Σελήνης,
ὃς πάρος ἠπεροπῆος εὔχροος εἴδεϊ κωφῷ
εἰς τύπον αὐτοτέλεστον ἰδὼν μορφούμενον ὕδωρ   585
κάτθανε, παπταίνων σκιοειδέα φάσματα μορφῆς·
καὶ φυτὸν ἔμπνοον εἶχεν Ἀμυκλαίης ὑακίνθου·   587
ἱπτάμεναι δ' ἀγεληδὸν ἐπ' ἀνθεμόεντι κορύμβῳ   589
εἰαρινῶν ἐλίγαινον ἀηδόνες ὑψόθι φύλλων.   588
    Κεῖθι δὲ διψώουσα μεσημβριὰς ἔτρεχεν Αὔρη,   590
εἴ ποθι διψώουσα Διὸς χύσιν ἤ τινα πηγὴν   592
ἢ ῥόον ἀθρήσειεν ὀρεσσιχύτου ποταμοῖο·   593
ἀμφὶ δὲ οἱ βλεφάροισιν Ἔρως κατέχευεν ὀμίχλην.   591
ἀλλ' ὅτε Βακχείην ἀπατήλιον ἔδρακε πηγήν,   594
δὴ τότε οἱ βλεφάρων σκιόεν νέφος ἤλασε Πειθὼ   595
τοῖον ἔπος βοόωσα γάμου πρωτάγγελον Αὔρῃ·

    " Παρθενική, μόλε δεῦρο, τελεσσιγάμοιο δὲ πηγῆς
εἰς στόμα δέξο ῥέεθρα, καὶ εἰς σέο κόλπον ἀκοίτην."

    Κούρη δ' ἄσμενος εἶδε· παραπροχυθεῖσα δὲ πηγῇ
χείλεσιν οἰγομένοισιν ἀνήφυσεν ἰκμάδα Βάκχου.   600
παρθενικὴ δὲ πιοῦσα τόσην ἐφθέγξατο φωνήν·

    " Νηιάδες, τί τὸ θαῦμα;
            πόθεν πέλε νήδυμον ὕδωρ;
τίς ποτὸν ἔβλυσε τοῦτο; τίς οὐρανίη τέκε γαστήρ;

he leapt up and dug the earth with his wand at the foundation of a rock : the hill parted, and poured out of itself a purple stream of wine from its sweet-scented bosom. The Seasons, handmaids of Helios, to do grace to Lyaios, painted with flowers the fountain's margin, and fragrant whiffs from the new-growing meadow beat on the balmy air. There were the clustering blooms which have the name of Narcissos the fair youth, whom horned Selene's bride-groom Endymion begat on leafy Latmos, Narcissos who long ago gazed on his own image formed in the water, that dumb image of a beautiful deceiver, and died as he gazed on the shadowy phantom of his shape ; there was the living plant of Amyclaian iris [a] ; there sang the nightingales over the spring blossoms, flying in troops above the clustering flowers.

590 And there came running thirsty at midday Aura herself, seeking if anywhere she could find raindrops from Zeus, or some fountain, or the stream of a river pouring from the hills ; and Eros cast a mist over her eyelids : but when she saw the deceitful fountain of Bacchos, Peitho dispersed the shadowy cloud from her eyelids, and called out to Aura like a herald of her marriage—

597 " Maiden, come this way ! Take into your lips the stream of this nuptial fountain, and into your bosom a lover."

599 Gladly the maiden saw it, and throwing her-self down before the fountain drew in the liquid of Bacchos with open lips. When she had drunk, the girl exclaimed :

602 " Naiads, what marvel is this ? Whence comes this balmy water ? Who made this bubbling drink,

---

[a] Hyacinthos once more !

ἔμπης τοῦτο πιοῦσα ποτὶ δρόμον οὐκέτι βαίνω·
ἀλλὰ πόδες βαρύθουσι, καὶ ἤδέι θέλγομαι ὕπνῳ,   605
καὶ σφαλερὸν στομάτων ἀπαλόθροον ἦχον ἰάλλω."

Εἶπε καὶ ἀστήρικτον ἑοῦ ποδὸς εἶχε πορείην·
ἤιε δ' ἔνθα καὶ ἔνθα πολυπλανέεσσιν ἐρωαῖς
πυκνὰ περὶ κροτάφοισι τινασσομένοιο καρήνου·
καὶ κεφαλὴν ἔκλινεν ἐρειδομένην σχεδὸν ὤμῳ·   610
εὖδε δ' ὑπὲρ δαπέδοιο τανυπτόρθῳ παρὰ δένδρῳ
παρθενίην ἀφύλακτον ἐπιτρέψασα χαμεύνῃ.

Καὶ πυρόεις βαρύγουνον Ἔρως
                              δεδοκημένος Αὔρην
οὐρανόθεν κατέπαλτο, γαληναίῳ δὲ προσώπῳ
μειδιόων ἀγόρευεν, ὁμοφρονέων Διονύσῳ·   615
" Ἀγρώσσεις, Διόνυσε·
                              μένει δέ σε παρθένος Αὔρη."

Ὣς εἰπὼν ἐς Ὄλυμπον ἐπείγετο,
                              καὶ πτερὰ πάλλων
εἰαρινοῖς πετάλοισιν ἐχάζετο τοῦτο χαράξας·
" νυμφίε, λέκτρα τέλεσσον, ἕως ἔτι παρθένος εὔδει·
σιγῇ ἐφ' ἡμείων, μὴ παρθένον ὕπνος ἐάσῃ."   620

Καί μιν ἰδὼν Ἰόβακχος ἐπ' ἀστρώτοιο χαμεύνης
νυμφιδίου Ληθαῖον ἀμεργομένην πτερὸν Ὕπνου,
ἄψοφος ἀκροτάτοισιν ἀσάμβαλος ἴχνεσιν ἕρπων
κωφὸν ἀφωνήτοιο μετήιε δέμνιον Αὔρης·
χειρὶ δὲ φειδομένῃ γλαφυρὴν ἀπέθηκε φαρέτρην   625
παρθενικῆς, καὶ τόξα κατέκρυφε κοιλάδι πέτρῃ,
μή μιν ὀιστεύσειε τιναξαμένη πτερὸν Ὕπνου·
καὶ δεσμοῖς ἀλύτοισι πόδας σφηκώσατο κούρης,
καὶ παλάμαις ἑλικηδὸν ἐπεσφρηγίσσατο σειρήν,
μή μιν ἀλυσκάζειεν· ἐπιστορέσας δὲ κονίῃ   630
παρθενικὴν βαρύυπνον ἑτοιμοτάτῃ Ἀφροδίτῃ
Αὔρης ὑπναλέης γαμίην ἔκλεψεν ὀπώρην.

468

what heavenly womb gave him birth? Certainly after drinking this I can run no more. No, my feet are heavy, sweet sleep bewitches me, nothing comes from my lips but a soft stammering sound."

⁶⁰⁷ She spoke, and went stumbling on her way. She moved this way and that way with erring motions, her brow shook with throbbing temples, her head leaned and lay on her shoulder, she fell asleep on the ground beside a tallbranching tree and entrusted to the bare earth her maidenhood unguarded.

⁶¹³ When fiery Eros beheld Aura stumbling heavy-knee, he leapt down from heaven, and smiling with peaceful countenance spoke to Dionysos with full sympathy:

⁶¹⁶ "Are you for a hunt, Dionysos? Virgin Aura awaits you!"

⁶¹⁷ With these words, he made haste away to Olympos flapping his wings, but first he had inscribed on the spring petals—"Bridegroom, complete your marriage while the maiden is still asleep; and let us be silent that sleep may not leave the maiden."

⁶²¹ Then Iobacchos seeing her on the bare earth, plucking the Lethaean feather of bridal Sleep, he crept up noiseless, unshod, on tiptoe, and approached Aura where she lay without voice or hearing. With gentle hand he put away the girl's neat quiver and hid the bow in a hole in the rock, that she might not shake off Sleep's wing and shoot him. Then he tied the girl's feet together with indissoluble bonds, and passed a cord round and round her hands that she might not escape him: he laid the maiden down in the dust, a victim heavy with sleep ready for Aphrodite, and stole the bridal fruit from Aura asleep. The

NONNOS

καὶ πόσις ἦν ἀνάεδνος· ὑπὲρ δαπέδοιο δὲ δειλὴ
οἰνοβαρὴς ἀτίνακτος ἐνυμφεύθη Διονύσῳ·
καὶ σκιεραῖς πτερύγεσσι περισφίγγων δέμας Αὔρης 635
Ὕπνος ἔην Βάκχοιο γαμοστόλος, ὅττι καὶ αὐτὸς
πειρήθη Παφίης, καὶ ὁμόζυγός ἐστι Σελήνης,
καὶ νυχίης φιλότητος ὁμόστολός ἐστιν Ἐρώτων·
καὶ γάμος ὡς ὄναρ ἔσκε. πολυσκάρθμῳ δὲ χορείῃ
εἰς χορὸν αὐτοέλικτον ἀνεσκίρτησε κολώνη, 640
ἡμιφανὴς δ᾽ ἐδόνησεν Ἁμαδρυὰς ἥλικα πεύκην·
μούνη δ᾽ ἦν ἀχόρευτος ἐν οὔρεσι παρθένος Ἠχώ,
αἰδομένη δ᾽ ἀκίχητος ἐκεύθετο πυθμένι πέτρης,
μὴ γάμον ἀθρήσειε γυναιμανέος Διονύσου.

Καὶ τελέσας ὑμέναιον ἀδουπήτων ἐπὶ λέκτρων 645
νυμφίος ἀμπελόεις, πεφυλαγμένον ἴχνος ἀείρας,
νύμφης μὲν κύσε χεῖλος ἐπήρατον, ἀκλινέας δὲ
λῦσε πόδας καὶ χεῖρας, ἀπὸ σκοπέλου δὲ φαρέτρην
χειρὶ λαβὼν καὶ τόξα πάλιν παρακάτθετο νύμφῃ.
καὶ Σατύρων σχεδὸν ἦλθεν ἔτι πνείων ὑμεναίων, 650
ὑπναλέης ἀνέμοισιν ἐπιτρέψας λέχος Αὔρης.
νύμφη δ᾽ ἐκ φιλότητος ἀνέδραμε· λυσιμελῆ δὲ
ὕπνον ἀκηρύκτων ἀπεσείσατο μάρτυν Ἐρώτων·
θάμβεϊ δ᾽ εἰσορόωσα σαόφρονος ἔκτοθι μίτρης
στήθεα γυμνωθέντα καὶ ἀσκεπέος πτύχα μηροῦ 655
καὶ γαμίῃ ῥαθάμιγγι περιστιχθέντα χιτῶνα,
ἁρπαμένην ἀνάεδνον ἀπαγγέλλοντα κορείην,
μαίνετο παπταίνουσα· καὶ ἥρμοσε κυκλάδα μίτρην
στέρνα πάλιν σκιόωσα, καὶ ἠθάδος ἄντυγα¹ μαζοῦ
παρθενίῳ ζωστῆρι μάτην ἐσφίγγετο δεσμῷ. 660
ἀχνυμένη δ᾽ ὀλόλυζε, κατάσχετος ἅλματι λύσσης·
ἀγρονόμους δ᾽ ἐδίωξε, καὶ εὐπετάλου σχεδὸν ὄχθης
τινυμένη δολόεντα πόσιν ποινήτορι θεσμῷ

¹ mss. ἴχνια: Marcellus ἄντυγα, Ludwich ἰκμάδα.

husband brought no gift ; on the ground that hapless girl heavy with wine, unmoving, was wedded to Dionysos ; Sleep embraced the body of Aura with overshadowing wings, and he was marshal of the wedding for Bacchos, for he also had experience of love, he is yokefellow of the moon, he is companion of the Loves in nightly caresses. So the wedding was like a dream ; for the capering dances, the hill skipt and leapt of itself, the Hamadryad halfvisible shook her agemate fir—only maiden Echo did not join in the mountain dance, but shamefast hid herself unapproachable under the foundations of the rock, that she might not behold the wedding of womanmad Dionysos.

645 When the vinebridegroom had consummated his wedding on that silent bed, he lifted a cautious foot and kissed the bride's lovely lips, loosed the unmoving feet and hands, brought back the quiver and bow from the rock and laid them beside his bride. He left to the winds the bed of Aura still sleeping, and returned to his Satyrs with a breath of the bridal still about him.

652 After these caresses, the bride started up ; she shook off limbloosing sleep, the witness of the unpublished nuptials, saw with surprise her breasts bare of the modest bodice, the cleft of her thighs uncovered, her dress marked with the drops of wedlock that told of a maidenhood ravished without bridegift. She was maddened by what she saw. She fitted the bodice again about her chest, and bound the maiden girdle again over her rounded breast—too late ! She shrieked in distress, held in the throes of madness ; she chased the countrymen, slew shepherds beside the leafy slopes, to punish her

μηλονόμους ἐδάιξεν· ἀμειλίκτῳ δὲ σιδήρῳ
βουκόλον ἔκτανε μᾶλλον, ἐπεὶ μάθε νυμφίον Ἠοῦς, 665
Τιθωνὸν χαρίεντα, δυσίμερον ἀνέρα βούτην,
ὅττι βοῶν ἀγέλαις μεμελημένον ἔσχε καὶ αὐτὴ
Λάτμιον Ἐνδυμίωνα βοῶν ἐλάτειρα Σελήνη·
ἔκλυε καὶ Φρυγίοιο, τὸν ἔκτανε παρθένος ἄλλη,
Ὕμνου πικρὸν ἔρωτα, ποθοβλήτοιο νομῆος·   670
αἰπόλον ἔκτανε μᾶλλον, ὅλον χορὸν ἔκτανεν αἰγῶν
αἰνοπαθής, ὅτι Πᾶνα δυσίμερον ἔδρακε κούρη
ἰσοφυῆ μεθέποντα δασύτριχος αἰγὸς ὀπωπήν·
ἔλπετο γὰρ μάλα τοῦτο, πόθῳ δεδονημένος Ἠχοῦς
ὅττί μιν ὑπναλέην ἐβιήσατο μηλονόμος Πάν·   675
γειοπόνους δ' ἐδάμασσε πολὺ πλέον, ὅττι καὶ αὐτοὶ
Κύπριδι θητεύουσιν, ἐπεὶ πέλε γηπόνος ἀνήρ,
Ἰασίων, Δήμητρος ἀμαλλοτόκου παρακοίτης·
ἔκτανε δ' ἀγρευτῆρα παλαιοτέρῳ τινὶ μύθῳ
πειθομένη· Κέφαλον γάρ, ἀμήτορος ἀστὸν Ἀθήνης, 680
ἔκλυε θηρητῆρα ῥοδοστεφέος πόσιν Ἠοῦς·
Βακχείης δ' ἐδάιξεν ὑποδρηστῆρας ὀπώρης,
ὅττι φιλακρήτοιο μέθης βλύζοντες ἐέρσην
οἰνοβαρεῖς δυσέρωτες ὀπάονές εἰσι Λυαίου·
οὗ πω γὰρ δεδάηκε δολοφροσύνην Διονύσου   685
καὶ ποτὸν ἠπεροπῆα φιλακρήτου Κυθερείης,
ἀλλὰ φιλοσκοπέλων καλύβας ἐκένωσε νομήων
αἵματι φοινήεντι περιρραίνουσα κολώνας.
   Καὶ νόον αἰθύσσουσα, κατάσχετος ἅλματι λύσσης,
Κύπριδος εἰς δόμον ἦλθεν· ἀπειλητῆρα δὲ κεστοῦ 690
λυσαμένη ζωστῆρα νεοκλώστοιο χιτῶνος

ᵃ Perhaps the most unseasonable mythological excursus
even in Nonnos. Tithonos may be presumed known to
any English reader from Tennyson's poem; for Selene
as driver of oxen, *cf.* note on xliv. 217; Endymion the

treacherous husband with avenging justice—still
more she killed the oxherds with implacable steel,
for she knew about charming Tithonos,ª bridegroom
of Dawn, the lovelorn oxherd, knew that Selene also
the driver of bulls had her Latmian Endymion who
was busy about the herds of cattle ; she had heard
of Phrygian Hymnos too, and his love that made
him rue, the lovelorn herdsman whom another
maiden slew : still more she killed the goatherds,
killed their whole flocks of goats, in agony of heart,
because she had seen Pan the dangerous lover with
a face like some shaggy goat ; for she felt quite sure
that shepherd Pan tormented with desire for Echo
had violated her asleep : much more she laid low the
husbandmen, as being also slaves to Cypris, since a
man who tilled the soil, Iasion, had been bedfellow
of Demeter the mother of sheaves. The huntsmen
she killed believing an ancient story ; for she had
heard that a huntsman Cephalos, from the country
of unmothered Athena, was husband of rosecrowned
Dawn. Workmen of Bacchos about the vintage she
killed, because they are servants of Lyaios who
squeeze out the intoxicating juice of his liquor, heavy
with wine, dangerous lovers. For she had not yet
learnt the cunning heart of Dionysos, and the seduc-
tive potion of heady love, but she made empty the
huts of the mountainranging herdsmen and drenched
the hills with red blood.

689 Still frantic in mind, shaken by throes of mad-
ness, she came to the temple of Cypris. She loosed
the girdle from her newly spun robe, the enemy

Latmian herdsman (though his country and legend alike
vary) was her love, and she cast him into an unending
sleep. Hymnos, *cf.* xv. 204 ff. ; Iasion, *Odyssey* v. 125 :
Cephalos, see iv. 194.

ἁβρὸν ἀνικήτοιο δέμας μάστιζε θεαίνης·
καὶ βρέτας ἁρπάξασα τελεσσιγάμου Κυθερείης
Σαγγαρίου σχεδὸν ἦλθε, κυλινδομένην δὲ ῥεέθροις
γυμναῖς Νηιάδεσσι πόρεν γυμνὴν Ἀφροδίτην.   695
καὶ μετὰ θεῖον ἄγαλμα καὶ αὐτοέλικτον ἱμάσθλην
δείκελον ἁβρὸν Ἔρωτος ἀπηκόντιζε κονίη·
καὶ κενεὸν λίπε δῶμα Κυβηλίδος ἀφρογενείης.
φοιταλέη δ᾽ ἀκίχητος ἐθήμονα δύσατο λόχμην,
καὶ σταλίκων ἔψαυσε, πάλιν δ᾽ ἐμνήσατο θήρης·   700
καὶ διεροῖς βλεφάροισιν ἑὴν στενάχιζε κορείην,
ὀξὺ δὲ κωκύουσα τόσην ἐφθέγξατο φωνήν·

  " Τίς θεὸς ἡμετέρης ἀνελύσατο δεσμὰ κορείης;
εἰ μὲν ἐμὲ κνώσσουσαν ἐρημονόμων ἐπὶ λέκτρων
εἶδος ὑποκλέπτων ἐβιήσατο μητίετα Ζεύς,   705
οὐδὲ καὶ ἡμετέρην ἠδέσσατο γείτονα Ῥείην,
ἀγροτέρους μετὰ θῆρας ὀιστεύσω πόλον ἄστρων·
εἰ δέ μοι ὑπναλέη παρελέξατο Φοῖβος Ἀπόλλων,
πέρσω πασιμέλουσαν ὅλην πετρώδεα Πυθώ·
εἰ δὲ λέχος σύλησεν ἐμὸν Κυλλήνιος Ἑρμῆς,   710
Ἀρκαδίην προθέλυμνον ἐμοῖς βελέεσσιν ὀλέσσω,
καὶ τελέσω θεράπαιναν ἐμὴν χρυσάμπυκα Πειθώ·
εἰ δὲ δόλοις γαμίοισιν ὀνειρείων ὑμεναίων
ἀπροϊδὴς Διόνυσος ἐμὴν σύλησε κορείην,
ἵξομαι, ἧχι πέλει Κυβέλης δόμος, ὑψιλόφου δὲ   715
οἰστρομανῆ Διόνυσον ἀπὸ Τμώλοιο διώξω·
καὶ φονίην ὤμοισιν ἐπικρεμάσασα φαρέτρην
εἰς Πάφον, εἰς Φρυγίην θωρήξομαι· ἀμφοτέροις γὰρ
τόξον ἐμὸν τανύσω, καὶ Κύπριδι καὶ Διονύσῳ.
σοὶ πλέον, ἰοχέαιρα, χολώομαι, ὅττί με, κούρη,   720
οὐ κτάνες ὑπναλέην ἔτι παρθένον, οὐδὲ καὶ αὐτῷ
σοῖς καθαροῖς βελέεσσιν ἐθωρήχθης παρακοίτῃ."

of the cestus, and flogged the dainty body of the unconquerable goddess; she caught up the statue of marriage-consummating Cythereia, she went to the bank of Sangarios, and sent Aphrodite rolling into the stream, naked among the naked Naiads; and after the divine statue had gone with the scourge twisted round it, she threw into the dust the delicate image of Love, and left the temple of Cybelid Foamborn empty. Then she plunged into the familiar forest, wandering unperceived, handled her net-stakes, remembered the hunt again, lamenting her maidenhood with wet eyelids, and crying loudly in these words:

703 " What god has loosed the girdle of my maidenhood? If Zeus Allwise took some false aspect, and forced me, upon my lonely bed, if he did not respect our neighbour Rheia, I will leave the wild beasts and shoot the starry sky! If Phoibos Apollo lay by my side in sleep, I will raze the stones of worldfamous Pytho wholly to the ground! If Cyllenian Hermes has ravished my bed, I will utterly destroy Arcadia with my arrows, and make goldchaplet Peitho [a] my servant! If Dionysos came unseen and ravished my maidenhood in the crafty wooing of a dream-bridal, I will go where Cybele's hall stands, and chase that lustmad Dionysos from highcrested Tmolos! I will hang my quiver of death on my shoulders and attack Paphos, I will attack Phrygia—I will draw my bow on both Cypris and Dionysos! You, Archeress, you have enraged me most, because you, a maiden, did not kill me in my sleep still a virgin, yes and did not defend me even against my bedfellow with your pure shafts! "

[a] As being Hermes' wife.

Ἔννεπε, καὶ τρομέουσαν ἑὴν ἀνεσείρασε φωνὴν
δάκρυσι νικηθεῖσα. τελεσσιγάμου δὲ Λυαίου
παιδοτόκου πλησθεῖσα γονῆς δυσπάρθενος Αὔρη   725
διπλόον ὄγκον ἄειρε· γυνὴ δ' ἐπεμήνατο φόρτῳ
ἄσχετα βακχευθεῖσα γονῆς, δυσπάρθενος Αὔρη . . .
ἢ σπόρος αὐτολόχευτος ἢ ἀνέρος ἐξ ὑμεναίων
ἠὲ θεοῦ δολίοιο· Διὸς δ' ἐμνήσατο νύμφης,
Πλουτοῦς αἰνοτόκου Βερεκυντίδος, ἧς ἀπὸ λέκτρων 730
Τάνταλος ἐβλάστησε. καὶ ἤθελε γαστέρα τέμνειν,
ὄφρα δαϊζομένης ἀπὸ νηδύος ἄφρονι λύσσῃ
ἄτροφον ἡμιτέλεστον ἀϊστώσειε γενέθλην.
καὶ ξίφος ἤρταζε, διὰ στέρνοιο δὲ γυμνοῦ
δεξιτερῇ μενέαινεν ἀφειδέι φάσγανον ἕλκειν.   735
πολλάκι δ' ἀρτιτόκοιο μετήιεν ἄντρα λεαίνης,
ὥς κεν ὀλισθήσειε θελήμονος εἰς λίνα Μοίρης·
ἀλλά μιν οὐρεσίφοιτος ὑπέκφυγε ταρβαλέη θήρ,
μή μιν ἀποκτείνειε, μυχῷ δ' ἐκρύπτετο πέτρης
σκύμνον ἐρημαίῃσιν ἐπιτρέψασα χαμεύναις.   740
πολλάκι δ' οἰδαλέοιο γυναικείου διὰ κόλπου
αὐτοφόνος μενέαινεν ἑκούσιον ἄορ ἐλάσσαι,
ὄφρά κεν αὐτοδάϊκτος ὀνείδεα γαστρὸς ἀλύξῃ
καὶ στόμα τερπομένης φιλοκέρτομον ἰοχεαίρης·
καὶ νοέειν μενέαινεν ἑὸν πόσιν, ὄφρα καὶ αὐτὴ   745
υἷέα δαιτρεύσειεν ἀναινομένῳ παρακοίτῃ,
αὐτὴ παιδοφόνος καὶ ὁμευνέτις, ὄφρά τις εἴπῃ·
'' Πρόκνη παιδολέτειρα νέη πέλε δύσγαμος Αὔρη.''
    Καί μιν ὀπιπεύουσα νέων ἐγκύμονα παίδων
Ἄρτεμις ἐγγὺς ἵκανεν ἑῷ γελόωντι προσώπῳ,   750
δειλαίην δ' ἐρέθιζε, καὶ ἀστόργῳ φάτο φωνῇ·
    '' Ὕπνον ἴδον, Παφίης θαλαμηπόλον,
                                        εἶδον Ἐρώτων
ξανθῆς νυμφιδίης ἀπατήλια χεύματα πηγῆς,
476

723 She spoke, and then checked her trembling voice overcome by tears. And Aura, hapless maiden, having within her the fruitful seed of Bacchos the begetter, carried a double weight: the wife maddened uncontrollably cursed the burden of the seed, hapless maiden Aura [lamented the loss of her maidenhood; she knew not] whether she had conceived of herself, or by some man, or a scheming god; she remembered the bride of Zeus, Berecyntian Pluto,[a] so unhappy in the son Tantalos whom she bore. She wished to tear herself open, to cut open her womb in her senseless frenzy, that the child half made might be destroyed and never be reared. She even lifted a sword, and thought to drive the blade through her bare chest with pitiless hand. Often she went to the cave of a lioness with newborn cubs, that she might slip into the net of a willing fate; but the dread beast ran out into the mountains, in fear of death, and hid herself in some cleft of the rocks, leaving the cub alone in the lair. Often she thought to drive a sword willingly through the swelling womb and slay herself with her own hand, that self-slain she might escape the shame of her womb and the mocking taunts of glad Artemis. She longed to know her husband, that she might dish up her own son to her loathing husband, childslayer and paramour alike, that men might say—" Aura, unhappy bride, has killed her child like another Procne." [b]

749 Then Artemis saw her big with new children, and came near with a laugh on her face and teased the poor creature, saying with pitiless voice:

752 " I saw Sleep, the Paphian's chamberlain! I saw the deceiving stream of the yellow fountain at

[a] *Cf.* i. 146.   [b] *Cf.* ii. 136.

ἦχι ποτῷ δολόεντι νεήνιδες ἥλικα μίτρην
ἅρπαγι παρθενίης γαμίῳ λύουσιν ὀνείρῳ·　　755
εἶδον ἐγὼ κλέτας, εἶδον, ὅπῃ ζυγίῃ παρὰ πέτρῃ
ἀπροϊδὴς δολόεντι γυνὴ νυμφεύεται ὕπνῳ·
Κύπριδος εἶδον ὄρος φιλοτήσιον, ἦχι γυναικῶν
παρθενίην κλέπτοντες ἀλυσκάζουσιν ἀκοῖται.
εἰπέ, γύναι φυγόδεμνε, τί σήμερον ἠρέμα βαίνεις;　760
ἡ πρὶν ἀελλήεσσα, πόθεν βαρύγουνος ὀδεύεις;
νυμφεύθης ἀέκουσα, καὶ οὐ τεὸν οἶδας ἀκοίτην·
οὐ δύνασαι κρύπτειν κρύφιον γάμον· οἰδαλέοι γὰρ
σὸν πόσιν ἀγγέλλουσι νεογλαγέες σέο μαζοί.
εἰπὲ δέ μοι, βαρύυπνε, συοκτόνε, παρθένε, νύμφη,　765
πῶς μεθέπεις χλοάουσαν ἐρευθαλέην σέο μορφήν;
τίς σέο λέκτρα μίηνε; τίς ἥρπασε σεῖο κορείην;
ξανθαὶ Νηιάδες, μὴ κρύψατε νυμφίον Αὔρης.
οἶδα, γύναι βαρύφορτε, τεὸν λαθραῖον ἀκοίτην·
σὸς γάμος οὔ με λέληθε, καὶ εἰ κρύπτειν μενεαίνεις,　770
σὸς πόσις οὔ με λέληθε· βαρυνομένη δέμας ὕπνῳ
εὐνέτις ἀστυφέλικτος ἐνυμφεύθης Διονύσῳ.
ἀλλὰ τεὸν λίπε τόξον· ἀναινομένη δὲ φαρέτρην
ὄργια μυστιπόλευε γυναιμανέος σέο Βάκχου,
τύμπανα χειρὶ φέρουσα καὶ εὐκεράων θρόον αὐλῶν.　775
πρὸς δὲ τεῆς λίτομαί σε τελεσσιγάμοιο χαμεύνης,
ποῖά σοι ὤπασεν ἕδνα τεὸς Διόνυσος ἀκοίτης;
μή σοι νεβρίδα δῶκε, τεῆς αὐτάγγελον εὐνῆς;
μή σοι χάλκεα ῥόπτρα τεῶν πόρε παίγνια παίδων;
πείθομαι, ὡς πόρε θύρσον, ἀκοντιστῆρα λεόντων·　780

your loving bridal ! The fountain where young girls get a treacherous potion, and loosen the girdle they have worn all their lives, in a dream of marriage which steals their maidenhood. I have seen, I have seen the slope where a woman is made a bride unexpectedly, in treacherous sleep, beside a bridal rock. I have seen the love-mountain of Cypris, where lovers steal the maidenhood of women and run away.

760 " Tell me, you young prude, why do you walk so slowly to-day ? Once as quick as the wind, why do you plod so heavily ? You were wooed unwilling, and you do not know your bedfellow ! You cannot hide your furtive bridal, for your breasts are swelling with new milk and they announce a husband. Tell me heavy sleeper, pigsticker, virgin, bride, how do you come by those pale cheeks, once ruddy ? Who disgraced your bed ? Who stole your maidenhood ? O fair-haired Naiads, do not hide Aura's bridegroom ! I know your furtive husband, you woman with a heavy burden. I saw your wedding, clearly enough, though you long to conceal it. I saw your husband clearly enough ; you were in the bed, your body heavy with sleep, you did not move when Dionysos wedded you.

773 " Come then, leave your bow, renounce your quiver ; serve in the secret rites of your womanmad Bacchos ; carry your tambour and your tootling pipes of horn. I beseech you, in the name of that bed on the ground where the marriage was consummated, what bridegifts did Dionysos your husband bring ? Did he give you a fawnskin, enough to be news of your marriage-bed ? Did he give you brazen rattles for your children to play with ? I think he gave you

καὶ τάχα κύμβαλα δῶκε, τά περ δονέουσι τιθῆναι
φάρμακα νηπιάχοισι φιλοθρήνων ὀδυνάων.''
Ἔννεπε κερτομέουσα· καὶ ἔμπαλιν ᾤχετο δαίμων,
θῆρας ὀιστεύουσα τὸ δεύτερον, ἀχνυμένη δὲ
ἠερίοις ἀνέμοισιν ἑὰς μεθέηκε μερίμνας.   785

Κούρη δ' οὑρεσίφοιτος ἀμάρτυρος ὑψόθι πέτρης
ὀξὺ βέλος μεθέπουσα δυηπαθέος τοκετοῖο
φρικαλέον βρύχημα λεχωίδος εἶχε λεαίνης·
πέτραι δ' ἀντιάχησαν· ἐρισμαράγοιο δὲ κούρης
φθόγγον ἀμειβομένη μυκήσατο δύσθροος Ἠχώ.   790
καὶ παλάμας, ἅτε πῶμα, περισφίγξασα λοχείῃ
κλεῖε θοὴν ὠδῖνα πεπαινομένου τοκετοῖο,
καὶ τόκον ἀρτιτέλεστον ἐρήτυεν· ἐχθομένην γὰρ
Ἄρτεμιν οὐ μενέαινεν ἐπ' ὠδίνεσσι καλέσσαι·
Ἡραίας δὲ θύγατρας ἀναίνετο, μή ποτε Βάκχου   795
μητρυιῆς ἅτε παῖδες ἐπιβρίσωσι λοχείῃ.
κούρη δ' ἀσχαλόωσα κατηφέα ῥῆξεν ἰωήν,
νυσσομένη κέντροισιν ἀπειρώδινος ἀνάγκης·

'' Οὕτως ἰοχέαιραν ἴδω καὶ θοῦριν Ἀθήνην,
οὕτως ἀμφοτέρας ἐγκύμονας ὄφρα νοήσω·   800
Ἄρτεμιν ὠδίνουσαν ἐλέγξατε, μαιάδες Ὧραι,
μαρτυρίῃ τοκετοῖο, καὶ εἴπατε Τριτογενείῃ·
' παρθενικὴ γλαυκῶπι, νεητόκε μῆτερ ἀμήτωρ.'
οὕτω ξυνὰ παθοῦσαν ἴδω φιλοπάρθενον Ἠχὼ
Πανὶ παρευνηθεῖσαν ἢ ἀρχεκάκῳ Διονύσῳ.   805
Ἄρτεμι, καὶ σὺ τεκοῦσα παραίφασις ἔσσεαι Αὔρης,
θῆλυ γάλα στάζουσα λεχώιον ἄρσενι μαζῷ.''
Εἶπεν ὀδυρομένη βαρυώδυνα κέντρα λοχείης.

---

[a] The Eileithyiai, goddesses of childbirth.

a thyrsus to shoot lions ; perhaps he gave cymbals, which nurses shake to console the howling pains of the little children."

783 So spoke the goddess in mockery, and went away to shoot her wild beasts again, in anger leaving her cares to the winds of heaven.

786 But the girl went among the high rocks of the mountains. There unseen, when she felt the cruel throes of childbirth pangs, her voice roared terrible as a lioness in labour, and the rocks resounded, for dolorous Echo gave back an answering roar to the loud-shrieking girl. She held her hands over her lap like a lid compressing the birth, to close the speedy delivery of her ripening child, and delayed the babe now perfect. For she hated Artemis and would not call upon her in her pains ; she would not have the daughters of Hera,[a] lest they as being children of Bacchos's stepmother should oppress her delivery with more pain. At last in her affliction the girl cried out these despairing words, stabbed with the pangs of one who was new to the hard necessity of childbirth :

799 " So may I see Archeress and wild Athena, so may I see them both great with child ! Reproach Artemis in labour, O midwife Seasons, be witness of her delivery, and say to Tritogeneia—' O virgin Brighteyes, O new mother who mother had none ! ' So may I see Echo who loves maidenhood so much, suffering as I do, after she has lain with Pan, or Dionysos the cause of my troubles ! Artemis, if you could bring forth, it would be some consolation to Aura, that you should trickle woman's milk from your man's breast."

808 So she cried, lamenting the heavy pangs of her

καὶ τόκον ἰοχέαιρα κατέσχεθε, παιδοτόκῳ δὲ
νύμφῃ μόχθον ὄπασσεν ἐρυκομένου τοκετοῖο. · 810
Καὶ τελετῆς Νίκαια κυβερνήτειρα Λυαίου
μόχθον ὀπιπεύουσα καὶ αἴσχεα λυσσάδος Αὔρης
τοίην κρυπταδίην οἰκτίρμονα ῥήξατο φωνήν·
" Αὔρη ξυνὰ παθοῦσα, κινύρεο καὶ σὺ κορείην·
γαστρὶ δὲ φόρτον ἔχουσα δυηπαθέος τοκετοῖο 815
τέτλαθί μοι μετὰ λέκτρον ἔχειν καὶ κέντρα λοχείης,
τέτλαθι καὶ βρεφέεσσιν ἀήθεα μαζὸν ὀρέξαι.
καὶ σὺ πόθεν πίες οἶνον, ἐμῆς συλήτορα μίτρης;
καὶ σὺ πόθεν πίες οἶνον, ἕως πέλες ἔγκυος, Αὔρη;
καὶ σὺ πάθες, φυγόδεμνε, τά περ πάθον·
                                    ἀλλὰ καὶ αὐτὴ 820
μέμφεο νυμφοκόμων ἀπατήλιον ὕπνον Ἐρώτων.
εἰς δόλος ἀμφοτέραις γάμον ἥρμοσεν,
                                    εἰς πόσις Αὔρης
παρθενικὴν Νίκαιαν ἐθήκατο μητέρα παίδων·
οὐκέτι τόξον ἔχω θηροκτόνον, οὐκέτι νευρήν,
ὡς πάρος, αὖ ἐρύω καὶ ἐγὼ βέλος· εἰμὶ δὲ δειλὴ 825
ἱστοπόνος θήλεια, καὶ οὐκέτι θοῦρις Ἀμαζών."
Ἔννεπεν οἰκτείρουσα τελεσσιγόνου πόνον Αὔρης,
οἷά τε πειρηθεῖσα τόκου μογεροῖο καὶ αὐτή.
Λητώῃ δ' ἀίουσα βαρυφθόγγου κτύπον Αὔρης
ἤλυθεν αὐχήεσσα τὸ δεύτερον ἐγγύθι νύμφης· 830
τειρομένην δ' ἐρέθιζε καὶ ἴαχε κέντορι μύθῳ·
" Παρθένε, τίς σε τέλεσσε
                                    λεχωίδα μητέρα παίδων;
ἢ γάμον ἀγνώσσουσα πόθεν γλάγος ἔλλαχε μαζοῦ;
οὐκ ἴδον, οὐ πυθόμην, ὅτι παρθένος υἷα λοχεύει.
ἢ ῥα φύσιν μετάμειψε πατὴρ ἐμός; ἢ ῥα γυναῖκες 835
νόσφι γάμου τίκτουσι; σὺ γάρ, φιλοπάρθενε κούρη,

delivery. Then Artemis delayed the birth, and gave the labouring bride the pain of retarded delivery.

811 But Nicaia, the leader of the rites of Lyaios, seeing the pain and disgrace of distracted Aura, spoke to her thus in secret pity :

814 " Aura, I have suffered as you have, and you too lament you your maidenhood. But since you carry in your womb the burden of painful childbirth, endure after the bed to have the pangs of delivery, endure to give your untaught breast to babes. Why did you also drink wine, which robbed me of my girdle ? Why did you also drink wine, Aura, until you were with child ? You also suffered what I suffered, you enemy of marriage ; then you also have to blame a deceitful sleep sent by the Loves, who are friends of marriage. One fraud fitted marriage on us both, one husband was Aura's and made virgin Nicaia the mother of children. No more have I a beastslaying bow, no longer as once, I draw my bowstring and my arrows ; I am a poor woman working at the loom, and no longer a wild Amazon."

827 She spoke, pitying Aura's labour to accomplish the birth, as one who herself had felt the pangs of labour. But Leto's daughter, hearing the resounding cries of Aura, came near the bride again in triumph, taunted her in her suffering and spoke in stinging words :

832 " Virgin, who made you a mother in childbed ? You that knew nothing of marriage, how came that milk in your breast ? I never heard or saw that a virgin bears a child. Has my father changed nature ? Do women bear children without marriage ? For you, a maiden, the friend of maidenhood, bring forth

ὠδίνεις νέα τέκνα, καὶ εἰ στυγέεις Ἀφροδίτην.
ἦ ῥα κυβερνήτειραν ἀναγκαίου τοκετοῖο
Ἄρτεμιν οὐ καλέουσι λεχωίδες, ὅττι σὺ μούνη
εἰς τόκον ἀγροτέρης οὐ δέεαι ἰοχεαίρης;   840
οὐδὲ τεὸν Διόνυσον ἀμαιεύτων ἀπὸ κόλπων
ἔδρακεν Εἰλείθυια, τεῆς ἐλάτειρα γενέθλης·
ἀλλά μιν ἡμιτέλεστον ἐμαιώσαντο κεραυνοί.
μὴ κοτέῃς, ὅτι παῖδας ἐνὶ σκοπέλοισι λοχεύεις·
ἦ σκοπέλων βασίλεια τόκου πειρήσατο Ῥείη·   845
τίς νέμεσίς ποτε τοῦτο; κατ' οὔρεα τέκνα λοχεύεις,
ὡς δάμαρ οὐρεσίφοιτος ὀρεσσινόμου Διονύσου."
Ἔννεπε· καὶ κοτέουσα λεχωιὰς ἄχνυτο νύμφη
Ἄρτεμιν αἰδομένη καὶ ἐν ἄλγεσιν. ἃ μέγα δειλή,
ἐγγὺς ἔην τοκετοῖο καὶ ἤθελε παρθένος εἶναι.   850
καὶ βρέφος εἰς φάος ἦλθε θοώτερον· Ἀρτέμιδος γὰρ
φθεγγομένης ἔτι μῦθον ἀκοντιστῆρα λοχείης
διπλόος αὐτοκέλευστος ἐμαιώθη τόκος Αὔρης
λυομένης ὠδῖνος, ὅθεν διδύμων ἀπὸ παίδων
Δίνδυμον ὑψικάρηνον ὄρος κικλήσκετο Ῥείης.   855
καὶ θεὸς ἀθρήσασα νέην εὔπαιδα γενέθλην
τοῖον ἔπος παλίνορσος ἀμοιβαίῃ φάτο φωνῇ·
" Μαῖα, γυνὴ μονιή, διδυμητόκε δύσγαμε νύμφη,
υἱάσι μαζὸν ὄρεξον ἀήθεα, παρθένε μῆτερ·
παππάζει σέο κοῦρος ἀπαιτίζων σε τοκῆα·   860
εἰπὲ δὲ σοῖς τεκέεσσι τεὸν λαθραῖον ἀκοίτην.
Ἄρτεμις οὐ γάμον οἶδε, καὶ οὐ τρέφεν υἱέα μαζῷ·
σὸν λέχος οὔρεα ταῦτα, καὶ ἠθάδος ἀντὶ χιτῶνος
σπάργανα σῶν βρεφέων
πολυδαίδαλα δέρματα νεβρῶν."
Εἶπε, καὶ ὠκυπέδιλος ἐδύσατο δάσκιον ὕλην.   865

---

[a] Alluding to the birth of Zeus on the Arcadian (or Cretan) hills.

young children, even if you hate Aphrodite. Then do women in childbed under the hard necessity of childbirth no longer call on Artemis to guide them, when you alone do not want Archeress the lady of the hunt ? Nor did Eileithyia, who conducts your delivery, see your Dionysos born from his mother's womb ; but thunderbolts were his midwives, and he only half-made ! Do not be angry that you bear children among the crags, where Rheia queen of the crags has borne children.[a] What harm is it that you bear children in the mountains, you the mountaineer wife of mountainranging Dionysos ! "

848 She spoke, and the nymph in childbirth was indignant and angry, but she was ashamed before Artemis even in her pains. Ah poor creature ! she wished to remain a maiden, and she was near to childbirth. A babe came quickly into the light ; for even as Artemis yet spoke the word that shot out the delivery, the womb of Aura was loosened, and twin children came forth of themselves ; therefore from these twins (δίδυμοι) the highpeaked mountain of Rheia was called Dindymon. Seeing how fair the children were, the goddess again spoke in a changed voice :

858 " Wetnurse, lonely ranger, twinmother, bride of a forced bridal, give your untaught breast to your sons, virgin mother. Your boy calls daddy, asking for his father ; tell your children the name of your secret lover. Artemis knows nothing of marriage, she has not nursed a son at her breast. These mountains were your bed, and the spotted skins of fawns are swaddling-clothes for your babies, instead of the usual robe."

865 She spoke, and swiftshoe plunged into the

καὶ καλέσας Νίκαιαν ἑὴν Κυβεληίδα νύμφην,
μεμφομένην ἔτι λέκτρα λεχωίδα δείκνυεν Αὔρην
μειδιόων Διόνυσος· ἐρημονόμοιο δὲ κούρης
ἀρτιγάμοις ἀγόρευεν ἐπαυχήσας ὑμεναίοις·

" Ἄρτι μόγις, Νίκαια, παραίφασιν εὗρες Ἐρώτων·   870
ἄρτι πάλιν Διόνυσος ἐπίκλοπον ἤνυσεν εὐνήν,
παρθενικῆς δ᾽ ἑτέρης γάμον ἥρπασεν·

                              ἐν δὲ κολώναις
ἡ πρὶν ἀλυσκάζουσα καὶ οὔνομα μοῦνον Ἐρώτων
σοῖς θαλάμοις τύπον ἶσον ὀρεστιὰς ἔδρακεν Αὔρη.
οὐ μούνη γλυκὺν ὕπνον ἐδέξαο πομπὸν Ἐρώτων,   875
οὐ μούνη πίες οἶνον ἐπίκλοπον ἅρπαγα μίτρης·
ἀλλὰ νέης ἄγνωστος ἀνοιγομένης ἀπὸ πηγῆς
νυμφοκόμοις πάλιν οἶνος ἀνέβλυε, καὶ πίεν Αὔρη.
ἀλλὰ βέλος δεδαυῖαν ἀναγκαίου τοκετοῖο,
πρὸς Τελετῆς λίτομαί σε, χοροπλεκέος σέο κούρης,   880
σπεῦσον ἀερτάζειν ἐμὸν υἷέα, μή μιν ὀλέσσῃ
τολμηραῖς παλάμῃσιν ἐμὴ δυσμήχανος Αὔρη·
οἶδα γάρ, ὡς διδύμων βρεφέων ἕνα παῖδα δαμάσσει
ἄσχετα λυσσώουσα· σὺ δὲ χραίσμησον Ἰάκχῳ·
ἔσσο φύλαξ ὠδῖνος ἀρείονος, ὄφρά κεν εἴη   885
σὴ Τελετὴ θεράπαινα καὶ υἷέι καὶ γενετῆρι."

Ὣς εἰπὼν παλίνορσος ἐχάζετο Βάκχος ἀγήνωρ,
κυδιόων Φρυγίοισιν ἐπ᾽ ἀμφοτέροις ὑμεναίοις
πρεσβυτέρης ἀλόχοιο καὶ ὁπλοτέρης περὶ νύμφης.
καὶ βαρὺ πένθος ἔχουσα τελεσσιτόκῳ παρὰ πέτρῃ,   890
παῖδας ἐλαφρίζουσα, λεχωιὰς ἴαχε μήτηρ·

" Ἡρόθεν γάμος οὗτος· ἐμὸν γόνον ἠέρι ῥίψω·
νυμφεύθην ἀνέμοισι καὶ οὐ βροτέην ἴδον εὐνήν,
Αὔρης δ᾽ εἰς ὑμέναιον ἐπώνυμοι ἤλυθον αὖραι·
καὶ λοχίας ἐχέτωσαν ἐμὰς ὠδῖνας ἀῆται.   895
ἔρρετέ μοι, νέα τέκνα δολορραφέος γενετῆρος,
486

shady wood. Then Dionysos called Nicaia, his own Cybeleïd nymph, and smiling pointed to Aura still upbraiding her childbed; proud of his late union with the lonely girl, he said:

870 " Now at last, Nicaia, you have found consolation for your love. Now again Dionysos has stolen a marriage bed, and ravished another maiden : woodland Aura in the mountains, who shrank once from the very name of love, has seen a marriage the image of yours. Not you alone had sweet sleep as a guide to love, not you alone drank deceitful wine which stole your maiden girdle ; but once more a fountain of nuptial wine has burst from a new opening rock unrecognized, and Aura drank. You who have learnt the throes of childbirth in hard necessity, by Telete your danceweaving daughter I beseech you, hasten to lift up my son, that my desperate Aura may not destroy him with daring hands—for I know she will kill one of the two baby boys in her intolerable frenzy, but do you help Iacchos : guard the better boy, that your Telete may be the servant of son and father both."

887 With this appeal Bacchos departed, triumphant and proud of his two Phrygian marriages, with the elder wife and the younger bride. And in deep distress beside the rock where they had been born, the mother in childbed held up the two boys and cried aloud—

892 " From the sky came this marriage—I will throw my offspring into the sky ! I was wooed by the breezes, and I saw no mortal bed. Winds my namesakes came down to the marriage of the Windmaid, then let the breezes take the offspring of my womb. Away with you, children accursed of a treacherous

ὑμέας οὐκ ἐλόχευσα· τί μοι κακὰ θηλυτεράων;
ἀμφαδὸν ἄρτι, λέοντες, ἐλεύθεροι εἰς νομὸν ὕλης
ἔλθετε θαρσήεντες, ὅτ' οὐκέτι μάρναται Αὔρη·
καὶ σκυλάκων ἑλίκωπες ἀρείονές ἐστε λαγωοί·   900
θῶες, ἐμοὶ τέρπεσθε· παρ' ἡμετέρῃ δὲ χαμεύνῃ
πόρδαλιν ἀπτοίητον ἐπισκαίροντα νοήσω·
ἄξατε σύννομον ἄρκτον ἀταρβέα· παιδοτόκου γὰρ
Αὔρης χαλκοχίτωνες ἐθηλύνθησαν ὀιστοί.
αἰδέομαι μεθέπειν μετὰ παρθένον οὔνομα νύμφης,   905
μὴ βριαρὸν τεκέεσσιν ἐμόν ποτε μαζὸν ὀπάσσω·
μὴ παλάμῃ θλίψοιμι νόθον γάλα, μηδ' ἐνὶ λόχμαις
θηροφόνος γεγαυῖα γυνὴ φιλότεκνος ἀκούσω.''   908
   . . . θῆκεν ὑπὸ σπήλυγγι λεχώια δεῖπνα λεαίνης·   910
ἀλλὰ Διωνύσοιο νέην εὔπαιδα γενέθλην,
πόρδαλις ὠμοβόροισι δέμας λιχμῶσα γενείοις,
ἔμφρονα θυμὸν ἔχουσα σοφῷ μαιώσατο μαζῷ·
θαμβαλέοι δὲ δράκοντες ἐκυκλώσαντο λοχείην
ἰοβόλοις στομάτεσσιν, ἐπεὶ νέα τέκνα φυλάσσων   915
μειλιχίους καὶ θῆρας ἐθήκατο νυμφίος Αὔρης.
   Καὶ ποδὶ φοιταλέῳ Ληλαντιὰς ἄνθορε κούρη
ἄγριον ἦθος ἔχουσα δασυστέρνοιο λεαίνης,
ἠερίαις δ' ἀκίχητος ἀνηκόντιζεν ἀέλλαις
θηρείων ἕνα παῖδα διαρπάξασα γενείων·   920
καὶ πάις ἀρτιλόχευτος ἐνὶ στροφάλιγγι κονίης
ἠερόθεν προκάρηνος ἐπωλίσθησεν ἀρούρῃ·
καὶ μιν ἀφαρπάξασα φίλῳ τυμβεύσατο λαιμῷ,
δαινυμένη φίλα δεῖπνα. καὶ ἀστόργοιο τεκούσης
ταρβαλέη τέκος ἄλλο λεχωίδος ἥρπασεν Αὔρης   925
παρθένος ἰοχέαιρα, διαστείχουσα δὲ λόχμην
παιδοκόμῳ κούφιζεν ἀήθεϊ κοῦρον ἀγοστῷ.

father, you are none of mine—what have I to do with the sorrows of women ? Show yourselves now, lions, come freely to forage in the woods ; have no fear, for Aura is your enemy no more. Hares with your rolling eyes, you are better than hounds. Jackals, let me be your favourite ; I will watch the panther jumping fearless beside my bed. Bring your friend the bear without fear ; for now that Aura has children her arrows in bronze armour have become womanish. I am ashamed to have the name of bride who once was virgin ; lest I sometime offer my strong breast to babes, lest I press out the bastard milk with my hand, or be called tender mother in the woods where I slew wild beasts ! "

910 [She took the babes and] laid them in the den of a lioness for her dinner. But a panther with understanding mind licked their bodies with her ravening lips, and nursed the beautiful boys of Dionysos with intelligent breast ; wondering serpents with poisonspitting mouth surrounded the birthplace, for Aura's bridegroom had made even the ravening beasts gentle to guard his new-born children.

917 Then Lelantos's daughter sprang up with wandering foot in the wild temper of a shaggycrested lioness, tore one child from the wild beast's jaws and hurled it like a flash into the stormy air : the newborn child fell from the air headlong into the whirling dust upon the ground, and she caught him up and gave him a tomb in her own maw—a family dinner indeed! The maiden Archeress was terrified at this heartless mother, and seized the other child of Aura, then she hastened away through the wood ; holding the boy, an unfamiliar burden in her nursing arm.

Καὶ Βρομίου μετὰ λέκτρα,
             μετὰ στροφάλιγγα λοχείης
μῶμον ἀλυσκάζουσα γαμήλιον ἀγρότις Αὔρη,
ἀρχαίης μεθέπουσα σέβας φιλοπάρθενον αἰδοῦς,   930
Σαγγαρίου σχεδὸν ἦλθεν· ὀπισθοτόνῳ δ' ἅμα τόξῳ
εἰς προχοὰς ἀκόμιστον ἑὴν ἔρριψε φαρέτρην,
καὶ βυθίῳ προκάρηνος ἐπεσκίρτησε ῥεέθρῳ
ὄμμασιν αἰδομένοισιν ἀναινομένη φάος Ἠοῦς,
καὶ ῥοθίοις ποταμοῖο καλύπτετο· τὴν δὲ Κρονίων 935
εἰς κρήνην μετάμειψεν· ὀρεσσιχύτοιο δὲ πηγῆς
μαζοὶ κρουνὸς ἔην, προχοὴ δέμας, ἄνθεα χαῖται,
καὶ κέρας ἔπλετο τόξον ἐυκραίρου ποταμοῖο
ταυροφυές, καὶ σχοῖνος ἀμειβομένη πέλε νευρή,
καὶ δόνακες γεγαῶτες ἐπερροίζησαν ὀιστοί,   940
καὶ βυθὸν ἰλυόεντα διεσσυμένη ποταμοῖο
εἰς γλαφυρὸν κευθμῶνα χυτὴ κελάρυζε φαρέτρη.

Καὶ χόλον ἰοχέαιρα κατεύνασεν· ἀμφὶ δὲ λόχμῃ
ἴχνια μαστεύουσα φιλοσκοπέλοιο Λυαίου
ᾔει, ἀρτιλόχευτον ἀειρομένη βρέφος Αὔρης,   945
πήχεϊ κουφίζουσα νόθον βάρος· αἰδομένη δὲ
ὤπασεν ἄρσενα παῖδα κασιγνήτῳ Διονύσῳ.

Νικαίη δ' ἑὸν υἷα πατὴρ πόρε, μαιάδι νύμφῃ·
ἡ δέ μιν ἤρταζε, καὶ ἀκροτάτης ἀπὸ θηλῆς
παιδοκόμων θλίβουσα φερέσβιον ἰκμάδα μαζῶν 950
κοῦρον ἀνηέξησε. λαβὼν δέ μιν ὑψόθι δίφρου
νήπιον εἰσέτι Βάκχον ἐπώνυμον υἷα τοκῆος
Ἀτθίδι μυστιπόλῳ παρακάτθετο Βάκχος Ἀθήνῃ,
Εὔια παππάζοντα· θεὰ δέ μιν ἔνδοθι νηοῦ
Παλλὰς ἀνυμφεύτῳ θεοδέγμονι δέξατο κόλπῳ· 955
παιδὶ δὲ μαζὸν ὄρεξε, τὸν ἔσπασε μοῦνος Ἐρεχθεύς,
αὐτοχύτῳ στάζοντα νόθον γλάγος ὄμφακι μαζῷ.

928 After the bed of Bromios, after the delirium of childbirth, huntress Aura would escape the reproach of her wedding, for she still held in reverence the modesty of her maiden state. So she went to the banks of Sangarios, threw into the water her backbending bow and her neglected quiver, and leapt headlong into the deep stream, refusing in shame to let her eyes look on the light of day. The waves of the river covered her up, and Cronion turned her into a fountain : her breasts became the spouts of falling water, the stream was her body, the flowers her hair, her bow the horn of the horned River in bull-shape, the bowstring changed into a rush and the whistling arrows into vocal reeds, the quiver passed through to the muddy bed of the river and, changed to a hollow channel, poured its sounding waters.

943 Then the Archeress stilled her anger. She went about the forest seeking for traces of Lyaios in his beloved mountains, while she held Aura's newborn babe, carrying in her arms another's burden, until shamefast she delivered his boy to Dionysos her brother.

948 The father gave charge of his son to Nicaia the nymph as a nurse. She took him, and fed the boy, pressing out the lifegiving juice of her childnursing breasts from her teat, until he grew up. While the boy was yet young, Bacchos took into his car this Bacchos his father's namesake, and presented him to Attic Athena amid her mysteries, babbling " Euoi." Goddess Pallas in her temple received him into her maiden bosom, which had welcome for a god ; she gave the boy that pap which only Erechtheus had sucked, and let the alien milk trickle of itself from

καί μιν Ἐλευσινίῃσι θεὰ παρακάτθετο Βάκχαις·
ἀμφὶ δὲ κοῦρον Ἴακχον ἐκυκλώσαντο χορείῃ
νύμφαι κισσοφόροι Μαραθωνίδες, ἀρτιτόκῳ δὲ   960
δαίμονι νυκτιχόρευτον ἐκούφισαν Ἀτθίδα πεύκην·
καὶ θεὸν ἱλάσκοντο μεθ᾽ υἱέα Περσεφονείης,
καὶ Σεμέλης μετὰ παῖδα, θυηπολίας δὲ Λυαίῳ
ὀψιγόνῳ στήσαντο καὶ ἀρχεγόνῳ Διονύσῳ,
καὶ τριτάτῳ νέον ὕμνον ἐπεσμαράγησαν Ἰάκχῳ.   965
καὶ τελεταῖς τρισσῇσιν ἐβακχεύθησαν Ἀθῆναι·
καὶ χορὸν ὀψιτέλεστον ἀνεκρούσαντο πολῖται
Ζαγρέα κυδαίνοντες ἅμα Βρομίῳ καὶ Ἰάκχῳ.

    Οὐδὲ Κυδωναίων ἐπελήσατο Βάκχος Ἐρώτων,
ἀλλὰ καὶ ὀλλυμένης προτέρης ἐμνήσατο νύμφης·   970
καὶ Στέφανον περίκυκλον ἀποιχομένης Ἀριάδνης
μάρτυν ἑῆς φιλότητος ἀνεστήριξεν Ὀλύμπῳ,
ἄγγελον οὐ λήγοντα φιλοστεφάνων ὑμεναίων.

    Καὶ θεὸς ἀμπελόεις πατρώιον αἰθέρα βαίνων
πατρὶ σὺν εὐώδινι μιῆς ἔψαυσε τραπέζης,   975
καὶ βροτέην μετὰ δαῖτα, μετὰ προτέρην χύσιν οἴνου
οὐράνιον πίε νέκταρ ἀρειοτέροισι κυπέλλοις,
σύνθρονος Ἀπόλλωνι, συνέστιος υἱέι Μαίης.

her unripe breast. The goddess gave him in trust to the Bacchants of Eleusis; the wives of Marathon wearing ivy tript around the boy Iacchos, and lifted the Attic torch in the nightly dances of the deity lately born. They honoured him as a god next after the son of Persephoneia, and after Semele's son; they established sacrifices for Dionysos late born and Dionysos first born, and third they chanted a new hymn for Iacchos.[a] In these three celebrations Athens held high revel; in the dance lately made, the Athenians beat the step in honour of Zagreus and Bromios and Iacchos all together.

969 But Bacchos had not forgotten his Cydonian darling, no, he remembered still the bride once his, then lost, and he placed in Olympos the rounded crown of Ariadne passed away, a witness of his love, an everlasting proclaimer of garlanded wedding.

974 Then the vinegod ascended into his father's heaven, and touched one table with the father who had brought him to birth; after the banquets of mortals, after the wine once poured out, he quaffed heavenly nectar from nobler goblets, on a throne beside Apollo, at the hearth beside Maia's son.

[a] An Eleusinian deity, associated with Demeter and Core. It is to Nonnos's credit that he seems uncertain of the popular identification of this god with Bacchos-Dionysos.

her unripe breast. The goddess gave him in trust to the Bacchants of Eleusis; the wives of Marathon wearing ivy trip around the boy Iacchos, and lifted the Attic torch in the nightly dances of the deity lately born. They honoured him as a god next after the son of Persephoneia, and after Semele's son; they established sacrifices for Dionysos late born and Dionysos first born, and third they chanted a new hymn for Iacchos. In these three celebrations Athens held high revel; in the dance lately made the Athenians beat the step in honour of Zagreus and Bromios and Iacchos all together.

But Bacchos had not forgotten his Cydonian darling, no, he remembered still the bride once his, then lost, and he placed in Olympos the rounded crown of Ariadne passed away, a witness of his love, an everlasting proclaimer of unhanded wedding.

Then the vanished ascended into his father's heaven, and touched one table with the father who had brought him to birth; after the banquets of mortals, after the wine once poured out, he quaffed heavenly nectar from nobler goblets, on a throne beside Apollo, at the hearth beside Maia's son.

a An Eleusinian deity, associated with Demeter and Core.
b Iacchos-Nonnos' credit that he seems uncertain of the popular identification of this god with Bacchos-Dionysos.

INDEX

The numbers are by Book and Verse: n. *means note*

495

INDEX

INDEX

497

INDEX

INDEX

INDEX

INDEX

INDEX

505

INDEX

INDEX

INDEX

19[189], and Nisos 25[148] n. etc.

Mirror-stratagem 6[173] n.

Mithras 21[250], 40[460]

Mnemosyne 31[168] n., mother of the nine Muses by Zeus

Modaios 32[165], 40[236]

Moira, Moirai 1[367], 2[679] etc.

Moleneus 32[188]

Molorcos 17[52]

Moon and bulls 1[98] n., as Isis-Hathor 1[219] n., motherless 40[375] n., makes plants grow 7[303] n.

Moonstone 5[162] n.

Moria's story 25[404] n.

Morrheus 26[72] ff., 30[13] ff., 33, 34, 35, 36, 40 etc.

Muse, Muses 1[11], 15[70] etc. *See* Mnemosyne

Musical modes 12[149] n.

Mycale 13[563]

Mycalessos 13[77]

Mycenae 48[556]

Mycene 31[259] etc., nymph 41[267]

Mygdonia 1[153], 13[568] etc.

Myrina, a city of Lemnos 3[133] n.

Myrmex 13[397]

Myrmidon 13[206], 37[611]

Myrrha 2[151] n. etc.

Myrsos 26[256]

Myrtilos 20[160] n., 33[293] n.

Naiad 2[57] etc.

Names of Bassarids, nymphs, satyrs etc. 14[106] n., 14[228] n., 21[69] n., 29[234] n.

Napaios 14[107]

Narcissos 10[215], 11[323], 15[353] n., 48[581]

Necklace described 5[145] n.

Nemea 25[213]

Nemesis 15[413], 16[264], 37[423], 48[375] n.

Nephele 5[556], 8[384], 9[304], 10[97]

Nereïd 1[103] etc.

Nereus 1[64] etc.

Nesaia 26[88]

Nicaia 15[171], 16[5] ff. etc.

Nicaia city 16[404]

Nicê 2[205] ff. etc.

Niobe 2[159] n., 12[79] n. etc.

Niobe of Argos, first earthly love of Zeus 32[67] n.

Nisa 13[79], 25[155]

Nodaian Zeus 13[236] n.

Nodding backwards to refuse 22[377] n.

Nomeion 14[192]

Nomios Aristaios 5[215] etc.

Nonnos, authors imitated by, vol. i. p. xxiii

Nysa, mount 48[33], Arabian 21[102]

Nyse 29[272]

Oanos 13[471]

Obrimos 13[514]

Ocalea 13[58]

Oceanos, *passim*

Ocynoë 14[223]

Ocythoös 13[144] etc.

Odysseus 13[110]

Ogygos 3[205] n., *cf.* 12[9], 13[164]

Ogyros 13[417]

Oiagros 22[168] n. etc.

Oinanthe 14[225]

Oineus 43[54]

Oinomaos 11[271] n., 19[153], 20[154] n. etc.

Oinone 13[182], 29[253], 43[63]

Oinopion 43[60]

INDEX

511

INDEX

INDEX

INDEX

she bore Zeus 13[292] n.,
prophecy 36[414]
Rhesos 31[93]
Rhigbasos 26[249]
Rhine 43[410], a judge of
bastards 23[94] n., 46[56] n.
Rhipe 13[290]
Rhiphonos 14[189]
Rhode 14[223]
Rhodes 14[47]
Rhodoë 26[50]
Rhodope 32[53]
Rhyndacis 15[373], 48[242]
Rhytion 13[235]
Roman civilization, Nonnos's
faith, vol. i. p. xvii
Rome 41[366], [390]
Rufinus imitated 12[239] n.

Sabeiroi 26[91]
Sacai 26[340]
St. Paul 38[54] n.
Salamis 13[463]
Salangoi 26[61], 30[312]
Salmoneus 28[184] n.
Samos 3[39] etc.
Samothracian gods 13[393] n.
Sandes Heracles 34[192] n.
Sangarios 12[130] n., 13[519], [531],
14[270], 27[36], 48[327], [694], [931]
Saocë 13[397] n.
Sarapis 40[399]
Sardis 13[467], 41[86], [88], [356],
43[292]
Satyros, Satyroi, *passim*
Sauromates 23[86]
Scelmis 14[39], 21[196] n., 37[164]
ff. etc.
Schoineus 9[314]
Schoinos 13[63]
Scirtos 14[111]
Scolon 13[61]

Scorpion 4[339], 6[241], 38[265], [373],
42[286]
Scylla 18[247], 25[161], 42[409]
Scythia 13[246], 40[24], [291]
Sea-purple 20[102] n.
Sebes 28[99]
Sebeus 32[225]
Seilene 14[223]
Seilenos 10[159], later books
passim
Seiren 2[11], 13[313], 22[12]
Seirios 5[276], 12[289], 13[282], 16[200],
43[171], 47[261]
Selene, moon, *passim*
Semele and her sisters 5[190]
ff., her dream 7[136] ff.,
bridal 7[319], her prizes 8[270],
birth of Bacchos 8[396]
Seriphos 47[553], [651]
Sesindion 26[55]
Sestos 13[444]
Setrachos 13[459]
Sibai 26[218]
Sicily, Sicilian 2[395], 37[482]
etc.
Sidon 1[46], 9[99] etc.
Simoeis 3[346], 23[221]
Sinews of Zeus 1[511] n.
Siphnos 13[181]
Sipylos 12[79] etc.
Siris 13[163]
Sithon 48[92] n.
Sneeze, an omen 13[82] n.
Socos and Combe, legend
given first by Nonnos 13[147],
n.
Soë 30[222]
Soloi 13[447]
Solon 41[165], [273], [383]
Sophocles alluded to 43[15] n.,
imitated 17[271] n.
Sose, loved by Hermes 14[89]

514

INDEX

515

INDEX

INDEX

Printed in Great Britain by R. & R. CLARK, LIMITED, *Edinburgh*

THE LOEB CLASSICAL
LIBRARY

VOLUMES ALREADY PUBLISHED

LATIN AUTHORS

AMMIANUS MARCELLINUS. J. C. Rolfe. 3 Vols.

APULEIUS: THE GOLDEN ASS (METAMORPHOSES). W. Adlington (1566). Revised by S. Gaselee.

ST. AUGUSTINE: CITY OF GOD. 7 Vols. Vol. I. G. E. McCracken. Vol. VI. W. C. Greene.

ST. AUGUSTINE, CONFESSIONS OF. W. Watts (1631). 2 Vols.

ST. AUGUSTINE: SELECT LETTERS. J. H. Baxter.

AUSONIUS. H. G. Evelyn White. 2 Vols.

BEDE. J. E. King. 2 Vols.

BOETHIUS: TRACTS AND DE CONSOLATIONE PHILOSOPHIAE. Rev. H. F. Stewart and E. K. Rand.

CAESAR: ALEXANDRIAN, AFRICAN AND SPANISH WARS. A. G. Way.

CAESAR: CIVIL WARS. A. G. Peskett.

CAESAR: GALLIC WAR. H. J. Edwards.

CATO AND VARRO: DE RE RUSTICA. H. B. Ash and W. D. Hooper.

CATULLUS. F. W. Cornish; TIBULLUS. J. B. Postgate; and PERVIGILIUM VENERIS. J. W. Mackail.

CELSUS: DE MEDICINA. W. G. Spencer. 3 Vols.

CICERO: BRUTUS AND ORATOR. G. L. Hendrickson and H. M. Hubbell.

CICERO: DE FINIBUS. H. Rackham.

CICERO: DE INVENTIONE, etc. H. M. Hubbell.

CICERO: DE NATURA DEORUM AND ACADEMICA. H. Rackham.

1

THE LOEB CLASSICAL LIBRARY

CICERO: DE OFFICIIS. Walter Miller.

CICERO: DE ORATORE, etc. 2 Vols. Vol. I: DE ORATORE, Books I and II. E. W. Sutton and H. Rackham. Vol. II: DE ORATORE, Book III; DE FATO; PARADOXA STOICORUM; DE PARTITIONE ORATORIA. H. Rackham.

CICERO: DE REPUBLICA, DE LEGIBUS, SOMNIUM SCIPIONIS. Clinton W. Keyes.

CICERO: DE SENECTUTE, DE AMICITIA, DE DIVINATIONE. W. A. Falconer.

CICERO: IN CATILINAM, PRO MURENA, PRO SULLA, PRO FLACCO. Louis E. Lord.

CICERO: LETTERS TO ATTICUS. E. O. Winstedt. 3 Vols.

CICERO: LETTERS TO HIS FRIENDS. W. Glynn Williams. 3 Vols.

CICERO: PHILIPPICS. W. C. A. Ker.

CICERO: PRO ARCHIA, POST REDITUM, DE DOMO, DE HARUSPICUM RESPONSIS, PRO PLANCIO. N. H. Watts.

CICERO: PRO CAECINA, PRO LEGE MANILIA, PRO CLUENTIO, PRO RABIRIO. H. Grose Hodge.

CICERO: PRO CAELIO, DE PROVINCIIS CONSULARIBUS, PRO BALBO. R. Gardner.

CICERO: PRO MILONE, IN PISONEM, PRO SCAURO, PRO FONTEIO, PRO RABIRIO POSTUMO, PRO MARCELLO, PRO LIGARIO, PRO REGE DEIOTARO. N. H. Watts.

CICERO: PRO QUINCTIO, PRO ROSCIO AMERINO, PRO ROSCIO COMOEDO, CONTRA RULLUM. J. H. Freese.

CICERO: PRO SESTIO, IN VATINIUM. R. Gardner.

[CICERO]: RHETORICA AD HERENNIUM. H. Caplan.

CICERO: TUSCULAN DISPUTATIONS. J. E. King.

CICERO: VERRINE ORATIONS. L. H. G. Greenwood. 2 Vols.

CLAUDIAN. M. Platnauer. 2 Vols.

COLUMELLA: DE RE RUSTICA; DE ARBORIBUS. H. B. Ash, E. S. Forster, E. Heffner. 3 Vols.

CURTIUS, Q.: HISTORY OF ALEXANDER. J. C. Rolfe. 2 Vols.

FLORUS. E. S. Forster: and CORNELIUS NEPOS. J. C. Rolfe.

FRONTINUS: STRATAGEMS AND AQUEDUCTS. C. E. Bennett and M. B. McElwain.

FRONTO: CORRESPONDENCE. C. R. Haines. 2 Vols.

GELLIUS. J. C. Rolfe. 3 Vols.

HORACE: ODES AND EPODES. C. E. Bennett.

HORACE: SATIRES, EPISTLES, ARS POETICA. H. R. Fairclough.

JEROME: SELECT LETTERS. F. A. Wright.

JUVENAL AND PERSIUS. G. G. Ramsay.

2

THE LOEB CLASSICAL LIBRARY

LIVY. B. O. Foster, F. G. Moore, Evan T. Sage, A. C.
Schlesinger and R. M. Geer (General Index). 14 Vols.

LUCAN. J. D. Duff.

LUCRETIUS. W. H. D. Rouse.

MARTIAL. W. C. A. Ker. 2 Vols.

MINOR LATIN POETS: from PUBLILIUS SYRUS to RUTILIUS
NAMATIANUS, including GRATTIUS, CALPURNIUS SICULUS,
NEMESIANUS, AVIANUS, with " Aetna," " Phoenix " and
other poems. J. Wight Duff and Arnold M. Duff.

OVID: THE ART OF LOVE AND OTHER POEMS. J. H. Mozley.

OVID: FASTI. Sir James G. Frazer.

OVID: HEROIDES AND AMORES. Grant Showerman.

OVID: METAMORPHOSES. F. J. Miller. 2 Vols.

OVID: TRISTIA AND EX PONTO. A. L. Wheeler.

PETRONIUS. M. Heseltine: SENECA: APOCOLOCYNTOSIS.
W. H. D. Rouse.

PLAUTUS. Paul Nixon. 5 Vols.

PLINY: LETTERS. Melmoth's translation revised by W. M. L.
Hutchinson. 2 Vols.

PLINY: NATURAL HISTORY. 10 Vols. Vols. I-V and IX.
H. Rackham. Vols. VI-VIII. W. H. S. Jones. Vol.
X. D. E. Eichholz.

PROPERTIUS. H. E. Butler.

PRUDENTIUS. H. J. Thomson. 2 Vols.

QUINTILIAN. H. E. Butler. 4 Vols.

REMAINS OF OLD LATIN. E. H. Warmington. 4 Vols.
Vol. I (Ennius and Caecilius). Vol. II (Livius, Naevius,
Pacuvius, Accius). Vol. III (Lucilius, Laws of the XII
Tables). Vol. IV (Archaic Inscriptions).

SALLUST. J. C. Rolfe.

SCRIPTORES HISTORIAE AUGUSTAE. D. Magie. 3 Vols.

SENECA: APOCOLOCYNTOSIS. Cf. PETRONIUS.

SENECA: EPISTULAE MORALES. R. M. Gummere. 3 Vols.

SENECA: MORAL ESSAYS. J. W. Basore. 3 Vols.

SENECA: TRAGEDIES. F. J. Miller. 2 Vols.

SIDONIUS: POEMS AND LETTERS. W. B. Anderson. 2 Vols.

SILIUS ITALICUS. J. D. Duff. 2 Vols.

STATIUS. J. H. Mozley. 2 Vols.

SUETONIUS. J. C. Rolfe. 2 Vols.

TACITUS: DIALOGUS. Sir Wm. Peterson: and AGRICOLA
AND GERMANIA. Maurice Hutton.

TACITUS: HISTORIES AND ANNALS. C. H. Moore and J.
Jackson. 4 Vols.

3

THE LOEB CLASSICAL LIBRARY

TERENCE. John Sargeaunt. 2 Vols.
TERTULLIAN : APOLOGIA AND DE SPECTACULIS. T. R. Glover;
  MINUCIUS FELIX. G. H. Rendall.
VALERIUS FLACCUS. J. H. Mozley.
VARRO : DE LINGUA LATINA. R. G. Kent. 2 Vols.
VELLEIUS PATERCULUS AND RES GESTAE DIVI AUGUSTI. F. W.
  Shipley.
VIRGIL. H. R. Fairclough. 2 Vols.
VITRUVIUS : DE ARCHITECTURA. F. Granger. 2 Vols.

GREEK AUTHORS

ACHILLES TATIUS. S. Gaselee.
AELIAN : ON THE NATURE OF ANIMALS. A. F. Scholfield.
  3 Vols.
AENEAS TACTICUS, ASCLEPIODOTUS AND ONASANDER. The
  Illinois Greek Club.
AESCHINES. C. D. Adams.
AESCHYLUS. H. Weir Smyth. 2 Vols.
ALCIPHRON, AELIAN AND PHILOSTRATUS : LETTERS. A. R.
  Benner and F. H. Fobes.
APOLLODORUS. Sir James G. Frazer. 2 Vols.
APOLLONIUS RHODIUS. R. C. Seaton.
THE APOSTOLIC FATHERS. Kirsopp Lake. 2 Vols.
APPIAN'S ROMAN HISTORY. Horace White. 4 Vols.
ARATUS. Cf. CALLIMACHUS.
ARISTOPHANES. Benjamin Bickley Rogers. 3 Vols. Verse
  trans.
ARISTOTLE : ART OF RHETORIC. J. H. Freese.
ARISTOTLE : ATHENIAN CONSTITUTION, EUDEMIAN ETHICS,
  VIRTUES AND VICES. H. Rackham.
ARISTOTLE : GENERATION OF ANIMALS. A. L. Peck.
ARISTOTLE : METAPHYSICS. H. Tredennick. 2 Vols.
ARISTOTLE : METEOROLOGICA. H. D. P. Lee.
ARISTOTLE : MINOR WORKS. W. S. Hett. " On Colours,"
  " On Things Heard," " Physiognomics," " On Plants,"
  " On Marvellous Things Heard," " Mechanical Problems,"
  " On Indivisible Lines," " Situations and Names of
  Winds," " On Melissus, Xenophanes, and Gorgias."
ARISTOTLE : NICOMACHEAN ETHICS. H. Rackham.

4

THE LOEB CLASSICAL LIBRARY

THE LOEB CLASSICAL LIBRARY

Dio Chrysostom. 5 Vols. Vols. I and II. J. W. Cohoon. Vol III. J. W. Cohoon and H. Lamar Crosby. Vols. IV and V. H. Lamar Crosby.

Diodorus Siculus. 12 Vols. Vols. I-VI. C. H. Oldfather. Vol. VII. C. L. Sherman. Vol. VIII. C. B. Welles. Vols. IX and X. Russel M. Geer. Vol. XI. F. R. Walton.

Diogenes Laertius. R. D. Hicks. 2 Vols.

Dionysius of Halicarnassus : Roman Antiquities. Spelman's translation revised by E. Cary. 7 Vols.

Epictetus. W. A. Oldfather. 2 Vols.

Euripides. A. S. Way. 4 Vols. Verse trans.

Eusebius : Ecclesiastical History. Kirsopp Lake and J. E. L. Oulton. 2 Vols.

Galen : On the Natural Faculties. A. J. Brock.

The Greek Anthology. W. R. Paton. 5 Vols.

The Greek Bucolic Poets (Theocritus, Bion, Moschus). J. M. Edmonds.

Greek Elegy and Iambus with the Anacreontea. J. M. Edmonds. 2 Vols.

Greek Mathematical Works. Ivor Thomas. 2 Vols.

Herodes. *Cf.* Theophrastus : Characters.

Herodotus. A. D. Godley. 4 Vols.

Hesiod and the Homeric Hymns. H. G. Evelyn White.

Hippocrates and the Fragments of Heracleitus. W. H. S. Jones and E. T. Withington. 4 Vols.

Homer : Iliad. A. T. Murray. 2 Vols.

Homer : Odyssey. A. T. Murray. 2 Vols.

Isaeus. E. S. Forster.

Isocrates. George Norlin and LaRue Van Hook. 3 Vols.

St. John Damascene : Barlaam and Ioasaph. Rev. G. R. Woodward and Harold Mattingly.

Josephus. 9 Vols. Vols. I-IV. H. St. J. Thackeray. Vol. V. H. St. J. Thackeray and Ralph Marcus. Vols. VI and VII. Ralph Marcus. Vol. VIII. Ralph Marcus and Allen Wikgren.

Julian. Wilmer Cave Wright. 3 Vols.

Longus : Daphnis and Chloe. Thornley's translation revised by J. M. Edmonds ; and Parthenius. S. Gaselee.

Lucian. 8 Vols. Vols. I-V. A. M. Harmon ; Vol. VI. K. Kilburn ; Vol. VII. M. D. Macleod.

Lycophron. *Cf.* Callimachus.

Lyra Graeca. J. M. Edmonds. 3 Vols.

Lysias. W. R. M. Lamb.

THE LOEB CLASSICAL LIBRARY

MANETHO. W. G. Waddell. PTOLEMY: TETRABIBLOS. F. E. Robbins.

MARCUS AURELIUS. C. R. Haines.

MENANDER. F. G. Allinson.

MINOR ATTIC ORATORS. 2 Vols. K. J. Maidment and J. O. Burtt.

NONNOS: DIONYSIACA. W. H. D. Rouse. 3 Vols.

OPPIAN, COLLUTHUS, TRYPHIODORUS. A. W. Mair.

PAPYRI. NON-LITERARY SELECTIONS. A. S. Hunt and C. C. Edgar. 2 Vols. LITERARY SELECTIONS (Poetry). D. L. Page.

PARTHENIUS. *Cf.* LONGUS.

PAUSANIAS: DESCRIPTION OF GREECE. W. H. S. Jones. 5 Vols. and Companion Vol. arranged by R. E. Wycherley.

PHILO. 10 Vols. Vols. I-V. F. H. Colson and Rev. G. H. Whitaker; Vols. VI-X. F. H. Colson; General Index. Rev. J. W. Earp.
Two Supplementary Vols. Translation only from an Armenian Text. Ralph Marcus.

PHILOSTRATUS: IMAGINES: CALLISTRATUS: DESCRIPTIONS. A. Fairbanks.

PHILOSTRATUS: THE LIFE OF APOLLONIUS OF TYANA. F. C. Conybeare. 2 Vols.

PHILOSTRATUS AND EUNAPIUS: LIVES OF THE SOPHISTS. Wilmer Cave Wright.

PINDAR. Sir J. E. Sandys.

PLATO: CHARMIDES, ALCIBIADES, HIPPARCHUS, THE LOVERS, THEAGES, MINOS AND EPINOMIS. W. R. M. Lamb.

PLATO: CRATYLUS, PARMENIDES, GREATER HIPPIAS, LESSER HIPPIAS. H. N. Fowler.

PLATO: EUTHYPHRO, APOLOGY, CRITO, PHAEDO, PHAEDRUS. H. N. Fowler.

PLATO: LACHES, PROTAGORAS, MENO, EUTHYDEMUS. W. R. M. Lamb.

PLATO: LAWS. Rev. R. G. Bury. 2 Vols.

PLATO: LYSIS, SYMPOSIUM, GORGIAS. W. R. M. Lamb.

PLATO: REPUBLIC. Paul Shorey. 2 Vols.

PLATO: STATESMAN. PHILEBUS. H. N. Fowler: ION. W. R. M. Lamb.

PLATO: THEAETETUS AND SOPHIST. H. N. Fowler.

PLATO: TIMAEUS, CRITIAS, CLITOPHO, MENEXENUS, EPISTULAE. Rev. R. G. Bury.

PLUTARCH: MORALIA. 15 Vols. Vols. I-V. F. C. Babbitt;

THE LOEB CLASSICAL LIBRARY

Vol. VI. W. C. Helmbold; Vol. VII. P. H. De Lacy and
B. Einarson; Vol. IX. E. L. Minar, Jr., F. H. Sandbach,
W. C. Helmbold; Vol. X. H. N. Fowler; Vol. XII. H.
Cherniss and W. C. Helmbold.

PLUTARCH: THE PARALLEL LIVES. B. Perrin. 11 Vols.

POLYBIUS. W. R. Paton. 6 Vols.

PROCOPIUS: HISTORY OF THE WARS. H. B. Dewing. 7 Vols.

PTOLEMY: TETRABIBLOS. *Cf.* MANETHO.

QUINTUS SMYRNAEUS. A. S. Way. Verse trans.

SEXTUS EMPIRICUS. Rev. R. G. Bury. 4 Vols.

SOPHOCLES. F. Storr. 2 Vols. Verse trans.

STRABO: GEOGRAPHY. Horace L. Jones. 8 Vols.

THEOPHRASTUS: CHARACTERS. J. M. Edmonds; HERODES,
etc. A. D. Knox.

THEOPHRASTUS: ENQUIRY INTO PLANTS. Sir Arthur Hort.
2 Vols.

THUCYDIDES. C. F. Smith. 4 Vols.

TRYPHIODORUS. *Cf.* OPPIAN.

XENOPHON: CYROPAEDIA. Walter Miller. 2 Vols.

XENOPHON: HELLENICA, ANABASIS, APOLOGY, AND SYMPO-
SIUM. C. L. Brownson and O. J. Todd. 3 Vols.

XENOPHON: MEMORABILIA AND OECONOMICUS. E. C. Mar-
chant.

XENOPHON: SCRIPTA MINORA. E. C. Marchant.

VOLUMES IN PREPARATION

ARISTOTLE: HISTORIA ANIMALIUM (Greek). A. L. Peck.
BABRIUS (Greek) AND PHAEDRUS (Latin). B. E. Perry.
PLOTINUS (Greek). A. H. Armstrong.

DESCRIPTIVE PROSPECTUS ON APPLICATION

CAMBRIDGE, MASS.   LONDON
HARVARD UNIV. PRESS   WILLIAM HEINEMANN LTD